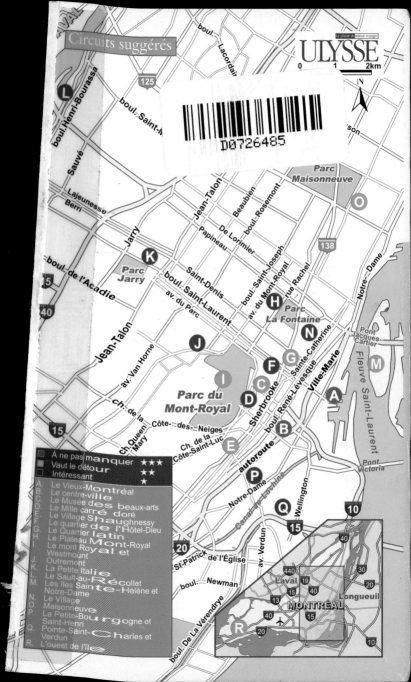

Circuits suggérés

ULYSSE
Le plaisir de mieux voyager

0   1   2km

N

125
boul. Lacordair
boul.-Henri-Bourassa
boul.-Saint-N
Sauvé
Lajeunesse
Berri
Jarry
boul.-de-l'Acadie
15
40
Jean-Talon
Beaubien
boul.-Rosemont
Jean-Talon
De Lorimier
Papineau
138
Parc
Maisonneuve
O

D0726485

L

K
Parc
Jarry
Saint-Denis
boul. Saint-Laurent
av. du Parc
Saint-Denis
boul. Saint-Joseph
boul. du Mont-Royal
rue Rachel
H
Parc
La Fontaine
Notre-Dame
Pont
Jacques-
Cartier

J
av. Van-Horne
I
F **G**
Sainte-Catherine
N
Ville-Marie
M
Fleuve Saint-Laurent
C
D
Sherbrooke
boul. René-Lévesque
A

Parc du
Mont-Royal
ch. de la
Côte-des-Neiges
Ch. Queen
Mary
Ch. de la
Côte-Saint-Luc
E
B
autoroute
Pont
Victoria

15
P
Notre-Dame
Canal-de-Lachine
Wellington
10

20
St-Patrick
de l'Église
Q
av. Verdun

boul. Newman

À ne pas **manquer** ★★★
Vaut le **détour** ★★
Intéressant ★

A. Le Vieux-Montréal
B. Le centre-ville
C. Le Musée des beaux-arts
D. Le Mille carré doré
E. Le Village Shaughnessy
F. Le quartier de l'Hôtel-Dieu
G. Le Quartier latin
H. Le Plateau Mont-Royal
I. Le mont Royal et
   Westmount
J. Outremont
K. La Petite Italie
L. Le Sault-au-Récollet
M. Les îles Sainte-Hélène et
   Notre-Dame
N. Le Village
O. Maisonneuve
P. La Petite-Bourgogne et
   Saint-Henri
Q. Pointe-Saint-Charles et
   Verdun
R. L'ouest de l'île

R
boul. De La Vérendrye

440
Laval
19
40
15
13
MONTRÉAL
40
30
20
Longueuil
15
10
20
40

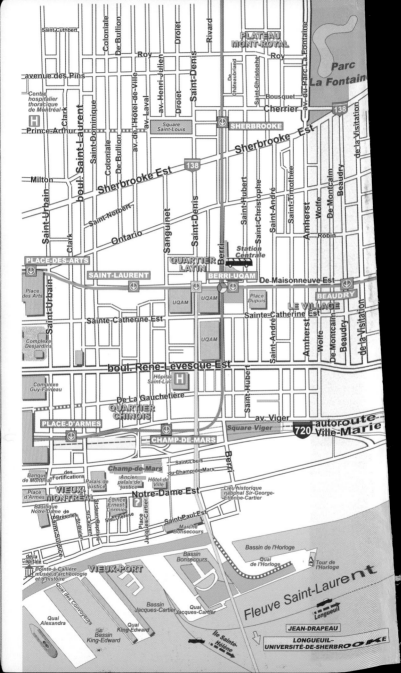

Montréal

9ᵉ édition

Guides de voyage

ULYSSE

Le plaisir de **mieux voyager**

Nos bureaux

Canada: Les Guides de voyage Ulysse, 4176, rue Saint-Denis, Montréal (Québec) H2W 2M5, ☎(514) 843-9447, ⇌(514) 843-9448, info@ulysse.ca, www.guidesulysse.com

Europe: Les Guides de voyage Ulysse SARL, 127, rue Amelot, 75011 Paris, France, ☎01 43 38 89 50, ⇌01 43 38 89 52, voyage@ulysse.ca, www.guidesulysse.com

États-Unis: Ulysses Travel Guides, 305 Madison Avenue, Suite 1166, New York, NY 10165, info@ulysses.ca, www.ulyssesguides.com

Nos distributeurs

Canada: Les Guides de voyage Ulysse, 4176, rue Saint-Denis, Montréal (Québec), H2W 2M5, ☎(514) 843-9882, poste 2232, ⇌(514) 843-9448, www.guidesulysse.com, info@ulysse.ca

Belgique: Interforum Bénélux, 117, boulevard de l'Europe, 1301 Wavre, ☎(010) 42 03 30, ⇌(010) 42 03 52

France: Interforum, 3, allée de la Seine, 94854 Ivry-sur-Seine Cedex, ☎01 49 59 10 10, ⇌01 49 59 10 72

Suisse: Interforum Suisse, ☎(26) 460 80 60, ⇌(26) 460 80 68

Pour tout autre pays, contactez les Guides de voyage Ulysse (Montréal).

Données de catalogage avant publication (Canada) (voir p 4).

Entre le fleuve de Saint-Laurent
et une petite rivière qui s'y décharge...
une prairie fort agréable...
il y avoit... dans la prairie...
tant d'oiseaux de différens ramages et couleurs,
qu'ils étoient fort propres à apprivoiser
nos François en ce pays sauvage.

Histoire du Montréal, 1640-1672
François Dollier de Casson (1636-1701),
sulpicien et seigneur de l'île de Montréal.

Premier historien de Montréal, François Dollier de Casson
rédigea en 1672-1673 son *Histoire du Montréal*,
dont est tirée cette épigraphe révélant le premier
site de Montréal, lequel correspond
aujourd'hui à la Pointe-à-Callière.

Recherche et rédaction
François Rémillard
(Attraits)
Benoit Prieur
(Portrait)
Mise à jour
Julie Brodeur
Pierre Daveluy
Daniel Desjardins
Ambroise Gabriel
Bernadette Hocke
Alain Legault

Correcteur-réviseur
Pierre Daveluy

Adjointes à l'édition
Julie Brodeur
Isabelle Lalonde

Cartographes
Julie Brodeur
Marie-France Denis
Isabelle Lalonde
Collaboration
Bernadette Hocke

Illustrateurs
Vincent Desruisseaux
Myriam Gagné
Lorette Pierson
Marie-Annick Viatour

Photographes
Page couverture
Philippe Renault
Pages intérieures
Philippe Renault
Patrick Escudero

Directeur de production
André Duchesne

Directeur artistique
Patrick Farei (Atoll)

Remerciements
Les Guides de voyage Ulysse reconnaissent l'aide financière du gouvernement du Canada par l'entremise du Programme d'aide au développement de l'industrie de l'édition (PADIÉ) pour ses activités d'édition.

Les Guides de voyage Ulysse tiennent également à remercier le gouvernement du Québec – Programme de crédit d'impôt pour l'édition de livres – Gestion SODEC.

Catalogage avant publication
de la Bibliothèque nationale du Canada

Vedette principale au titre:

Montréal

(Guide de voyage Ulysse)
Comprend un index.

ISSN 1483-2674
ISBN 2-89464-641-0

1. Montréal (Québec) - Guides.   I. Collection.

FC2947.18.M66 2004   917.14'28044   C97-302252-3

Écrivez-nous

Tous les moyens possibles ont été pris pour que les renseignements contenus dans ce guide soient exacts au moment de mettre sous presse. Toutefois, des erreurs peuvent toujours se glisser, des omissions sont toujours possibles, des adresses peuvent disparaître, etc.; la responsabilité de l'éditeur ou des auteurs ne pourrait s'engager en cas de perte ou de dommage qui serait causé par une erreur ou une omission.

Nous apprécions au plus haut point vos commentaires, précisions et suggestions, qui permettent l'amélioration constante de nos publications. Il nous fera plaisir d'offrir un de nos guides aux auteurs des meilleures contributions. Écrivez-nous à l'adresse qui suit, et indiquez le titre qu'il vous plairait de recevoir.

Les Guides de voyage Ulysse
4176, rue Saint-Denis
Montréal (Québec)
Canada H2W 2M5
www.guidesulysse.com
texte@ulysse.ca

Sommaire

Sommaire (suite)

Liste des cartes

Légende des cartes

Symbole	Description	Symbole	Description
✈	Aéroport	H	Hôpital
⊛	Capitale de pays	?	Information touristique
✪	Capitale de province	🏛	Musée
♠	Casino	🚢	Navette fluviale
🚌	Gare d'autocars	🚫	Plage
🧳	Gare ferroviaire	⊕	Station de métro

Tableau des symboles

&#x267f;	Accessible aux personnes à mobilité réduite
≡	Air conditionné
🐕	Animaux domestiques admis
&#x229b;	Baignoire à remous
&#x229d;	Centre de conditionnement physique
🚢	Coup de cœur Ulysse pour les qualités particulières d'un établissement
C	Cuisinette
ℑ	Foyer
pdj	Petit déjeuner inclus dans le prix de la chambre
≈	Piscine
ℝ	Réfrigérateur
ℜ	Restaurant
bc	Salle de bain commune
bp	Salle de bain privée (installations complètes)
△	Sauna
&#x2699;	Spa
≈	Télécopieur
☎	Téléphone
tlj	Tous les jours

Classification des attraits

★	Intéressant
★★	Vaut le détour
★★★	À ne pas manquer

Classification de l'hébergement

Les tarifs mentionnés dans ce guide s'appliquent, sauf indication contraire, à une chambre standard pour deux personnes, en haute saison.

$	moins de 50$
$$	de 50$ à 100$
$$$	de 100$ à 150$
$$$$	de 150$ à 200$
$$$$$	plus de 200$

Classification des restaurants

Les tarifs mentionnés dans ce guide s'appliquent, sauf indication contraire, à un dîner pour une personne, excluant les boissons, les taxes et le service.

$	moins de 15$
$$	de 15$ à 30$
$$$	de 30$ à 60$
$$$$	plus de 60$

Tous les prix mentionnés dans ce guide sont en dollars canadiens.

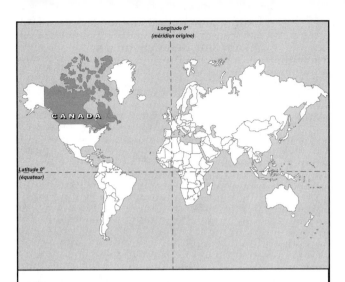

Situation géographique dans le monde

74°O

Montréal 45°N

LE QUÉBEC
Capitale: Québec
Population: 7 500 000 hab.
Superficie: 1 550 000 km²
Monnaie: dollar canadien

MONTRÉAL
Population : 1 800 000 hab.
Superficie : 176,74 km²

Guides de voyage
ULYSSE
Le plaisir de **mieux** voyager
www.guidesulysse.com

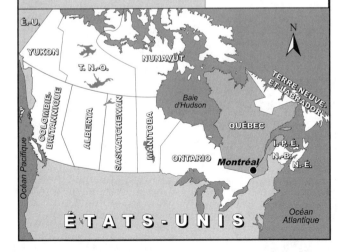

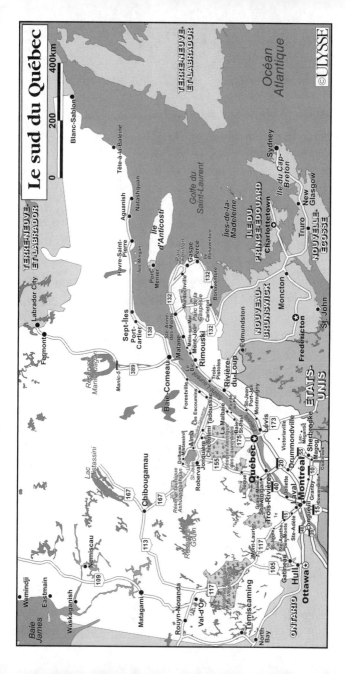

Le sud du Québec

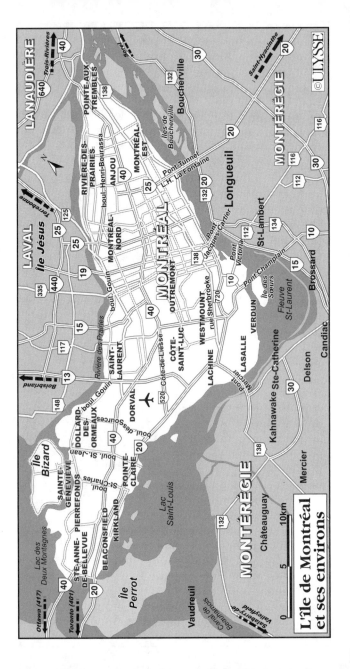

L'île de Montréal et ses environs

Montréal est certes
une ville exceptionnelle! On la dit latine et septentrionale, cosmopolite et bilingue: elle est avant tout la métropole du Québec et la seconde ville francophone du monde après Paris.

Ceux qui la visitent l'apprécient d'ailleurs pour des raisons souvent fort diverses, si bien que, tout en parvenant à étonner les voyageurs d'outre-Atlantique par son caractère anarchique et sa nonchalance, Montréal réussit à charmer les touristes américains par son soi-disant cachet européen.

Il faut dire qu'on y retrouve d'abord ce qu'on y recherche, et assez facilement d'ailleurs, car la ville est bien souvent en équilibre entre plus d'un monde: solidement amarrée à l'Amérique tout en regardant du côté de l'Europe, revendiquée par le Québec et le Canada, et toujours, semble-t-il, en pleine mutation économique, sociale et démographique.

Elle est donc plutôt difficile à cerner, cette ville. D'autant

plus qu'aucun cliché de carte postale ne parvient réellement à en donner une image un tant soit peu honnête. Si Paris possède ses Grands Boulevards et ses places, New York, ses gratte-ciel et sa célèbre statue de la Liberté, qu'est-ce qui symbolise le mieux Montréal? Ses nombreuses et belles églises? Son Stade olympique? Ses somptueuses demeures victoriennes?

En fait, bien que son patrimoine architectural soit riche, on l'aime sans doute d'abord et avant tout pour son atmosphère unique, attachante. De plus, si l'on visite Montréal avec ravissement, c'est avec enivrement qu'on la découvre, car elle est généreuse, accueillante et pas mondaine pour un sou.

En outre, lorsque vient le temps d'y célébrer le jazz, le cinéma, l'humour, la chanson ou la Saint-Jean-Baptiste, c'est par centaines de milliers qu'on envahit ses rues pour faire de ces événements de chaleureuses manifestations populaires. Montréal, une grande ville restée à l'échelle humaine? Certainement. D'ailleurs, derrière les airs de cité nord-américaine que projette sa haute silhouette de verre et de béton, Montréal cache bien mal le fait qu'elle est d'abord une ville de quartiers, de «bouts de rue», qui possèdent leurs propres églises, leurs commerces, leurs restaurants, leurs brasseries, bref, leurs caractères, façonnés au fil des années par l'arrivée

d'une population aux origines très diverses.

Fuyante et mystérieuse, la magie qu'opère Montréal n'en demeure pas moins véritable. Et elle se vit avec passion au jour le jour ou à l'occasion d'une simple visite.

Montréal et son histoire

Pour saisir la place qu'occupe Montréal dans l'histoire du continent américain, il faut avant tout s'attarder aux formidables avantages dont dispose son site. Située sur une île du fleuve Saint-Laurent, la principale voie de pénétration du Nord-Est américain, Montréal s'étend à un endroit où la circulation maritime rencontre un premier obstacle majeur: les rapides de Lachine. Ces rapides, qui bloquent toute navigation, imposent un arrêt obligé à Montréal, à quiconque veut aller plus en amont sur le fleuve.

Du point de vue économique, ce caprice de la géographie a conféré à ce site, tant à l'époque amérindienne que sous les régimes français et britannique, un avantage indéniable: celui d'être le premier lieu de transbordement obligatoire sur le fleuve. La nature a ainsi irrémédiablement choisi la vocation de Montréal, en faisant du site la clef de voûte d'un vaste territoire, et nécessairement un lieu d'échange d'envergure continentale.

Les origines

Avant que l'équilibre régional ne soit rompu par l'arrivée des explorateurs européens, ce qu'on nomme aujourd'hui l'île de Montréal était peuplé d'Amérindiens de la nation iroquoise. Ceux-ci avaient vraisemblablement saisi les possibilités exceptionnelles de cet emplacement, qui leur permettait alors de prospérer en dominant la vallée du Saint-Laurent, à titre d'intermédiaire commercial pour toute la région.

D'abord en 1535, puis en 1541, Jacques Cartier, navigateur malouin au service du roi de France, devient le premier Européen à parcourir ce site. Lors de ces voyages, il en profite pour gravir la montagne occupant le centre de l'île, qu'il baptise «mont Royal». (À la suite de l'analyse des découvertes de Jacques Cartier lors de son voyage en 1535, un Italien, Giovanni Battista Ramusio, né en 1485, publie à Venise, en 1556, *Delle Navigationi et Viaggi*, un ouvrage dans lequel se trouve *La Terra de Hochelaga, Nella Nova Francia*, un plan des environs du mont Royal,

qu'il traduit par *Monte Real*, mots italiens qui allaient donner naissance au toponyme «Montréal» dès le début du XVIIIe siècle.)

Dans son journal de bord, Cartier note également une courte visite qu'il effectue dans un grand village amérindien situé, semble-t-il, sur les flancs de la montagne. Regroupant environ 1 500 Iroquois, ce village est constitué d'une cinquantaine de grandes habitations que protège une haute palissade de bois. Tout autour, on cultive le maïs, les courges et les haricots, qui assurent l'essentiel de l'alimentation de cette population sédentaire. Malheureusement, Cartier ne laisse qu'un témoignage incomplet, et parfois contradictoire, sur cette communauté amérindienne. On ignore donc encore actuellement où s'élevait exactement ce village, de même que le nom par lequel les Amérindiens le désignaient: Hochelaga ou Tutonaguy?

Un autre mystère qui subsiste concerne les raisons de l'étonnante et rapide disparition de ce village à la suite des visites de Cartier. De fait, quelque 70 ans plus tard, en 1603, lorsque Samuel de Champlain parcourt la région, il ne retrouve aucune trace de

la communauté iroquoise ren-
contrée par Jacques Cartier.
L'hypothèse la plus courante
veut que les Amérindiens de
l'île de Montréal aient été victimes, entre-temps, des pressions de rivaux commerciaux,
qui les auraient finalement
évincés de l'île.

Quoi qu'il en soit, Champlain,
le fondateur de la Nouvelle-
France, s'intéresse très tôt au
potentiel du site. Trois années
seulement après la fondation de
la ville de Québec et de la
Nouvelle-France, soit en 1611,
il ordonne le défrichement
d'une aire sur l'île, désignée du
nom de «Place Royale», afin d'y
établir une nouvelle colonie ou
un avant-poste pour la traite
des fourrures.

Ce projet doit cependant être
remis à plus tard, car les Français, alliés aux Algonquins et aux
Hurons, font face aux offensives
de la Confédération des Cinq
Nations iroquoises. Soutenue
par les marchands hollandais de
La Nouvelle-Amsterdam (qui
allait devenir New York), la
Confédération tente de
s'approprier le contrôle exclusif
du commerce des fourrures sur
le continent, au détriment des
Français et de leurs alliés.

La fondation de Montréal sera
donc retardée de plusieurs
années et ne pourra être attribuée aux efforts de Samuel
de Champlain, décédé en
1635.

Ville-Marie (1642-1665)

La traite des fourrures est, à
cette époque, le motif essentiel
qui pousse la France à déployer
des efforts pour coloniser le
Canada. Pourtant, ce n'est
étrangement pas ce lucratif
commerce qui est à l'origine de
la fondation de Montréal.

D'abord baptisé «Ville-Marie»,
son établissement est plutôt
l'œuvre d'un groupe de dévots
français fortement influencés
par les mouvements de renouveau religieux touchant alors
l'Europe et par les récits
qu'avaient faits les jésuites de
leurs séjours en Amérique.
Poussés par l'idéalisme, ils désirent établir une petite colonie
sur l'île dans l'espoir d'y évangéliser les Amérindiens et de
créer une nouvelle société
chrétienne.

Pour mener cette entreprise à
bien, on choisit Paul de Chomedey, sieur de Maisonneuve,
qui sera également désigné
comme gouverneur de la
nouvelle colonie. C'est à la tête
d'une expédition d'une cinquantaine de personnes, dont
Jeanne Mance, que de Maisonneuve aborde les côtes de
l'Amérique en 1641 et qu'il
fonde Ville-Marie en mai de
l'année suivante. Dès le départ,
de grands efforts sont déployés
pour que soient très tôt érigées
les principales institutions sociales et religieuses, qui formeront
le cœur de cette ville. En 1645
commence la construction de

Maisonneuve, fondateur de Montréal

Portrait

La traite des fourrures est, au XVIIe siècle, le motif essentiel qui pousse la France à coloniser le Canada. Pourtant, ce n'est pas ce lucratif commerce qui sera à l'origine de la fondation de Montréal, mais plutôt la conversion des Amérindiens.

Pour mener cette entreprise à bien, on choisit Paul de Chomedey, sieur de Maisonneuve, né en 1612 au sud-est de Paris, qui sera également désigné comme premier gouverneur de la nouvelle colonie. C'est à la tête d'une expédition d'une cinquantaine de personnes, les Montréalistes de la Société Notre-Dame dont fait partie Jeanne Mance, que Maisonneuve quitte la France en mai 1641. Le navire de Jeanne Mance atteint Québec trois mois plus tard, sans graves problèmes.

Maisonneuve ne fut pas aussi chanceux et rencontra de violentes tempêtes. Il arriva si tard que la fondation de Montréal fut remise à l'année suivante. Les Montréalistes passèrent l'hiver à Québec. Le 17 mai 1642, Maisonneuve fonde Ville-Marie, sur l'île de Montréal. Quelques années plus tard, le nom de Montréal supplantera celui de Ville-Marie.

En 1665, le gouverneur de Montréal est rappelé en France indéfiniment. Il quitte ses fonctions et sa ville bien-aimée dans une atmosphère de tristesse. Il se retire alors à Paris, chez les pères de la Doctrine chrétienne, et y meurt en 1676. Il est probablement inhumé dans la chapelle (aujourd'hui disparue) des pères, qui se trouvait aux environs du 17, rue du Cardinal-Lemoine, dans le Ve arrondissement.

Souverainement intelligent, le fondateur de Montréal fut un gentilhomme de vertu et de cœur. Le monument à Paul de Chomedey, sieur de Maisonneuve, érigé en 1895, s'élève sur la place d'Armes, au cœur du Vieux-Montréal.

l'Hôtel-Dieu, cet hôpital dont avait rêvé Jeanne Mance. Quelques années plus tard, la première école est ouverte sous la direction de Marguerite Bourgeoys. Puis, en 1657, s'installent les premiers prêtres du Séminaire de Saint-Sulpice de Paris, qui auront par la suite, et pour longtemps, une influence déterminante sur le développement de la ville. Par contre, le but premier de la fondation de Ville-Marie, la conversion des Amérindiens, doit rapidement être mis de côté; seulement un an après leur arrivée, les Français doivent déjà affronter les Iroquois, qui craignent que la présence des colons ne perturbe le commerce des fourrures.

Très tôt, un état de guerre permanent s'installe, menaçant à plusieurs reprises la survie même de la colonie. Mais finalement, après pratiquement un quart de siècle d'une existence périlleuse, le roi Louis XIV, qui, depuis deux ans, administre lui-même la Nouvelle-France, y envoie des troupes pour en garantir la protection. Dès lors, Ville-Marie, qu'on a déjà pris l'habitude de désigner du nom de Montréal, peut commencer à se tourner vers les richesses du continent.

La traite des fourrures (1665-1760)

À partir de 1665, bien que la hiérarchie ecclésiastique conserve toujours son autorité et que la vocation mystique de la ville persiste dans les esprits, la protection offerte par l'administration royale permet à Montréal de prospérer en tant que centre militaire et commercial.

L'envoi de troupes françaises et la «pacification» des Iroquois qui s'ensuit, surtout à partir de 1701, année de la signature du traité de paix de Montréal, permettent enfin de tirer parti des avantages de la ville en ce qui concerne la traite des fourrures. Montréal étant l'agglomération la plus en amont sur le fleuve, une fois la paix assurée, elle dame aisément le pion à la ville de Québec pour devenir le pivot de ce lucratif commerce.

En outre, à cette époque, la traite des fourrures prend un nouvel élan grâce à de jeunes Montréalais, surnommés «coureurs des bois», qui sont nombreux à quitter la ville pour s'aventurer profondément dans l'arrière-pays, souvent pour plus d'une année, afin de négocier directement avec les fournisseurs autochtones de fourrures. Légalisée dès 1681, cette pratique organisée s'intensifie progressivement, les «coureurs des bois» devenant, pour la plupart, des travailleurs salariés à la solde de grands marchands montréalais. Dans la même foulée, Montréal, située à la porte du continent, devient nécessairement le point de départ d'explorations intensives de l'Amérique du Nord.

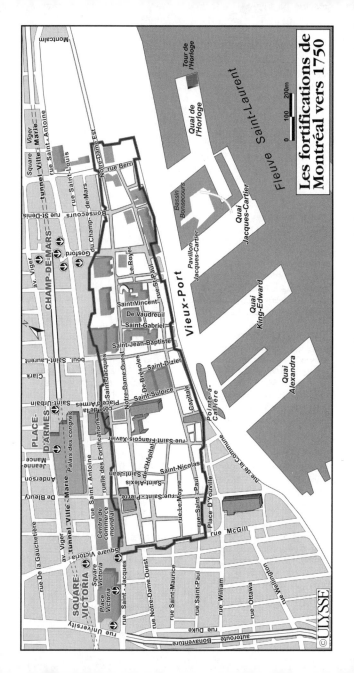

Les fortifications de
Montréal vers 1750

© ULYSSE

0   100   200m

Les expéditions françaises, notamment celles menées par Jolliet, Marquette, La Salle et La Vérendrye, repoussent toujours plus loin les frontières de la Nouvelle-France. À la faveur de ces grandes explorations, un Montréalais d'origine, Pierre Le Moyne d'Iberville, fonde en 1699 une toute nouvelle colonie française, plus au sud, nommée la «Louisiane». De fait, la France revendique à cette époque la plus grande part de ce qui est alors connu de l'Amérique du Nord, un immense territoire lui permettant de contenir l'expansion des colonies anglaises du Sud, beaucoup plus peuplées, entre l'Atlantique et les Appalaches.

Soutenue par l'administration royale, Montréal continue à se développer au long de ces années. Dès 1672, on la dote d'un plan délimitant précisément pour la première fois certaines de ses artères, dont les principales sont la rue Notre-Dame et la rue Saint-Paul. Puis, entre 1717 et 1741, on renforce sa protection en remplaçant la palissade de bois qui l'entoure par une muraille de pierres de plus de 5 m de haut.

La croissance démographique, somme toute assez lente, entraîne néanmoins l'émergence de faubourgs à l'extérieur de l'enceinte à compter des années 1730. Aussi, graduellement, une nette distinction sociale s'établit entre les habitants de ces faubourgs et ceux du centre, où, à la suite d'incendies dévastateurs, seules les constructions en pierre sont autorisées. Le centre de la ville, protégé par ses murailles, est surtout constitué de splendides demeures des membres de la noblesse locale et des riches marchands, ainsi que des institutions religieuses et sociales, alors que les faubourgs sont principalement peuplés d'artisans et de paysans. Bref, dès le milieu du XVIIIe siècle, Montréal a déjà toute l'allure et l'atmosphère d'une paisible petite ville française. Lié au lucratif commerce des fourrures, son avenir semble assuré.

La guerre de Sept Ans, qui fait rage en Europe, entre 1756 et 1763, a toutefois des répercussions colossales en Amérique. Les puissances européennes s'oppressant sur le Vieux Continent, principalement la France et l'Angleterre, luttent également pour le contrôle de l'Amérique. Québec (en 1759) et Montréal (en 1760) tombent alors aux mains de troupes anglaises. Lorsqu'en Europe la guerre se termine, la France, par le traité de Paris, cède officiellement à l'Angleterre le contrôle de la quasi-totalité de ses possessions en Amérique du Nord, signant par là la fin de la Nouvelle-France. Le destin de Montréal et de sa population, qui s'élève alors à 5 733 habitants, s'en trouve irrémédiablement changé.

Des années de transition (1763-1850)

Les premières décennies suivant la Conquête (1760) s'écoulent sous le signe de l'incertitude pour la communauté montréalaise. D'abord, bien qu'un gouvernement civil soit rétabli en 1764, les citoyens de langue française sont officiellement exclus des hautes sphères décisionnelles jusqu'en 1774, alors que le contrôle du commerce des fourrures tombe très vite entre les mains des conquérants, notamment d'un petit groupe de marchands d'origine écossaise.

L'incertitude s'accentue lorsqu'en 1775-1776 la ville est une fois de plus envahie, mais cette fois par des troupes américaines, qui ne restent que quelques mois. La guerre d'Indépendance américaine a toutefois de plus importante conséquence: c'est avec la fin de cette guerre et la défaite britannique qu'arrivent à Montréal et au Canada les premières vagues importantes d'immigrants de langue anglaise, les loyalistes, ces colons américains désirant rester fidèles à la Couronne britannique. Suivent plus tard, à partir de 1815, d'importants contingents provenant des îles Britanniques, particulièrement de l'Irlande, qui est alors durement frappée par la famine. Parallèlement à ces vagues migratoires, la population canadienne-française connaît une croissance démographique remarquable, à la faveur d'un taux de natalité très élevé.

La population de Montréal et du Canada connaît donc une croissance importante, aux effets bénéfiques sur l'économie montréalaise, alors que se resserrent les liens d'interdépendance entre la ville et la campagne. Ainsi, le monde rural, en pleine expansion, surtout dans cette partie du territoire qui allait devenir l'Ontario, constitue désormais un marché suffisamment lucratif pour une foule de produits fabriqués à Montréal. La production agricole du pays, notamment le blé, qui transite obligatoirement par le port de Montréal avant d'être expédié vers la Grande-Bretagne, assure de son côté une croissance des activités portuaires montréalaises. D'ailleurs, dans les années 1820, un vieux rêve est réalisé lorsqu'on inaugure un canal permettant d'éviter les rapides de Lachine.

L'économie montréalaise est déjà, à cette époque, très diversifiée, et elle ne se ressent presque aucunement de l'absorption, en 1821, de la Compagnie du Nord-Ouest, qui représente les intérêts montréalais dans la traite des fourrures, par la Compagnie de la Baie d'Hudson. Longtemps le pivot de son économie, le commerce des fourrures ne devient plus pour Montréal qu'une activité marginale. Au cours des années 1830, Montréal mérite le titre d'agglomération la plus peuplée du

Portrait

pays, surpassant à ce chapitre la ville de Québec. L'arrivée massive de colons de langue anglaise en fait basculer l'équilibre linguistique, et c'est ainsi que pendant 35 ans, à compter de 1831, la population de Montréal sera majoritairement anglophone.

Les groupes ethniques ont d'ailleurs déjà tendance à se regrouper selon un modèle qui persistera longtemps par la suite: les francophones habitent principalement l'est de la ville, les Irlandais, le sud-ouest, et les Anglais et Écossais, l'ouest. La cohabitation sur un même territoire ne se fait toutefois pas sans heurt. Ainsi, lorsque éclatent les rébellions des Patriotes en 1837-1838, Montréal devient le théâtre de violents affrontements opposant les membres du Doric Club, regroupant des Britanniques loyaux, aux Fils de la Liberté, composés de jeunes Canadiens français. C'est d'ailleurs à la suite d'une émeute interethnique, provoquant un incendie qui détruit son parlement, que Montréal perd en 1849 le titre de capitale du Canada-Uni, qu'elle détenait depuis six ans seulement.

Enfin, si le paysage urbain montréalais n'a pas connu d'altérations importantes au cours des premières années du Régime anglais, les années 1840 voient graduellement apparaître des constructions d'inspiration britannique. C'est également à cette époque que les plus riches commerçants de

la ville, principalement des Anglais et des Écossais, quittent peu à peu le quartier Saint-Antoine pour aller s'établir au pied du mont Royal. Ainsi, moins d'un siècle après la Conquête (1760), la présence britannique est désormais un élément incontournable de la dynamique montréalaise, alors que débute une période cruciale du développement de la ville.

Industrialisation et puissance économique (1850-1914)

En raison de l'industrialisation rapide qu'elle connaît au cours des années 1840, laquelle se poursuivra en plusieurs vagues successives, Montréal vit, de la seconde moitié du XIXe siècle jusqu'à la Première Guerre mondiale, la plus forte croissance de son histoire. Elle s'élève dès lors au rang de métropole incontestée du Canada et devient le véritable centre du développement du pays.

L'élargissement du marché interne canadien, d'abord avec la création du Canada-Uni en 1840, puis, surtout avec l'avènement de la Confédération canadienne de 1867, renforce l'industrie montréalaise, dont les produits se substituent de plus en plus aux importations. Les principales forces qui seront longtemps le cœur de l'économie de la ville sont alors les secteurs de la chaussure, du vêtement, du textile, de l'alimentation et des industries lourdes, en particulier le matériel roulant de chemin de fer et les produits du fer et de l'acier. La concentration géographique de ces industries, à proximité des installations portuaires et des voies ferrées, a pour effet de modifier considérablement l'aspect de la ville.

Les abords du canal de Lachine, berceau de la révolution industrielle au Canada, ensuite les quartiers Sainte-Marie et Hochelaga, se couvrent d'usines, puis de résidences bon marché destinées à loger les ouvriers. L'industrialisation de Montréal bénéficie largement de sa position avantageuse, en tant que pôle des systèmes de transport et de communication pour l'ensemble du territoire canadien, une position qu'elle s'efforce d'accentuer tout au long de cette période. Ainsi, à compter des années 1850, un chenal est creusé dans le fleuve entre Montréal et Québec, permettant, dès lors, à de plus grands océaniques de remonter le fleuve jusqu'à la métropole et éliminant du coup la plupart des avantages dont bénéficiaient encore les installations portuaires de Québec.

De plus, le réseau ferroviaire qui commence à s'étendre sur le territoire canadien favorise Montréal, en faisant de la ville le centre de ses activités. La production industrielle montréalaise dispose en effet d'un accès privilégié aux marchés du sud du Québec et de l'Ontario par le réseau du Grand Tronc, et de l'ouest du Canada, grâce à celui du Canadien Pacifique, qui atteint Vancouver en 1866. Autant en ce qui a trait au commerce intérieur qu'au commerce international, Montréal occupe une place dominante au Canada pendant cette période.

Canal de Lachine

Sur le plan démographique, son essor est tout aussi exceptionnel, car, entre 1852 et 1911, sa population passe de 58 000 à 468 000 personnes (528 000 si l'on inclut la banlieue). Cette poussée remarquable tient du fabuleux pouvoir d'attraction qu'exerce désormais cette ville en pleine croissance économique. Les vagues d'immigration massive en provenance des îles Britanniques, qui avaient pris forme au début du XIXe siècle, se poursuivent pendant quelques années encore, avant de ralentir notablement au cours des années 1860. Elles sont par la suite largement compensées par l'exode des paysans de la campagne québécoise, attirés à Montréal par le travail offert dans les usines.

L'arrivée de cette population principalement de langue française est d'ailleurs à l'origine d'un nouveau renversement de l'équilibre linguistique de Montréal, qui redevient définitivement une ville à majorité française à partir de 1866. D'autre part, un phénomène tout à fait nouveau commence à voir le jour vers la fin du XIXe siècle, lorsque Montréal devient le théâtre d'une immigration extérieure autre que française ou britannique. Les plus nombreux à venir tenter leur chance à Montréal sont d'abord des Juifs d'Europe de l'Est, fuyant les persécutions dont ils faisaient l'objet dans leur pays; ils se regroupent, dans un premier temps, surtout le long du boulevard Saint-Laurent.

Un nombre appréciable d'Italiens s'établissent également à Montréal et se retrouvent, quant à eux, dans le nord de la ville. Ces vagues migratoires font en sorte que, avec plus de 10% de sa population d'origine autre que française ou britannique, Montréal est déjà, en 1911, une ville à caractère fortement multiethnique.

L'urbanisation résultant de cette croissance démographique a pour conséquence un étalement urbain sans cesse grandissant, un phénomène que la mise en place d'un réseau de tramways électriques permet d'accentuer à partir de 1892. La ville sort ainsi, à plusieurs reprises, de ses anciennes limites, annexant jusqu'à 31 nouveaux territoires entre 1883 et 1918.

Des efforts d'aménagement sont parallèlement entrepris pour offrir à la population certains espaces de loisirs, entre autres, en 1874, avec le parc du Mont-Royal. Dans le domaine de la construction résidentielle, les styles d'inspiration britannique s'imposent, notamment dans les quartiers populaires où dominent désormais les maisons en rangée, au toit plat et à la devanture en brique.

En outre, pour offrir des logements bon marché aux familles ouvrières, ces maisons sont de plus en plus souvent construites sur deux ou trois étages, et conçues pour loger au moins autant de familles. De leur côté, les riches Montréalais sont toujours plus nombreux à s'installer sur les flancs du mont Royal, y développant un quartier qu'on aura tôt fait de nommer le «Golden Square Mile» (le Mille carré doré) en raison de la prodigieuse richesse dont disposent ses habitants. La révolution industrielle a d'ailleurs eu pour effet d'accroître les clivages socioéconomiques au sein de la société montréalaise. Ce phénomène oppose en outre, de façon presque dichotomique, les principaux groupes ethniques en cause, car, alors que la haute bourgeoisie est presque essentiellement constituée de protestants anglais, la masse des ouvriers non spécialisés se compose surtout de Canadiens français et d'Irlandais catholiques.

De la Première à la Seconde Guerre mondiale

De 1914 à 1945, plusieurs événements d'envergure internationale viennent modifier l'évolution et la croissance de la ville. D'abord, avec le début de la Première Guerre mondiale, en 1914, l'économie montréalaise stagne pendant un certain temps à la suite de la chute des investissements; mais elle reprend très tôt de la vigueur grâce à l'exportation de produits agricoles et de matériel militaire destinés à la Grande-Bretagne.

Cette période de guerre est toutefois surtout marquée, à

Montréal, par l'affrontement politique que se livrent anglophones et francophones au sujet de l'effort de guerre, un domaine où les deux groupes linguistiques ne s'entendent vraiment pas. En fait, les francophones se sont depuis longtemps élevés contre toute participation canadienne dans les guerres de l'Empire britannique, envers lequel ils entretiennent des sentiments plutôt mitigés. Ils s'opposent donc farouchement à une conscription obligatoire des citoyens canadiens.

À l'opposé, les anglophones, dont les liens avec la Grande-Bretagne sont souvent restés très tenaces, se montrent favorables à un engagement total du Canada. Lorsque, en 1917, le gouvernement canadien tranche finalement et impose la conscription obligatoire, la colère des francophones éclate, et Montréal est secouée par de vives tensions.

Quelques années de réajustement économique succèdent à la guerre, suivies de ce qu'on a appelé les «années folles», une phase de croissance soutenue s'étalant de 1921 à 1929. Montréal poursuit alors son développement, initié dans la période d'avant-guerre, tout en conservant son rôle de métropole canadienne, bien que Toronto, favorisée par les investissements américains et par le développement de l'Ouest canadien, commence déjà à revendiquer une place plus importante.

Dans le centre des affaires montréalais, on voit graduellement apparaître des tours de plus en plus hautes, qui s'inspirent, dans leur conception, de courants architecturaux américains. La ville reprend également sa croissance démographique, si bien qu'elle abrite, à la fin des années 1920, une population de plus de 800 000 personnes, alors que l'île a déjà dépassé le million d'habitants. Tant par l'importance de sa population que par l'aspect de son centre des affaires, Montréal a donc, dès cette époque, tous les attributs d'une grande cité nord-américaine.

Mais la crise américaine, qui frappe durement l'économie mondiale dès 1929, a des effets dévastateurs à Montréal, dont la fortune repose en bonne partie sur les exportations. Pendant toute une décennie, la misère se généralise dans la métropole, où le chômage touche jusqu'au tiers de la population en âge de travailler.

Cette période sombre ne prendra fin qu'avec le début de la Seconde Guerre mondiale, en 1939. Mais, dès le début de ce conflit, la polémique entourant l'effort de guerre refait surface et divise encore une fois les populations francophone et anglophone de la ville. Le maire de Montréal, Camillien Houde, qui s'oppose à la conscription obligatoire, sera d'ailleurs fait prisonnier entre 1940 et 1944. Finalement, le Canada s'engage pleinement aux côtés de la Grande-Bretagne, en mettant à sa disposition sa production industrielle et son armée de conscrits.

Un retour à la croissance (1945-1960)

Après tant d'années de pénurie et de bouleversements défavorables, l'économie montréalaise, sortie de la guerre plus forte et plus diversifiée que jamais, donne enfin lieu à une période faste où les désirs de consommation de la population peuvent être assouvis. Ainsi, pendant plus d'une décennie, le chômage est presque inexistant à Montréal, alors que le niveau de vie général de la population monte en flèche.

Du point de vue démographique, la croissance est tout aussi remarquable, si bien qu'entre 1941 et 1961 la population de l'agglomération montréalaise double littéralement, passant de 1 140 000 à 2 110 000 âmes, la ville en tant que telle franchissant le cap du million d'habitants en 1951. Cette explosion démographique procède de plusieurs sources. Tout d'abord, le mouvement séculaire d'exode des populations rurales vers la ville reprend de plus belle après une pause presque complète pendant les années de la Grande Dépression et de la Seconde Guerre mondiale. Mais l'immigration reprend aussi de la vigueur, les plus importants contingents provenant désormais principalement de l'Europe du Sud, particulièrement de l'Italie et de la Grèce.

Enfin, cette augmentation de la population montréalaise tient également d'une forte poussée des naissances, d'un véritable baby-boom qui touche tout autant le Québec que le reste de l'Amérique du Nord. Pour parvenir à loger cette population, des quartiers situés légèrement en périphérie se couvrent rapidement de milliers de nouvelles résidences. De plus, une banlieue toujours plus éloignée du centre-ville émerge, favorisée par la popularité de l'automobile comme objet de consommation de masse, et commence même à se développer à l'extérieur de l'île, sur la rive sud du fleuve, aux abords des ponts d'accès et, au nord, sur l'île Jésus. Dans un même temps, le centre-ville connaît lui aussi des changements importants, alors que le quartier des affaires quitte graduellement le Vieux-Montréal, pour se déplacer près du boulevard Dorchester (aujourd'hui le boulevard René-Lévesque), où s'élèvent des gratte-ciel toujours plus imposants.

À cette même époque, la métropole est touchée par un vent de réformes sociales visant notamment à mettre fin «au règne de la pègre». Car Montréal a alors la réputation, d'ailleurs bien fondée, d'être depuis des années un lieu où fleurissent la prostitution et les maisons de jeux grâce à l'assentiment de policiers et de

politiciens corrompus. Une enquête publique, menée entre 1950 et 1954, où s'illustrent particulièrement les avocats Pacifique Plante et Jean Drapeau, conduit à une série de condamnations et à un assainissement notable du climat social.

D'autre part, les aspirations au changement ne s'arrêtent pas là. Chez les intellectuels, les journalistes et les artistes montréalais francophones, on cherche par tous les moyens à ébranler l'autorité toute-puissante de l'Église catholique et du conservatisme ambiant. Le phénomène le plus marquant de l'époque reste néanmoins la prise de conscience naissante des Montréalais de langue française de toute origine face à leur aliénation socioéconomique. En effet, au fil des années, hormis certaines exceptions, s'est tissé un clivage socioéconomique très clair entre les deux principaux groupes de la ville.

Les francophones ont, de fait, des revenus moyens moins élevés que leurs compatriotes anglophones, occupent plus souvent des postes subalternes et sont bafoués dans leur ascension sociale. Montréal, dont la population est en grande majorité de souche française, projette du reste l'image d'une ville anglo-saxonne par son affichage commercial, souvent uniquement en anglais, et par la domination de la langue anglaise dans les principales sphères de l'activité économique. Il faudra cependant attendre le

Dates marquantes
de l'histoire de Montréal

Ve siècle: Des populations nomades viennent s'installer dans la vallée du fleuve Saint-Laurent et sur l'île qu'on nomme aujourd'hui Montréal.

1535: Dans son second voyage en Amérique du Nord, Jacques Cartier remonte le fleuve jusqu'à l'île de Montréal. Il y visite un village amérindien et escalade la montagne, qu'il baptise «mont Royal».

1642: Sous le commandement de Paul de Chomedey, sieur de Maisonneuve, on fonde une colonie française sur l'île, d'abord nommée Ville-Marie. Cette petite communauté survivra très difficilement pendant près d'un quart de siècle et abandonnera très tôt son projet initial d'évangéliser les Amérindiens.

1672: Montréal, dont la survie est maintenant assurée, se dote d'un premier plan délimitant ses principales artères.

1701: Un traité est signé entre Français et Amérindiens, inaugurant une période de paix favorable à l'intensification d'un commerce de fourrures ayant pour pôle Montréal.

1760: Comme Québec l'année précédente, Montréal tombe aux mains de troupes britanniques. La destinée de la ville et de sa population s'en voit irrémédiablement bouleversée.

1775-1776: Alors que la guerre d'Indépendance fait rage aux États-Unis, une armée américaine occupe Montréal pendant quelques mois.

1831: Montréal dépasse Québec en population, pour devenir le principal centre urbain du Canada.

1837: Des émeutes éclatent à Montréal, opposant les Fils de la Liberté, mouvement composé de jeunes Canadiens français, au Doric Club, qui regroupe des Britanniques loyaux.

1867: La Confédération canadienne élargit le marché national, ce qui, dans les années ultérieures, profite grandement au développement et à l'industrialisation de Montréal.

1874: On crée le parc du Mont-Royal, qu'aménagera Frederick Law Olmsted, concepteur du Central Park de New York.

1911: L'immigration récente fait que désormais plus de 10% de la population montréalaise est d'origine autre que britannique ou française.

1951: Montréal passe le cap du million d'habitants, sans compter sa banlieue, toujours en pleine croissance.

1966: Inauguration du métro.

1967: La Ville de Montréal organise avec succès l'Exposition universelle.

1970: En octobre, une crise éclate, lorsque le Front de libération du Québec (FLQ) enlève le diplomate britannique James Cross et le ministre Pierre Laporte. Le gouvernement canadien réagit en promulguant la Loi des mesures de guerre. L'Armée canadienne prend alors position à Montréal.

1976: Les Jeux olympiques se tiennent à Montréal.

1980: Les Floralies internationales ont lieu sur l'île Notre-Dame.

1992: Montréal célèbre avec éclat le 350e anniversaire de sa fondation.

2002: Les villes de la Communauté urbaine de Montréal fusionnent pour former une seule et même grande ville, Montréal.

début des années 1960 pour que les aspirations au changement prennent la forme d'une série de mutations accélérées.

De 1960 à nos jours

Les années 1960 voient naître un mouvement de réforme sans précédent au Québec, une véritable course à la modernisation et aux transformations, qu'on aura tôt fait de désigner du nom de «Révolution tranquille». Les francophones du Québec, particulièrement ceux de Montréal, où l'opposition entre les deux principaux groupes culturels est la plus vive, expriment alors clairement le désir de mettre fin au contrôle qu'exerce la minorité anglophone sur le développement de la société québécoise. Une batterie de changements est amorcée dans ce but.

Dans un même temps, le mouvement nationaliste, faisant la promotion de l'indépendance ou d'une souveraineté politique accrue du Québec, trouve un terrain très fertile à Montréal. Les plus importantes manifestations de soutien à cette cause s'y tiennent d'ailleurs. Mais c'est également à Montréal que le Front de libération du Québec (FLQ), un groupuscule d'extrémistes voulant «*accélérer la décolonisation du Québec*», est le plus actif.

Dès 1963, le FLQ mène une série d'attentats terroristes dans la métropole. Puis, en octobre 1970, une crise politique majeure éclate, lorsque certaines cellules du FLQ commettent l'enlèvement du diplomate britannique James Cross et du ministre du gouvernement québécois Pierre Laporte. Prétextant un climat d'insurrection appréhendé, le gouvernement fédéral, dirigé par Pierre Elliott Trudeau, ne tarde pas à réagir en promulguant la Loi des mesures de guerre. L'Armée canadienne prend alors position à Montréal, des milliers de perquisitions ont lieu, et l'on emprisonne des centaines de personnes innocentes.

La crise se termine finalement lorsque les ravisseurs de James Cross obtiennent un sauf-conduit pour Cuba, mais pas avant que le ministre Pierre Laporte ne soit retrouvé mort. La réaction du gouvernement canadien est toutefois jugée très sévèrement par plusieurs, qui n'hésitent pas à l'accuser de s'être servi de ce contexte politique non seulement pour mater le FLQ, mais surtout pour tenter de briser l'essor du mouvement nationaliste québécois.

Quoi qu'il en soit, au fil des années, le poids majoritaire de la population francophone se fait de plus en plus sentir à Montréal. En outre, l'image que projette la ville se modifie sensiblement, lorsque l'affichage commercial, qui se faisait jusqu'alors en anglais, ou au mieux dans les deux langues, devient exclusivement français grâce à l'adoption de lois linguistiques par les gouvernements québécois successifs. Mais pour plusieurs anglophones, ces lois combinées à l'ascension du nationalisme et de l'entrepreneuriat québécois sont des changements trop difficiles à accepter, et plusieurs quittent définitivement Montréal.

Parallèlement, la ville de Montréal, alors dirigée par le maire Jean Drapeau, rayonne de plus en plus sur la scène internationale grâce à la tenue de plusieurs événements d'envergure, les plus remarquables étant l'Exposition universelle de 1967, les Jeux olympiques de 1976 et les Floralies internationales de 1980. Du point de vue économique, on assiste à de profondes mutations, lorsque de nombreux secteurs d'activité ayant marqué depuis plus d'un siècle l'infrastructure industrielle de la ville déclinent, puis se voient partiellement remplacés par des investissements massifs dans des secteurs de pointe tels que l'aéronautique, l'informatique et les produits pharmaceutiques.

Au milieu des années 1970, Montréal se fait en outre ravir son titre de métropole canadienne par Toronto, qui bénéficie, depuis plusieurs décennies déjà, d'une croissance plus forte. Mais comme en témoigne l'émergence de tours de plus en plus nombreuses au centre-ville, l'économie montréalaise poursuit néanmoins sa croissance. La population de la ville augmente également, si bien que l'agglomération montréalaise compte désormais plus de trois millions d'individus.

Cette croissance profite cependant plus à une banlieue toujours plus éloignée du centre. D'autre part, en accueillant aux cours des dernières décennies des immigrants provenant désormais d'un peu partout dans le monde, la ville de Montréal s'enrichit d'une mosaïque culturelle de plus en plus complexe. Plus que jamais, elle est donc devenue un véritable carrefour des nations, tout en étant parallèlement couronnée du titre de «métropole de la culture française en Amérique du Nord».

La question linguistique

La cohabitation de deux univers culturels distincts est un des éléments fondamentaux de la dynamique montréalaise. Plus qu'ailleurs au Québec ou au Canada, les deux groupes linguistiques, francophone et anglophone, se partagent un même espace, une même ville, mais qu'on définit différemment.

Le paradoxe linguistique montréalais est, en fait, beaucoup plus complexe qu'il ne le paraît. Il l'a d'ailleurs, semble-t-il, toujours été. En visite à Montréal au début du XIXᵉ siècle, Alexis de Toqueville s'étonnait déjà de constater l'absence presque totale de la langue française dans les affaires publiques et dans le commerce. En fait, ville à majorité francophone, sauf pour une courte période au milieu du XIXᵉ siècle, Montréal a, pendant près de 200 ans, projeté une image presque aussi anglo-saxonne que Londres, Toronto ou New York. Sur les enseignes commerciales, dans les grands magasins du centre-ville ou à l'occasion de rencontres, improvisées ou non, entre francophones et anglophones, la langue anglaise triomphait. Mais une prise de conscience, à l'origine de vives contestations au cours des années 1960, lança un processus de réhabilitation du français à Montréal.

Plus tard, avec la promulgation d'une batterie de lois linguistiques par les gouvernements québécois, notamment la désormais très célèbre «loi 101» (Charte de la langue française) en 1977, la présence de la langue française parvint à se raffermir à Montréal. Par contre, cette francisation de la ville ne se fit pas sans heurter de plein fouet la sensibilité de la minorité anglophone, qui y vit une atteinte à ses droits fondamentaux.

D'ailleurs, plusieurs membres de cette communauté quittèrent Montréal à partir des années 1970, alors que des activistes commençaient à dénoncer sur toutes les scènes certaines dispositions des lois linguistiques québécoises, notamment celles imposant l'unilinguisme français dans l'affichage commercial (aujourd'hui partiellement disparue) et l'intégration obligatoire à l'école française des enfants des nouveaux émigrants. Cependant, ce qui rend les choses assez complexes, c'est que, si la communauté anglophone montréalaise se sent aujourd'hui menacée, les francophones de la ville ont tendance à se percevoir dans une situation précaire. Il faut dire que l'anglais reste encore aujourd'hui en excellente santé à Montréal.

Au centre-ville par exemple, au cœur même de ce qu'on se plaît souvent à désigner comme la seconde plus importante ville française du monde après Paris, l'anglais est au moins aussi utilisé que le français. Il faut en fait aller plus à l'est ou vers le nord de la ville pour vraiment sentir la présence majoritaire des francophones à Montréal. De plus, c'est souvent la communauté anglophone qui parvient à intégrer dans son univers linguistique la plupart des nouveaux émigrants, bien que le gouvernement québécois s'efforce de renverser cette tendance. Mais il y a plus encore, car l'anglais, la langue internationale dominante, est aussi celle qu'utilisent 98% des Nord-Américains: son pouvoir d'attraction et d'acculturation est donc tout à fait formidable.

À leur façon, les deux principaux groupes linguistiques montréalais partagent ainsi une même angoisse, celle de disparaître. Dans un tel contexte, comment préserver à Montréal un équilibre linguistique qui puisse faire consensus? Cette question, maintes fois posée au cours des dernières années, n'a pas encore été résolue et ne le sera sans doute pas à la faveur de simples principes. En attendant la formule magique qui réglerait toute discorde, les relations entre les deux communautés seront donc encore marquées d'une perpétuelle remise en question.

L'économie et la politique

Durement affectée par la perte de vitesse de plusieurs des principaux secteurs économiques ayant longtemps été les moteurs de sa croissance et de sa fortune, l'économie montréalaise n'a plus le panache ni la puissance de jadis. De nombreuses usines, certaines ayant été de véritables symboles de la force de Montréal, ont été emportées par les changements

Fusions municipales

En 2001, le gouvernement du Québec a voté une loi obligeant la plupart des municipalités du Québec à fusionner avec leurs voisines afin de créer de grands ensembles régionaux. Ainsi, depuis le 1er janvier 2002, plusieurs villes et villages ont officiellement perdu leur nom et ont été intégrés à une municipalité plus importante. La ville de Montréal regroupe donc maintenant toutes les villes de l'île de Montréal, ce qui n'était pas le cas auparavant.

Bien sûr, Montréal n'est pas la seule à être affectée par ces problèmes, qui sont le lot de la plupart des grandes villes nord-américaines. La situation n'est d'ailleurs pas sans issue, car la métropole québécoise possède de nombreux atouts, susceptibles de revitaliser son économie: que ce soit, par exemple, la qualité de sa main-d'œuvre, les infrastructures existantes ou les possibilités de recherche et de développement qu'offrent les quatre universités établies sur son territoire. Plusieurs projets d'envergure s'attardent d'ailleurs depuis quelques années à redorer le blason de l'économie montréalaise, avec entre autres la création d'espaces propices à l'installation d'industries dans des domaines de pointe tels que biotechnologies, industrie pharmaceutique, aérospatiale, technologies de l'information et télécommunications.

Côté politique, la vie municipale a été grandement chamboulée depuis 2001 avec la fusion, en une seule grande ville, de toutes les municipalités de l'île de Montréal. La politique municipale ne sera plus la même dorénavant, que ce soit au niveau des 27 arrondissements et de leurs mairies ou au niveau de la grande ville. Beaucoup de travail reste à faire pour coordonner ces nouveaux paliers. D'autant plus qu'ils ont à faire face à une politique nationale qui fonctionne aussi à deux paliers gouvernementaux, avec d'un côté le gouvernement fédéral et de l'autre le gouver-

technologiques, ou ne sont tout simplement plus que l'ombre d'elles-mêmes. De plus, malgré la croissance de plusieurs autres secteurs, notamment dans les domaines de la technologie de pointe, les effets de cette désindustrialisation massive n'ont pas encore été complètement absorbés. Ces difficultés, renforcées par la tendance soutenue, depuis les années 1950, à l'exode de la classe moyenne vers la banlieue, projettent aujourd'hui l'image d'une ville qui tend à l'appauvrissement.

Portrait

nement du Québec. La cohésion entre ces centres de pouvoir ne se fait pas toujours dans l'harmonie, et Montréal se retrouve plus souvent qu'à son tour coincée entre Ottawa, capitale canadienne, et Québec, capitale québécoise. La nouvelle grande ville est aussi dirigée par un nouveau maire, Gérald Tremblay, qui a eu à faire face à certains scandales politiques dès les premiers mois de son entrée en fonction. Au gouvernement fédéral, le premier ministre actuel est Paul Martin, chef du Parti libéral du Canada, qui a pris en décembre 2003 la relève de Jean Chrétien, qui n'avait pas tout à fait terminé son troisième mandat dans le but d'ouvrir la voie à son successeur. À Québec, le libéral Jean Charest a remplacé le péquiste Bernard Landry à la tête du gouvernement, en avril 2003.

Il faut savoir que la vie politique du Québec est profondément marquée, et même monopolisée, par la dualité entre les deux ordres gouvernementaux: le gouvernement fédéral et le gouvernement provincial. Pour bien comprendre la situation politique au Québec, il faut tout d'abord se mettre dans le contexte historique. La ville de Québec est le berceau de la culture française en Amérique et a été conquise en 1759 par l'Empire britannique. La Confédération de 1867, qui créa le Canada, est un événement qui a eu des retombées importantes pour tous les francophones du Québec, dont une des plus significatives tient à la position minoritaire dans laquelle se retrouve la population canadienne-française, qui possède une culture différente de la majorité anglophone.

Le type de gouvernement mis en place en 1867 est calqué sur le modèle britannique, accordant le pouvoir législatif à un Parlement élu par suffrage universel. La nouvelle constitution institue un régime fédéral à deux ordres: le gouvernement fédéral et les gouvernements provinciaux. À Québec, ce Parlement est désigné du nom d'«Assemblée nationale», alors qu'à Ottawa le pouvoir appartient à la Chambre des communes. À l'intérieur de ce nouveau partage des pouvoirs, la position minoritaire des francophones au Canada est confirmée. Cependant, leur emprise sur le Québec est accentuée grâce à la création d'un État provincial qui sera le maître d'œuvre dans des domaines importants que les francophones ont toujours cherché à préserver, c'est-à-dire l'éducation, la culture et les lois civiles françaises.

Le Québec a toujours été en faveur de l'autonomie provinciale face à un gouvernement fédéral centralisateur. Dès les premières années de la Constitution, certains, comme Honoré Mercier, optent pour une autonomie plus grande des provinces. Honoré Mercier soutient notamment que les droits des Canadiens français ne sont assurés efficacement qu'au Québec. Une fois premier ministre, il exalte le caractère français et catholique du Québec, sans toutefois remettre en cause le fédéralisme. Selon l'influence des dirigeants politiques québécois et sous l'effet des tensions ethniques et linguistiques qui sévissent entre francophones et anglophones, le Québec va jouer un rôle de plus en plus actif dans la lutte pour l'autonomie provinciale tout au long du XXe siècle.

C'est au cours des 40 dernières années que les relations entre le fédéral et le provincial ont pris une tournure différente. La vie politique qui se dessine à partir de la Révolution tranquille est marquée par l'intensité et l'effervescence des relations fédérales-provinciales. Les années 1960 voient même l'apparition d'un groupe extrémiste, le Front de libération du Québec (FLQ), qui revendique l'indépendance du Québec. Son action se soldera par la Crise d'octobre 1970, pendant laquelle le Québec a subi la Loi des mesures de guerre et l'intervention de l'Armée canadienne.

Depuis des années, les différents gouvernements qui se sont succédé à Québec se sont tous considérés comme les porte-parole d'une langue et d'une culture distinctes, et ont revendiqué un statut particulier ainsi que des pouvoirs accrus pour le Québec. Le gouvernement québécois croit mieux connaître les besoins des Québécois que le fédéral et revendique le droit à une plus grande autonomie, à des pouvoirs plus étendus et aux ressources correspondantes.

L'événement qui viendra changer radicalement les enjeux politiques est l'élection en 1976 du Parti québécois. Ce parti réussira très rapidement à réunir autour de lui les forces indépendantistes, et ce, surtout grâce à la personnalité et au charisme de son fondateur, René Lévesque. Cette formation politique, dont la raison d'être est l'accession du Québec à la souveraineté, proposera en 1980 un référendum sur la question nationale à la population québécoise, lui demandant la permission de négocier le projet de souveraineté-association avec le reste du Canada. Les Québécois votent à 60% contre.

Le même parti, avec à sa tête Jacques Parizeau, renverra les Québécois se prononcer sur la même question le 31 octobre 1995. Cette fois, les résultats sont beaucoup plus serrés, et même surprenants. Ainsi 50,6% de la population a voté contre le projet d'indépendance du gouvernement québécois, tandis que 49,4% s'est déclaré en faveur de ce projet. La question, aux yeux de plusieurs, est donc reportée une fois de plus et, depuis, reste présente dans la plupart des discours politiques.

Des communautés montréalaises

Samedi soir, rue Durocher, à Outremont, des dizaines de Juifs *hassidim* (orthodoxes), habillés de leurs vêtements traditionnels, se pressent vers la synagogue toute proche. Quelques heures plus tôt, comme d'habitude, une partie de la grande communauté italienne montréalaise s'était donné rendez-vous au marché Jean-Talon afin de négocier l'achat des produits directement importés d'Italie ou simplement pour socialiser entre compatriotes, et discuter du dernier match de football opposant l'équipe de Milan à celle de Turin.

Ces scènes bien connues de tous les Montréalais ne sont que des exemples parmi tant d'autres de la vie communautaire, souvent très intense, de plusieurs groupes ethniques de la ville. En fait, on compte à Montréal d'innombrables lieux de rencontre et associations destinés aux membres des diverses communautés ethniques. D'ailleurs, il suffit d'une brève incursion sur le boulevard Saint-Laurent, la *Main*, servant de limite entre l'ouest et l'est de la ville, bordé de restaurants, d'épiceries et d'autres commerces aux couleurs et spécialités internationales, pour se convaincre de la richesse et de la diversité de la population montréalaise.

Montréal projette d'ailleurs souvent l'image d'un regroupement hétéroclite de villages qui, sans être des ghettos, sont principalement habités par les membres de l'une ou l'autre des communautés. En fait, ce découpage de l'espace territorial avait déjà été initié dès le XIXe siècle par les Montréalais de souches française et anglaise, une division qui, dans une certaine mesure, marque toujours la ville.

Ainsi, l'Est demeure encore aujourd'hui largement francophone, alors que l'Ouest est plutôt anglophone et que les nantis des deux communautés occupent souvent les versants opposés du mont Royal, d'un côté, Outremont, et de l'autre, Westmount. Mais plusieurs nouveaux «villages» sont graduellement venus s'imbriquer dans cette mosaïque avec l'arrivée d'une population aux origines diverses. Très tôt, une petite communauté chinoise, venue travailler au pays lors de la construction des chemins de fer, a élu domicile aux abords de la rue De La Gauchetière, à l'ouest du boulevard Saint-Laurent, créant ainsi un Chinatown qui conserve toujours aujourd'hui une atmosphère un peu mystérieuse pour les non-initiés.

L'importante communauté juive, pour sa part, s'est d'abord regroupée un peu plus haut sur le boulevard Saint-Laurent, pour ensuite se concentrer vers l'ouest de l'île, notamment dans certains secteurs d'Outremont, de Côte-des-Neiges et de Snowdon, et à Côte-Saint-Luc et Hampstead, où ses institutions fleurissent. De son côté, la Petite Italie, un endroit souvent très animé et coloré où prospèrent de multiples cafés, restaurants et boutiques, occupe un large secteur du nord de la ville, près de la rue Jean-Talon et non loin de la ville de Saint-Léonard, laquelle est habitée par un bon nombre d'Italiens.

Les Italiens forment d'ailleurs la plus importante communauté ethnique de Montréal et donnent une impulsion indéniable à cette ville. Enfin, certaines autres communautés arrivées plus récemment ont aussi eu tendance à se regrouper dans certains lieux, comme, par exemple, les Grecs, le long de l'avenue du Parc, les Haïtiens, à Montréal-Nord, les Portugais, aux abords de la rue Saint-Urbain, et les Jamaïquains, dans la Petite-Bourgogne. À Montréal, on peut presque passer d'un pays à un autre, d'un univers à un autre, par la langue, les odeurs, l'aménagement, les commerces, subitement, en l'espace de quelques rues seulement.

Communautés ethniques

Qui plus est, aujourd'hui les Italiens n'habitent plus la Petite Italie et les Chinois n'habitent plus le Chinatown. La plupart des quartiers de Montréal se caractérisent par la présence de plusieurs communautés ethniques qui cohabitent dans une belle harmonie. Non pas que les frictions, causées par des malentendus ou des préjugés, soient ici complètement absents, les ajustements, notamment dans les écoles, étant régulièrement nécessaires, mais, somme toute, Montréal dégage une réelle bonne entente. Cette mosaïque culturelle représente l'une des plus belles richesses de la ville.

Une ville aux paysages saisonniers

C'est bien connu, Montréal a au moins autant de personnalités et d'humeurs différentes qu'il y a de saisons dans une année. En fait, cette ville vit réellement au rythme de son climat, souvent capricieux, et elle a su s'y adapter jusqu'à en tirer le meilleur parti possible.

En hiver, par exemple, puisque c'est la saison à laquelle on identifie le plus naturellement du monde cette ville du «Nord», la température oscille souvent bien au-dessous du point de congélation, tandis que la neige s'abat sur la ville, mais sans pour autant jamais réussir à la paralyser complètement. Car, voyez-vous, la ville de Montréal est devenue l'un des leaders mondiaux de la «gestion des hivers», un véritable point de référence en la matière pour une multitude d'autres grandes cités «froides» du globe. Durant les mois d'hiver, jour et nuit, une petite armée de travailleurs montréalais sont disponibles en permanence pour le déneigement des quelque 6,5 millions de mètres cubes de neige qui, en moyenne, encombrent, chaque année, les rues de la ville.

Dans une large mesure, on est également parvenu à contourner les problèmes que peut susciter la rigueur du climat hivernal, entre autres en aménageant une formidable ville souterraine, l'une des plus vastes du monde. Reliées les unes aux autres par un réseau de lignes de métro, ces galeries souterraines, qui s'étendent sur près de 30 km, conduisent à une foule d'immeubles de bureaux, de magasins, de restaurants, de bars, d'hôtels, de cinémas, de théâtres ou de tours d'habitation, sans qu'on ait jamais à sortir à l'extérieur!

Bref, que ce soit la neige ou le froid, rien n'arrête le dynamisme de cette ville. Mais bien sûr, l'hiver n'apporte pas que des problèmes à solutionner; il offre aussi son lot de plaisirs et contribue, il faut bien se l'avouer, à façonner le caractère de Montréal. Transformés par l'hiver, les paysages montréalais ne sont pas sans charme ni romantisme. Les belles journées de la saison offrent ainsi l'occasion

d'agréables promenades sous les arbres enneigés, de joyeuses visites à l'une ou l'autre des patinoires extérieures de la ville, ou de balades en skis de fond dans l'un de ses parcs.

De plus, l'hiver sonne l'éveil d'une véritable passion typiquement montréalaise, s'il en est une: le hockey sur glace. Pendant la saison de hockey professionnel, les performances de la très célèbre équipe de Montréal, Le Canadien, sont alors au cœur des conversations de la plupart des gens. Le hockey sur glace aurait d'ailleurs été inventé ici, dans les rues de Montréal. Année après année, on parvient à traverser les longs hivers, en rouspétant parfois un peu, mais en y retrouvant aussi de merveilleux plaisirs.

Puis, souvent abruptement, l'hiver fait place au printemps, une saison enivrante où Montréal prend quelque peu l'allure d'une ville méditerranéenne. Les premiers jours de la saison sont toujours inoubliables, et c'est sans doute à ce moment qu'on peut le mieux saisir l'effet du climat, alors que les Montréalais, transformés par les premiers rayons de soleil printaniers, semblent renouer avec leurs racines latines. On peut enfin s'habiller plus légèrement, s'installer sur une terrasse ou parcourir paresseusement la ville. D'ailleurs, comme si elle sortait de longs mois d'hibernation, une foule frénétique envahit soudain la rue Saint-Denis, le boulevard Saint-Laurent et le parc du Mont-Royal.

Cette courte et belle période de l'année, où les Montréalais s'approprient enfin pleinement les parcs et les artères de leur ville, est le prélude à la saison estivale, la saison des vacances. Car l'été venu, tout semble en place pour qu'on en vienne même à choisir sa propre ville comme lieu de vacances. La température devenue clémente, Montréal s'anime en se faisant l'hôte de nombreux festivals où l'on célèbre le jazz, l'humour, le cinéma, sans oublier la traditionnelle fête de la Saint-Jean-Baptiste, et qui donnent immanquablement lieu à des rassemblements de centaines de milliers de personnes. Car Montréal, en été, n'est pas mondaine, elle est plutôt populaire.

Les fêtes se succèdent jusqu'en septembre, puis lentement l'automne s'installe, alors qu'avant de joncher le sol les feuilles des arbres changent de couleurs, tournant au jaune, à l'orangé ou au rouge. Puis, après un bref intermède qu'on nomme l'«été des Indiens», la température se refroidit graduellement et l'on se prépare alors lentement pour un nouveau cycle des saisons.

Littérature

L'essentiel des débuts de la littérature de langue française en Amérique du Nord est constitué d'écrits des premiers explorateurs (dont ceux de Jacques Cartier) et des communautés religieuses. Sous forme de récits, ces textes relatent différentes observations destinées principalement à faire connaître le pays aux autorités de la métropole. Le mode de vie des Autochtones, la géographie du pays et les débuts de la colonisation française comptent parmi les principaux thèmes abordés par des auteurs comme le père Sagard (*Le grand voyage au pays des Hurons*, 1632) ou par le baron de La Hontan (*Nouveaux voyages en Amérique septentrionale*, 1703).

La tradition orale domine la vie littéraire durant tout le XVIIIe siècle et le début du XIXe siècle. Les légendes issues de cette tradition (revenants, feux follets, loups-garous, chasse-galerie) sont par la suite consignées par écrit. Plusieurs années s'écoulent donc avant que le mouvement littéraire ne prenne un véritable envol, qui aura lieu à la fin du XIXe siècle. La majorité des créations d'alors, fortement teintées de la rhétorique de la «survivance», encensent les valeurs nationales, religieuses et conservatrices. L'éloge de la vie à la campagne, loin de la ville et de ses tentations, devient l'un des thèmes centraux de la littérature de l'époque. Les romans d'Antoine Gérin-Lajoie (*Jean Rivard le défricheur*, 1862, et *Jean Rivard, économiste,* 1864) offrent l'exemple type de cette tendance à une apologie du monde rural frisant la propagande. La glorification du passé, particulièrement du Régime français, inspire également de nombreux romanciers. Mis à part quelques écrits tels que *Angéline de Montbrun* (1884) de Laure Conan, peu de romans de cette période présentent davantage qu'un intérêt strictement socio-historique. L'influence de l'idéologie traditionnelle domine également dans la poésie. Néanmoins, le poète Louis-Honoré Fréchette a su s'en démarquer.

Jusqu'en 1930, le traditionalisme continue de marquer profondément la création littéraire, quoique soient perceptibles certains mouvements innovateurs. En poésie, l'École littéraire de Montréal, et plus particulièrement Émile Nelligan, qui a été le premier à s'inspirer des œuvres de Baudelaire, de Rimbaud, de Verlaine et de Rodenbach, font contrepoids au courant dominant pendant quelque temps. Encore aujourd'hui une figure mythique, Nelligan a écrit sa poésie très jeune, avant de sombrer dans la folie. Dans le roman québécois de cette époque, le monde rural reste toujours le principal thème que l'on aborde, bien que certains auteurs commencent à le traiter d'une manière différente. Louis Hémon, dans

Maria Chapdelaine (1916), présente avec une plus grande vraisemblance la vie paysanne, alors qu'Albert Laberge (*La scouine*, 1918) en décrit la médiocrité.

C'est au cours des années de la crise économique et de la Seconde Guerre que la création littéraire initie un début de modernisation. Dans le roman du terroir, qui domine toujours, on voit graduellement apparaître le thème de l'aliénation des individus. On sent enfin qu'un pas majeur a été franchi lorsque la ville, où en réalité une majorité de la population réside, devient le cadre de romans, comme c'est le cas de *Bonheur d'occasion* (1945) de la Franco-Manitobaine Gabrielle Roy et de *Au pied de la pente douce* (1945) de Roger Lemelin.

Le modernisme s'affirme franchement à partir de la fin de la guerre, et ce, malgré le régime politique de Maurice Duplessis. En ce qui a trait au roman, deux courants dominent: le roman urbain tel que *Au pied de la pente douce* de Roger Lemelin ou *Les Vivants, les morts et les autres* (1959) de Pierre Gélinas et le roman psychologique tel que *La Fin des songes* (1950) de Robert Élie ou *Le Gouffre a toujours soif* (1953) d'André Giroux. Un peu en marge de ces deux courants, Yves Thériault, auteur très prolifique, publie, de 1944 à 1962, contes et romans (*Agaguk* en 1958, *Ashini* en 1960) qui marqueront toute une génération de

Québécois. La poésie connaît une période d'or grâce à une multitude d'auteurs, notamment Gaston Miron, Alain Grandbois, Anne Hébert, Rina Lasnier et Claude Gauvreau. On assiste également à la véritable naissance du théâtre québécois grâce à la pièce *Tit-Coq* de Gratien Gélinas, qui sera suivie d'œuvres variées, dont celles de Marcel Dubé et de Jacques Ferron. Pour ce qui est des essais, le *Refus global* (1948), signé par un groupe de peintres automatistes, fut sans contredit le plus incisif des nombreux réquisitoires contre le régime duplessiste.

La Révolution tranquille, dont l'effervescence politique et sociale marque la création littéraire des années 1960, «démarginalise» les auteurs. Une multitude d'essais, tel *Nègres blancs d'Amérique* (1968) de Pierre Vallières, témoignent de cette période de remise en question, de contestation et de bouillonnement culturel. Au cours de cette époque, véritable âge d'or du roman, de nouveaux noms, entre autres ceux de Marie-Claire Blais (*Une saison dans la vie d'Emmanuel,* 1965), Hubert Aquin (*Prochain épisode,* 1965) et Réjean Ducharme (*L'avalée des avalés,* 1966), s'ajoutent aux écrivains de la période précédente. La poésie triomphe, alors que le théâtre, marqué particulièrement par l'œuvre de Marcel Dubé et par l'ascension de nouveaux dramaturges comme Michel Tremblay, s'affirme avec éclat. Pendant quelque temps,

plusieurs romanciers, poètes et dramaturges font usage dans leurs œuvres de la langue populaire.

La création littéraire contemporaine s'est diversifiée et enrichie. De nouvelles figures sont venues se joindre aux auteurs de la période antérieure, comme Victor-Lévy Beaulieu, Jacques Godbout, la regrettée Alice Parizeau, Roch Carrier, Jacques Poulin, Louis Caron, Yves Beauchemin, Suzanne Jacob et, plus récemment, Louis Hamelin, Robert Lalonde, Gaetan Soucy, Christian Mistral, Dany Laferrière, Ying Chen, Sergio Kokis, Denise Bombardier, Arlette Cousture, Marie Laberge, Lise Bissonnette, Chrystine Brouillet, Monique Proulx, Gil Courtemanche et Yann Martel.

Par ailleurs, le théâtre se distingue au cours des années 1980 par un foisonnement de productions d'une remarquable qualité, dont plusieurs intègrent d'autres formes d'expression artistique (danse, chant, vidéo). Un engouement pour le théâtre se fit sentir à Montréal, alors que se multipliaient les petites salles. Parmi les plus brillants représentants du théâtre québécois d'aujourd'hui, notons la troupe Carbone 14, les metteurs en scène André Brassard, Robert Lepage, Lorraine Pintal, René-Richard Cyr et les auteurs Normand Chaurette, René-Daniel Dubois, Michel-Marc Bouchard, le regretté Jean-Pierre Ronfard et Wajdi Mouhawad.

Cinéma

Bien que certains longs métrages aient été réalisés auparavant, il faut attendre l'après-guerre pour que naisse un authentique cinéma québécois. Entre 1947 et 1953, des producteurs privés portent à l'écran des œuvres ayant connu le succès dans d'autres médias, comme *Un homme et son péché* (1948), *Séraphin* (1949), *La petite Aurore l'enfant martyre* (1951) et *Tit-Coq* (1952). Mais l'avènement de la télévision, au début des années 1950, porte un dur coup au cinéma, si bien que la création cinématographique québécoise stagne par la suite pendant une décennie complète.

La renaissance du cinéma, au cours des années 1960, est largement tributaire du soutien de l'Office national du film (ONF). Par l'intermédiaire de documentaires ayant recours au cinéma «direct», la critique de la société québécoise constitue alors le thème principal abordé par les cinéastes. Des nombreuses créations de l'époque, le film de Pierre Perreault et Michel Brault, *Pour la suite du monde* (1963), fut sans doute le plus marquant par son caractère innovateur. Par la suite, le long métrage de fiction devient un genre dominant, et certains cinéastes y connaissent le succès: Claude Jutra (*Mon oncle Antoine*, 1971), Jean-Claude Lord (*Les Colombes*, 1972), Gilles Carle (*La vraie nature de Bernadette*, 1972), Michel Brault (*Les ordres*, 1974), Jean Beaudin (*J.A. Martin photographe*, 1977) et Francis Mankiewicz (*Les bons débarras*, 1979).

Comme peu de films sont rentables, le financement, même avec l'apport de producteurs privés, repose en grande partie sur les gouvernements. Parmi les films des dernières années, il convient de mentionner ceux de Denys Arcand (*Le Déclin de l'empire américain*, 1986; *Jésus de Montréal*, 1989; *Les Invasions barbares*, 2003), du regretté Jean-Claude Lauzon (*Un zoo la nuit*, 1987; *Léolo*, 1992), de Léa Pool (*La Femme de l'hôtel*, 1984; *Emporte-moi*, 1999; *Le Papillon bleu*, 2004), de Pierre Falardeau (*Le party*, 1990; *Octobre*, 1994; *15 février 1839*, 2001; *La Vengeance d'Elvis Wong*, 2004), de Jean Beaudin (*Le Collectionneur*, 2002; *Nouvelle-France*, 2004), de Robert Lepage (*Le confessionnal*, 1995; *La Face cachée de la lune*, 2003), de François Girard (*Le violon rouge*, 1998), de Charles Binamé (*Le cœur au poing*, 1998; *Un homme et un son péché*, 2002), de Roch Demers, qui s'est spécialisé dans les films pour enfants, et de Frédérick Back, qui s'est distingué grâce à ses films d'animation, entre autres *Crac!*, qui a remporté un oscar en 1982, et *L'homme qui plantait des arbres*, qui a également mérité un oscar en 1988. Sans oublier *La Grande Séduction* (2003) de Jean-François Pouliot, *20h17 rue Darling* (2003) de Bernard Émond, *Mambo Italiano* (2003) d'Émile Gaudreault, ainsi que *Gaz Bar Blues* (2003) de Louis Bélanger, qui profitent, avec *Les Invasions barbares* de Denys Arcand et *La Face cachée de la Lune* de Robert Lepage, d'une nouvelle vague qui déferle sur le milieu cinématographique québécois. Ce renouveau actuel, marqué par la diversité des films récents qui rejoignent un vaste public, s'explique, d'une part, par de meilleurs scénarios et des longs-métrages qui touchent de plus près les gens, et d'autre part, par la façon de lancer à l'américaine les nouvelles productions et de les distribuer à travers le Québec, voire le monde.

Une génération de jeunes réalisateurs crée depuis quelques années des films de qualité. Il serait aussi trop long de citer ici les noms de tous les acteurs et actrices qui animent le milieu du cinéma au Québec. Il faut cependant rappeler que plusieurs d'entre eux ont beaucoup de talent et sont reconnus internationalement.

Mentionnons aussi la contribution de Daniel Langlois, acteur important sur la scène du cinéma utilisant les nouvelles technologies, par la mise sur pied de festivals et de lieux de création comme Ex-Centris. Il est notamment le fondateur de Softimage, qui crée des logiciels d'animation infographique ayant servi à la réalisation de plusieurs longs métrages remarqués ces dernières années. Selon un magazine spécialisé, 80% des logiciels d'animation et d'effets spéciaux produits dans le monde sont conçus par des entreprises montréalaises comme Softimage.

Notez aussi que la ville de Montréal se démarque dans le milieu du cinéma sur un autre plan. Elle sert en effet de toile de fond dans plusieurs longs-métrages. Des cinéastes de partout viennent tourner leurs films à Montréal en raison de sa beauté et de la qualité de la main-d'œuvre et des services que la ville propose. Observez bien le décor du prochain film que vous visionnerez: même si l'histoire se déroule par exemple à Boston ou Munich, vous reconnaîtrez peut-être des coins de Montréal!

Tableau des distances (km)
par le chemin le plus court

	Baie-Comeau	Boston (Mass.)	Charlottetown (Î.-P.-É.)	Chibougamau	Chicoutimi	Gaspé	Halifax (N.-É.)	Hull / Ottawa	Montréal	New York (N.Y.)	Niagara Falls (Ont.)	Québec	Rouyn-Noranda	Sherbrooke	Toronto (Ont.)	
Baie-Comeau																Baie-Comeau
Boston (Mass.)	1040															Boston (Mass.)
Charlottetown (Î.-P.-É.)	724	1081														Charlottetown (Î.-P.-É.)
Chibougamau	679	1152	1347													Chibougamau
Chicoutimi	316	849	992	363												Chicoutimi
Gaspé	337	1247	867	1039	649											Gaspé
Halifax (N.-É.)	807	1165	265	1430	1076	952										Halifax (N.-É.)
Hull / Ottawa	869	701	1404	725	662	1124	1488									Hull / Ottawa
Montréal	676	512	1194	700	464	930	1290	207								Montréal
New York (N.Y.)	1239	352	1421	1308	1045	1550	1508	814	608							New York (N.Y.)
Niagara Falls (Ont.)	1334	767	1836	1298	1126	1590	1919	543	670	685						Niagara Falls (Ont.)
Québec	422	648	984	515	211	700	1056	451	253	834	925					Québec
Rouyn-Noranda	1304	1136	1833	493	831	1559	1916	536	638	1246	858	877				Rouyn-Noranda
Sherbrooke	662	426	1187	724	451	915	1271	347	147	657	827	240	782			Sherbrooke
Toronto (Ont.)	1224	906	1746	1124	1000	1476	1828	399	546	823	141	802	606	693		Toronto (Ont.)
Trois-Rivières	545	566	1089	574	338	808	1173	331	142	750	814	130	747	158	688	Trois-Rivières

Exemple: la distance entre Montréal et Boston est de 512 km.

© ULYSSE

Renseignements généraux

La ville de Montréal

est divisée en 27 arrondissements. Outre le maire Gérald Tremblay et son équipe, qui dirigent l'administration municipale à l'hôtel de ville, les Montréalais ont élu les maires d'arrondissement et leurs conseillers.

En effet, le 1er janvier 2002, les villes de la Communauté urbaine de Montréal ont fusionné pour former une nouvelle grande ville qui occupe toute l'île de Montréal (environ 50 km sur 15 km d'une extrémité à l'autre, pour une superficie d'à peu près 500 km^2). La population de la nouvelle grande ville est de 1 800 000 habitants, tandis que la grande région de Montréal, qui comprend en outre la Rive-Sud, Laval et la Rive-Nord, compte 3 400 000 habitants.

Le présent chapitre a pour but de vous aider à planifier votre voyage avant votre départ et une fois sur place.

Indicatifs régionaux

L'indicatif régional de l'île de Montréal est le 514. Tout autour de l'île, l'indicatif régional est le **450**. Cependant, les appels entre ces deux régions demeurent des appels locaux, donc sans frais, bien que l'on doive composer l'indicatif régional d'une région à l'autre.

Formalités d'entrée

Pour la plupart des citoyens des pays d'Europe de l'Ouest, un passeport valide suffit, et aucun visa n'est requis pour un séjour de moins de trois mois au Canada. Un billet de retour ainsi qu'une preuve de fonds suffisants pour couvrir le séjour peuvent être demandés.

Précaution: certains pays européens n'ayant pas de convention avec le Canada en ce qui concerne l'assurance maladie-accident, il est conseillé de se munir d'une telle couverture (voir p 67).

Le visiteur français ou suisse qui veut poursuivre son périple en se rendant aux États-Unis en voyage de tourisme ou d'affaires n'a plus besoin d'être en possession d'un visa à condition de:

avoir un billet d'avion aller-retour;

présenter un passeport en cours de validité (les enfants de moins de 15 ans peuvent être inscrits sur le passeport de leurs parents);

à compter du 26 octobre 2004, présenter un passeport individuel à lecture optique (y compris pour les enfants, quel que

soit leur âge): à défaut, l'obtention d'un visa sera obligatoire;

projeter un séjour de 90 jours maximum (le séjour ne peut être prolongé sur place: le visiteur ne peut changer de statut, accepter un emploi ou étudier);

présenter des preuves de solvabilité (carte de crédit, chèques de voyage);

remplir le formulaire de demande d'exemption de visa (formulaire I-94W) remis par la compagnie de transport pendant le vol.

Depuis le 15 mai 2003, les citoyens belges qui souhaitent se rendre aux États-Unis dans le cadre du Programme d'exemption de visa doivent présenter un passeport à lecture optique délivré par le Gouvernement belge. Les citoyens belges, encore en possession d'un passeport ancien modèle, toujours valide, peuvent continuer à l'utiliser à condition toutefois d'obtenir un visa pour se rendre aux États-Unis.

Tout voyageur qui projette un séjour de plus de trois mois aux États-Unis doit faire sa demande de visa (150$US) dans son pays de résidence, à l'ambassade des États-Unis.

Prolongation du séjour

Il faut adresser sa demande **par écrit** et **trois semaines avant** l'expiration de son visa (date généralement inscrite dans le passeport) à l'un des centres de **Citoyenneté et Immigration Canada** *(www.cic.gc.ca)*. Votre passeport valide, un billet de retour, une preuve de fonds suffisants pour couvrir le séjour ainsi que 75$ pour les frais de dossier (non remboursables) vous seront demandés. Attention, dans certains cas (études, travail), la demande doit obligatoirement être faite **avant** l'arrivée au Canada.

Ambassades et consulats

Pour la liste complète des services consulaires à l'étranger, veuillez consulter le site du gouvernement canadien: *www.dfait-maeci.gc.ca/dfait/missions/menu-f.asp*

En Europe

France
Ambassade du Canada
35 avenue Montaigne
75008 Paris
métro Franklin-Roosevelt
☎*01.44.43.29.00*
⇌*01.44.43.29.99*
www.amb-canada.fr

Belgique
Ambassade du Canada
avenue de Tervueren 2
1040 Bruxelles
métro Mérode
☎*02.741.06.11*
⇌*02.741.06.43*
www.ambassade-canada.be

Suisse
Ambassade du Canada
Kirchenfeldstrasse 88
3005 Berne
☎*357.32.00*
⇌*357.32.10*
www.canada-ambassade.ch

À Montréal

Consulat général de France
1 Place Ville-Marie
26ᵉ étage, bureau 2601
Montréal, H3B 4S3
☎*878-4385*
⇌*878-3981*
www.consulfrance-montreal.org

Consulat général de Belgique
999 boulevard De Maisonneuve Ouest, bureau 850
Montréal, H3A 3L4
☎*849-7394*
⇌*844-3170*

Consulat général de Suisse
1572 avenue du Docteur-Penfield
Montréal, H3G 1C4
☎*932-7181*
⇌*932-9028*

Renseignements touristiques

Vous pouvez obtenir des renseignements touristiques à

Tourisme Québec, auprès des délégations générales du Québec à l'étranger et aux offices de tourisme de Montréal.

Tourisme Québec
Case postale 979
Montréal, H3C 2W3
☎ *873-2015 ou*
800-363-7777
www.bonjourquebec.com

Les délégations du Québec à l'étranger

France
66 rue Pergolèse
75116 Paris
métro Porte-Dauphine
☎ *01.40.67.85.00*
↪ *01.40.67.85.09*
www.delegationquebec.fr

Belgique
avenue des Arts 46, 7ᵉ étage
Bruxelles 1040
métro Art-Loi
☎ *02.512.00.36*
↪ *02.514.26.41*
www.mri.gouv.qc.ca/bruxelles

Librairies d'ici à Paris

La Librairie du Québec
30 rue Gay-Lussac
75005 Paris
métro: RER Luxembourg
☎ *01.43.54.49.02*
↪ *01.43.54.39.15*
On y trouve un grand choix de livres sur le Québec et le Canada, ainsi que toute l'édition du Québec et du Canada franco-phone dans tous les domaines.

Abbey Bookshop
La Librairie canadienne
29 rue de la Parcheminerie
75005 Paris
métro St-Michel et Cluny La Sorbonne
☎ *01.46.33.16.24*
↪ *01.46.33.03.33*
Cette librairie propose des livres sur le Canada ou encore d'auteurs canadiens, en anglais et en français.

Bureaux d'information sur place

Centre Infotouriste
1001 rue du Square-Dorchester
métro Peel
☎ *873-2015*
Le centre est ouvert de 8h30 à 19h30 tous les jours de l'été et de septembre à juin de 9h à 18h également tous les jours. Il diffuse de l'information détail-lée, avec nombre de docu-ments à l'appui (cartes routiè-res, dépliants, guides d'héber-gement), sur toutes les régions touristiques du Québec.

Bureau du Vieux-Montréal
174 rue Notre-Dame E.
métro Champ-de-Mars
☎ *874-1696*
Renseignements sur la région de Montréal seulement.

Sites Internet d'intérêt

Vous pourrez aussi trouver de multiples renseignements sur Internet. Voici quelques sites intéressants.

Les voyageurs partant pour le Québec ou les Québécois visitant une nouvelle région consulteront le site du **ministère du Tourisme** *(www.tourisme.gouv.qc.ca)*, qui permet d'entrer en contact avec les différentes associations touristiques régionales et même de faire une visite virtuelle du Québec.

N'oubliez surtout pas le site des **Guides de voyage Ulysse** *(www.guidesulysse.com)*, qui présente régulièrement ses nouveautés sur le Québec.

Mentionnons aussi:
http://voyagez.branchez-vous.com
www.canoe.qc.ca
www.toile.qc.ca
www.petitmonde.ca

Le site de l'**Office des congrès et du tourisme du Grand Montréal (OCTGM)** *(www.tourisme-montreal.org)* donne une foule de renseignements pratiques et culturels sur la ville de Montréal. On y trouve aussi un calendrier des multiples événements qui animent la ville hiver comme été.

Aussi, plusieurs magazines et quotidiens de Montréal ont un site Internet. C'est le cas entre autre de l'hebdomadaire culturel *Voir (www.voir.ca/)* et du quotidien *Le Devoir (www.ledevoir.com)*.

Le site *www.montrealplus.ca* permet de visiter virtuellement des commerces et de connaître des services (restaurants et bars, cinémas, musique, culture, sports et loisirs, magasinage, hôtels et tourisme).

L'arrivée à Montréal

Voies d'accès

Si vous partez de Québec, vous pouvez emprunter l'autoroute 20 Ouest jusqu'au pont Champlain, puis prendre l'autoroute Bonaventure, qui mène directement au centre-ville. Vous pouvez aussi arriver par l'autoroute 40 Ouest, que vous devez emprunter jusqu'à l'autoroute Décarie (15), d'où vous devez suivre les indications vers le centre-ville.

En arrivant d'Ottawa, empruntez l'autoroute 40 Est jusqu'à l'autoroute Décarie (15), que vous devez prendre en suivant les indications vers le centre-ville. De Toronto, vous arrivez sur l'île de Montréal par l'autoroute 20 Est, puis vous devez prendre l'autoroute Ville-Marie (720) en suivant les indications vers le centre-ville.

Des États-Unis, en arrivant par l'autoroute 10 (Cantons-de-l'Est) ou l'autoroute 15, vous entrez à Montréal par le pont Champlain et l'autoroute Bonaventure.

Renseignements généraux

Aéroport international Pierre-Elliott-Trudeau de Montréal

L'aéroport international de Montréal-Dorval a été renommé depuis peu l'«aéroport international Pierre-Elliott-Trudeau de Montréal» en hommage à l'ancien premier ministre canadien. Cet aéroport, que l'on peut aussi tout simplement appeler «Montréal-Trudeau», est situé à une vingtaine de kilomètres du centre-ville de Montréal, soit à plus ou moins 20 min en voiture. Pour se rendre au centre-ville, il faut prendre l'autoroute 20 Est jusqu'à la jonction avec l'autoroute Ville-Marie (720), direction «Centre-ville, Vieux-Montréal».

Information

Pour tout renseignement concernant les services d'aéroport (arrivées, départs et autres), le comptoir d'information des **Aéroports de Montréal (ADM)** (☎394-7377 ou 800-465-1213, www.admtl.com) est ouvert de 5h à 2h30 sept jours sur sept.

Service de navette

L'**Aérobus**, de la compagnie d'autocars **La Québécoise** (☎931-9002, www.autobus.ca), propose son service de navette entre le centre-ville, quelques grands hôtels et l'aéroport Montréal-Trudeau. Vous pouvez aussi obtenir de l'information sur le service de navette

de l'Aérobus en contactant les **Aéroports de Montréal (ADM)**.

Vous pouvez acheter votre billet soit auprès du chauffeur d'autobus, soit à la **Station Centrale** (505 boul. De Maisonneuve E., métro Berri-UQAM), soit à la **Station Aérobus** (777 De La Gauchetière O., angle rue University, ☎931-9002).

De l'aéroport Montréal-Trudeau au centre-ville: aux 30 min de 7h à 1h. Arrêts à la Station Aérobus et à quelques grands hôtels, et arrivée à la Station Centrale. Coût: 12$ aller simple; 21,75$ aller-retour.

Du centre-ville à l'aéroport Montréal-Trudeau: aux 30 min de 5h à 23h. Départs de la Station Centrale, arrêts à quelques grands hôtels et à la Station Aérobus. Coût: 12$ aller simple; 21,75$ aller-retour.

Autobus

Au départ de l'aéroport Montréal-Trudeau, vous pouvez aussi utiliser le service de transport en commun de la **Société de transport de Montréal (STM)** (☎288-6287, www.stm.info) pour vous rendre au centre-ville. Prenez l'autobus 204 vers l'est jusqu'à la gare Dorval. De là, prenez l'autobus 211 vers l'est jusqu'à la station de métro Lionel-Groulx. Et si vous voulez vous rendre à l'aéroport Montréal-Trudeau au départ du centre-ville, faites le trajet en sens inverse au départ

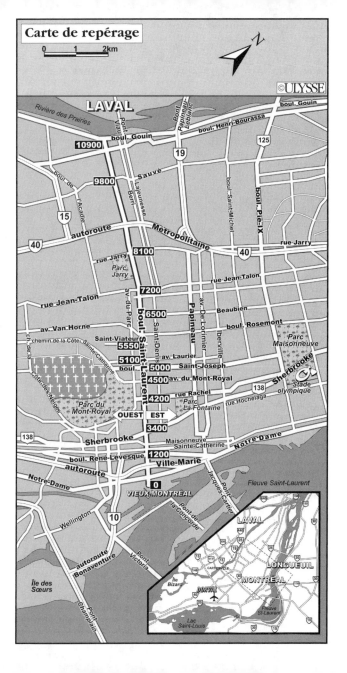

Carte de repérage

0 — 1 — 2km

©ULYSSE

de la station de métro Lionel-Groulx.

Transport adapté

La compagnie d'autocars **La Québécoise** (☎*931-9002, www.autobus.qc.ca*) propose également sur réservation (24 heures à l'avance) un service de transport adapté vers les aéroports aux gens qui en font la demande.

Taxis

L'aéroport Montréal-Trudeau est desservi par 260 voitures. Le service est offert à partir de 6h le matin jusqu'à l'arrivée du dernier vol. Le tarif forfaitaire se chiffre à 31$ plus 1$ de frais aéroportuaires pour les voyages entre l'aéroport et le centre-ville de Montréal. Pour les courts trajets, le tarif minimal est de 10$ plus 1$ de frais aéroportuaires. Tous les taxis desservant l'aéroport Montréal-Trudeau sont tenus d'accepter les cartes de crédit majeures.

Limousine

Tarif fixe (*47,70$*) pour aller au centre-ville. Information: ☎*633-3019*.

Location de voitures

La plupart des grandes agences de location de voitures sont représentées à l'aéroport Montréal-Trudeau (voir p 56).

Change

L'agence **ICE Currency** dispose d'un comptoir ouvert de 5h à 21h30. Une commission est prélevée. Notez qu'il est plus avantageux de changer ses devises au centre-ville de Montréal (voir p 62).

Taxe de départ

Une taxe de départ de 15$ vous sera imposée lors de votre départ de l'aéroport Montréal-Trudeau. Vous pouvez vous acquitter de ce montant à l'un des nombreux guichets automatiques à l'aéroport même ou au comptoir juste avant de franchir les portes d'embarquement.

Objets perdus

☎*636-0499*

Aéroport international de Mont-Tremblant

L'aéroport international de Mont-Tremblant (*150 ch. du Lac-Chaud, La Macaza, ☎819-425-7919 ou 877-425-7919, www.mtia.ca*), le dernier-né des aéroports internationaux canadiens, est situé à 30 min au nord du centre de villégiature du Mont-Tremblant. Il accueille aussi bien les gros porteurs que les petits avions privés et les jets corporatifs, et offre tous les services aéroportuaires et les services aux passagers qu'on attend d'un aéroport international. Son terminal, unique par son architecture en bois rond, abrite entre autres un service de réservation d'hôtel et une agence de location de voitures, en plus d'un service de traiteur et de limousine ou de taxi.

En train

La gare de trains de Montréal, la **Gare centrale** *(895 rue De La Gauchetière O.,* ☎*989-2626 ou 888-842-7245, www.viarail.ca)* se trouve en plein centre-ville.

En autocar

La **Station Centrale** *(505 boul. De Maisonneuve E.* ☎*842-2281)*, située à l'angle de la rue Berri, est la gare d'autocars de Montréal. Elle accueille les autocars de partout qui desservent la plupart des grandes villes du Canada et des États-Unis. On y trouve des toilettes, des casiers, des casse-croûte ainsi qu'un kiosque d'information touristique et des comptoirs de location de voitures. La gare est bâtie juste au-dessus de la station de métro Berri-UQAM.

Vos déplacements

Montréal est une ville on ne peut plus facile à parcourir. Sa trame de rues forme un échiquier presque parfait avec ses artères courant du nord au sud ou de l'est à l'ouest.

Les artères est-ouest sont divisées par le boulevard Saint-

Laurent. Ainsi, les adresses sur ces rues débutent à zéro au niveau du boulevard Saint-Laurent et vont croissant soit vers l'est, soit vers l'ouest. La direction géographique est généralement ajoutée au nom de ces rues.

Sur les artères nord-sud, les adresses se suivent aussi en commençant à zéro au fleuve (sud de l'île). Le n° 4176 de la rue Saint-Denis correspond à peu de chose près au n° 4176 de la rue Papineau ou de la rue Saint-Urbain. Consultez le plan (voir p 51) pour apprendre à vous orienter rapidement.

Seule ombre au tableau: les sens uniques! Ils sont nombreux à Montréal et peuvent parfois vous faire tourner en rond. Une rue peut par exemple être sens unique vers le nord pour une portion puis devenir sens unique vers le sud un peu plus loin. Cependant, leur direction alterne généralement: si une rue va vers le nord, la suivante va vers le sud. Surveillez bien les panneaux de signalisation!

Les transports publics

Autobus et métro

Il est fort aisé de visiter Montréal en ayant recours aux transports publics, car la ville est pourvue d'un réseau d'autobus et de métro qui couvre bien l'ensemble de son territoire. Les stations de métro se remarquent au panneau fléché bleu et blanc portant l'inscription «Métro». Les arrêts d'autobus, identifiés par un poteau surmonté d'un petit panneau blanc et bleu, se trouvent au coin des rues.

Pour utiliser le réseau de la **Société de transport de Montréal (STM)** *(www.stm.info)* pendant un mois, on doit se procurer la carte d'accès (CAM) au prix de 59$, qui est en vente quelques jours précédant sa validité et quelques jours au début du mois de validité. La carte touristique, quant à elle, permet d'utiliser l'autobus et le métro au cours d'une journée (8$) ou de trois jours (16$). On peut également acheter six billets pour 11$, ou encore opter pour payer 2,50$ à chaque voyage. Les enfants bénéficient de prix réduits. On peut acheter ces billets dans toutes les stations de métro. **Notez que les chauffeurs d'autobus ne vendent pas de billets et ne font pas de monnaie**.

Les lignes verte et orange du métro sont en service du lundi au vendredi et le dimanche de 5h30 à minuit et demi ainsi que le samedi de 5h30 à 1h. La ligne jaune, quant à elle, est en service du lundi au vendredi et le dimanche de 5h30 à 1h ainsi que le samedi de 5h30 à 1h30. La ligne bleue, pour sa part, fonctionne tous les jours de 5h30 à minuit.

La plupart des circuits d'autobus suivent le même horaire que le métro. Cependant, il existe des lignes d'autobus de nuit, identi-fiées à chaque arrêt par une demi-lune. Les autobus de nuit circulent donc de minuit à 5h le long des artères principales de la ville et à une fréquence somme toute assez régulière. Aux principaux arrêts du réseau, un petit panneau donne l'horaire du passage des autobus ainsi que le parcours qu'ils effectuent.

Lorsqu'un trajet nécessite une correspondance (transfert d'autobus au métro ou vice versa), le passager doit demander un billet de correspondance au chauffeur ou le prendre, à son entrée, dans la distributrice prévue à cet effet dans les stations de métro. À l'intérieur de ces dernières, on peut obtenir gratuitement un plan du réseau ainsi que l'horaire de chacune des lignes d'autobus qui desservent la station.

Notez qu'un service appelé «Entre deux arrêts» permet aux femmes qui en sentent la nécessité de se faire déposer où elles le désirent sur le trajet d'un autobus après 21h, pourvu qu'elles en fassent la demande à l'avance au chauffeur et que celui-ci juge sécuritaire de s'arrêter à un tel endroit.

À la station Berri-UQAM, il est possible de se procurer les Planibus, l'horaire détaillé et le circuit de chaque autobus du réseau. C'est de plus à cette station que vous pouvez récupérer, pendant les heures de bureau, les petits objets oubliés dans le métro ou dans les autobus.

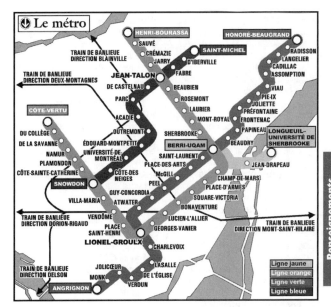

Pour plus de renseignements sur le réseau de transport en commun, composez le ☎288-6287 (correspondant aux lettres du mot «AUTOBUS» sur le clavier du téléphone) ou visitez le site Internet *www.stm.info*.

Trains de banlieue

Les trains de banlieue sont sous la responsabilité de l'**Agence métropolitaine de transport (AMT)** (☎287-tram, *www.amt. qc.ca*). Il existe cinq lignes de trains de banlieue comportant de nombreuses gares, et il est possible d'y transporter un vélo: Montréal / Dorion-Rigaud, Montréal / Deux-Montagnes, Montréal / Blainville, Montréal / Mont-Saint-Hilaire et Montréal / Delson. Les

points de vente de titres de transport pour les trains de banlieue sont multiples, les plus importants se trouvant à la Gare centrale ainsi qu'aux gares Lucien-L'Allier, Vendôme, du Parc et Sainte-Thérèse. L'horaire est varié, de même que les tarifs.

En voiture

La ville de Montréal étant bien desservie par les transports publics et le taxi, il n'est pas nécessaire d'utiliser une voiture pour la visiter. D'autant moins que la majorité des attraits touristiques sont relativement rapprochés les uns des autres, et que tous les circuits que nous vous proposons se font à pied, sauf «L'ouest de l'île». Il est néanmoins aisé de se déplacer en voiture. Au centre-ville, les places de stationnement, bien qu'assez chères, sont nombreuses. Il est possible de se garer dans la rue, mais il faut être attentif aux panneaux limitant les périodes de stationnement. Le contrôle des véhicules mal garés est fréquent et sévère.

Quelques conseils

L'hiver: le déneigement après une tempête vous oblige à déplacer votre voiture lorsque des panneaux l'annonçant sont disposés dans les rues. De plus, un véhicule émettant un signal avertisseur vous rappellera de dégager la voie.

Le code de la route: lorsqu'un autobus scolaire (de couleur jaune) est à l'arrêt (feux clignotants allumés), vous devez obligatoirement vous arrêter, quelle que soit la voie dans laquelle vous circulez. Tout manquement à cette règle est considéré comme une faute grave! Le port de la ceinture de sécurité est obligatoire, même pour les passagers arrière.

Attention aux voies réservées aux autobus! Elles sont identifiées par un large losange blanc peint sur la chaussée ainsi que par des panneaux qui indiquent clairement les heures pendant lesquelles vous devez vous abstenir de circuler dans ces voies, sauf, bien sûr, pour effectuer un virage à droite.

Notez que le virage à droite au feu rouge est interdit partout sur l'île de Montréal. Ailleurs au Québec, il est autorisé, sauf aux intersections où il y a un panneau d'interdiction.

Location de voitures

On trouve à Montréal les comptoirs des principales agences de location de voitures. Le bottin des *Pages Jaunes* en donne la plupart des adresses; en voici quelques-unes.

Avis
Aéroport Montréal-Trudeau
☎*636-1902*
1225 rue Metcalfe
☎*866-2847*
Station Centrale, 505 boul. De Maisonneuve E.
☎*288-9934*

Budget
Aéroport Montréal-Trudeau
☎*636-0052*
1240 rue Guy
☎*937-9121*
895 rue De La Gauchetière O.
☎*866-7675*

Discount
607 boul. De Maisonneuve O.
☎*286-1554*

Hertz
Aéroport Montréal-Trudeau
☎*636-9530*
1073 rue Drummond
☎*938-1717*
1475 rue Aylmer
☎*842-8537*

National
Aéroport Montréal-Trudeau
☎*636-9030*
1200 rue Stanley
☎*878-2771*

Via Route
1255 rue Mackay
☎*871-1166*

Vérifiez si:

- le contrat comprend le kilométrage illimité ou non;

- l'assurance proposée vous couvre complètement (accident, dégâts matériels, frais d'hôpitaux, passagers, vols).

Rappelez-vous:

- Il faut être âgé d'au moins 21 ans et posséder son permis depuis **au moins** un an pour louer une voiture. Toutefois, si vous avez entre 21 et 25 ans, certaines agences vous imposeront une franchise collision de 500$ et parfois un supplément journalier. À partir de 25 ans, ces conditions ne s'appliquent plus.

- Une carte de crédit est indispensable pour le dépôt de garantie si vous ne voulez pas bloquer des sommes importantes.

- Dans la majorité des cas, les voitures louées sont dotées d'une transmission automatique. Vous pouvez, si vous le préférez, en demander une à embrayage manuel.

- Les sièges de sécurité pour enfant sont en supplément dans la location.

Accidents et pannes

En cas d'accident grave, incendie ou autre urgence, faites le ☎**911**.

Lors d'un accident, n'oubliez jamais de remplir une déclaration d'accident (constat à l'amiable). En cas de désaccord, demandez l'aide de la police. Par la suite, il faudra avertir au plus vite l'agence de location.

Les taxis

Co-op Taxi
☎*725-9885*

Diamond
☎*273-6331*

Taxi LaSalle
☎*277-2552*

Le vélo à Montréal

Le vélo demeure un des moyens les plus agréables pour se déplacer en été. Des pistes cyclables ont été aménagées afin de permettre aux cyclistes de se promener dans bon nombre de quartiers de la ville. Pour faciliter ses déplacements, on peut se procurer une carte des pistes cyclables aux bureaux d'information touristique, ou encore acheter le guide Ulysse *Le Québec cyclable*.

Renseignements généraux

La **Société de transport de Montréal (STM)** (☎288-6287, *www.stm.info*) permet aux usagers de transporter un vélo dans le métro, mais pose les conditions suivantes:

Les usagers doivent être âgés d'au moins 16 ans ou être accompagnés d'un adulte s'ils sont plus jeunes. Ils doivent transporter leur vélo entre 10h et 15h ou après 19h, et ce, du lundi au vendredi; les samedis, dimanches et jours fériés, ils ont accès au métro avec leur vélo toute la journée. Ils doivent cependant monter dans la première voiture de la rame, mais les piétons y ont priorité. Ils ne doivent pas y monter si la voiture compte déjà quatre vélos. Ils ne peuvent pas prendre le métro avec leur vélo lors des grands événements tels que les feux d'artifice de La Ronde et les courses automobiles de l'île Notre-Dame.

En tout temps, les cyclistes peuvent garer leur vélo près d'une station de métro, la STM mettant à leur disposition plusieurs supports à bicyclettes.

Au printemps, la Ville de Montréal installe également de nombreux supports à vélo un peu partout sur l'île; elle les remise pour l'hiver.

Sur les trains de banlieue, qui sont sous la responsabilité de l'**Agence métropolitaine de transport (AMT)** (☎287-tram, *www.amt.qc.ca*), on peut aussi transporter un vélo.

Les automobilistes n'étant pas toujours attentifs, les cyclistes doivent être vigilants et sont d'ailleurs tenus de respecter la signalisation routière et de prendre garde aux intersections. En outre, bien que le casque de sécurité ne soit pas encore obligatoire à Montréal, il est fortement conseillé d'en porter un.

Pour plus de l'information sur les organismes reconnus, les boutiques de location et les plus beaux endroits où pédaler, référez-vous au chapitre Plein air, section Vélo, du présent guide.

Les navettes fluviales

Toutes les navettes fluviales accueillent les piétons et les cyclistes. Téléphonez, avant de vous rendre aux quais des navettes, pour vous informer des horaires.

Les **Croisières AML** (☎281-8000, *www.croisieresaml.com*), qui gèrent les **Navettes maritimes du Saint-Laurent**, assurent la liaison entre le Vieux-Port de Montréal (quai Jacques-Cartier) et l'île Sainte-Hélène *(mi-mai à début sept tlj; 3,75$)* ou le port de plaisance de Longueuil *(mi-mai à début sept tlj; 4$)*, ainsi qu'entre le parc de la Promenade Bellerive *(mi-juin à début sept mer-dim; 4$ incluant le droit d'entrée au parc national des Îles-de-Boucherville)* et l'île Charron, qui donne accès au

parc national des Îles-de-Boucherville.

Les **Croisières Navark**, quant à
elles, disposent d'un **bateau-
passeur** *(mi-juin à début sept
mer-dim; 3,50$ incluant le droit
d'entrée au parc national des
Îles-de-Boucherville; ☎450-651-
9485, www.navark.net)* qui fait
la navette entre la promenade
René-Lévesque (le quai
d'embarquement se trouve à
l'extrême est de la promenade,
du côté de Longueuil, le long
du fleuve Saint-Laurent) et l'île
Charron, qui donne accès au
parc national des Îles-de-Boucherville, sillonné par environ
20 km de voies cyclables.

Les **Croisières Navark** offrent
également un service de navette *(mi-juin à début sept sam-
dim; 5$; ☎668-7077, www.na-
vark.net)* sur le lac Saint-Louis,
entre le parc René-Lévesque
de Lachine et le parc de la
Commune, à Châteauguay.

Passeport Montréal

Avec le *Passeport Montréal*, vous
aurez accès à 30 musées et
attraits majeurs montréalais ainsi
qu'au réseau de transport en
commun durant trois jours
consécutifs, le tout pour seulement 39$!

Reflets de l'histoire et de la
diversité culturelle montréalaises, les musées et attraits de
Montréal abordent les sujets les
plus variés avec un regard no-
vateur et une réelle authentici-

té. Art, histoire, sciences, environnement, arts de la scène,
etc. Il y en a pour tous les
goûts!

Le *Passeport Montréal* est disponible dans les établissements
suivants:

l'un des 30 musées et attraits
participants;

au Bureau d'information touristique du Vieux-Montréal *(174
rue Notre-Dame E.)*;

chez Hospitalité Canada *(651
rue Notre-Dame O., bureau
260)*;

dans certains grands hôtels.

Pour tout renseignement, composez à Montréal le ☎*873-2015*
ou, de l'extérieur, le ☎*877-266-
5687*.

Montréal en tour organisé

Plusieurs entreprises touristiques organisent des balades à
Montréal, proposant aux visiteurs de partir à la découverte
de la ville d'une façon différente. Ainsi, les visites à pied
permettent de découvrir des
quartiers bien précis de la ville,
alors que les visites en bus en
donnent une vue d'ensemble.
Avec les croisières, on peut
observer une facette nouvelle
de la ville, soit une perspective
à partir du fleuve. Bien que les
options soient multiples, il
convient de mentionner quel-

ques-unes d'entre elles qui valent particulièrement le déplacement.

À pied

Architectours (Héritage Montréal)
☎286-2662
www.heritagemontreal.qc.ca
Ces promenades à pied sillonnent divers quartiers et sont axées sur l'architecture, l'histoire et l'urbanisme. Les visites sont organisées les fins de semaine durant la saison estivale. Elles durent en moyenne deux heures et coûtent 10$ par personne.

L'Autre Montréal
en été pour tous, en hiver pour les groupes seulement
2000 boul. St-Joseph E.
☎521-7802
Cet organisme présente la face cachée de Montréal, ses quartiers populaires, ses recoins méconnus. Certaines visites développent des thèmes précis (par exemple, «Les femmes dans la ville»). Elles durent en moyenne trois heures et coûtent 18$ par personne.

Guidatour
en été pour tous, en hiver pour les groupes seulement
477 rue St-François-Xavier, bureau 300
☎844-4021
www.guidatour.qc.ca
Tous les jours de juin à octobre, cette entreprise organise de nombreuses excursions à travers les artères de la ville, permettant aux voyageurs de découvrir l'histoire de Montréal, son développement, son architecture et sa vie culturelle. Elle propose même des visites de Montréal en costumes d'époque. Les tours durent en moyenne une heure et demie et coûtent 14$ par personne.

Circuits animés

Il existe aussi plusieurs circuits animés soulignant par des thématiques variées les caractéristiques propres à chaque quartier. Notons le *Circuit des Fantômes du Vieux-Montréal* (mai à août; ☎868-0303, www.phvm. qc.ca), qui invite à la découverte de légendes, personnages célèbres et crimes historiques ayant eu lieu à Montréal.

Le circuit *Le Monde de Michel Tremblay* (☎844-4021, www.guidatour.qc.ca), pour sa part, propose une excursion au cœur du Plateau Mont-Royal, dans l'esprit des personnages et des lieux tirés des romans de l'auteur montréalais.

Le personnage incarnant l'épouse du chef des Patriotes dans le circuit *La Cité de Julie Papineau* (☎844-4021, www. guidatour.qc.ca) anime une visite du Vieux-Montréal inspirée du XIXe siècle.

En autobus

En bateau

Tours Impérial
Centre Infotouriste
1001 rue du Square-Dorchester
☎*871-4733*
Visites guidées comprenant une visite générale d'une durée de trois heures pour 35$ ou encore... une visite à bord d'un autobus à deux étages.

On propose aussi un type de visite qui peut s'avérer intéressant pour ceux qui aiment prendre leur temps. Ainsi, vous pouvez, au cours de ce circuit, décider de vous attarder à un site touristique que vous jugez plus intéressant et poursuivre plus tard en vous joignant au tour suivant.

Autocars Connaisseur - Gray Line
Centre Infotouriste
1001 rue du Square-Dorchester
☎*934-1222*
Tours de ville classiques à bord de confortables autocars, d'une durée de six heures et au coût de 55$. On propose aussi des promenades d'une durée de trois heures au coût de 32$ qui se font à bord d'un *tram* (autobus ressemblant au tramway), en été seulement. En hiver, les tours de ville classiques (en autocar seulement) se limitent à une durée de trois heures et coûtent 35$.

L'Amphi-Bus (voir ci-dessous).

Le Bateau-Mouche
quai Jacques-Cartier, Vieux-Port
☎*849-9952*
www.bateau-mouche.com
Croisières commentées sur le fleuve montrant Montréal sous un angle nouveau. Le jour, l'excursion coûte 21$ et dure 1 heure 30 min; les départs se font tous les jours à 10h, midi, 14h et 16h, de mai à octobre. Le soir, un dîner est servi à bord; la promenade dure alors 3 heures 30 min et coûte entre 68,50$ et 123$; départ tous les jours à 19h.

Croisières AML Montréal
quai King-Edward, Vieux-Port
☎*842-9300*
www.croisieresaml.com
Plusieurs croisières sur le fleuve à compter de 23,50$. La durée et le coût de ces excursions varient selon le forfait choisi. On propose aussi des croisières nocturnes avec dîner.

L'Amphi-Bus *(20,75$; mai à oct; départ à l'angle de la rue de La Commune et du boulevard St-Laurent, ☎849-5181)* est un autobus amphibie. On y propose donc des visites guidées du Vieux-Montréal (sur terre) et du Vieux-Port (sur mer). Une expérience qui plaira sûrement aux enfants!

Services financiers

Bureaux de change

La plupart des banques (voir les adresses plus loin) changent facilement les devises étrangères, mais presque toutes demandent des **frais de change**. En outre, on peut s'adresser à des bureaux ou comptoirs de change. Certains d'entre eux n'exigent pas de commission et ces bureaux ont souvent des heures d'ouverture plus longues. La règle à retenir: **se renseigner et comparer**.

Chèques de voyage

N'oubliez pas que les dollars canadiens et américains sont différents. Aussi, si vous ne songez pas à vous rendre aux États-Unis lors d'un même voyage, il serait préférable de faire émettre vos chèques en dollars canadiens. Les chèques de voyage sont acceptés en général dans la plupart des grands magasins et dans les hôtels, mais il vous sera plus commode de les changer dans une banque.

Cartes de crédit

La carte de crédit est acceptée un peu partout, tant pour les achats de marchandises que pour la note d'hôtel ou l'addition au restaurant. Son avantage principal réside surtout dans l'absence de manipulation d'argent, mais également dans le fait qu'elle vous permettra (par exemple lors de la location d'une voiture) de constituer une garantie et d'éviter ainsi un dépôt important d'argent. De plus, le taux de change est généralement plus avantageux. Les plus utilisées sont Visa, MasterCard et American Express.

La carte de crédit représente aussi un bon moyen d'éviter les frais de change. Ainsi, on peut surpayer sa carte et faire ensuite des retraits directement à partir de celle-ci. Cette procédure évite de transporter de grandes quantités d'argent liquide ou des chèques de voyage. Les retraits peuvent se faire directement d'un guichet automatique si vous possédez un numéro d'identification personnel (NIP) pour votre carte.

Cartes perdues ou volées:
☎800-428-1858

Banques

De nombreuses banques offrent aux touristes la plupart des services courants. Attention cependant aux commissions perçues, qui peuvent se révéler plutôt grosses.

On peut retirer de l'argent dans n'importe quel guichet automatique, partout au Canada, grâce aux réseaux Interac, Cirrus et ATM. La plupart des guichets

Taux de change

1 $CA=	0,60 € (euro)	1 € (euro)	= 1,66 $CA
1 $CA=	0,95 FS	1 FS	= 1,06 $CA
1 $CA=	0,76 $US	1 $US	= 1,32 $CA

N.B. Ces taux sont sujets à changement.

Renseignements généraux

sont ouverts en tout temps. En outre, plusieurs guichets automatiques accepteront les cartes de banques européennes. Il est possible d'obtenir de l'argent à partir d'une carte de crédit, mais il s'agit alors d'une avance de fonds, et le taux d'intérêt sur la somme ainsi prêtée est élevé, sauf si vous avez surpayé votre carte auparavant (voir ci-dessus).

Les banques sont ouvertes du lundi au vendredi de 10h à 15h. La plupart d'entre elles sont aussi ouvertes les jeudis et les vendredis jusqu'à 18h, voire 20h.

Quelques adresses

Banque Nationale du Canada
200-600 rue De La Gauchetière O.
☎*394-5555*

Caisse populaire Desjardins
435 av. du Mt-Royal E.
☎*288-5249*
1145 av. Bernard
☎*274-8221*

Banque canadienne impériale de commerce
200 boul. René-Lévesque O.
☎*286-4000*
1155 boul. René-Lévesque O.
☎*876-2323*
550 rue Sherbrooke O.
☎*845-5994*

Banque de Montréal
630 boul. René-Lévesque O.
☎*877-7146*
5060 boul. St-Laurent
☎*277-1060*
670 rue Ste-Catherine O.
☎*877-8010*

Banque Nationale de Paris
1981 av. McGill College
☎*285-6000*

Banque Royale
1 Place Ville-Marie
☎*874-5081*
1801 av. du Mt-Royal E.
☎*599-2100*
2157 rue Guy
☎*874-8966*

La monnaie

L'unité monétaire est le dollar ($), lui-même divisé en cents. Un dollar = 100 cents.

La Banque du Canada émet des billets de 5, 10, 20, 50 et 100 dollars, et des pièces de 1, 5, 10, 25 cents ainsi que de 1 et 2 dollars.

Taxes et pourboire

Les taxes

Contrairement à l'Europe, les prix affichés le sont **hors taxes** dans la majorité des cas. Il y a deux taxes: la TPS (taxe fédérale sur les produits et services) de 7% et la TVQ (taxe de vente du Québec) de 7,5% sur les biens et sur les services. Elles sont cumulatives, et il faut donc ajouter environ 15% de taxes sur les prix affichés pour la majorité des produits ainsi qu'au restaurant. **Taxe spécifique à l'hébergement** (voir p 262).

Il y a quelques exceptions à ce régime de taxation, comme les livres, qui ne sont taxés qu'à 7%, et les aliments (sauf le prêt-à-manger), qui ne sont pas taxés.

Droit de remboursement de la taxe pour les non-résidents

Les non-résidents peuvent récupérer la taxe fédérale payée sur leurs achats (soit la TPS). Pour cela, il est important de garder ses factures et de les faire estampiller à la douane. De plus, les biens doivent restés disponibles pour inspection. Le remboursement de cette taxe se fait en remplissant un formulaire. Les taxes provinciales ne sont pas remboursables. Pour information, composez le ☎*800-668-4748*.

Pourboire

Le pourboire s'applique à tous les services rendus à table, c'est-à-dire dans les restaurants ou autres établissements où l'on vous sert à table (la restauration rapide n'entre donc pas dans cette catégorie). Il est aussi de rigueur entre autres dans les bars, les boîtes de nuit et les taxis.

Selon la qualité du service rendu, il faut compter environ 15% de pourboire sur le montant avant les taxes. Il n'est pas, comme en Europe, inclus dans l'addition, et le client doit le calculer lui-même et le remettre à la serveuse ou au serveur.

Télé-communications

L'indicatif régional de l'île de Montréal est le 514. Tout autour de l'île, l'indicatif régional est le **450**. Cependant, les appels entre ces deux régions demeurent des appels locaux, donc sans frais, bien que l'on doive composer l'indicatif régional d'une région à l'autre.

Pour les appels interurbains, faites le 1 suivi de l'indicatif de la région où vous appelez, puis le numéro de votre correspondant. Les numéros de téléphone précédés de 800, 866, 877 ou 888 vous permettent de communiquer avec votre correspondant sans encourir de frais si vous appelez du Canada et souvent même des États-Unis. Si vous désirez joindre un téléphoniste, faites le 0.

Les appareils téléphoniques se trouvent à peu près partout. Certains fonctionnent même avec une carte de crédit. Pour les appels locaux, la communication coûte 0,25$ pour une durée illimitée. Pour les interurbains, munissez-vous de pièces de 25 cents, ou bien procurez-vous une carte à puce d'une valeur de 10$, 15$ ou 20$ en vente dans les kiosques à journaux. À titre d'exemple, un appel à Québec, à partir de Montréal, coûtera au moins 2,50$ pour les trois premières minutes et plus d'une trentaine de cents par minute additionnelle tenant compte de l'heure

où vous téléphonez. Il est maintenant possible de payer par carte de crédit, ou en utilisant la carte «Allô» pré-payée, mais sachez que, dans ces cas, le coût des communications est beaucoup plus élevé.

Pour appeler en France, faites le 011-33 puis le numéro à 10 chiffres de votre correspondant en omettant le premier zéro. **France Direct** (*☎800-363-4033)* est un service qui vous permet de communiquer avec un téléphoniste de France et de faire porter les frais à votre compte de téléphone en France.

Pour appeler en Belgique, faites le 011-32 puis l'indicatif régional (Anvers 3, Bruxelles 2, Gand 91, Liège 4) et le numéro de votre correspondant.

Pour appeler en Suisse, faites le 011-41 puis l'indicatif régional (Berne 31, Genève 22, Lausanne 21, Zurich 1) et le numéro de votre correspondant.

Les bureaux de poste

Les deux principaux bureaux de poste (voir ci-dessous) sont ouverts de 9h à 17h30 du lundi au vendredi *(Postes Canada, ☎800-267-1177, www.postescanada.ca)*. Il se trouve aussi de nombreux petits bureaux de poste répartis un peu partout à Montréal, soit dans les centres commerciaux, soit chez certains «dépanneurs» ou même pharmaciens; ces bureaux sont ouverts beaucoup plus tard et même le samedi.

1250 rue University
☎ *846-5401*

1695 rue Ste-Catherine E.
☎ *522-3220*

Décalage horaire

Au Québec, il est six heures plus tôt qu'en Europe et trois heures plus tard que sur la côte ouest de l'Amérique du Nord. Tout le Québec (sauf les îles de la Madeleine, qui ont une heure de plus) est à la même heure (dite «heure de l'Est»).

Horaires et jours fériés

Les magasins

La loi sur les heures d'ouverture permet l'accès aux magasins:

- Du lundi au mercredi, de 8h à 21h. Cependant, la plupart ouvrent à 10h et ferment à 18h.

- Le jeudi et le vendredi, de 8h à 21h. La majorité ouvrent à 10h.

- Le samedi, de 8h à 17h. Plusieurs d'entre eux ouvrent à 10h.

- Le dimanche, de 8h à 17h. La plupart ouvrent à midi.

On trouve également un peu partout au Québec des «dépanneurs» (magasins généraux d'alimentation de quartier) qui sont ouverts plus tard et parfois 24 heures sur 24.

Jours de fête et jours fériés

Voici la liste des jours fériés au Québec. À noter: la plupart des services administratifs et des banques sont fermés ces jours-là.

1ᵉʳ et 2 janvier:
le jour de l'An et le lendemain

Lundi suivant la fête de Pâques

3ᵉ lundi de mai:
la Journée nationale des Patriotes

24 juin:
la Saint-Jean (fête nationale des Québécois)

1ᵉʳ juillet:
la fête du Canada

1ᵉʳ lundi de septembre:
la fête du Travail

Deuxième lundi d'octobre:
l'Action de grâce

11 novembre:
le jour du Souvenir (seuls les banques et les services gouver-

nementaux fédéraux sont fermés)

25 et 26 décembre:
Noël et le lendemain

Climat

Montréal bénéficie généralement d'un climat agréable. Du moins y fait-il moins froid qu'ailleurs au Québec! En hiver, les températures peuvent descendre à –25°C. En été, le thermomètre peut monter à plus de 30°C, et la canicule qui frappe en juillet plonge la ville dans une torpeur caractéristique, entraînant le débordement des piscines publiques! Chacune des saisons au Québec a son charme et influe non seulement sur les paysages mais aussi sur le mode de vie des Québécois et leur comportement. Pour la météo, voir p 73.

Assurances

Annulation

L'assurance-annulation est normalement offerte par l'agent de voyages au moment de l'achat du billet d'avion ou du forfait. Elle permet le remboursement du billet ou du forfait dans le cas où le voyage devrait être annulé, en raison d'une maladie grave ou d'un décès. Les gens en santé n'ont pas réellement besoin d'une telle protection. Elle demeure par conséquent d'une utilité relative.

Vol

La plupart des assurances-habitation au Canada protègent une partie des biens contre le vol, même si celui-ci a lieu à l'extérieur de la maison. Si une telle malchance survenait, n'oubliez toutefois pas d'obtenir un rapport de police, car sans lui vous ne pourrez pas réclamer votre dû. Les personnes disposant d'une telle protection n'ont donc pas besoin d'en prendre une supplémentaire, mais, avant de partir, assurez-vous d'en avoir bel et bien une.

Maladie

L'assurance-maladie est sans nul doute la plus importante à se procurer avant de partir en voyage, et il est prudent de bien savoir la choisir, car la police d'assurance doit être la plus complète possible. Au moment de l'achat de la police d'assurance, il faudrait veiller à ce qu'elle couvre bien les frais médicaux de tout ordre comme l'hospitalisation, les services infirmiers et les honoraires des médecins (jusqu'à concurrence d'un montant assez élevé), ainsi qu'une clause de rapatriement, pour le cas où les soins requis ne peuvent être administrés sur place. En outre, il peut arriver que vous ayez à débourser le coût des soins en quittant la clinique; il faut donc

Renseignements généraux

vérifier ce que prévoit la police dans ce cas. S'il vous arrivait un accident durant votre séjour, vous devriez toujours garder sur vous la preuve que vous avez contracté une assurance-maladie, ce qui vous évitera bien des ennuis.

Santé

Pour les personnes en provenance de l'Europe et des États-Unis, aucun vaccin n'est nécessaire. En ce qui concerne l'assurance-maladie, il est vivement recommandé (surtout pour les séjours de moyenne ou longue durée) de souscrire à une assurance maladie-accident. Divers types d'assurances sont disponibles, et nous vous conseillons de les comparer. Emportez vos médicaments, surtout ceux qui exigent une ordonnance. Sauf indication contraire, l'eau est potable partout au Québec.

En hiver, une lotion hydratante sera utile pour les peaux sensibles, de même qu'un baume hydratant pour les lèvres. En cette saison, l'air à l'intérieur est souvent fort sec.

En été, méfiez-vous des fameux coups de soleil. Lorsque souffle le vent, il arrive fréquemment que l'on ne ressente pas les brûlures causées par le soleil. Après tout, Montréal est située à la même latitude que Lyon, avec laquelle elle est jumelée depuis plusieurs années!

N'oubliez pas votre crème solaire!

Sécurité

Le Québec est loin d'être une société violente. Une réelle politique de non-violence est prônée au Québec. La ville de Montréal possède même un **monument à la Paix**, fait de 12 700 jouets de guerre abandonnés volontairement par des enfants montréalais! Ce monument, conçu par Linda Covit, peut être admiré au parc Jarry (métro Jarry).

Urgence

En prenant les précautions courantes, il n'y a pas lieu d'être inquiet outre mesure pour sa sécurité. Si toutefois la malchance était avec vous, n'oubliez pas que le numéro de secours est le ☎**911**.

Vins, bières et alcools

Au Québec, les alcools sont régis par une société d'État, soit la Société des alcools du Québec (SAQ). Les meilleurs vins, bières et alcools sont donc vendus dans les magasins administrés par cette société, et qu'on retrouve un peu partout sur le territoire montréalais. Leurs heures d'ouverture sont cependant assez restreintes.

Voici quelques adresses de SAQ Classique:

585 rue Ste-Catherine O.
☎*844-7544*
1108 rue Ste-Catherine O.
☎*861-7908*
1616 rue Ste-Catherine O.
☎*935-5127*
Halles de la Gare
895 rue De La Gauchetière O.
☎*876-4144*
3565 boul. St-Laurent
☎*842-1660*
200 rue Jean-Talon E.
☎*276-1512*
917 rue Jean-Talon O.
☎*279-4335*
390 av. Laurier O.
☎*271-7010*
Centre commercial Wesmount
1 Westmount Square
☎*931-4546*
Complexe Desjardins
☎*844-8721*
4053 rue Saint-Denis
☎*845-5200*

Une succursale appelée **SAQ Sélection**, située au 440 du boulevard De Maisonneuve Ouest (☎*873-2274*), propose une sélection plus variée de vins et spiritueux, en plus d'offrir des services-conseils spécialisés.

Les **SAQ Express** proposent, quant à elles, une sélection plus réduite, mais sont ouvertes plus tard. On y trouve environ 400 produits parmi les plus populaires. Elles ouvrent leurs portes sept jours par semaine, de 11h à 22h. Elles sont situées entre autres au 1034 de l'avenue du Mont-Royal Est (☎*523-6117*),

au 4128 de la rue St-Denis (☎*845-5630*) et au 1108 de la rue Sainte-Catherine Ouest (☎*861-7908*).

Finalement, la **SAQ Signature** des Cours Mont-Royal, au 1700 Metcalfe (☎*282-9445*), est une boutique spécialisée qui vend des spiritueux haut de gamme: vins, portos, cognacs, scotchs, whiskies, eaux-de-vie et liqueurs fines de très bonne qualité.

Les bières

Deux grandes brasseries au Québec se partagent la plus grande part du marché: Labatt et Molson. Chacune d'elles produit différents types de bières, surtout des blondes, avec divers degrés d'alcool. Dans les bars, restaurants et discothèques, la bière pression (appelée parfois «draft») est moins chère qu'en bouteille.

À côté de ces «macrobrasseries», se développent depuis quelques années des microbrasseries qui, à bien des égards, s'avèrent très intéressantes. La variété et le goût de leurs bières font qu'elles connaissent un énorme succès auprès du public québécois. Nommons, à titre d'exemples, Unibroue (Maudite, Fin du Monde, Blanche de Chambly), McAuslan (Griffon, St-Ambroise), le Cheval Blanc (Cap Tourmente, Berlue), les Brasseurs du Nord (Boréale) et GMT (Belle Gueule).

Renseignements généraux

N. B. Il faut avoir au moins **18 ans** pour pouvoir acheter des boissons alcoolisées.

Avis aux fumeurs

Il est interdit de fumer:

- dans les centres commerciaux;
- dans les autobus et le métro;
- dans les bureaux des administrations publiques.

Aussi est-il strictement interdit de fumer dans les lieux publics. Cependant, les bars et restaurants conservent le droit d'avoir une section fermée réservée aux fumeurs. Si toutefois vous n'êtes pas trop découragé par ces règlements, sachez que les cigarettes se vendent dans bien des établissements (bars, marchands de journaux).

N. B. Il faut être âgé d'au moins **18 ans** pour pouvoir acheter des cigarettes ou n'importe quel autre produit du tabac.

Les aînés

Pour les personnes du troisième âge qui désirent rencontrer des Québécois du même groupe d'âge, il existe une fédération qui regroupe la plupart des associations de personnes âgées de 55 ans et plus. Cette fédération pourra vous indiquer, selon l'endroit que vous voulez visiter, les activités et les adresses des associations locales.

Fédération de l'âge d'or du Québec
4545 avenue Pierre-De Coubertin
C.P. 1000, succursale M
Montréal, H1V 3R2
☎*252-3017*

Des rabais très avantageux sont souvent offerts aux aînés. N'hésitez pas à les demander.

Gays et lesbiennes

Montréal offre de nombreux services à la communauté gay. Ces services sont surtout concentrés dans une zone de la ville appelée **Le Village**, situé principalement sur la rue Sainte-Catherine, entre les rues Amherst et Papineau, ainsi que sur les rues attenantes.

À Montréal, il y a une ligne téléphonique précisant les détails des activités en ville: **Gai-écoute** *(écoute et renseignements 11h à 3h;* ☎*866-0103 ou 888-505-1010).* Autre possibilité, le **Centre Communautaire des Gais et Lesbiennes** *(2075 rue Plessis,* ☎*528-8424),* qui propose toutes sortes d'activités telles que danse, cours de langue, musique, etc.

Au cours du mois d'août, un grand **Défilé de la fierté gaie et lesbienne** a lieu sur les rues Saint-Denis et Sainte-Catherine; il se termine par des spectacles. Renseignements: **Divers-**

cité (*4067 boul. St-Laurent,*
☎*285-4011*).

Des revues gratuites sont également disponibles dans les bars
et autres commerces gays, *RG*,
Fugues, *Orientations*, *Être Montréal* et *Entre–elles*. Toutes
contiennent des renseignements sur la communauté gay.

Personnes
à mobilité réduite

L'association Kéroul, un organisme de tourisme pour personnes handicapées, publie le
répertoire *Le Québec accessible*,
qui donne la liste des lieux et
établissements accessibles aux
personnes handicapées à travers tout le Québec. Ces endroits sont classés par régions
touristiques. La brochure est
disponible au prix de 15$. De
plus, dans la plupart des régions, des associations organisent des activités de loisir ou de
sport. Vous pouvez obtenir
l'adresse de ces associations en
communiquant avec
l'Association québécoise de
loisir pour personnes handicapées.

**Association québécoise de
loisir pour personnes
handicapées**
4545 avenue Pierre-De Coubertin
C.P. 1000, succursale M
Montréal, H1V 3R2
☎*252-3144*
www.aqlph.qc.ca

Kéroul
4545 avenue Pierre-De Coubertin
C.P. 1000, succursale M
Montréal, H1V 3R2
☎*252-3104*
www.keroul.qc.ca

Enfants

Dans les transports, en général,
les enfants de cinq ans et moins
ne paient pas; il existe aussi des
rabais pour les 12 ans et moins.
Pour les activités ou les spectacles, la même règle s'applique
parfois; renseignez-vous avant
d'acheter vos billets. Dans la
plupart des restaurants, des
chaises pour enfants sont disponibles, et certains proposent
même des menus pour enfants.
Quelques grands magasins
disposent aussi d'un service de
garderie. Nous vous proposons
à la page 234 une sélection
d'attraits appréciés des enfants.

Animaux
domestiques

Si vous avez décidé de voyager
avec votre animal de com-
pagnie, sachez qu'en règle
générale les animaux sont interdits dans plusieurs commerces,
notamment les magasins
d'alimentation, les restaurants
et les cafés. Il est toutefois possible d'utiliser le service de
transport en commun avec les
animaux de petite taille s'ils sont
dans une cage ou dans vos
bras. Enfin, vous pouvez promener votre chien dans tous les

**Renseignements
généraux**

parcs, en autant qu'il soit tenu en laisse et que vous ramassiez ses besoins. Sur le Plateau Mont-Royal, le **parc La Fontaine** (voir p 160), entre autres espaces verts urbains, dispose d'une aire clôturée où les chiens peuvent courir en toute liberté; plusieurs autres parcs de la ville abritent aussi de ces aires d'exercice pour chiens.

Poids et mesures

Bien qu'au Canada les poids et mesures relèvent du système métrique depuis une trentaine d'années, il est encore courant d'entendre les gens parler de pouce, pied, mille, livre ou autres éléments du système impérial.

Voici quelques équivalences:

1 livre (lb) = 454 g
1 pied (pi) = 30 cm
1 mille (mi) = 1,6 km
1 pouce (po) = 2,54 cm
1 gallon (gal) = 4,54 l

Divers

Cultes

Pratiquement tous les cultes sont représentés à Montréal. Le culte majoritaire est la religion catholique.

Drogues

Les drogues sont absolument interdites (même celles dites «douces»). Aussi bien les consommateurs que les distributeurs risquent de très gros ennuis s'ils sont trouvés en possession de drogues.

Électricité

Partout au Canada, la tension est de 110 volts. Les fiches d'électricité sont plates, et il existe des fiches adaptables en vente dans les librairies de voyage.

Folklore

Le folklore québécois, riche de son passé, peut être un moyen très agréable de découvrir ce pays. Regroupés au sein d'une association, plusieurs comités régionaux œuvrent pour la préservation et le développement du folklore québécois. Selon les saisons et les lieux, plusieurs activités sont organisées.

Pour en savoir davantage:
Association québécoise des loisirs folkloriques
4545 avenue Pierre-De Coubertin
C.P. 1000, Succursale M
Montréal, H1V 3R2
☎*252-3022*
www.quebecfolklore.qc.ca

Journaux

À Montréal, vous trouverez sans problème la presse internationale. Les grands quotidiens montréalais sont *La Presse*, *Le Devoir* et *Le Journal de Montréal*, en français, et *The Gazette*, en anglais.

Chaque semaine, on trouve les hebdomadaires *Voir* et *Ici*, en français, et *Mirror* et *Hour*, en anglais, dans plusieurs lieux publics tels que bars, restaurants et certaines boutiques. Tous les quatre sont distribués gratuitement et couvrent les activités culturelles qui font bouger Montréal.

Laveries

On retrouve des laveries à peu près partout. Dans la majorité des cas, le savon est vendu sur place. Aussi, bien qu'il existe parfois des changeurs de monnaie, il est préférable d'apporter des pièces en quantité suffisante.

Météo

Pour les prévisions météorologiques, composez le ☎*283-3010*. Vous pouvez aussi capter la chaîne câblée Météomédia (17) ou visiter son site Internet (*www.meteomedia.com*). Pour l'état des routes, composez le ☎*284-2363* (à Montréal) ou le ☎*877-393-2363* (ailleurs au Québec).

Musées au rabais

Dans la majorité des cas, les musées sont payants. Cependant, l'accès aux collections permanentes de certains musées est gratuit les mercredis soir, de 18h à 21h, et des rabais sont offerts pour ceux qui désirent voir les expositions temporaires durant cette même période. De plus, des tarifs réduits sont accordés aux gens âgés de 60 ans ou plus ainsi qu'aux enfants. Renseignez-vous!

Toilettes

Les centres commerciaux, les gares, les universités et cégeps, entre autres lieux publics, sont munis de toilettes.

Attraits touristiques

L es circuits
et les principaux attraits décrits sont cotés
selon un système d'étoiles.

A insi vous ne pourrez manquer les incontournables si
vous ne faites qu'un bref séjour
à Montréal.

★	Intéressant
★★	Vaut le détour
★★★	À ne pas manquer

L e nom de chacun des at-
traits est suivi d'information
mise entre parenthèses, comportant entre autres les heures
d'ouverture, l'adresse et le
numéro de téléphone. Le prix
d'entrée (pour un adulte) est
aussi indiqué. Notez que la
plupart des établissements
offrent des rabais dont peuvent
profiter aussi bien les enfants et
les étudiants que les aînés et les
familles; n'oubliez pas d'en faire
la demande.

★★★

Circuit A:
Le Vieux-Montréal

Au XVIIIe siècle, Montréal était,
tout comme Québec, entourée
de fortifications en pierre (voir

le plan des fortifications de Montréal vers 1750, p 19). Entre 1801 et 1817, cet ouvrage défensif fut démoli à l'instigation des marchands, qui y voyaient une entrave au développement de la ville. Cependant, la trame des rues anciennes, comprimée par près de 100 ans d'enfermement, est demeurée en place. Ainsi, le Vieux-Montréal d'aujourd'hui correspond à peu de choses près au territoire couvert par la ville fortifiée.

Au XIXᵉ siècle, ce secteur devient le noyau commercial et

● ATTRAITS

1. Tour de la Bourse
2. Square Victoria
3. Maison de l'OACI
4. Centre de commerce mondial de Montréal
5. Banque Royale
6. Banque Molson
7. Place d'Armes
8. Banque de Montréal
9. Parc de La Presse
10. Basilique Notre-Dame
11. Vieux Séminaire
12. Cours Le Royer
13. Place Royale
14. Centre des sciences de Montréal
15. Pointe-à-Callière, musée d'archéologie et d'histoire de Montréal
16. Place D'Youville
17. Hôpital Général des Sœurs Grises
18. Musée Marc-Aurèle-Fortin
19. Vieux-Port de Montréal
20. Cinéma Imax
21. Auberge Saint-Gabriel
22. Palais de justice
23. Édifice Ernest-Cormier
24. Ancien palais de justice
25. Place Jacques-Cartier
26. Hôtel de ville
27. Château Ramezay
28. Lieu historique national Sir-George-Étienne-Cartier
29. Gare Viger
30. Gare Dalhousie
31. Chapelle Notre-Dame-de-Bonsecours
32. Maison Papineau
33. Marché Bonsecours
34. Tour de l'Horloge
35. Fonderie Darling
36. Centre de céramique Bonsecours

◔ HÉBERGEMENT

1. Auberge Alternative
2. Auberge Bonaparte
3. Auberge-restaurant Pierre du Calvet
4. Auberge du Vieux-Port
5. Delta Centre-ville
6. Hôtel Gault
7. Hôtel Inter-Continental Montréal
8. Hôtel Nelligan
9. Hôtel Place d'Armes
10. Hôtel Saint-James
11. Hôtel XIXᵉ siècle
12. Marriott SpringHill Suites Vieux-Montréal
13. Les Passants du SansSoucy
14. St-Paul Hotel
15. Le Saint-Sulpice

◕ RESTAURANTS

1. Auberge-restaurant Pierre du Calvet
2. Bio Train
3. Cage aux Sports
4. Casa de Mateo
5. Chez Better
6. Chez Delmo
7. Chez l'Épicier
8. Chez Queux
9. Crémerie Saint-Vincent
10. Cube
11. Gandhi
12. Gibby's
13. La Gargote
14. La Marée
15. Le Bonaparte
16. Le Cabaret du Roy
17. Le Petit Moulinsart
18. Modavie
19. Soto
20. Stash's Café Bazar
21. Steak-frites St-Paul
22. Titanic
23. Toqué!
24. Vieux Saint-Gabriel

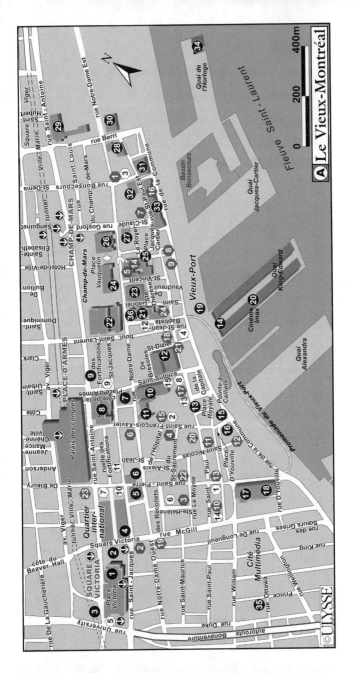

A Le Vieux-Montréal

Fleuve Saint-Laurent

Quai de l'Horloge

Bassin Bonsecours

Quai Jacques-Cartier

Quai King-Edward

Cinéma Imax

Quai Alexandra

Vieux-Port

Promenade du Vieux-Port

rue de la Commune

Pointe-à-Callière

Place Royale

Place D'Youville

Cité Multimédia

Square Victoria

Place Victoria

PLACE D'ARMES

CHAMP-DE-MARS

SQUARE VICTORIA

Quartier international

Palais des congrès

Champ-de-Mars

Place Vauquelin

Square Marie

rue Viger

rue Saint-Antoine

rue Notre-Dame Est

rue Berri

rue Saint-Hubert

rue Notre-Dame Ouest

rue Saint-Jacques

rue McGill

rue De La Gauchetière

côte du Beaver Hall

rue University

autoroute Bonaventure

rue Duke

rue Prince

rue Ottawa

rue William

rue King

rue des Soeurs Grises

rue De Longueuil

rue Saint-Paul

rue Saint-Maurice

rue Wellington

boul. Saint-Laurent

rue Saint-Denis

Saint-Louis

rue Bonsecours

rue Gosford

rue Sainte-Élisabeth

Sanguinet

Hôtel-de-Ville

De Bullion

Saint-Dominique

Clark

Saint-Urbain

av. Viger

Côte

Jeanne-Mance

De Bleury

Anderson

côte de la Place-d'Armes

Côte Saint-Antoine

ruelle des fortifications

rue Saint-Pierre

St-Jean

rue Saint-Alexis

rue de l'Hôpital

rue Saint-François-Xavier

Saint-Nicolas

rue Le Moyne

Sainte-Hélène

rue des Récollets

rue Saint-Sacrement

rue Notre-Dame

De Brésoles

St-Dizier

rue Saint-Sulpice

Saint-Gabriel

Saint-Vincent

Sainte-Thérèse

Vaudreuil

rue Saint-Jean-Baptiste

Saint-Claude

rue Saint-Paul Est

rue Saint-Paul

rue Royale

rue Jacques-Cartier

rue de la Commune

Place Jacques-Cartier

du Champ-de-Mars

tunnel Ville-Marie

© ULYSSE

N

0   200   400m

financier du Canada. On y construit de somptueux sièges sociaux de banques et de compagnies d'assurances, ce qui entraîne la destruction de la quasi-totalité des bâtiments du Régime français.

Puis, au XXe siècle, après une période d'abandon de 40 ans au profit du centre-ville moderne, le long processus visant à redonner vie au Vieux-Montréal a été enclenché avec les préparatifs de l'Exposition universelle de 1967 et se poursuit, de nos jours, à travers de nombreux projets de recyclage et de restauration. Cette revitalisation connaît même un second souffle depuis la fin des années 1990. Plusieurs hôtels de marque se sont installés dans des édifices historiques, alors que plusieurs Montréalais renouent avec la vieille ville en y déménageant leurs pénates.

Il faut aussi mentionner que la nouvelle **Cité Multimédia de Montréal** occupe maintenant un grand secteur au sud-ouest du Vieux-Montréal, soit l'ancien faubourg des Récollets; les édifices logent diverses entreprises œuvrant dans le milieu du cinéma et du multimédia, ce qui donne beaucoup de vie au quartier maintenant arpenté toute la journée par une foule de jeunes travailleurs. L'**édifice Cognicase** ★ qu'on y retrouve vaut absolument un coup d'œil pour son architecture unique.

Pour sa part, le **Quartier international de Montréal**, ce nouveau quartier d'affaires et fruit du réaménagement de tout le secteur situé entre les rues University, De La Gauchetière, Saint-Laurent et Notre-Dame, n'a qu'un seul but: le développement économique de la métropole. Aussi les compagnies internationales sont-elles invitées à venir s'y établir. Dans ce secteur charnière entre le Vieux-Montréal et le centre-ville, l'autoroute Ville-Marie sera bientôt couverte entre les rues De Bleury et Saint-Alexandre, augmentant la surface piétonnière de 40%, et un alignement de mâts aux couleurs des drapeaux des pays du monde longera de la rue University.

Le circuit débute à l'extrémité ouest du Vieux-Montréal, sur la rue McGill, tracée à l'emplacement même du mur d'enceinte qui séparait autrefois la ville du faubourg des Récollets (métro Square-Victoria). On notera une différence appréciable dans le tissu urbain entre le centre-ville moderne, à l'arrière, où se dressent des tours en verre et en acier bordant de larges boulevards, et le secteur de la vieille ville, où la pierre prédomine le long de rues étroites et compactes.

Au XIXe siècle, le **square Victoria** ★ *(métro Square-Victoria)* adoptait la forme d'un jardin victorien entouré de magasins et de bureaux Second Empire ou néo-Renaissance. Seul l'étroit édifice du 751 de la rue McGill subsiste de cette époque. Dernièrement, le square Victoria a été complètement repensé dans l'esprit de son aménagement premier: il devient ainsi l'un des axes importants du Quartier international de Montréal (voir ci-dessus). En effet, le square Victoria retrouvera sa forme historique, avec ses dimensions d'origine et sa statue restaurée de la reine Victoria. Et on y aura planté encore plus d'arbres et creusé un petit plan d'eau.

On a récemment procédé à la réouverture officielle de ce qui est désigné du nom d'«entourage Grimard», du nom de l'architecte Hector Grimard dont la grille d'entrée du «métropolitain» parisien – œuvre d'Art nouveau qu'il a conçue au début des années 1900 – a été prêtée en 1966 par la Régie autonome des transports parisiens (RATP) au métro de Montréal pour qu'elle soit installée à l'une de ses stations. À l'inauguration de l'entourage, aménagé à l'entrée extérieure du métro Square-Victoria, la RATP a offert la grille qui est maintenant propriété de la Société de transport de Montréal.

La **tour de la Bourse** ★ *(place de la Bourse, métro Square-Victoria, ☎871-2424)* est le bâtiment qui domine le paysage des environs du square Victoria. Élevée en 1964 selon les plans des célèbres ingénieurs italiens Luigi Moretti et Pier Luigi Nervi, à qui l'on doit le Palais des Sports de Rome et le Palais des Expositions de Turin, l'élégante tour noire de 47 étages qui abrite les bureaux et le parquet de la Bourse est un des nombreux édifices montréalais des-

sinés par des créateurs venus d'ailleurs. Sa construction était censée redonner vie au quartier des affaires de la vieille ville, délaissé depuis le krach de 1929 au profit des environs du square Dorchester. Le projet initial prévoyait la construction de trois tours identiques.

Montréal est le siège des deux organismes régissant le transport aérien civil dans le monde, l'IATA (International Air Transport Association) et l'OACI (Organisation de l'aviation civile internationale). Cette dernière est une agence des Nations Unies fondée en 1947. L'organisme est doté d'une **Maison de l'OACI** *(angle des rues University et St-Antoine O.)* pour abriter les délégations de ses 189 pays membres. Du square Victoria, on aperçoit l'arrière de l'édifice, intégré au Quartier international de Montréal. Il a été terminé en 1996 selon les plans de l'architecte Ken London, qui s'est vaguement inspiré de l'architecture scandinave des années 1930. «Verrière-totem», le *Miroir aux alouettes*, œuvre de l'artiste Marcelle Ferron, se dresse devant la façade ouest de la Maison de l'OACI.

Pénétrez dans le passage couvert du Centre de commerce mondial.

Les centres de commerce mondiaux, mieux connus sous le nom de *World Trade Centers*, sont des lieux d'échanges destinés à favoriser le commerce international. Le **Centre de**

commerce mondial de Montréal ★ *(rue McGill, métro Square-Victoria)*, terminé en 1991, couvre un quadrilatère complet constitué de façades anciennes apposées sur une nouvelle structure traversée en son centre par un impressionnant passage vitré long de 180 m. Celui-ci occupe une portion de la ruelle des Fortifications, voie qui suit l'ancien tracé du mur nord de la ville fortifiée.

En bordure du passage se trouvent une fontaine et un élégant escalier de pierre servant de cadre à une sculpture d'Amphitrite, épouse de Poséidon, provenant de la fontaine municipale de Saint-Mihiel-de-la-Meuse. Il s'agit d'une œuvre du milieu du XVIIIe siècle réalisée par le sculpteur nîmois Barthélemy Guibal, à qui l'on doit également les fontaines de la place Stanislas à Nancy. On peut aussi y voir une portion du «mur de Berlin», don de la Ville de Berlin à la Ville de Montréal à l'occasion du 350e anniversaire de sa fondation en 1992.

Montez l'escalier, puis longez le passage jusqu'à l'entrée discrète du hall de l'hôtel InterContinental. Prenez à droite la passerelle qui conduit à l'édifice Nordheimer, restauré pour accueillir les salles de réception de l'hôtel intégré au Centre de commerce mondial.

Cet édifice, érigé en 1888, abritait à l'origine un magasin de pianos ainsi qu'une petite salle de concerts où se sont produits les plus grands artistes, entre autres Maurice Ravel et Sarah Bernhardt. L'intérieur, combinant boiseries sombres, plâtres moulés et mosaïques, est typique de la fin du XIXe siècle, caractérisée par un éclectisme débordant et une polychromie enjouée. Sa façade, rue Saint-Jacques, réunit des éléments issus du style néoroman tels qu'adaptés par l'Étasunien Henry Hobson Richardson et des éléments de l'école de Chicago, notamment au niveau de la toiture métallique, abondamment fenêtrée.

Sortez par le 363 de la rue Saint-Jacques.

La **rue Saint-Jacques** a été pendant plus de 100 ans l'artère de la haute finance canadienne. Cette particularité se reflète dans son architecture riche et variée, véritable encyclopédie des styles de la période 1830-1930. Les banques, les compagnies d'assurances, tout comme les grands magasins et les sociétés ferroviaires ou maritimes du pays, étaient alors contrôlés, pour une bonne part, par des Écossais devenus Montréalais, attirés par les perspectives d'enrichissement qu'offraient les colonies.

L'ancien siège social de la **Banque Royale ★★** *(360 rue St-Jacques, métro Square-Victoria)*, entrepris en 1928 selon les plans des spécialistes du gratte-ciel new-yorkais, les architectes York et Sawyer, est un des derniers immeubles à avoir été érigé au cours de cette période faste. La tour de 22 étages est posée sur un podium s'inspirant des palais florentins et respectant l'échelle des bâtiments voisins.

Il faut pénétrer dans le hall bancaire pour admirer les hauts plafonds de ce «temple de la finance», érigé à une époque où les banques devaient se doter de bâtiments imposants afin de donner confiance à l'épargnant. On remarquera, sur le pourtour du hall en pierre de Caen, les armoiries de 8 des 10 provinces canadiennes ainsi que celles de Montréal (croix de Saint-Georges) et d'Halifax (oiseau jaune), où la banque a été fondée en 1861.

La **Banque Molson** ★ *(288 rue St-Jacques, métro Square-Victoria)* a été fondée en 1854 par la famille Molson, célèbre pour sa brasserie mise sur pied par l'ancêtre John Molson (1763-1836) en 1786. À l'instar des autres banques de l'époque, la Banque Molson imprimait même son propre papier-monnaie. C'est dire toute la puissance de ses propriétaires, qui ont beaucoup contribué au développement de Montréal. Le siège social de l'institution familiale ressemble d'ailleurs davantage à une demeure patricienne qu'à une banque anonyme. L'édifice, achevé en 1866, est un des premiers exemples du style Second Empire, aussi appelé style Napoléon III, à avoir été érigé au Canada. Ce style d'origine française, ayant pour modèle le

Louvre et l'Opéra de Paris, a connu une grande popularité en Amérique entre 1865 et 1890. On remarquera, au-dessus de l'entrée, les têtes de William Molson et de deux de ses enfants, sculptées dans le grès. La Banque Molson a fusionné avec la Banque de Montréal en 1925.

Longez la rue Saint-Jacques jus-qu'à la place d'Armes, que l'on découvre soudainement.

Sous le Régime français, la **place d'Armes** ★★ *(métro Place-d'Armes)* constituait le cœur de la cité. Utilisée pour les manœuvres militaires et des processions religieuses, elle comportait aussi le puits Gadoys, principale source d'eau potable de l'agglomération. En 1847, la place se transforme en un joli jardin victorien, ceinturé d'une grille, qui disparaîtra au début du XXe siècle pour faire place au terminus des tramways. Entre-temps, on y installe en 1895 le **monument à Maisonneuve** ★★ du sculpteur Philippe Hébert, qui représente le fondateur de Montréal, Paul de Chomedey, sieur de Maisonneuve, entouré de personnages ayant marqué les débuts de la ville, soit Jeanne Mance, fondatrice de l'Hôtel-Dieu, Lambert Closse avec sa chienne Pilote, ainsi que Charles LeMoyne, chef d'une famille d'explorateurs célèbres. Un guerrier iroquois complète le tableau.

La place de forme trapézoïdale est entourée de plusieurs édifi-

Attraits touristiques

ces dignes de mention. La **Banque de Montréal ★ ★** *(119 rue St-Jacques, métro Place-d'Armes)*, fondée en 1817 par un groupe de marchands, est la plus ancienne institution bancaire du pays. Son siège social actuel occupe tout un quadrilatère au nord de la place d'Armes, au centre duquel trône le magnifique édifice de John Wells abritant le hall bancaire, construit en 1847 sur le modèle du Panthéon romain. Son portique corinthien est un monument à la puissance commerçante des marchands écossais. En 1970, les chapiteaux de ses colonnes, gravement endommagés par la pollution, ont été remplacés par des répliques en aluminium. Dans le fronton se trouve un bas-relief en pierre de Binney, exécuté en Écosse par le sculpteur de Sa Majesté, Sir John Steele. Il représente les armoiries de la banque.

L'intérieur fut presque entièrement refait en 1904-1905 selon les plans des célèbres architectes new-yorkais McKim, Mead et White (Bibliothèque de Boston, université Columbia de New York, etc.). À cette occasion, on a doté la banque d'un splendide hall bancaire, aménagé dans le goût des basiliques romaines, où se mêlent colonnes de syénite verte, ornements de bronze doré et comptoirs de marbre beige. Un petit **musée de numismatique** *(entrée libre; lun-ven 10h à 16h)*, situé dans le couloir de la tour moderne, permet de voir des billets de différentes époques ainsi qu'une amusante collection de tirelires mécaniques. En face du musée, on aperçoit quatre bas-reliefs en pierre artificielle Coade provenant de la façade du premier siège de la banque. Ils ont été réalisés en 1819 d'après des dessins du sculpteur anglais John Bacon.

Au n° 511 Place-d'Armes, la surprenante tour de grès rouge, élevée en 1888 pour la compagnie d'assurances New York Life selon les plans des architectes Babb, Cook et Willard, est considérée comme le premier gratte-ciel montréalais, avec seulement huit étages. Sa pierre de parement fut importée d'Écosse. On acheminait alors ce type de pierres dans les cales des navires, où elles servaient de ballast avant d'être vendues à quai aux entrepreneurs en construction. L'édifice voisin *(507 Place-d'Armes)* comporte de beaux détails Art déco. Il est un des premiers immeubles montréalais à avoir dépassé les 10 étages, à la suite de l'abrogation, en 1927, du règlement limitant la hauteur des édifices.

Une courte excursion facultative au bas de la côte de la place d'Armes permet de voir, à l'angle des rues Saint-Antoine Ouest et Saint-Urbain, le **parc de La Presse** *(mi-juin à fin oct tlj 8h à 21h)*. L'aménagement de cet espace vert privé sur le site de maisons anciennes a été décidé par la direction du journal *La Presse*, dont les installations jouxtent le parc à l'est. Ce quotidien est un des quatre grands journaux qui paraissent à Montréal chaque jour. Le parc de poche, traversé par quelques allées, est ponctué de panneaux qui relatent l'histoire du Vieux-Montréal grâce à des reproductions d'articles parus dans *La Presse* depuis sa fondation, en 1884.

Du côté sud de la place d'Armes, on retrouve la basilique Notre-Dame ainsi que le Vieux Séminaire, décrits ci-dessous.

En 1663, la seigneurie de l'île de Montréal est acquise par les Messieurs de Saint-Sulpice de Paris. Ces derniers en demeureront les maîtres incontestés

Basilique Notre-Dame

jusqu'à la conquête britannique de 1760. En plus de distribuer des terres aux colons et de tracer les premières rues de la ville, les sulpiciens font ériger de nombreux bâtiments, notamment la première église paroissiale de Montréal en 1673. Placé sous le vocable de Notre-Dame, ce temple orné d'une belle façade baroque s'inscrivait dans l'axe de la rue du même nom, formant ainsi une agréable perspective, caractéristique de l'urbanisme classique français. Mais, au début du XIXe siècle, cette petite église villageoise faisait piètre figure, lorsque comparée à la cathédrale anglicane de la rue Notre-Dame et à la nouvelle cathédrale catholique de la rue Saint-Denis, deux édifices aujourd'hui disparus.

Les sulpiciens décidèrent alors de marquer un grand coup afin de surpasser pour de bon leurs rivaux. En 1823, ils demandent à l'architecte new-yorkais d'origine irlandaise protestante James O'Donnell de dessiner la plus vaste et la plus originale des églises au nord du Mexique, au grand dam des architectes locaux.

La **basilique Notre-Dame** ★★★ *(4$; 7h à 18h, jusqu'à 20h en été; 110 rue Notre-Dame O., métro Place-d'Armes, ☎842-2925)*, construite entre 1824 et 1829, est un véritable chef-d'œuvre du style néogothique en Amérique. Il ne faut pas y voir une réplique d'une cathédrale d'Europe, mais bien un bâtiment foncièrement néoclassique de la révolution industrielle, sur lequel est apposé un décor d'inspiration médiévale précurseur de l'historicisme de l'ère victorienne. C'est d'ailleurs ce qui fait son mérite.

O'Donnell fut tellement satisfait de son œuvre qu'il se convertit au catholicisme avant de mourir, afin d'être inhumé sous l'église. Le décor intérieur d'origine, jugé trop sévère, fut remplacé par le fabuleux décor polychrome actuel entre 1874 et 1880. Exécuté par Victor Bourgeau, champion de la construction d'églises dans la région de Montréal, et par une cinquantaine d'artisans, il est entièrement de bois peint et doré à la feuille.

On remarquera en outre le baptistère, décoré de fresques du peintre Ozias Leduc, le puissant orgue électropneumatique Casavant de 5 772 tuyaux, fréquemment mis à contribution lors des nombreux concerts donnés à la basilique, ainsi que les vitraux du maître-verrier limousin Francis Chigot, qui dépeignent des épisodes de l'histoire de Montréal et qui furent installés lors du centenaire de l'église.

À droite du chœur, un passage conduit à la chapelle du Sacré-Cœur, greffée à l'arrière de l'église en 1888. Surnommée la «chapelle des mariages» à cause des innombrables cérémonies nuptiales qui s'y tiennent

chaque année, elle a malheureusement été gravement endommagée lors d'un incendie en 1978. Seuls les escaliers à vis et les galeries latérales subsistent de l'exubérant décor néogothique hispanisant d'autrefois. Les architectes Jodoin, Lamarre et Pratte ont choisi de lier ces vestiges à un aménagement moderne, terminé en 1981, et comprenant une belle voûte compartimentée et percée de puits de lumière, un grand retable de bronze de Charles Daudelin et un orgue mécanique Guilbault-Thérien.

En sortant de la chapelle, dirigez-vous vers la droite pour voir le petit **musée de la basilique**, où sont rassemblés divers trésors, entre autres des vêtements liturgiques brodés ainsi que les effets personnels et le trône épiscopal de Mgr de Pontbriand, dernier évêque de la Nouvelle-France.

Le **Vieux Séminaire** ★ *(116 rue Notre-Dame O., métro Place-d'Armes)* fut construit en 1683 sur le modèle des hôtels particuliers parisiens, érigés entre cour et jardin. C'est le plus ancien édifice de la ville. Depuis plus de trois siècles, il est habité par les Messieurs de Saint-Sulpice, qui en ont fait, sous le Régime français, le manoir d'où ils administraient leur vaste seigneurie. À l'époque de sa construction, Montréal comptait à peine 500 habitants, terrorisés par les attaques incessantes des Iroquois. Le séminaire, même s'il semble somme toute modeste, représentait dans ce contexte un précieux morceau de civilisation européenne au milieu d'une contrée sauvage et isolée. L'horloge publique, installée au sommet de la façade en 1701, serait la plus ancienne du genre dans le Nouveau Monde.

Empruntez la rue Saint-Sulpice, qui longe la basilique.

Les immenses entrepôts du **Cours Le Royer** ★ *(rue St-Sulpice, métro Place-d'Armes)* ont été conçus entre 1860 et 1871 par Michel Laurent et Victor Bourgeau, dont c'est une des seules réalisations commerciales, pour les religieuses hospitalières de Saint-Joseph, qui les louaient à des importateurs. Ils sont situés à l'emplacement même du premier Hôtel-Dieu de Montréal, fondé par Jeanne Mance en 1643. L'ensemble de 43 000 m² a été recyclé en appartements et en bureaux entre 1977 et 1986. À cette occasion, la petite rue Le Royer a été excavée pour permettre l'aménagement d'un stationnement souterrain, recouvert d'un agréable mail piétonnier.

Le Vieux-Montréal recèle un grand nombre de ces entrepôts à ossature de pierre du XIXᵉ siècle, destinés à emmagasiner les biens transbordés dans le port tout proche. Leurs importantes surfaces vitrées, prévues pour réduire l'éclairage artificiel au gaz et conséquemment le risque d'incendie, leurs vastes espaces intérieurs dégagés et surtout la sobriété de leurs parements dans le contexte victorien en font, tout comme leur contrepartie étasunienne à ossature de fonte, des ancêtres de l'architecture moderne. De plus, ces attributs ont fait en sorte que plusieurs de ces anciens entrepôt ont récemment été reconvertis en hôtels luxueux.

Quelque peu hors du circuit se trouve la **Galerie Parchemine – Économusée de l'encadrement** *(40 rue St-Paul O., ☎845-3368)*. La Galerie Parchemine propose entre autres activités des ateliers d'encadrement. Exposition permanente de cadres anciens et de cadres fabriqués selon les techniques modernes. De beaux objets sont offerts à la boutique.

Revenez où vous étiez et tournez à droite dans la rue Saint-Paul, puis rejoignez la place Royale, sur votre gauche.

La plus ancienne place publique de Montréal, la **place Royale** *(métro Place-d'Armes)*, existe depuis 1657. D'abord place de marché, elle devient, à son tour, un joli square victorien entouré d'une grille. Surélevée pour permettre l'aménagement d'une crypte archéologique en 1991, elle relie le Musée d'archéologie et d'histoire de Montréal à l'ancienne **maison de la Douane**, au nord. Cette dernière est un bel exemple d'architecture néoclassique britannique telle que transposée au Canada. Les lignes sévères du bâtiment, accentuées par le revêtement de pierre grise locale, sont compensées par ses proportions agréables et ses allusions simplifiées à l'Antiquité. L'édifice fut construit en 1836 d'après les dessins de John Ostell, fraîchement débarqué à Montréal, et fait aujourd'hui partie du musée.

L'établissement muséologique dénommé **Pointe-à-Callière, musée d'archéologie et d'histoire de Montréal ★★** *(10$; sept à juin mar-ven 10h à 17h, sam-dim 11h à 17h; juil et août lun-ven 10h à 18h, sam-dim 11h à 18h; 350 place Royale, métro Place-d'Armes, ☎872-9150, www.pacmusee.qc.ca)* se trouve à l'emplacement même où Montréal fut fondée le 18 mai 1642, soit la pointe à Callière. Là où débute la place D'Youville coulait autrefois la rivière Saint-Pierre; là où se trouve la rue de la Commune s'approchait la rive boueuse du fleuve, découpant ainsi une pointe isolée sur laquelle les premiers colons érigèrent le fort Ville-Marie, fait de

Pointe-à-Callière,
musée d'archéologie
et d'histoire de Montréal

terre et de pieux. Menacés par les flottilles iroquoises et par la crue des eaux, les dirigeants de la colonie décidèrent bientôt d'installer la ville sur le coteau Saint-Louis, dont la rue Notre-Dame constitue de nos jours l'épine dorsale. Le site du fort fut par la suite occupé par un cimetière et par le château du gouverneur de Callière, d'où son nom.

Le musée, qu'on projette d'agrandir, utilise les techniques les plus modernes pour présenter aux visiteurs un intéressant panorama de l'histoire de la ville. Un spectacle multimédia avec conversations de personnages holographiques, une visite des vestiges découverts sur le site, de belles maquettes représentant différents stades du développement de la place Royale et des expositions thématiques composent le menu de ce musée érigé pour les fêtes du 350e anniversaire de Montréal (1992) selon les plans de l'architecte Dan Hanganu.

Dirigez-vous vers la place D'Youville, à droite du musée.

La forme allongée de la **place D'Youville ★**, s'étendant de la place Royale à la rue McGill, vient de ce qu'elle est aménagée sur le lit de la rivière Saint-Pierre, canalisée en 1832.

Au milieu de la place D'Youville se dresse l'ancienne caserne de pompiers n° 3, rare exemple d'architecture d'inspiration flamande au Québec. Le bâtiment abrite le **Centre d'histoire de Montréal ★** *(4,50$; mi-mai à début sept mar-dim 10h à 17h, début sept à mi-mai mer-dim 10h à 17h; 335 place D'Youville, ☎872-3207).* Une belle petite exposition occupe les deux premiers étages. On y voit divers objets retraçant l'histoire de Montréal. Depuis les moments marquants comme Expo 67 jusqu'aux détails de la vie quotidienne à diverses époques, en passant par des événements comme des grèves ou la démolition de bâtiments du patrimoine architectural, on suit l'évolution de la ville grâce à des présentations animées. L'aspect sonore, entre autres, y est important. On a par exemple enregistré le témoignage de Montréalais de différentes origines qui racontent leur ville. Au dernier étage se tiennent des expositions temporaires, et l'on y a installé une passerelle vitrée d'où l'on peut observer le Vieux-Montréal.

À l'ouest de la rue Saint-Pierre se trouvait autrefois le marché Sainte-Anne, où a siégé le Parlement du Canada-Uni de 1840 à 1849. Cette année-là, les Orangistes brûlèrent l'édifice à la suite de l'adoption d'une loi compensatoire visant à la fois les victimes anglaises et françaises de la rébellion de 1837-

1838. C'en fut fait de la vocation politique de Montréal.

Tournez à gauche dans la rue Saint-Pierre.

La communauté des sœurs de la Charité est mieux connue sous le nom de Sœurs Grises, sobriquet dont on avait affublé les religieuses accusées à tort de vendre de l'alcool aux Amérindiens et ainsi de les «griser». En 1747, la fondatrice de la communauté, sainte Marguerite d'Youville, prend en main l'ancien hôpital des frères Charon, fondé en 1693, qu'elle transforme en **Hôpital Général des Sœurs Grises ★** *(138 rue St-Pierre, métro Square-Victoria),* où sont hébergés les «enfants trouvés» de la ville. Seule l'aile ouest et les ruines de la chapelle subsistent de ce complexe des XVIIe et XVIIIe siècles, aménagé en forme de *H.* L'autre partie, qui composait auparavant une autre des belles perspectives classiques de la vieille ville, fut éventrée lors du prolongement de la rue Saint-Pierre en plein milieu de la chapelle. Le transept droit et une partie de l'abside, visibles à droite, ont été solidifiés pour recevoir une œuvre représentant les textes des lettres patentes de la congrégation.

Le petit **Musée Marc-Aurèle-Fortin** *(5$; mar-dim 11h à 17h; 118 rue St-Pierre, métro Square-Victoria, ☎845-6108),* pourvu de quelques salles seulement, est entièrement consacré à l'œuvre de Marc-Aurèle Fortin. Dans un style bien à lui, Fortin a

Attraits touristiques

peint des scènes québécoises pittoresques. Ses toiles peintes sur fond noir et ses arbres majestueux sont quelques-unes de ses marques distinctives.

Ça vaut la peine de sortir quelque peu du circuit pour se retrouver à la **Fonderie Darling** *(745 rue Ottawa, métro Square-Victoria, ☎392-1554, www.quartierephemere.org).* L'ancienne Fonderie Darling, située dans ce qui est aujourd'hui la Cité Multimédia, a été reconvertie en centre d'art, sur l'initiative de Quartier Éphémère, organisme d'intervention en sauvegarde du patrimoine industriel. Installée dans le quartier industriel en 1880, elle a contribué entre autres au développement portuaire de Montréal. Après avoir été abandonné plusieurs années, le bâtiment a été restauré et se veut désormais un centre de création, de production et de diffusion d'œuvres de jeunes artistes, et renferme des bureaux, des ateliers, un studio de son, une galerie d'art doublée d'une salle d'exposition et un café-restaurant, le ArtBar Cluny.

Revenez où vous étiez et traversez la rue de la Commune pour rejoindre la promenade du Vieux-Port, en bordure du fleuve.

Le port de Montréal est le plus important port intérieur du continent. Il s'étend sur 25 km le long du fleuve, de la Cité du Havre aux raffineries de Montréal-Est. Le **Vieux-Port de Montréal ★★** *(métro Place-d'Armes ou Champ-de-Mars)* correspond à la portion historique du havre, située devant la ville ancienne. Délaissé à cause de sa vétusté, il a été réaménagé entre 1983 et 1992 pour accueillir les promeneurs, à l'instar de plusieurs zones portuaires centrales nord-américaines. Le Vieux-Port de Montréal comporte un agréable parc linéaire, aménagé sur les remblais et doublé d'une promenade le long des quais offrant une «fenêtre» sur le fleuve de même que sur les quelques activités maritimes qui ont heureusement été préservées. L'agencement met en valeur les vues sur l'eau, sur le centre-ville et sur la rue de la Commune, qui dresse devant la ville sa muraille d'entrepôts néoclassiques en pierre grise, représentant l'un des seuls exemples d'aménagement dit en «front de mer» en Amérique du Nord.

Du Vieux-Port, on peut faire une excursion sur le fleuve et sur le canal de Lachine avec **Le Bateau-Mouche** *(23$; mi-mai à mi-oct, départs tlj 10h, 12h, 14h, 16h; quai Jacques-Cartier, ☎849-9952),* pourvu d'un toit vitré qui permet d'apprécier la beauté des panoramas environnants. Ces visites commentées sont d'une durée de 1 heure 30 min. Le Bateau-Mouche propose aussi, le soir, des croisières avec repas et soirée dansante. On peut aussi utiliser les **navettes** *(☎281-8000)* vers l'île Sainte-Hélène *(3,75$)* et vers Longueuil *(4$),* qui permettent d'avoir une vue d'ensemble du

Vieux-Port et du Vieux-Montréal.

Sur la droite, dans l'axe de la
rue McGill, est située l'embouchure du **canal de Lachine**,
inauguré en 1825 (voir p 222).
Cette voie navigable permettait
enfin de contourner les infran-
chissables rapides de Lachine,
en amont de Montréal, donnant ainsi accès aux Grands
Lacs et au Midwest américain.
Le canal devint en outre le
berceau de la révolution industrielle canadienne, les filatures
et les minoteries tirant profit de
son eau comme force motrice,
tout en bénéficiant d'un système d'approvisionnement et
d'expédition direct, du bateau à
la manufacture.

Fermé en 1970, soit 11 ans
après l'ouverture de la voie
maritime du Saint-Laurent en
1959, le canal a été pris en
charge par le Service canadien
des parcs, qui a aménagé sur
ses berges une piste cyclable se
prolongeant dans le Vieux-Port.
Les écluses qui se trouvent
dans le Vieux-Port, restaurées
en 1991, sont adjacentes à un
parc et à une audacieuse Maison des éclusiers. Derrière se
dresse le dernier des grands
silos à grains du Vieux-Port.
Cette structure de béton armé,
érigée en 1905, avait suscité
l'admiration de Walter Gropius
et de Le Corbusier lors de leur
voyage d'études. Elle est maintenant éclairée tel un monument. En face, on aperçoit
l'étrange amoncellement de
cubes d'**Habitat 67** (voir

p 194), alors que, sur la
gauche, se trouve la **gare maritime du Port de Montréal**
(☎496-7678), où accostent les
paquebots en croisière sur le
fleuve Saint-Laurent et qu'on
projette d'agrandir et de mo-
derniser d'ici quelques années.

Le quai King-Edward, vers l'est,
accueille le **Centre des sciences
de Montréal** *(10$; mai à août tlj
10h à 18h; sept à avr lun-ven
9h30 à 16h, sam-dim 10h à
17h; quai King-Edward, métro
Place-d'Armes, ☎496-4724 ou
877-496-4724, www.centredes-
sciencesdemontreal.com)*, un
complexe récréotouristique et
interactif de sciences et de
divertissements installé dans un
bâtiment d'architecture moderne. Le centre vous invite à
pénétrer les secrets du monde
scientifique et technologique
tout en vous amusant. Il
compte trois salles d'expositions
interactives où les participants
peuvent prendre part à des
expériences scientifiques, à des
jeux d'adresse et à plusieurs
activités culturelles et éducati-
ves. Il abrite aussi un cinéma
Imax, le ciné-jeu Immersion
ainsi que des restaurants et des
boutiques.

Tout au long du quai, une promenade permet de découvrir
des vues saisissantes sur le
Vieux-Montréal et sur le
centre-ville, en arrière-plan.

Longez la promenade jusqu'au
boulevard Saint-Laurent. Cette
artère constitue la démarcation
entre l'est et l'ouest de Montréal, autant sur le plan de la

Attraits touristiques

toponymie et des adresses civiques que sur le plan ethnique. En effet, traditionnellement, l'ouest de la ville est davantage anglophone, et l'est, davantage francophone, alors que les minorités ethniques de toutes origines se concentrent dans l'axe même du boulevard Saint-Laurent.

Remontez le boulevard Saint-Laurent jusqu'à la rue Saint-Paul. Tournez à droite puis à gauche dans l'étroite rue Saint-Gabriel.

C'est dans cette rue que Richard Dulong ouvre en 1754 une auberge. L'**Auberge Saint-Gabriel** *(426 rue St-Gabriel, métro Place-d'Armes, ☎878-3561)*, la plus ancienne du pays encore en exploitation, n'est aujourd'hui qu'un restaurant (voir p 296). Elle occupe un groupe de bâtiments du XVIIIᵉ siècle aux solides murs de moellons.

Le **Centre de céramique Bonsecours** *(444 rue St-Gabriel, métro Place-d'Armes, ☎866-6581)*, lieu de formation, de recherche, de création et de diffusion pour la céramique du Québec, abrite une galerie d'art qui ouvre ses portes du lundi au vendredi de 9h à 17h ainsi que le samedi et le dimanche selon l'exposition (appelez pour connaître l'horaire de la galerie la fin de semaine). Il s'est installé il y a une vingtaine d'années dans l'ancienne Caserne Saint-Gabriel, la plus ancienne caserne de pompiers de Montréal toujours debout, construite en

1871-1872 par l'architecte J.J. Browne dans le style victorien.

Tournez à droite dans la rue Notre-Dame.

Après les secteurs des affaires et des entrepôts, on aborde maintenant le quartier des institutions civiques et judiciaires, où pas moins de trois palais de justice se côtoient en bordure de la rue Notre-Dame. Le nouveau **palais de justice** *(1 rue Notre-Dame E., métro Champ-de-Mars)*, inauguré en 1971, écrase les alentours par ses volumes massifs. La sculpture de son parvis, intitulée l'**Allegropole**, est de l'artiste Charles Daudelin. Un mécanisme permet d'ouvrir et de fermer cette «main de la Justice» stylisée.

De son inauguration en 1926 jusqu'à sa fermeture en 1970, l'**édifice Ernest-Cormier** ★ *(100 rue Notre-Dame E., métro Champ-de-Mars)* a reçu les causes criminelles. Autrefois palais de justice, puis recyclé en conservatoire de musique et d'art dramatique, l'édifice porte dorénavant le nom de son architecte. On doit entre autres à l'illustre Ernest Cormier le pavillon principal de l'Université de Montréal et les portes de l'Assemblée générale des Nations Unies à New York. L'édifice Ernest-Cormier retourne à sa vocation première comme Cour d'appel du Québec en 2004. Il comporte d'exceptionnelles torchères en bronze, coulées à Paris aux ateliers d'Edgar Brandt. Leur installation, en 1925, marque les débuts de l'Art déco au Canada. Le hall principal, revêtu de travertin et percé de trois puits de lumière en forme de coupole, mérite une petite visite.

Le **vieux palais de justice** ★ *(155 rue Notre-Dame E., métro Champ-de-Mars)*, doyen des palais de justice montréalais, a été érigé entre 1849 et 1856 selon les plans de John Ostell et d'Henri-Maurice Perrault à l'emplacement du premier palais de justice de 1800. Il s'agit d'un autre bel exemple d'architecture néoclassique canadienne. À la suite de la division des tribunaux en 1926, le vieux Palais a hérité des causes civiles. Depuis l'ouverture du nouveau palais de justice, à sa gauche, le vieux Palais a été transformé pour accueillir une annexe de l'hôtel de ville, situé à sa droite.

La **place Jacques-Cartier** ★ *(métro Champ-de-Mars)* a été aménagée à l'emplacement du château de Vaudreuil, incendié en 1803. L'ancienne résidence montréalaise du gouverneur de la Nouvelle-France était sans contredit la plus raffinée des demeures de la ville. Dessinée par l'ingénieur Gaspard Chaussegros de Léry en 1723, elle comportait un escalier en fer à cheval donnant sur un beau portail en pierre de taille, deux pavillons en avancée de part et d'autre du corps principal et un jardin à la française s'étendant jusqu'à la rue Notre-Dame. La forme allongée de la place Jacques-Cartier lui vient de ce

que les marchands, ayant racheté la propriété, ont choisi de donner au gouvernement de la Ville une languette de terre, à condition qu'un marché public y soit aménagé, augmentant du coup la valeur des terrains limitrophes, demeurés entre des mains privées.

Rapidement plus nombreux à Montréal qu'à Québec, ville du gouvernement et des troupes d'occupation, les marchands d'origine britannique trouveront différents moyens pour assurer leur visibilité et exprimer leur patriotisme au grand jour. Ainsi, ils seront les premiers au monde, en 1809, à ériger un monument à la mémoire de l'amiral Horatio Nelson, vainqueur de la flotte franco-espagnole à Trafalgar. On raconte qu'ils auraient même enivré des Canadiens français pour leur extorquer une contribution au financement du projet. La base de la **colonne Nelson** fut dessinée et exécutée à Londres selon les plans de l'architecte Robert Mitchell. Elle regroupe des bas-reliefs relatant les exploits du célèbre amiral à Aboukir, à Copenhague et, bien sûr, à Trafalgar. La statue de Nelson, au sommet, était à l'origine en pierre artificielle Coade, mais elle fut à maintes reprises endommagée par les manifestants, jusqu'à son remplacement par une réplique en fibre de verre en 1981. La colonne Nelson est le plus ancien monument qui subsiste à Montréal.

À l'autre extrémité de la place, on aperçoit le **quai Jacques-**

Attraits touristiques

Hôtel de ville

Cartier et le fleuve, alors que, sur la droite, à mi-course, se cache la petite **rue Saint-Amable**, où se regroupent les artistes et artisans vendant bijoux, dessins et gravures pendant la belle saison.

Sous le Régime français, Montréal avait, à l'instar de Québec et de Trois-Rivières, son propre gouverneur, qui ne doit pas être confondu avec le gouverneur de la Nouvelle-France dans son ensemble. Il en sera de même sous le Régime anglais. Il faut attendre 1833 pour qu'un premier maire élu prenne en main la destinée de la ville. Ce sera Jacques Viger, homme féru d'histoire, qui donnera à Montréal sa devise (*Concordia Salus*) et ses armoiries, formées des quatre symboles des peuples «fondateurs», soit le castor canadien-français, auquel peut se substituer la fleur de lys, le trèfle irlandais, le chardon écossais et la rose anglaise.

Après avoir logé dans des bâtiments inadéquats pendant des décennies (mentionnons simplement l'incident de l'aqueduc Hayes, édifice comportant un immense réservoir d'eau sous lequel se trouvait la salle du Conseil, et qui se fissura un jour en pleine séance; on imagine la suite), l'administration municipale put enfin emménager dans l'édifice actuel en 1878. L'**hôtel de ville** ★ (*275 rue Notre-Dame E., métro Champ-de-Mars*), bel exemple du style Second Empire ou Napoléon III, est l'œuvre d'Henri-Maurice Perrault, auteur du palais de justice voisin. En 1922, un incendie (encore un!) détruisit l'intérieur et la toiture de l'édifice. Celle-ci fut rétablie en 1926 en prenant pour modèle l'hôtel de ville de Tours en France.

Des expositions se tiennent sporadiquement dans le hall d'honneur, qu'on atteint par l'entrée principale. Notons enfin que c'est du balcon de l'hôtel de ville que le général de Gaulle a lancé son fameux «*Vive le Québec libre*» en 1967, pour le grand plaisir de la foule massée devant l'édifice.

*Rendez-vous derrière l'hôtel de ville en passant par la jolie place **Vauquelin**, située dans le prolongement de la place Jacques-Cartier.*

La statue de l'amiral Jean Vauquelin, défenseur de Louisbourg à la fin du Régime français, fut probablement installée à cet endroit pour faire contrepoids à la colonne Nelson, symbole du contrôle britannique sur le Canada. Descendez l'escalier qui conduit au **Champ-de-Mars**, dont le réaménagement, en 1991, a permis de dégager une partie des vestiges des fortifications qui entouraient jadis Montréal. Tout comme à Québec, Gaspard Chaussegros de Léry est responsable de cet ouvrage bastionné, érigé entre 1717 et 1745. Cependant, les murs de Montréal ne connurent jamais la bataille, la vocation commerciale et le site même de la ville interdisant ce genre de geste téméraire. Les grandes pelouses bordées d'arbres rappellent, quant à elles, que le Champ-de-Mars a été utilisé comme terrain de manœuvre et de parades militaires jusqu'en 1924. On remarquera aussi le dégagement qui permet une

vue sur le centre-ville et ses gratte-ciel.

Retournez à la rue Notre-Dame.

Devant l'hôtel de ville s'étend, du côté sud de la rue Notre-Dame, la belle **place de la Dauversière ★**, qui accueille, entre autres œuvres d'art public, la statue d'un des anciens maires de Montréal, Jean Drapeau. Très populaire, M. Drapeau régna sur «sa» ville pendant près de 30 ans.

Le **Musée du Château Ramezay ★★** *(6$; mar-dim 10h à 16h30, été tlj 10h à 18h; 280 rue Notre-Dame E., métro Champ-de-Mars, ☎861-3708)* est aménagé dans le plus humble des «châteaux» construits à Montréal, et pourtant le seul qui subsiste. Le Château Ramezay a été érigé en 1705 pour le gouverneur de Montréal, Claude de Ramezay, et sa famille. En 1745, il passe entre les mains de la Compagnie des Indes occidentales, qui en fait son siège nord-américain. On conserve alors dans ses voûtes les précieuses fourrures du Canada, avant qu'elles ne soient expédiées en France. À la Conquête (1760), les Britanniques s'installent au château avant d'être délogés temporairement par l'armée des insurgés américains, qui voudraient bien que le Québec se joigne aux États-Unis en formation. Benjamin Franklin vient même résider au château pendant quelques mois, en 1775, pour convaincre les Montréalais de devenir citoyens américains.

Attraits touristiques

Après avoir accueilli les premiers locaux de la succursale montréalaise de l'Université Laval de Québec, le bâtiment devient musée en 1895 sous les auspices de la Société d'histoire et de numismatique de Montréal, fondée par Jacques Viger. On y présente toujours une riche collection de costumes et d'objets usuels des XVIIIe et XIXe siècles, ainsi que de nombreux objets amérindiens. La salle de Nantes est revêtue de belles boiseries d'acajou de style Louis XV, dessinées vers 1750 par Germain Boffrand, et qui proviennent du siège nantais de la Compagnie des Indes occidentales.

Le musée offre également des activités culturelles tous les dimanches. Par exemple, le premier dimanche de chaque mois, on y présente des lectures théâtrales. De plus, le Château Ramezay compte maintenant un nouvel aménagement extérieur: le Jardin du Gouverneur, soit un jardin à la «néo-française», ainsi qu'il abrite le Café du Château et la boutique Marie-Charlotte.

Longez la rue Notre-Dame jusqu'à l'intersection avec la rue Berri.

À l'angle de la rue Berri se trouve le **Lieu historique national Sir-George-Étienne-Cartier** ★ *(5$; début sept à fin déc et début avr à fin mai mer-dim 10h à 12h et 13h à 17h, jan à mars fermé, fin mai à début sept tlj 10h à 18h; 458 rue Notre-Dame E., métro Champ-de-Mars, ☎283-2282)*, composé de deux maisons jumelées, habitées successivement par George-Étienne Cartier, l'un des pères de la Confédération canadienne. On y a recréé un intérieur bourgeois canadien-français du milieu du XIXe siècle. Pendant l'été et à Noël, le «théâtre de musée» vous invite à sa reconstitution interactive d'un salon bourgeois à l'étiquette bien établie. En tout temps, des bandes sonores éducatives et originales accompagnent la visite et ajoutent de l'authenticité à la visite des lieux.

L'édifice voisin, au n° 452, est l'**ancienne cathédrale schismatique grecque Saint-Nicolas**, construite dans le style romano-byzantin vers 1910.

La rue Berri marque approximativement la frontière est du Vieux-Montréal, et donc de la ville fortifiée du Régime français, au-delà de laquelle s'étendait le faubourg Québec, excavé au XIXe siècle pour permettre l'installation de voies ferrées, ce qui explique la brusque dénivellation entre le coteau Saint-Louis et les gares Viger et Dalhousie.

La **gare Viger**, que l'on aperçoit sur la gauche, a été inaugurée par le Canadien Pacifique en 1895 pour desservir l'est du pays. Sa ressemblance avec le Château Frontenac de Québec n'est pas fortuite, puisqu'elle a été dessinée pour la même société ferroviaire et par le même architecte, l'Étasunien

Bruce Price. La gare de style château, fermée en 1935, comprenait également un hôtel prestigieux et de grandes verrières, aujourd'hui disparues. Après avoir abrité durant de nombreuses années des bureaux de fonctionnaires, la gare Viger profitera d'un second souffle: la Commission scolaire de Montréal (CSDM) a l'intention d'y loger l'École des métiers du tourisme de Montréal en 2005.

La petite **gare Dalhousie** *(514 rue Notre-Dame, métro Champ-de-Mars)*, près de la maison Cartier, a été la première gare du Canadien Pacifique, entreprise formée pour la construction d'un chemin de fer transcontinental canadien. Elle a été le théâtre du départ du premier train transcontinental, à destination de Vancouver, le 28 juin 1886. Le Canadien Pacifique semble avoir eu un faible pour les architectes étrangers, puisque c'est Thomas C. Sorby, responsable des Travaux publics en Angleterre, qui a conçu les plans de l'humble structure.

La gare Dalhousie a longtemps abrité l'École

Chapelle Notre-Dame-de-Bonsecours

nationale de cirque de Montréal, qui a récemment emménagé dans un bâtiment érigé dans ce qui est désormais appelé **TOHU, la Cité des arts du cirque** (voir p 192), au nord de l'île de Montréal. La compagnie de cirque Eloize occupera à son tour la gare Dalhousie.

On aperçoit, du sommet de la rue Notre-Dame, l'ancien entrepôt frigorifique du port en brique brune et, au milieu du fleuve, l'île Sainte-Hélène, qui a accueilli, avec l'île Notre-Dame, l'Exposition universelle de 1967.

Tournez à droite dans la rue Berri, puis encore à droite dans la rue Saint-Paul, qui offre une belle perspective sur le dôme du marché Bonsecours. Continuez tout droit jusqu'à la chapelle Notre-Dame-de-Bonsecours.

Une première chapelle fut érigée à cet endroit en 1657, à l'instigation de sainte Marguerite Bourgeoys, fondatrice de la congrégation de Notre-Dame. La **chapelle Notre-Dame-de-Bonsecours ★** *(400 rue St-Paul E., métro Champ-de-Mars)* actuelle date de 1771, alors que les Messieurs de Saint-Sulpice voulurent établir une desserte de la paroisse mère dans l'est de la ville fortifiée. La chapelle a été mise au goût du jour vers 1890, au moment où l'on a ajouté la façade actuelle en pierre bossagée ainsi que la chapelle aérienne donnant sur le port, d'où l'on bénissait autrefois les navires et leur équipage en partance pour l'Europe. L'intérieur, refait à la même époque, contient de nombreux ex-voto offerts par des marins sauvés d'un naufrage. Certains prennent la forme de maquettes de navires, suspendues au plafond de la nef.

Entre 1996 et 1998, on a effectué des fouilles sous la nef de la chapelle qui ont mis au jour plusieurs artefacts, certains datant des débuts de la colonisation. Aujourd'hui le **Musée Marguerite-Bourgeoys ★** *(6$; mai à oct tlj 10h à 17h30, nov à mi-jan tlj 11h à 15h30, mi-mars à fin avr 11h à 15h30, fermé mi-jan à mi-mars; 400 rue St-Paul E., ☎282-8670)* expose ces intéressantes pièces archéologiques, mais il y a encore plus à découvrir. Attenant à la chapelle Notre-Dame-de-Bon-Secours, il nous entraîne dans les dédales de l'histoire, depuis le haut de la tour de son clocher, d'où la vue est imprenable, jusqu'aux profondeurs de sa crypte, où les vieilles pierres parlent par elles-mêmes. Vous en apprendrez plus sur la vie de Marguerite Bourgeoys, pionnière de l'éducation au Québec, et pourrez voir son authentique portrait et découvrir l'énigme l'entourant... Pendant l'été, du jeudi au dimanche, une pièce de théâtre

anime la crypte deux fois par jour, en anglais à 13h30 et en français à 15h30: quatre comédiens mettent en scène l'histoire de la chapelle et de la colonie en interprétant une belle brochette de personnages historiques.

Datée de 1725, la **maison Pierre du Calvet ★**, à l'angle de la rue Bonsecours *(au nº 401)*, est représentative de l'architecture urbaine française du XVIIIᵉ siècle, adaptée au contexte local, puisque l'on y retrouve les épais murs de moellons noyés dans le mortier, les contre-fenêtres extérieures apposées devant des fenêtres à vantaux à petits carreaux de verre importé de France, mais surtout les hauts murs coupe-feu, imposés par les intendants afin d'éviter la propagation des flammes d'un bâtiment à l'autre. Elle loge depuis quelques années l'une des meilleures hostelleries de Montréal: **L'Auberge-restaurant Pierre du Calvet** (voir p 267 et p 298).

Un peu plus haut sur la rue Bonsecours se dresse la **maison Papineau ★** *(440 rue Bonsecours, métro Champ-de-Mars)*, habitée autrefois par Louis-Joseph Papineau (1786-1871), avocat, politicien et chef des mouvements nationalistes canadiens-français jusqu'à l'insurrection de 1837. La maison de 1785, revêtue d'un parement de bois imitant la pierre de taille, a été l'un des premiers bâtiments du Vieux-

Pour ceux qui recherchent de l'animation, la visite du Quartier latin s'avère indispensable!
- *Philippe Renault*

Dans Le Village, même la station de métro Beaudry se pare des couleurs de l'arc-en-ciel du drapeau gay, à preuve que la tolérance n'est pas un vain mot ici.
- *Philippe Renault*

La sculpture de l'artiste Raymond Mason, intitulée *La foule illuminée*, se reflète harmonieusement dans la remarquable tour BNP. - *P. Renault*

Montréal à être restauré
(1962).

Plus ancienne rue montréalaise,
tracée en 1672 par l'urbaniste
et historien François Dollier de
Casson le long d'une piste amérindienne, d'où sa sinuosité, la
rue Saint-Paul fut pendant
longtemps la principale artère
commerciale de Montréal.
Entre 1845 et 1850, on y érige
le **marché Bonsecours ★★**
(350 rue St-Paul E.), un bel
édifice néoclassique en pierre
grise, doté de fenêtres à guilloti-
nes à l'anglaise. Il comporte un
portique, dont les colonnes
doriques en fonte furent coulées en Angleterre, et un dôme
argenté, qui a longtemps été le
symbole de la ville, à l'entrée
du port. Le marché public,
fermé au début des années
1960 à la suite de l'apparition
des supermarchés d'alimentation, puis transformé en bureaux municipaux, a été rouvert
en 1996. On peut donc aujour-
d'hui y déambuler au milieu
d'une exposition et de diverses
boutiques. À l'origine, l'édifice
logeait également l'Hôtel de
Ville de Montréal ainsi qu'une
salle de concerts à l'étage. Le
long de la rue Saint-Paul, on
peut voir les anciens celliers du
marché, récemment mis au
jour, alors que, du grand balcon
de la rue de la Commune,
on aperçoit le bassin Bonsecours, en partie reconstitué, où
accostaient les bateaux à aubes
sur lesquels prenaient place les
agriculteurs venus en ville
vendre leurs produits.

*Rendez-vous à la place Jacques-
Cartier, puis tournez à gauche
en direction du Vieux-Port.*

À l'extrême sud de la place
Jacques-Cartier se dresse le
pavillon Jacques-Cartier, aux
multiples pointes métalliques. Il
abrite une cafétéria ainsi qu'un
bar-terrasse dominé par un
poste d'observation qui s'étend
jusqu'à l'extrémité sud-est du
quai Jacques-Cartier, sur lequel
il est implanté.

Au bout du quai Jacques-Cartier, on aperçoit vers l'est la
tour de l'Horloge ★ *(mai à
oct; au bout du quai de l'Horloge)*, qui se dresse sur le quai
de l'Horloge. Cette structure
beige, qui était, avant sa plus
récente restauration, de couleur blanche, est en réalité un
monument érigé en 1922 à la
mémoire des marins de la
marine marchande morts au
cours de la Première Guerre
mondiale. Il fut inauguré par le
prince de Galles (futur Édouard
VIII) lors de l'une de ses nombreuses visites à Montréal. Au
sommet de la tour se trouve un
observatoire permettant
d'admirer l'île Sainte-Hélène, le
pont Jacques-Cartier et l'est du
Vieux-Montréal. De la place du
Belvédère, située au pied de la
tour, on a cette impression
étrange d'être sur le pont d'un
navire qui glisse lentement sur
le fleuve Saint-Laurent en direction de l'Atlantique.

*Pour retourner vers le métro,
remontez la place Jacques-Cartier, traversez la rue Notre-Dame,
la place Vauquelin puis le*

Champ-de-Mars jusqu'à la station du même nom.

Circuit B:
Le centre-ville

Les gratte-ciel du centre-ville donnent à Montréal son visage typiquement nord-américain. Toutefois, à la différence de la plupart des autres villes du continent, un certain esprit latin s'infiltre entre les tours pour animer ce secteur de jour comme de nuit. Les bars, les cafés, les grands magasins, les boutiques, les sièges sociaux, deux universités et de multiples collèges sont tous intégrés à l'intérieur d'un périmètre restreint au pied du mont Royal.

Au début du XXᵉ siècle, le centre de Montréal s'est déplacé graduellement de la vieille ville vers ce qui était, jusque-là, le quartier résidentiel huppé de la bourgeoisie canadienne, baptisé **Golden Square Mile** (voir p 126). De grandes artères comme la rue Dorchester, qui deviendra boulevard, lequel portera plus tard le nom de René-Lévesque, étaient alors bordées de demeures palatiales entourées de jardins ombragés. Le centre-ville a connu une transformation radicale en un très court laps de temps, soit entre 1960 et 1967, période qui voit s'ériger la Place Ville-Marie, le métro, la ville souterraine, la Place des Arts et plusieurs autres infras-

tructures qui influencent encore le développement du secteur.

La **Cité du commerce électronique** est un secteur en développement délimité par les rues Saint-Antoine, Lucien-L'Allier et de la Montagne et par le boulevard René-Lévesque. Depuis quelques années, on y construit des édifices qui deviennent autant de sièges sociaux de compagnies vouées au développement de solutions web et de commerce électronique, telle CGI.

Pour débuter le circuit, montez la côte de la rue Guy (au sortir de la station de métro Guy-Concordia), puis tournez à droite dans la rue Sherbrooke.

Au cours du XXᵉ siècle, le Golden Square Mile a connu des changements sociaux profonds qui ont modifié son visage: l'exode de la population d'origine écossaise, la pénurie de personnel domestique, l'impôt sur le revenu, la Grande Guerre, au cours de laquelle plusieurs fils de famille sont morts, et surtout le krach de 1929, qui a entraîné la ruine de plusieurs hommes d'affaires.

Conséquemment, les grandes maisons sont tombées nombreuses sous le pic des démolisseurs, et la population restante a dû trouver une forme d'habitat plus modeste. Le **Linton ★** *(1509 rue Sherbrooke O., métro Guy-Concordia)*, un immeuble résidentiel prestigieux érigé dès 1907, représentait une solution avantageuse. Il

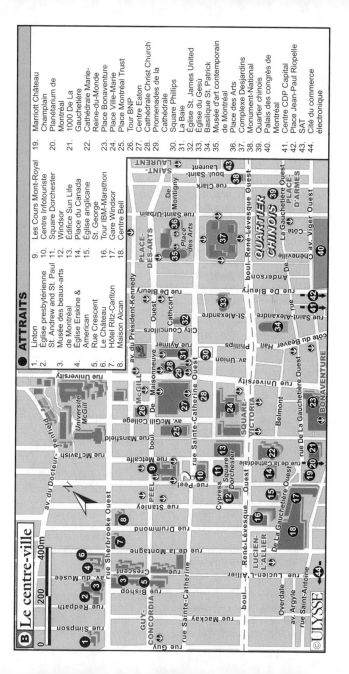

B Le centre-ville

● ATTRAITS

1. Linton
2. Église presbytérienne St. Andrew and St. Paul
3. Musée des beaux-arts de Montréal
4. Église Erskine & American
5. Rue Crescent
6. Le Château
7. Hôtel Ritz-Carlton
8. Maison Alcan
9. Les Cours Mont-Royal
10. Centre Infotouriste
11. Square Dorchester
12. Windsor
13. Édifice Sun Life
14. Place du Canada
15. Église anglicane St. George
16. Tour IBM-Marathon
17. Gare Windsor
18. Centre Bell
19. Marriott Château Champlain
20. Planétarium de Montréal
21. 1000 De La Gauchetière
22. Cathédrale Marie-Reine-du-Monde
23. Place Bonaventure
24. Place Ville-Marie
25. Place Montréal Trust
26. Tour BNP
27. Centre Eaton
28. Cathédrale Christ Church
29. Promenades de la Cathédrale
30. Square Phillips
31. La Baie
32. Église St. James United
33. Église du Gesù
34. Basilique St. Patrick
35. Musée d'art contemporain de Montréal
36. Place des Arts
37. Complexe Desjardins
38. Monument-National
39. Quartier chinois
40. Palais des congrès de Montréal
41. Centre CDP Capital
42. Place Jean-Paul Riopelle
43. SAT
44. Cité du commerce électronique

© ULYSSE

a été construit dans le parc de la maison du même nom, que l'on peut encore apercevoir à l'arrière dans la petite rue Simpson. On remarquera, sur la façade du Linton, les plantureux détails de style Beaux-Arts, moulés dans la terre cuite, ainsi que la belle marquise en fonte.

L'**église presbytérienne St. Andrew and St. Paul ★★** *(angle rue Redpath, métro Guy-Concordia)* est une des principales institutions de la bourgeoisie écossaise de Montréal. L'édifice, construit en 1932 selon les plans de l'architecte Harold Lea Fetherstonhaugh, est le troisième temple de la communauté et illustre la persistance du vocabulaire d'inspiration médiévale dans la construction d'édifices religieux. L'intérieur en pierre recèle de magnifiques vitraux commémoratifs. Ceux des allées proviennent de la seconde église et sont, pour la plupart, des œuvres britanniques d'importance, telles les verrières d'Andrew Allan et de son épouse, réalisées dans l'atelier de William Morris d'après les cartons du célèbre peintre pré-raphaélite anglais Edward Burne-Jones. Le régiment canado-écossais des Black Watch est affilié à l'église depuis sa création, en 1862.

Le Musée des beaux-arts de Montréal, situé dans deux pavillons de part et d'autre de la rue Sherbrooke Ouest, fait l'objet du prochain circuit (voir p 115). Le petit **Musée des arts décoratifs de Montréal ★** s'est installé en mai 1997 dans des locaux à l'intérieur du pavillon Jean-Noël Desmarais du Musée des beaux-arts et fait dorénavant partie de la collection permanente du musée. Ces nouveaux locaux ont été conçus par l'architecte Frank Gehry; la blancheur des murs et le plancher de bois créent une impression de dépouillement qui permet une pleine appréciation des œuvres exposées, lesquelles proviennent généralement d'expositions temporaires portant sur différents designers du monde entier. La collection est composée de meubles et d'objets décoratifs de style international (de 1935 à nos jours) de la collection «Liliane et David M. Stewart».

Érigée en 1892, l'**église Erskine & American ★** *(angle av. du Musée, métro Guy-Concordia)* est un excellent exemple du style néoroman tel qu'adapté par l'architecte étasunien Henry Hobson Richardson. Le grès texturé, les grands arcs encadrés de colonnettes trapues ou allongées démesurément, de même que les suites de petites ouvertures cintrées, sont typiques du style. L'intérieur en forme d'auditorium a été remanié en 1937 à la manière de l'école de Chicago. On peut voir dans la chapelle inférieure *(en bordure de l'avenue du Musée)* de beaux vitraux Tiffany très colorés.

La **rue Crescent ★** *(métro Guy-Concordia)*, située immédiatement à l'est du musée, a une double personnalité. Au nord du boulevard De Maisonneuve, elle accueille, à l'intérieur d'anciennes maisons en rangée, des antiquaires et des boutiques de luxe, alors qu'au sud on retrouve une concentration de boîtes de nuit, de restaurants et de bars, la plupart précédés de terrasses ensoleillées. Pendant longtemps, la rue Crescent fut connue comme le pendant anglophone de la rue Saint-Denis. Même s'il est vrai qu'elle est toujours la favorite des visiteurs étasuniens, sa clientèle est aujourd'hui plus diversifiée.

Signe des temps, **Le Château** ★ *(1321 rue Sherbrooke O., métro Guy-Concordia ou Peel)*, bel immeuble de style Château, a été érigé en 1925 pour l'homme d'affaires canadien-français Pamphile du Tremblay, propriétaire du journal *La Presse*. Les architectes Ross et Macdonald ont réalisé ce qui était, à l'époque, le plus vaste immeuble résidentiel au Canada. Le chic magasin **Holt-Renfrew** *(1300 rue Sherbrooke O.)*, situé en face, a valu à ces mêmes architectes un prix de l'Institut Royal pour la qualité de son design. Le magasin de 1937 est un bel exemple du style Art déco, dans sa version aérodynamique aux lignes horizontales et arrondies.

Dernier survivant des vieux hôtels de Montréal, l'**Hôtel Ritz-Carlton** ★ *(1228 rue Sherbrooke O., métro Guy-Concordia ou Peel)* a été inauguré en 1911 par César Ritz lui-même. Il fut pendant longtemps le lieu de rassemblement favori de la bourgeoisie mont-

réalaise. Certains y résidaient même toute l'année, menant la belle vie entre les salons, le jardin et la salle de bal. L'édifice a été conçu par les architectes new-yorkais Warren et Wetmore, bien connus pour leur Grand Central Terminal de Park Avenue, à New York. L'hôtel, d'un luxe raffiné, a accueilli au cours de son histoire de nombreuses célébrités. Richard Burton et Elizabeth Taylor s'y sont mariés en 1964.

Continuez par la rue Sherbrooke jusqu'à l'entrée de la Maison Alcan.

La **Maison Alcan** ★ *(1188 rue Sherbrooke O., métro Peel)*, siège mondial de la compagnie d'aluminium Alcan, représente un bel effort de conservation du patrimoine et d'invention en matière de réaménagement urbain.

En face, on aperçoit trois bâtiments dignes de mention. La **maison Baxter** *(1201 rue Sherbrooke O., métro Peel)*, sur la gauche, possède un bel escalier en plusieurs volées. La **maison Forget** *(1195 rue Sherbrooke O., métro Peel)*, au centre, fut construite en 1882 pour Louis-Joseph Forget, l'un des seuls magnats canadiens-français à habiter le quartier au XIXe siècle. Le bâtiment sur la droite abrite un club privé pour gens d'affaires, le **Club Mont-Royal**. Cet édifice de 1905 est l'œuvre de Stanford White, de la célèbre firme new-yorkaise McKim, Mead et White, à qui

Attraits touristiques

l'on doit le siège social de la **Banque de Montréal** (voir p 82), devant la place d'Armes.

Cinq bâtiments de la rue Sherbrooke, parmi lesquels on retrouve la belle **maison Atholstan** *(1172 rue Sherbrooke O.)*, premier exemple de style Beaux-Arts à Montréal (1894), ont été soigneusement restaurés, puis joints par l'arrière à un atrium qui relie la partie ancienne à un immeuble moderne en aluminium. Ce dernier est bordé au sud par un jardin qui permet de passer subrepticement de la rue Drummond à la rue Stanley.

Pénétrez dans l'atrium par l'entrée de la rue Sherbrooke, qui donnait autrefois accès au hall de l'hôtel Berkeley. Ressortez par le jardin donnant sur la rue Stanley, et empruntez-le vers le sud. Tournez à gauche dans le boulevard De Maisonneuve puis à droite dans la rue Peel.

La **ville souterraine** (p 375) de Montréal est la plus étendue au monde. Très appréciée pendant les jours de mauvais temps, elle donne accès par des tunnels, des atriums et des places intérieures à plus de 2 000 boutiques et restaurants, à des cinémas, à des immeubles résidentiels, à des bureaux, à des hôtels, à des gares, entre autres la Station Centrale, à la Place des Arts et même à l'Université du Québec à Montréal (UQAM).

Les **Cours Mont-Royal** ★ ★ *(1455 rue Peel, métro Peel)* sont reliées, comme il se doit, à ce réseau tentaculaire qui gravite autour des stations de métro. Il s'agit d'un complexe multifonctionnel comprenant quatre niveaux de boutiques, des bureaux et des appartements aménagés dans l'ancien hôtel Mont-Royal. Ce palace des années folles, inauguré en 1922, était, avec ses 1 100 chambres, le plus vaste hôtel de l'Empire britannique. Mis à part l'extérieur, seule une portion du plafond du hall, auquel est suspendu l'ancien lustre du casino de Monte Carlo, a été conservée lors du recyclage de l'immeuble en 1987. Il faut voir les quatre cours intérieures, hautes de 10 étages, et se promener dans ce qui est peut-être le plus réussi des centres commerciaux du centre-ville. En face, ce qui ressemble à un petit manoir écossais est en fait l'ancien siège social des distilleries Seagram.

Poursuivez vers le sud par la rue Peel jusqu'au square Dorchester.

Le **Centre Infotouriste** *(1001 rue du Square-Dorchester, métro Peel, ☎873-2015, www.tourisme-montreal.org)* abrite les comptoirs de plusieurs intervenants du domaine touristique, entre autres les bureaux d'information touristique, de la compagnie d'autocars Greyhound et du service de réservation Le Réseau.

De 1799 à 1854, le **square Dorchester** ★ *(métro Peel)* était occupé par le cimetière catholique de Montréal. Cette année-là, il fut transféré sur le mont Royal, où il est toujours situé. En 1872, la Ville fait de l'espace libéré deux squares de part et d'autre de la rue Dorchester (actuel boulevard René-Lévesque). La portion nord porte le nom de «square Dorchester» (anciennement le square Dominion), alors que la portion sud fut rebaptisée «place du Canada» lors du centenaire de la Confédération (1967). Plusieurs monuments ornent le square Dorchester: au centre, on peut voir une statue équestre à la mémoire des soldats canadiens tués lors de la guerre des Boers en Afrique du Sud, puis, sur le pourtour, une belle statue du poète écossais Robert Burns, une sculpture d'après *Le Lion de Belfort* de Bartholdi, offerte par la compagnie d'assurances Sun Life, et le monument du sculpteur Émile Brunet en l'honneur de Sir Wilfrid Laurier, premier ministre du Canada de 1896 à 1911. Le square est aussi le point de départ des visites guidées en autocar.

Le **Windsor ★** *(1170 rue Peel, métro Peel)*, l'hôtel où descendaient les membres de la famille royale lors de leurs visites en terre canadienne, n'existe plus. Le prestigieux édifice de style Second Empire, construit en 1878 par l'architecte W.W. Boyington de Chicago, a été la proie des flammes en 1957. Seule l'annexe de 1906 subsiste, transformée depuis 1986 en édifice de bureaux. La jolie

Peacock Alley, de même que les salles de bal, ont cependant été conservées. Un impressionnant atrium, visible des étages supérieurs, a été aménagé pour les locataires. À l'emplacement du vieil hôtel se dresse la **tour CIBC**, belle réalisation de l'architecte Peter Dickinson (1962). Ses parois sont revêtues d'ardoise verte, respectant ainsi les couleurs dominantes des bâtiments du square, qui sont le gris beige de la pierre et le vert du cuivre oxydé.

L'**édifice Sun Life ★★** *(1155 rue Metcalfe, métro Peel)*, érigé entre 1913 et 1933 pour la puissante compagnie d'assurances Sun Life, fut pendant longtemps le plus vaste édifice de l'Empire britannique. C'est dans cette «forteresse» de l'establishment anglo-saxon, aux colonnades dignes de la mythologie antique, que l'on dissimula les joyaux de la Couronne britannique au cours de la Seconde Guerre mondiale. En 1977, le siège social de la compagnie fut déménagé à Toronto en guise de protestation contre les lois linguistiques favorables au français. Heureusement, le carillon qui sonne à 17h, chaque jour de la semaine, n'a pas été transféré et demeure partie intégrante de l'âme du quartier.

La **place du Canada ★** *(métro Bonaventure)*, au sud du square Dorchester, accueille le 11 novembre de chaque année la cérémonie du Souvenir, à la mémoire des soldats canadiens tués au cours de la guerre de

Corée et des deux guerres mondiales. Les anciens combattants se réunissent autour du monument aux Morts, qui trône au centre de la place. Un monument plus imposant, à la mémoire de Sir John A. Macdonald, premier à avoir été élu premier ministre du Canada en 1867, est situé en bordure du boulevard René-Lévesque.

Avant même qu'il ne soit aménagé en 1872, le square Dorchester est devenu le point de convergence de diverses églises. Malheureusement, seuls deux des huit temples érigés dans les environs du square entre 1865 et 1875 ont survécu, soit la très jolie **église anglicane St. George ★★** *(rue De La Gauchetière, angle rue Peel, métro Bonaventure)*, de style néogothique, et la cathédrale Marie-Reine-du-Monde. Son extérieur de grès délicatement sculpté cache un intérieur revêtu de belles boiseries sombres. On remarquera l'exceptionnel plafond à charpente apparente et les boiseries du chœur, ainsi qu'une tapisserie provenant de l'abbaye de Westminster ayant servi lors du couronnement de la reine Élisabeth II.

L'élégante **tour IBM-Marathon ★** *(1250 boul. René-Lévesque O., métro Bonaventure)*, de 47 étages, qui se dresse à l'arrière-plan de l'église St. George, a été achevée en 1991 selon les plans des célèbres architectes new-yorkais Kohn, Pedersen et Fox. Son jardin d'hiver planté de bambous est accessible au public.

En 1887, le directeur du Canadien Pacifique, William Cornelius Van Horne, demande à son ami new-yorkais Bruce Price (1845-1903) d'élaborer les plans de la **gare Windsor ★** *(angle rue De La Gauchetière et rue Peel, métro Bonaventure)*, une gare moderne qui agira comme terminal du chemin de fer transcontinental, achevé l'année précédente. Price est, à l'époque, un des architectes les plus en vue de l'est des États-Unis, où il conçoit des projets résidentiels pour la haute société, mais aussi des gratte-ciel, tel l'American Surety Building de Manhattan. On le chargera, par la suite, de la construction du Château Frontenac de Québec, qui lancera la vogue du style château au Canada.

L'allure massive qui se dégage de la gare Windsor, ses arcades en série, ses arcs cintrés soulignés dans la pierre et ses contreforts d'angle en font le meilleur exemple montréalais du style néoroman tel qu'adapté par l'architecte étasunien Henry Hobson Richardson. Sa construction va consacrer Montréal comme plaque tournante du transport ferroviaire au pays et amorcer le transfert des activités commerciales et financières du Vieux-Montréal vers le Golden Square Mile. Délaissée au profit de la Gare centrale après la Seconde Guerre mondiale, la gare Windsor ne fut plus utilisée que par les passagers des trains de banlieue jusqu'en 1993. Reliée au Montréal souterrain, elle abrite des commerces et des bureaux. La salle des pas perdus de la gare sert entre autres à divers événements.

Le **Centre Bell** *(8$; tlj, tours guidés 9h45 et 13h15, durée 1 heure 15 min; 1250 rue De La Gauchetière O., métro Bonaventure, ☎989-2841)*, érigé à l'emplacement des quais de la gare Windsor, bloque maintenant tout accès des trains au vénérable édifice. L'immense bâtiment aux formes incertaines, inauguré en mars 1996 sous le nom de Centre Molson (Bell en a acquis les droits en 2002), a succédé au Forum de la rue Sainte-Catherine en tant que patinoire du club de hockey Le Canadien, propriété de la Brasserie Molson.

L'amphithéâtre compte 21 247 sièges, ainsi que 138 loges vitrées, vendues à fort prix aux entreprises montréalaises. La saison régulière de la Ligue nationale de hockey s'étend d'octobre à avril, et les éliminatoires peuvent se prolonger jusqu'en juin. Deux mille places sont mises en vente à la billetterie du Centre Bell le jour même de chaque match, ce qui permet d'obtenir de bons billets à la dernière minute. Le Centre Bell accueille en outre de fréquents concerts et spectacles familiaux; en 2003, il s'est classé au premier rang en Amérique du Nord et termine deuxième au monde pour la vente de billets de spectacles.

L'hôtel Marriott **Château Champlain** ★ *(1 place du Canada, métro Bonaventure)* (voir p 279), surnommé «la râpe à fromage» par les Montréalais à cause de ses multiples ouvertures cintrées et bombées, a été réalisé en 1966 par les Québécois Jean-Paul Pothier et Roger D'Astous. Ce dernier est un disciple de l'architecte étasunien Frank Lloyd Wright, auprès duquel il a étudié pendant quelques années. Son hôtel n'est pas sans rappeler les lignes fluides et arrondies des dernières œuvres du maître.

Le **Planétarium de Montréal** ★ *(6,50$; tlj; représentations de 45 min; appeler pour en connaître l'horaire; 1000 rue St-Jacques O., métro Bonaventure, ☎872-4530)* présente, sous un dôme hémisphérique de 20 m, des projections qui ont pour thème l'astronomie. L'Univers et ses mystères sont ici expliqués de façon à rendre accessible à tous ce monde merveilleux, trop souvent mal connu.

La tour du **1000 De La Gauchetière** *(1000 rue De La Gauchetière O., métro Bonaventure)*, gratte-ciel de 51 étages, a été terminée en 1992. On y retrouve le terminus des autobus qui relient Montréal à la Rive-Sud ainsi que l'**Atrium** *(5,50$; location de patins 4,50$; toute l'année; appeler pour en connaître l'horaire; ☎395-0555)*, une patinoire intérieure ouverte toute l'année. Les architectes ont voulu démarquer l'immeuble de ses voisins en le dotant d'un couronnement en pointe recouvert de cuivre. Sa hauteur totale atteint le maximum permis par la Ville, soit la hauteur du mont Royal, symbole ultime de Montréal, qui ne peut en aucun cas être dépassé.

Siège de l'archevêché de Montréal et rappel de la puissance extrême du clergé jusqu'à la Révolution tranquille, la **cathédrale Marie-Reine-du-Monde** ★★ *(boul. René-Lévesque O., angle Mansfield, métro Bonaventure)* est une réduction au tiers de la basilique Saint-Pierre-de-Rome. En 1852, un terrible incendie détruit la cathédrale catholique de la rue Saint-Denis. L'évêque de Montréal à l'époque, l'ambitieux Mgr Ignace Bourget (1799-1885), profitera de l'occasion pour élaborer un projet grandiose qui surpassera enfin l'église Notre-Dame des sulpiciens et qui assurera la suprématie de l'Église catholique à Montréal. Quoi de mieux alors qu'une réplique de Saint-Pierre-de-Rome élevée en plein quartier protestant. Malgré les réticences de l'architecte Victor Bourgeau, le projet sera mené à terme, l'évêque obligeant même Bourgeau à se rendre à Rome pour mesurer le vénérable édifice. La construction, entreprise en 1870, sera finalement achevée en 1894. Les statues de

cuivre des 13 saints patrons des paroisses de Montréal seront, quant à elles, installées en 1900.

L'intérieur, modernisé au cours des années 1950, ne présente plus la même cohésion qu'autrefois. Il faut cependant remarquer le beau baldaquin, réplique de celui du Bernin, exécuté par le sculpteur Victor Vincent. Dans la chapelle mortuaire, sur la gauche, sont inhumés les évêques et archevêques de Montréal, la place d'honneur étant réservée au gisant de Mgr Bourget. Un monument, à l'extérieur, rappelle lui aussi ce personnage qui a beaucoup fait pour rapprocher la France du Canada.

La **Place Bonaventure** ★

(1 Place Bonaventure, métro Bonaventure), immense cube de béton strié sans façade, était, au moment de son achèvement en 1966, l'une des réalisations de l'architecture moderne les plus révolutionnaires de son époque. Récemment rénové, ce complexe multifonctionnel du Montréalais Raymond Affleck est érigé au-dessus des voies ferrées qui mènent à la Gare centrale, où se superposent un stationnement, un centre commercial à deux niveaux relié au métro et à la ville souterraine, un vaste centre d'exposition et de foire (nouvellement

Cathédrale Marie-Reine-du-Monde

réaménagé), des salles de vente en gros, des bureaux et, au-dessus, un hôtel intimiste de 400 chambres, aménagé autour d'un charmant jardin suspendu qui mérite une petite visite.

La Place Bonaventure donne accès à la station de métro du même nom, de l'architecte Victor Prus (1964). Avec ses revêtements de brique brune et ses voûtes de béton brut, elle rappelle une basilique paléochrétienne. Au total, le **métro de Montréal** compte 65 stations réparties sur quatre lignes, empruntées par des rames de métro qui roulent sur pneumatiques. Chacune des stations adopte une architecture différente, parfois très élaborée.

En 1913, on perce, sous le mont Royal, un tunnel ferroviaire qui aboutit au centre-ville. Les voies souterraines courent sous l'avenue McGill College, puis se multiplient au fond d'une large tranchée à l'air libre qui s'étend entre les rues Mansfield et University. En 1938, on érige la **Gare centrale** en sous-sol, véritable point de départ de la ville souterraine. Camouflée depuis 1957 par l'**Hôtel Reine-Élisabeth**, elle présente une intéressante «Salle des pas perdus» de style Art déco aérodynamique, aussi appelé Streamlined Deco.

La **Place Ville-Marie** ★ ★ ★ *(1 Place Ville-Marie, métro Bonaventure)* voit le jour dans la portion nord de cette tranchée en 1959. Le célèbre architecte sino-étasunien Ieoh Ming Pei

(pyramide du Louvre de Paris, East Building de la National Gallery de Washington) conçoit, au-dessus des voies ferrées, un complexe multifonctionnel comprenant des galeries marchandes très étendues, aujourd'hui reliées à la majorité des immeubles environnants, et différents édifices de bureaux, notamment la fameuse tour cruciforme en aluminium. Sa forme particulière, tout en permettant d'obtenir un meilleur éclairage naturel jusqu'au centre de la construction, symbolise la ville catholique dédiée à Marie.

Au milieu de l'espace public en granit, une rose des vents indique le nord géographique, alors que l'orientation de l'**avenue McGill College**, dans l'axe de la place, suggère plutôt le nord tel que les Montréalais le perçoivent dans la vie de tous les jours. Cette artère, bordée de gratte-ciel multicolores, était encore en 1950 une étroite rue résidentielle. La large perspective qu'elle offre maintenant permet de voir le mont Royal coiffé de sa **croix** métallique. Celle-ci fut installée en 1927 pour commémorer le geste posé par le fondateur de Montréal, Paul Chomedey, sieur de Maisonneuve, lorsqu'il gravit la montagne en janvier 1643 pour y planter une croix de bois en guise de remerciement à la Vierge pour avoir épargné le fort Ville-Marie d'une inondation dévastatrice.

Traversez la Place Ville-Marie, puis empruntez l'avenue McGill

College jusqu'à la rue Sainte-Catherine Ouest.

L'avenue McGill College a été élargie et entièrement réaménagée au cours des années 1980. On peut y voir plusieurs exemples d'une architecture postmoderne éclectique et polychrome, où le granit poli et le verre réfléchissant abondent. La **Place Montréal Trust** *(angle rue Ste-Catherine, métro McGill)* est un de ces centres commerciaux surmontés d'une tour de bureaux qui sont reliés à la ville souterraine et au métro par des corridors et des places privées.

La **tour BNP** ★ *(1981 av. McGill College, métro McGill)*, le plus réussi des immeubles de l'avenue McGill College, a été construit pour la Banque Nationale de Paris en 1981 selon les plans des architectes Webb, Zerafa, Menkès, Housden et associés (tour Elf-Aquitaine de La Défense à Paris, Banque Royale de Toronto). Ses parois de verre bleuté mettent en valeur la sculpture intitulée *La foule illuminée* du sculpteur franco-britannique Raymond Mason.

Revenez à la rue Sainte-Catherine Ouest.

La **rue Sainte-Catherine** est la principale artère commerciale de Montréal. Longue de 15 km, elle change de visage à plusieurs reprises sur son parcours. Vers 1870, elle était encore bordée de maisons en rangée, mais, en 1920, elle était déjà au cœur de la vie montréalaise. Depuis les années 1960, un ensemble de centres commerciaux reliant l'artère aux lignes de métro adjacentes s'est ajouté aux commerces sur rue. Un des plus récents, le **Centre Eaton** *(rue Ste-Catherine O., métro McGill)* comprend une longue galerie à l'ancienne, bordée de cinq niveaux de magasins, de restaurants et de cinémas. Un tunnel piétonnier le relie à la Place Ville-Marie.

Le grand magasin **Eaton** *(677 rue Ste-Catherine O., métro McGill)* fut une des principales «institutions» de la rue Sainte-Catherine, mais il a dû fermer ses portes en novembre 1999 pour cause de faillite. L'imposant édifice de neuf étages abrite dorénavant une succursale d'une autre chaîne de magasins à rayons, **Les Ailes de la Mode**. La salle à manger Art déco, au 9ᵉ étage, dessinée en 1931 par Jacques Carlu, auteur de plusieurs décors de paquebots et créateur du palais de Chaillot à Paris, sera gardée intacte puisqu'elle a été classée monument historique.

La première cathédrale anglicane de Montréal était située rue Notre-Dame, à proximité de la place d'Armes. À la suite d'un incendie en 1856, il fut décidé de reconstruire la **cathédrale Christ Church** ★★ *(angle rue University, métro McGill)* plus près de la population à desservir, soit au cœur du Golden Square Mile naissant. L'architecte Frank Wills de Salisbury, prenant pour modèle la cathédrale de sa ville d'ori-

gine, a réalisé un ouvrage flamboyant doté d'un seul clocher
aux transepts. La sobriété de
l'intérieur contraste avec la
riche ornementation des églises
catholiques que l'on retrouve
dans le même circuit. Seuls
quelques beaux vitraux,
exécutés dans les ateliers
de William Morris, ajou-
tent un peu de couleur. La
flèche de pierre du
clocher fut démolie
en 1927 et rem-
placée par une
copie en alumi-
nium, car elle
aurait éventuel-
lement entraîné
l'affaissement de
l'édifice. Le
problème lié à
l'instabilité des
fondations ne
fut pas réglé
pour autant, et il fallut la construction du centre commercial
**Les Promenades de la Cathé-
drale**, sous l'édifice, en 1987,
pour solidifier le tout. Ainsi, la
cathédrale anglicane Christ
Church repose maintenant sur
le toit d'un centre commercial.
Par la même occasion, une tour
de verre postmoderne, coiffée
d'une «couronne d'épines», fut
érigée à l'arrière. À son pied se
trouve un agréable petit jardin.

C'est autour du **square
Phillips** ★ *(angle rue Union et
rue Ste-Catherine O., métro
McGill)* qu'apparurent les premiers magasins de la rue Sainte-
Catherine, autrefois strictement
résidentielle. Henry Morgan y
transporta sa Morgan's Colonial
House, aujourd'hui **La Baie**, à la

*Cathédrale
Christ Church*

suite des inondations de 1886
dans la vieille ville. Henry Birks,
issu d'une longue lignée de
joailliers anglais, suivit bientôt,
en installant sa célèbre bijou-
terie dans un bel édifice de grès
beige, sur la face ouest du
square. En 1914, on a inauguré, au centre du square Phillips,
un monument à la mémoire du
roi Édouard VII, œuvre du
sculpteur Philippe Hébert. Le
square est un lieu de détente
apprécié par les clients des
grands magasins.

L'**église St. James United** ★
*(463 rue Ste-Catherine O., métro
McGill)*, une ancienne église
méthodiste aménagée en
forme d'auditorium, présentait
à l'origine une façade complète
donnant sur un jardin. Pour

Attraits touristiques

contrer la diminution de ses revenus, la communauté fit construire, en 1926, un ensemble de commerces et de bureaux sur le front de la rue Sainte-Catherine, ne laissant qu'un étroit passage pour pénétrer dans le temple. On aperçoit encore les deux clochers néogothiques en retrait de la rue.

L'église St. James United a récemment fait l'objet de travaux extérieurs de l'ordre de deux millions de dollars. De plus, la démolition d'une partie des commerces et bureaux qui cachent sa façade, au cours de l'année, permettra de découvrir un imposant bâtiment et de créer un espace vert qui contribuera à l'amélioration de la qualité de vie des habitants du centre-ville.

Tournez à droite dans la rue De Bleury.

Après 40 ans d'absence, les Jésuites reviennent à Montréal en 1842 à l'invitation de Mgr Ignace Bourget. Six ans plus tard, ils fondent le collège Sainte-Marie, où plusieurs générations de garçons recevront une éducation exemplaire. L'**église du Gesù ★★** *(1202 rue De Bleury, métro Place-des-Arts)* fut conçue, à l'origine, comme chapelle du collège. Le projet grandiose, entrepris en 1864 selon les plans de l'architecte Patrick C. Keely de Brooklyn (New York), ne put être achevé faute de fonds. Ainsi, les tours de l'église néo-Renaissance n'ont jamais reçu

de clochers. Quant au décor intérieur, il fut exécuté en trompe-l'œil par l'artiste Damien Müller. On remarquera les beaux exemples d'ébénisterie que sont les sept autels principaux ainsi que les parquets marquetés qui les entourent. Les grandes toiles suspendues aux murs ont été commandées aux frères Gagliardi de Rome. Le collège des Jésuites, érigé au sud de l'église, a été démoli en 1975, mais le Gesù a heureusement pu être sauvé puis restauré en 1983. Depuis, un centre de créativité porte son nom.

Une courte excursion facultative permet de visiter la basilique St. Patrick. Pour y aller, suivez la rue De Bleury vers le sud. Tournez à droite dans le boulevard René-Lévesque puis à gauche dans la petite rue Saint-Alexandre. Entrez dans l'église par les accès situés sur les côtés.

Fuyant la misère et la maladie de la pomme de terre, les Irlandais arrivent nombreux à Montréal entre 1820 et 1860, où ils participent aux chantiers du canal de Lachine et du pont Victoria. La construction de la **basilique St. Patrick ★★** *(460 boul. René-Lévesque O., métro Place-des-Arts)*, pour desservir la communauté catholique irlandaise, répondait donc à une demande nouvelle et pressante. Au moment de son inauguration en 1847, l'église dominait la ville située en contrebas. Elle est, de nos jours, bien dissimulée entre les gratte-ciel du centre des affaires. Le père

Félix Martin, supérieur des Jésuites, et l'architecte Pierre-Louis Morin se chargèrent des plans de l'édifice néogothique, style préconisé par les Messieurs de Saint-Sulpice, qui financèrent le projet. Paradoxe parmi tant d'autres, l'église St. Patrick est davantage l'expression d'un art gothique français que de sa contrepartie anglo-saxonne. L'intérieur, haut et sombre, invite à la prière. Chacune des colonnes en pin qui divisent la nef en trois vaisseaux est un tronc d'arbre taillé d'un seul morceau.

Revenez à la rue Sainte-Catherine Ouest.

D'ici quelques années, le secteur environnant l'intersection de la rue Sainte-Catherine et de la rue Jeanne-Mance deviendra le **Quartier des spectacles**: on y retrouvera entre autres le Complexe Spectrum avec sa Place des Festivals (agora) à l'angle sud-ouest.

Le **Musée d'art contemporain de Montréal** ★ ★ *(6$; mar-dim 11h à 18h, mer 11h à 21h; 185 rue Ste-Catherine O., angle rue Jeanne-Mance, métro Place-des-Arts, ☎847-6226, www. macm.org)* a ouvert ses portes en 1992. L'édifice tout en longueur, érigé au-dessus du stationnement de la Place des Arts, renferme huit salles où sont présentées des œuvres québécoises et internationales réalisées après 1940. L'intérieur, nettement plus réussi que l'extérieur, s'organise autour d'un hall circulaire. Au rez-de-

chaussée, une amusante sculpture métallique de Pierre Granche intitulée *Comme si le temps... de la rue* représente la trame de rues montréalaise, envahie par des oiseaux casqués, dans une sorte de théâtre semi-circulaire.

Inspiré par des ensembles culturels, comme le Lincoln Center de New York, le gouvernement du Québec a fait ériger, dans la foulée de la Révolution tranquille, la **Place des Arts** ★ *(175 rue Ste-Catherine O., entre les rues Jeanne-Mance et Saint-Urbain, métro Place-des-Arts)*, un complexe de cinq salles consacré aux arts de la scène. La Salle Wilfrid-Pelletier, au centre, fut inaugurée en 1963 (2 982 places). Elle accueille entre autres l'Orchestre symphonique de même que l'Opéra de Montréal.

L'édifice des théâtres, sur la droite, adopte une forme cubique. Il renferme trois salles: le Théâtre Maisonneuve (1 460 places), le Théâtre Jean-Duceppe (755 places) et le Studio-théâtre, une petite salle intimiste de 138 places. Quant à la Cinquième salle (350 places), elle a été aménagée en 1992 dans le cadre de la construction du Musée d'art contemporain. La Place des Arts est reliée à l'axe gouvernemental de la ville souterraine, qui s'étend du Palais des congrès jusqu'à l'avenue du Président-Kennedy. Développée par les différents ordres de gouvernement, cette portion du réseau souterrain a été baptisée ainsi par opposition

Attraits touristiques

au réseau privé, qui gravite autour de la Place Ville-Marie, plus à l'ouest.

Le vaste **complexe Desjardins** ★ *(rue Ste-Catherine O., métro Place-des-Arts)* abrite le siège social de la Fédération des caisses populaires Desjardins depuis 1976. On y trouve également de nombreux bureaux gouvernementaux. Le complexe est doté d'une place publique intérieure, très courue durant les mois d'hiver et où ont lieu divers événements culturels au cours de l'année. La place est entourée entre autres de boutiques et d'une aire de restauration à comptoirs multiples.

On quitte maintenant l'ancien secteur du Golden Square Mile pour aborder celui du **boulevard Saint-Laurent**. À la fin du XVIIIe siècle, le faubourg Saint-Laurent se développe en bordure du chemin du même nom, qui conduit à l'intérieur des terres. En 1792, on en fait la division officielle de la ville en deux quartiers est et ouest, de part et d'autre de l'artère. Puis au début du XXe siècle, les adresses des rues est-ouest sont réparties de façon à débuter au boulevard Saint-Laurent.

Entre-temps, vers 1880, la haute société canadienne-française conçoit le projet de faire de ce boulevard les «Champs-Élysées» montréalais. On démolit alors le flanc ouest pour élargir la voie et reconstruire de nouveaux immeubles dans le style néoroman de Richardson,

à la mode en cette fin du XIXe siècle. Peuplé de vagues successives d'immigrants qui débarquent dans le port, le boulevard Saint-Laurent ne connaîtra jamais la gloire prévue par ses promoteurs. Le tronçon du boulevard compris entre les boulevards René-Lévesque et De Maisonneuve deviendra cependant le noyau de la vie nocturne montréalaise dès le début du XXe siècle. On y trouvait les grands théâtres, tel le Français, où se produisait Sarah Bernhardt. À l'époque de la Prohibition aux États-Unis (1919-1930), le secteur s'encanaille, attirant chaque semaine des milliers d'Étasuniens qui fréquentent les cabarets et les lupanars, nombreux dans le quartier jusqu'à la fin des années 1950.

Tournez à droite dans le boulevard Saint-Laurent.

Le nouveau bâtiment de la **SAT** *(1195 boul. St-Laurent, métro St-Laurent, ☎844-2033, www.sat.qc.ca)*, ou Société des arts technologiques, qui a longtemps logé au 305 de la rue Sainte-Catherine Ouest, se présente comme un centre disciplinaire de création et de diffusion voué au développement et à la conservation de la culture numérique. On ose espérer que tout l'ancien secteur du Red Light de Montréal amorce une renaissance avec l'existence d'un espace comme celui-ci. La SAT est un lieu de création et de diffusion, et présente régulièrement des événements artistiques.

Érigé en 1893 pour la Société Saint-Jean-Baptiste, vouée à la défense des droits des francophones, le **Monument-National** ★ *(1182 boul. St-Laurent, métro St-Laurent)* constituait un centre culturel dédié à la cause du Canada français. On y proposait des cours commerciaux, on y trouvait la tribune favorite des orateurs politiques et on y présentait des spectacles à caractère religieux. Toutefois, au cours des années 1940, on y a aussi monté des spectacles de cabaret et des pièces à succès qui ont lancé la carrière de plusieurs artistes québécois, notamment les Olivier Guimond

père et fils. L'édifice, vendu à l'École nationale de théâtre du Canada en 1971, a fait l'objet d'une restauration complète lors de son centenaire; à cette occasion, on a mis en valeur la plus ancienne salle de spectacle du Canada.

Traversez le boulevard René-Lévesque, puis tournez à droite dans la rue De La Gauchetière.

Le **Quartier chinois** ★ *(rue De La Gauchetière, métro Place-d'Armes)* de Montréal, malgré son exiguïté, n'en demeure pas moins un lieu de promenade agréable. Les Chinois venus au Canada pour la

Quartier chinois

Attraits touristiques

construction du chemin de fer transcontinental, terminé en 1886, s'y sont installés en grand nombre à la fin du XIXᵉ siècle. Bien qu'ils n'habitent plus le quartier, ils y viennent toujours les fins de semaine pour flâner et faire provision de produits exotiques. La rue De La Gauchetière a été transformée en artère piétonne, bordée de restaurants et encadrée par de belles portes à l'architecture d'inspiration chinoise que l'on retrouve également sur le boulevard Saint-Laurent pour délimiter le quartier.

À l'ouest de la rue Saint-Urbain se trouve le **Palais des congrès de Montréal ★** *(201 av. Viger O., métro Place-d'Armes, ☎871-3170)*, érigé en partie au-dessus de l'autoroute Ville-Marie et contribuant ainsi à isoler le Vieux-Montréal du centre-ville. À la suite d'un agrandissement en 2002, le Palais des congrès a doublé sa surface et comporte maintenant deux entrées, soit la principale, avenue Viger, et une seconde, rue De Bleury.

La nouvelle partie se trouve au cœur du Quartier international de Montréal et s'ouvre désormais au niveau de la rue. L'immense façade de verre coloré donnant sur la rue De Bleury crée des effets de lumière tant à l'intérieur qu'à l'extérieur du Palais. Elle regarde vers une nouvelle place publique, la **place Jean-Paul-Riopelle ★ ★**, à l'angle des rues Saint-Antoine et De Bleury, où est installée une immense sculpture-fontaine en bronze signée par l'artiste, intitulée *La joute*, avec jets d'eau et flammes. Devant s'élève le nouvel édifice à l'architecture unique dénommé le **Centre CDP Capital ★**, siège de la Caisse de dépôt et placement du Québec (CDP). Deux œuvres d'art contribuent aussi à enjoliver le Palais des congrès: *Translucide*, un diptyque des artistes multimédias Michel Lemieux et Victor Pilon entre autres, et *La poussée vers le haut*, jardin minéral de Francine Larivée, juché sur le toit. Deux aménagements paysagers complètent le décor: *Nature Légère / Lipstick Forest*, un jardin surréel de 52 troncs d'arbres en béton rose, et *L'Esplanade*, où 3 l monticules de terre sont reliés par des sentiers de pierre calcaire typique de Montréal et plantés d'autant de pommetiers décoratifs, emblème floral de la Ville de Montréal depuis mai 1995. Parmi les œuvres d'art public que compte le Palais des congrès, on retrouve également la sculpture de Charles Daudelin *Éolienne V*, un mobile en acier inoxydable qui bénéficiera d'un nouvel espace dans le cadre des travaux de réaménagement de l'édifice.

Pour retourner au point de départ, remontez le boulevard Saint-Laurent jusqu'à la station de métro Place-des-Arts (angle boul. De Maisonneuve). Prenez le métro vers l'ouest jusqu'à la station Guy-Concordia.

Circuit C: Le Musée des beaux-arts de Montréal

Le **Musée des beaux-arts de Montréal** ★★ *(12$ pour les expositions temporaires, à moitié prix mer 17h30 à 21h, entrée libre pour la collection permanente; mar-dim 11h à 18h, mer jusqu'à 21h; 1380 rue Sherbrooke O., métro Guy-Concordia, ☎285-2000, www.mbam. qc.ca)*, situé au cœur du centre-ville, est le plus important et le plus ancien musée québécois. Il regroupe des collections variées qui dressent un portrait de l'évolution des arts dans le monde depuis l'Antiquité jusqu'à nos jours. L'institution est installée dans deux pavillons distincts, distribués de part et d'autre de la rue Sherbrooke Ouest (le pavillon Benaiah Gibb au n° 1379 et le pavillon Jean-Noël Desmarais

au n° 1380). Seulement 10% de la collection permanente, qui comprend plus de 25 000 objets, est exposée. À celle-ci peuvent se joindre jusqu'à trois expositions temporaires d'envergure internationale présentées simultanément, constituant ainsi un volet appréciable des activités du musée.

Le conseil d'administration du Musée des beaux-arts de Montréal (MBMA) a annoncé, en 2003, un vaste projet d'agrandissement de l'ordre d'une centaine de millions de dollars, qui permettrait d'occuper tout le quadrilatère où se trouvent actuellement le musée et plusieurs maisons victoriennes et autres propriétés qu'il veut acquérir, en plus de l'achat de l'église Erskine and American pour en faire un musée du Patrimoine religieux! Enfin, pour faire contrepoids au Quartier des spectacles, et ainsi donner un coup de main aux artistes et galeristes du centre-ville, il

Attraits touristiques

Musée des beaux-arts de Montréal

souhaite voir émerger du cœur de Montréal une Maison du design!...

C'est en 1860 que des amateurs d'art issus de la bourgeoisie anglo-saxonne de Montréal, alors au faîte de sa gloire, fondent le Musée des beaux-arts, qui portera jusqu'en 1949 le nom de «Art Association of Montreal». Le noyau de la collection permanente du musée reflète encore les goûts de ces riches familles d'origine anglaise et écossaise qui ont fait don de nombreuses œuvres à l'institution. Il faudra cependant attendre encore près de 20 ans avant que le musée ne s'installe dans son premier lieu d'exposition permanent. À la suite d'un don du mécène Benaiah Gibb, une modeste galerie, aujourd'hui disparue, est érigée en 1879 à l'angle sud-est du square Phillips et de la rue Sainte-Catherine Ouest.

Une campagne de souscription est lancée en 1909 afin de doter le musée d'un bâtiment plus prestigieux. Il sera implanté sur la rue Sherbrooke Ouest au cœur du Golden Square Mile, ce quartier résidentiel de la grande bourgeoisie canadienne qui allait devenir par la suite le centre-ville moderne de Montréal. L'édifice, l'actuel pavillon Benaiah Gibb, est inauguré en 1912. Ses architectes, les frères Edward et William Sutherland Maxwell, l'ont doté d'une élégante façade de marbre blanc du Vermont, dessinée dans le style Renouveau classique, dont les formes rappellent la Rome antique. Bien que le musée eût été agrandi à deux reprises vers l'arrière, en 1939 puis en 1976, ses espaces demeuraient malgré tout nettement insuffisants.

Puisqu'il était hors de question de démolir les édifices voisins au nord et à l'ouest, les dirigeants de l'institution se sont tournés vers l'îlot d'en face, proposant de la sorte une solution originale et un défi à leur architecte, Moshe Safdie, déjà connu pour son Habitat 67 et son Musée des beaux-arts du Canada à Ottawa. Le nouveau pavillon, baptisé en l'honneur de Jean-Noël Desmarais, père du mécène Paul Desmarais, a été inauguré en 1991. Il présente sur la gauche une façade de marbre blanc faisant écho au musée des frères Maxwell, alors qu'il intègre sur la droite la façade de briques rouges d'un ancien immeuble résidentiel (1905). Une série de galeries souterraines aménagées sous la rue Sherbrooke Ouest permettent de passer du pavillon Jean-Noël Desmarais au pavillon Benaiah Gibb sans avoir à sortir à l'extérieur.

Outre les traditionnelles expositions, le Musée des beaux-arts propose au visiteur plusieurs activités et services: une librairie spécialisée dans les ouvrages d'art et d'architecture, doublée d'une boutique de cadeaux (pavillon Jean-Noël Desmarais, niveau 1); un bistro et une cafétéria (pavillon Jean-Noël Desmarais, niveau 2); une bibliothèque de plus de 75 000 ouvrages sur l'art (pavillon

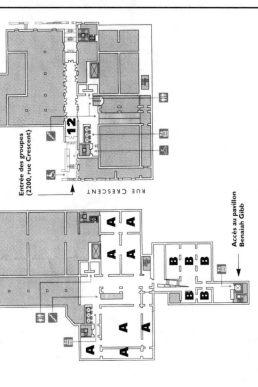

C Le Musée des beaux-arts
Pavillon Jean-Noël Desmarais

Collection permanente

A Art contemporain

B Galeries des cultures anciennes

Afrique, Océanie; art asiatique, art japonais; art étrusque et romain; verre ancien; art islamique, art du Proche-Orient ancien et art grec

Aires et services divers

12 Passage culturel

Aires réservées
au personnel du musée

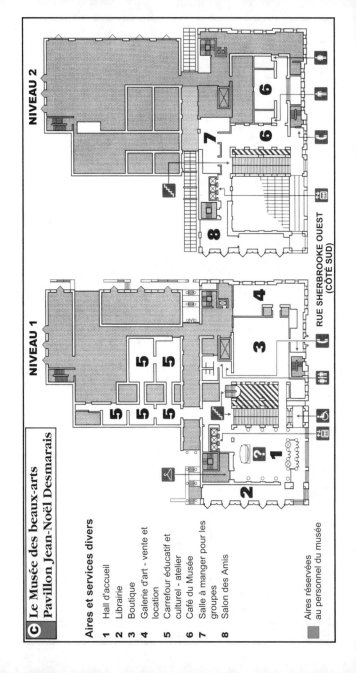

C Le Musée des beaux-arts
Pavillon Jean-Noël Desmarais

Aires et services divers

1 Hall d'accueil
2 Librairie
3 Boutique
4 Galerie d'art - vente et location
5 Carrefour éducatif et culturel - atelier
6 Café du Musée
7 Salle à manger pour les groupes
8 Salon des Amis

Aires réservées au personnel du musée

NIVEAU 1

NIVEAU 2

RUE SHERBROOKE OUEST
(CÔTÉ SUD)

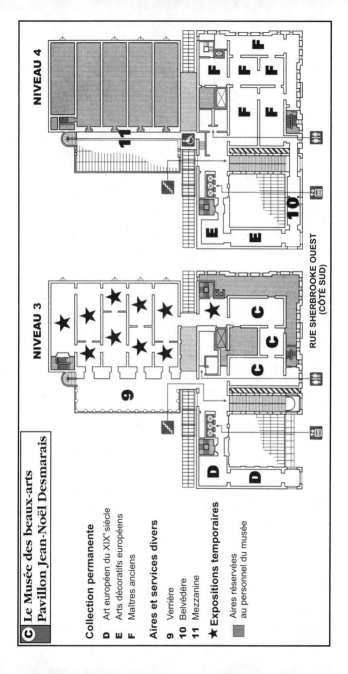

C Le Musée des beaux-arts
Pavillon Jean-Noël Desmarais

NIVEAU 4

NIVEAU 3

Collection permanente

D Art européen du XIXe siècle
E Arts décoratifs européens
F Maîtres anciens

Aires et services divers

9 Verrière
10 Belvédère
11 Mezzanine

★ Expositions temporaires

Aires réservées
au personnel du musée

RUE SHERBROOKE OUEST
(CÔTÉ SUD)

Benaiah Gibb, niveau S1, accès sur rendez-vous seulement); des visites commentées offertes sur réservation pour les groupes de 10 personnes et plus *(ouvert au public mer 13h30 à 16h45; ☎285-1600, poste 159)*; un service éducatif et culturel qui organise des conférences, des concerts et des projections de films à l'auditorium Maxwell Cummings (pavillon Benaiah Gibb, niveau S1), de même que des ateliers de création et d'apprentissage de l'art pour les petits et les grands dans les locaux du Carrefour éducatif et culturel (pavillon Jean-Noël Desmarais, niveau 1). Notez aussi que le **Musée des arts décoratifs de Montréal** (voir p 100) fait partie du Musée des beaux-arts.

La visite du Musée des beaux-arts de Montréal peut se faire de plusieurs façons. Le circuit proposé ici constitue un survol de la collection permanente à partir de l'entrée principale du musée (pavillon Jean-Noël Desmarais). Cependant, ceux qui voudraient se rendre directement dans les salles des collections d'art canadien, inuit et précolombien peuvent le faire en pénétrant dans le musée par les grandes portes de chêne du pavillon Benaiah Gibb *(1379 rue Sherbrooke O.)*.

Référez-vous aux plans du musée.

Le hall glacial du musée, avec son escalier-rampe des plus incommodes, peut être vite franchi afin d'atteindre les ascenceurs qui conduisent les visiteurs aux six étages (dont deux en sous-sol) du pavillon Jean-Noël Desmarais. Montez jusqu'au niveau 4.

Prenez sur la gauche vers les salles où est exposée la collection dite des **Maîtres anciens ★★** (pavillon Jean-Noël Desmarais, niveau 4), qui comprend des toiles, des meubles et des sculptures du Moyen Âge, de la Renaissance ainsi que des périodes baroques et classiques, soit un vaste panorama de l'histoire de l'art européen de l'an 1000 jusqu'à la fin du XVIIIe siècle. L'art médiéval est représenté entre autres par des fragments de vitraux provenant de l'abbaye de Saint-Germain-des-Prés (vers 1245) et par un beau *Couronnement de la Vierge* de Nicolò di Pietro Gerini (vers 1390).

Parmi les œuvres les plus significatives qui illustrent la Renaissance, on notera le *Portrait d'un homme* de Hans Memling (1490), *Le retour de l'auberge* de Pieter Bruegel Le Jeune (1620), le *Portrait d'un homme de la maison de Leiva* par le Greco (1580) de même qu'un superbe triptyque attribué à Jan de Beer: *L'Annonciation*, *L'Adoration des bergers* et *La fuite en Égypte* (vers 1510).

Les XVIIe et XVIIIe siècles sont représentés par de nombreuses œuvres flamandes, reflétant ainsi le goût de la bourgeoisie montréalaise du Golden Square Mile pour ces peintures aux effets de lumière complexes. On remarquera plus particuliè-

Le Refus global

Les amis du régime nous soupçonnent de favoriser la «Révolution». Les amis de la «Révolution» de n'être que des révoltés: «...nous protestons contre ce qui est, mais dans l'unique désir de le transformer, non de le changer.»

Extrait du *Refus global*, 1948
Paul-Émile Borduas et 13 autres signataires

Le Refus global, germe de la Révolution tranquille des années 1960, se présente comme un manifeste dénonçant le conformisme politique et religieux des années 1940, qui faisait du Québec un milieu étouffant et hostile aux manifestations de créativité individuelle ou collective. Signé en 1948 par le peintre Paul-Émile Borduas (1905-1960) et 13 autres artistes dont Jean-Paul Riopelle, il marqua le début de grandes transformations dans la société québécoise. À la suite de la publication, sévèrement condamnée, de sa profession de foi, Borduas, à l'époque professeur à l'École du Meuble de Montréal, sera congédié, puis, quelques années plus tard, s'exilera à Paris.

Attraits touristiques

rement le *Portrait d'une jeune femme* de Rembrandt (vers 1665) et *L'Adoration des bergers* de Nicolaes Maes (1658). Les peintres anglais figurent en bonne place dans la dernière salle de cette section grâce à des œuvres comme *Les amours champêtres* (1755) et le *Portrait de madame George Drummond*, deux toiles de Thomas Gainsborough (1779). Y sont également accrochées des toiles de Canaletto et de Tiepolo.

Dirigez-vous vers le «Belvédère», sorte de passage aérien situé au-dessus du hall principal, pour admirer le mont Royal et les édifices de la rue Sherbrooke. Il conduit à la collection des **Arts décoratifs européens** ★ (pavillon Jean-Noël Desmarais, niveau 4), surtout consacrée à de petits objets exposés en vitrine. On peut y voir d'intéressantes porcelaines anglaises (Chelsea, Worcester, Derby et Wedgwood), de l'argenterie, du verre et du cristal, de même qu'une partie de l'étonnante collection de 3 000 boîtes à encens japonaises de Georges Clemenceau dont le musée a fait l'acquisition.

Ressortez des salles par les portes situées à proximité des ascenceurs. Descendez au niveau 3, où se trouvent les salles des expositions temporaires et la Verrière, pour avoir une vue imprenable sur le chaos urbain que forment les toits du centre-ville, de même que la collection d'**Art européen des XIXe et XXe siècles ★** (pavillon Jean-Noël Desmarais, niveau 3). Les bourgeois du Golden Square Mile étant friands de l'école de Barbizon, on y trouvera des Corot (*L'île heureuse*, 1868) et des Daumier (*Nymphes poursuivies par des satyres*, 1848), et aussi quelques toiles impressionnistes de Sisley, Pissaro et Monet. Parmi les œuvres plus récentes, on notera l'intéressant *Portrait de l'avocat Hugo Simons* par Otto Dix (1925) et *Femme assise* par Matisse (1923).

Reprenez l'ascenceur jusqu'au niveau S2 (2e sous-sol). Vous déboucherez alors sur des salles hautes de 6 m que l'on dirait bâties pour des géants. Celles-ci sont parfaitement adaptées pour recevoir les grands formats de la collection d'**Art contemporain ★** (pavillon Jean-Noël Desmarais, niveau S2), constituée surtout d'œuvres canadiennes. Le musée organise parfois des expositions internationales temporaires d'art contemporain dans une partie des salles du niveau S2.

Suivez le passage qui longe l'escalier-rampe pour rejoindre les **Galeries des cultures anciennes ★** (pavillon Jean-Noël Desmarais, niveau S2), qui regroupent, sous la rue Sherbrooke, des collections d'arts décoratifs provenant d'Afrique, d'Océanie, d'Asie, du monde arabe et du monde antique (Proche-Orient ancien, Grèce, Rome). Parmi les nombreux objets exposés, on peut voir un intéressant bas-relief assyrien provenant du palais d'Assurnazirpal II, un sarcophage en plomb exhumé à Tyr et un bol incrusté d'argent ayant appartenu au sultan de Damas (XIIIe siècle).

Prenez l'ascenseur situé à l'extrémité nord des galeries pour atteindre le hall d'accueil du pavillon Benaiah Gibb. Conçu dans l'esprit de l'École des beaux-arts, le hall conduit à l'escalier monumental qu'il faut gravir pour se rendre aux salles des expositions temporaires et surtout à la collection d'**Art canadien ★ ★ ★** (pavillon Benaiah Gibb, niveaux 1 et 2), véritable fleuron du musée. Présentée dans l'ordre chronologique, la collection nous fait revivre l'histoire canadienne à travers des toiles, des sculptures, des meubles et de l'orfèvrerie religieuse.

La première salle instruit le visiteur sur la vie quotidienne d'autrefois au Canada grâce à de beaux tableaux de Paul Kane

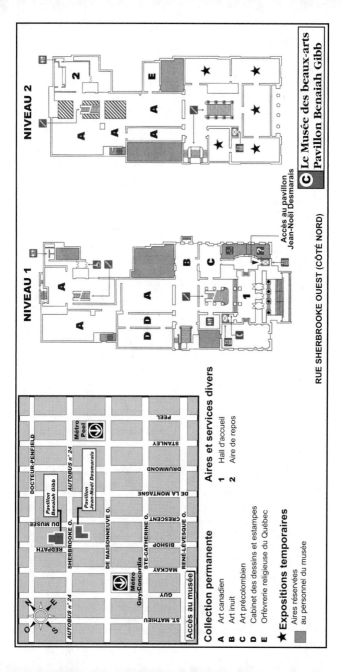

NIVEAU 2

NIVEAU 1

Accès au pavillon Jean-Noël Desmarais

RUE SHERBROOKE OUEST (CÔTÉ NORD)

Accès au musée

DOCTEUR-PENFIELD
AUTOBUS n° 24
Pavillon Benaiah Gibb
DU MUSÉE
SHERBROOKE O.
Pavillon Jean-Noël Desmarais
Métro Peel
REDPATH
DE MAISONNEUVE O.
STE-CATHERINE O.
RENÉ-LÉVESQUE O.
CRESCENT O.
BISHOP
MACKAY
GUY
ST-MATHIEU
DRUMMOND
DE LA MONTAGNE
STANLEY
PEEL
Métro Guy-Concordia
AUTOBUS n° 24

O N E S

Collection permanente

A Art canadien
B Art inuit
C Art précolombien
D Cabinet des dessins et estampes
E Orfèvrerie religieuse du Québec

★ Expositions temporaires

Aires réservées au personnel du musée

Aires et services divers

1 Hall d'accueil
2 Aire de repos

C Le Musée des beaux-arts
Pavillon Benaiah Gibb

représentant des Amérindiens (*Mah Min* et *Caw Wacham*, 1848), de Cornelius Kreighoff (*Les chutes Montmorency*, 1853) et de bien d'autres (*Vue de Québec* de Fred Holloway, 1853). Les portraitistes Théophile Hamel (1817-1870) et Antoine Plamondon (1804-1895) ont quant à eux dépeint l'aristocratie de leur époque. Des meubles, dont certains remontent au Régime français, viennent compléter la scène. Sur la droite, une petite salle recèle le trésor d'orfèvrerie religieuse au sein duquel figu-

rent des pièces de François Ranvoyzé (fin XVIIIe siècle) et de Laurent Amiot.

Dans la salle consacrée à l'ère victorienne, on peut notamment apprécier l'académisme d'un Paul Peel (*La fileuse*, 1881) et la chatoyante lumière de janvier du *Champ-de-Mars en hiver* de William Brymner (1892). Les 30 premières années du XXe siècle seront marquées au Canada par une véritable explosion de couleurs, comme en témoignent *Pirogue indienne de guerre* d'Emily Carr

Jean-Paul Riopelle

Jean-Paul Riopelle, né à Montréal en 1923, fut l'un des peintres les plus importants du Québec et celui jouissant de la plus grande renommée internationale. Plusieurs du nombre impressionnant d'œuvres qu'il a signées font aujourd'hui partie de collections privées ou de musées d'art où elles sont exposées, et ce, à travers le monde. Personnage légendaire, peintre abstrait connu pour ses immenses toiles, Riopelle a marqué l'art moderne. Sa carrière prend son

envol au sein du groupe des automatistes, dans les années 1940.

L'un des 13 signataires en 1948, avec Paul-Émile Borduas, du manifeste *Le Refus global*, Riopelle vécut à Paris de nombreuses années, mais c'est au Québec qu'il revient s'installer vers la fin de sa vie. Il est décédé le 12 mars 2002 dans son manoir de l'île aux Grues, le long du corridor de migration des oies blanches, qu'il affectionnait particulièrement.

(1912) ou *Dans le Nord* de Tom Thomson (1915). On trouve aussi dans cette section des toiles du Groupe des Sept, entre autres *Cathedral Mountain* d'Arthur Lismer (1928).

L'étage du dessous, qu'on rejoint par un grand escalier doté d'une rampe de verre, regroupe des œuvres influencées par l'Art déco, notamment *Le port de Montréal* d'Adrien Hébert (vers 1924) et *Les baigneuses* d'Edwin Holgate (1937). On y explique également l'histoire de l'École du meuble de Montréal, fondée en 1935 par Jean-Marie Gauvreau. Parmi les sculptures présentées au niveau 1, on remarquera plus particulièrement *Le plongeur* de Robert Tait Mackenzie (1923) et *Mon frère* de Sylvia Daoust (1931).

Un plan incliné permet ensuite d'atteindre la salle consacrée principalement aux œuvres de Paul-Émile Borduas. On y retrouve aussi des toiles colorées de Jean-Paul Riopelle (*Vent traversier*, 1952) et d'Alfred Pellan (*La cruche verte*, 1942), pour ne nommer que ceux-là. Le **Cabinet des dessins et estampes** ★★ (pavillon Benaiah Gibb, niveau 1) jouxte cette dernière section. On peut y admirer une précieuse collection de dessins au sein de laquelle figure la prenante *Mort de Jacob* de Rembrandt (vers 1640). Des œuvres importantes de Hendrick Goltzius (*Les Sept Vices*), Ferdinand Hodler, Pietro Bracci, Honoré Daumier, Manet, Paul Klee et Salva-

dor Dalí font aussi partie des collections du cabinet.

À la sortie, on débouche sur le hall secondaire du pavillon Benaiah Gibb, où sont présentées les pièces d'**Art inuit** ★ (pavillon Benaiah Gibb, niveau 1), pour la plupart d'exécution récente. On pourra notamment voir *Deux chasseurs découpant un morse*, sculpture en pierre de l'artiste Levi Alashuak (1951), et *La migration* de Joe Talirunili (1964), qui instruiront le visiteur sur les coutumes de ce peuple arctique.

Près de la sortie, une dernière salle nous présente des trésors d'**Art précolombien** ★ (pavillon Benaiah Gibb, niveau 1) provenant du Mexique, d'Amérique centrale et d'Amérique du Sud. On peut y voir un panneau de tapisserie péruvienne vieux de 2 000 ans. Parmi les objets en céramique, on remarquera un guerrier debout (Jalisco, 300-500 apr J.-C.) et un beau récipient à «anse-étrier» avec représentation de tête (Mochica, 200-600 apr. J.-C.).

Vous pouvez ressortir du musée par le hall du pavillon Benaiah Gibb. Si vous devez retourner au hall principal du pavillon Jean-Noël Desmarais, prenez l'ascenseur jusqu'au niveau S2 et suivez le passage jusqu'à l'autre série d'ascenseurs. Remontez jusqu'au niveau 1, où se trouvent le vestiaire, la librairie et la boutique (le bistro et la cafétéria du musée sont situés au niveau 2).

Attraits touristiques

Circuit D:
Le Mille carré doré

Le Mille carré doré, ou Golden Square Mile en anglais, a été, de 1850 à 1930, le quartier résidentiel de la grande bourgeoisie canadienne. Ses artères ombragées, bordées de demeures victoriennes somptueuses, ont graduellement fait place depuis le début du XXe siècle au centre des affaires moderne de Montréal. À son apogée, vers 1900, le Golden Square Mile était délimité par l'avenue Atwater, à l'ouest, la rue De Bleury, à l'est, la rue De La Gauchetière, au sud, et le mont Royal, au nord. On estime que 70% des richesses du Canada tout entier étaient alors entre les mains des habitants du quartier, principalement d'origine écossaise. Il ne subsiste plus qu'un petit nombre de maisons de cette époque, la plupart de celles qui ont survécu étant concentrées au nord de la rue Sherbrooke, voie princière du Golden Square Mile.

De la station de métro McGill, empruntez l'avenue McGill College vers le nord, en direction du campus de l'université McGill. Le circuit débute sur la rue Sherbrooke.

La **maison William Alexander Molson** *(888 rue Sherbrooke O., métro McGill)* donne une bonne idée de l'échelle modeste et du caractère résidentiel de la rue Sherbrooke au début du XXe siècle. Cette maison a été construite en 1906 selon les plans de Robert Findlay, l'architecte préféré de la célèbre famille Molson, nom qui, depuis plus de deux siècles, est associé au brassage de la bière. William Alexander Molson devait cependant choisir une voie différente, puisqu'il est devenu un éminent médecin. Après sa mort, en 1920, la maison de style néo-élisabéthain a logé le siège de l'entreprise de construction Anglin-Norcross, avant d'abriter l'Institut de recherche spatiale de l'université McGill. La Banque commerciale italienne du Canada s'y est installée en 1993.

Le **Musée McCord d'histoire canadienne** ★★ *(9,50$, entrée libre sam 10h à 12h; mar-ven 10h à 18h, sam-dim 10h à 17h; lundis fériés et en été 10h à 17h; 690 rue Sherbrooke O., métro McGill,* ☎*398-7100, www.musee-mccord.qc. ca)* loge dans l'ancien édifice de l'association étudiante de l'université McGill. Le beau bâtiment d'inspiration baroque anglais, de l'architecte Percy Nobbs (1906), a été agrandi vers l'arrière en 1991. Le long de la rue Victoria, on peut voir, entre les parties nouvelles et anciennes du musée, une intéressante sculpture de Pierre Granche intitulée ***Totem urbain / histoire en dentelle***. C'est le musée qu'il faut absolument voir à Montréal si l'on s'intéresse aux Amérindiens et à la vie quotidienne au Canada aux XVIIIe et XIXe siècles. On y trouve en effet

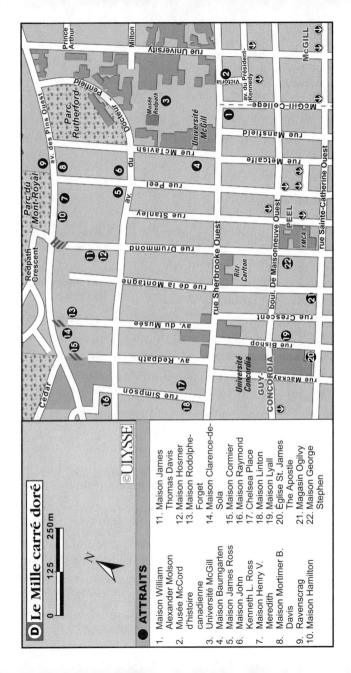

D Le Mille carré doré

0 125 250m

N

©ULYSSE

● ATTRAITS

1. Maison William Alexander Molson
2. Musée McCord d'histoire canadienne
3. Université McGill
4. Maison Baumgarten
5. Maison James Ross
6. Maison John Kenneth L. Ross
7. Maison Henry V. Meredith
8. Maison Mortimer B. Davis
9. Ravenscrag
10. Maison Hamilton

11. Maison James Thomas Davis
12. Maison Hosmer
13. Maison Rodolphe-Forget
14. Maison Clarence-de-Sola
15. Maison Cormier
16. Maison Raymond
17. Chelsea Place
18. Maison Linton
19. Maison Lyall
20. Église St. James The Apostle
21. Magasin Ogilvy
22. Maison George Stephen

une importante collection ethnographique, à laquelle s'ajoutent des collections de costumes, d'arts décoratifs, de tableaux, d'estampes et de photographies, notamment la fameuse collection «Notman» comportant 700 000 négatifs sur verre, véritable portrait du Canada de la fin du XIXe siècle.

L'**université McGill ★ ★** *(805 rue Sherbrooke O., métro McGill)* a été fondée en 1821 grâce à un don du marchand de fourrures James McGill, ce qui en fait la plus ancienne des quatre universités de la ville. L'institution sera, tout au long du XIXe siècle, l'un des plus beaux fleurons de la bourgeoisie écossaise du Golden Square Mile. Le campus principal de l'université est caché dans la verdure au pied du mont Royal. On y pénètre, à l'extrémité nord de l'avenue McGill College, par les portes Roddick, qui renferment l'horloge et le carillon universitaire. Sur la droite, on aperçoit deux bâtiments néoromans de Sir Andrew Taylor, conçus pour abriter les départements de physique (1893) et de chimie (1896). L'École d'architecture occupe maintenant le second édifice. Un peu plus loin se trouve l'édifice du département d'ingénierie, le Macdonald Engineering Building, un bel exemple du style néobaroque anglais avec son portail à bossages, doté d'un fronton brisé écarté (Percy Nobbs, 1908). Au fond de l'allée se dresse le plus ancien bâtiment du campus, le Arts Building de 1839. Cet austère bâtiment néoclas-

sique de l'architecte John Ostell fut pendant trois décennies le seul pavillon de l'université McGill. Il abrite le Moyse Hall, un beau théâtre antiquisant de 1926 (Harold Lea Fetherstonhaugh, architecte).

À gauche du Arts Building se profile l'étrange **Musée Redpath** *(entrée libre; en été lun-jeu 9h à 17h, dim 13h à 17h; en hiver lun-ven 9h à 17h, dim 13h à 17h; 859 rue Sherbrooke O., métro McGill, ☎398-4086)*, un bâtiment protorationaliste à claire-voie dissimulé derrière une façade composite, œuvre des architectes Hutchison et Steele. Les objets précieux accumulés au fil des années par les chercheurs et les enseignants de l'université McGill se rapportant à l'archéologie, la botanique, la géologie et la paléontologie y ont été regroupés. Il s'agit du premier bâtiment québécois conçu spécialement pour abriter un musée et d'un rare exemple d'édifice à ossature de fer et de pierre à affectation autre qu'industrielle ou commerciale.

Au sud du musée, on peut voir la bibliothèque et la salle Redpath, équipée d'un orgue mécanique de type français. Cette belle salle à charpente de bois apparente est le lieu de fréquents concerts de musique baroque. On remarquera, au passage, les gargouilles et les colonnettes abondamment sculptées de la bibliothèque, réalisée par Sir Andrew Taylor (1893), laquelle compte parmi les exemples du style

Grandir en anglais à Montréal

Je n'habite pas Montréal, mais *Montreal*, et, lorsque je pense à cette ville et à ses attraits, me viennent aussitôt à l'esprit l'*Olympic Stadium*, le *Botanical Gardens*, le *Montreal Museum of Fine Arts*, le *Old Montreal*, le *Mount Royal*, le *Beaver Lake* et le *St. Joseph's Oratory*. Je sais bien que, d'un point de vue rigoureusement technique, tous ces noms devraient ici figurer en français; seulement voilà, je suis une anglophone, et ils ont pour moi des noms différents du fait qu'ils font partie de ma ville.

En tant que Montréalaise de souche anglo-saxonne, j'ai grandi au sein du bastion anglophone de Montréal et, par voie de conséquence, du Québec, soit cet ancien lieu de villégiature que nous nommons affectueusement le *West Island.* Je fréquentais une école primaire anglophone à l'époque où le projet de loi 101 vit le jour et croyais que ce fameux *Bill 101* devait être un présentateur de la télévision! Mes parents ont eu la présence d'esprit de m'inscrire à un programme

d'immersion en français, mais mon existence n'en demeura pas moins résolument anglophile. Après avoir terminé mes études secondaires en anglais, je me suis retrouvée dans le centre-ville, mes parents ayant élu domicile à Westmount, une autre rare enclave anglophone de Montréal. J'ai fait mon «cégep» en anglais et j'ai ensuite pris la direction de l'université McGill pour y obtenir un diplôme en littérature anglaise.

Par une ironie du sort, c'est à cette époque que j'ai commencé à me faire des amis francophones. J'ai tout de suite pris conscience des différences existant entre nos deux cultures, devant les bises répétées qu'ils ne cessaient de me donner lorsque nous nous rencontrions ou nous quittions. Puis je leur ai demandé de m'expliquer la raison d'être du projet de loi 101. Pourquoi leurs semblables devaient-ils absolument me priver de ce que je tenais pour un droit fondamental, et d'où venait donc cette peur manifeste qu'ils trahissaient? Ils m'expliquèrent qu'ils

Attraits touristiques

étaient là avant nous, si bien qu'ils tenaient à préserver leur culture distincte, et qu'entourés d'une mer d'anglophones, ils se devaient de prendre les mesures qui s'impo-saient pour ce faire. Qu'à cela ne tienne, mon héritage anglophone s'est trouvé grandement enrichi par le fait qu'il s'est épanoui dans un environnement francophone, et je tiens moi-même à préserver la culture distincte qui en est issue.

Pour moi Montréal est une ville unique en ce que nous y vivons côte à côte, et je ne tiens nullement à ce que l'un ou l'autre groupe en soit chassé.

Les gens qui me rendent visite à Montréal se demandent toujours comment je fais pour rester ici. Pourquoi vivre dans une ville où, il n'y pas si long-temps encore, il était illégal d'afficher dans ma langue, dont les habitants me traitent de «tête carrée» et dont les attraits et les lieux que je chéris portent désormais des noms sans résonnance à mon oreille? Tout simplement parce qu'avec mes 25 ans à peine je suis née ici, et j'ai grandi ici. Je choisis de vivre à Montréal parce que, bien que

non francophone, je com-prends le pourquoi de l'affichage en français et au moins une partie des raisons politiques qui le justifient.

Je comprends aussi pourquoi on me traite de «tête carrée»; est-ce que je ne désigne pas moi-même les francophones par les noms de *frogs* ou de *peppers*? Nous sommes différents, cela va de soi, aussi est-il tout à fait naturel que nous nous affublions mutuelle-ment de noms ridicules. Au fond, nous sommes tous Québécois, et ce sont ces différences mêmes qui font de nous ce que nous sommes. Je suis Canadienne, et pourtant je ne me vois pas vivre dans une autre province ni m'identifier à la mentalité d'une autre province, quelle qu'elle soit. Je suis Cana-dienne, je suis Québécoise, oui, mais d'abord et avant tout je suis Montréalaise. J'apprécie l'accueil chaleureux des marchands, lorsque mon accent me trahit et qu'on me prend pour une touriste, et je suis tout aussi fière lorsque les gens ne parviennent pas à détecter mon accent ou lorsque je constate, en re-tournant dans le *West Island*, que je pourrais très bien y vivre exclusivement en anglais si je voulais. C'est alors qu'il m'apparaît clairement que j'ai ma place ici, et que je suis chez moi aussi bien en français qu'en anglais. Voyez-vous, j'aime autant le Schwartz's Deli que la Binerie Mont-Royal! À Noël, je mange tantôt des tourtières, tantôt du *plum pudding*! Je peins des fleurs de lys sur mes joues le 24 juin et des feuilles d'érable le 1er juillet!

Jennifer McMorran

néoroman les plus sophistiqués du Canada.

Empruntez le chemin qui conduit à la rue McTavish.

La **maison Baumgarten** *(3450 rue McTavish, métro McGill)*, située un peu plus bas sur la rue McTavish, abrite le cercle des professeurs de l'université McGill, mieux connu sous le nom de «McGill Faculty Club». On y trouve un restaurant, des salons de lecture de même qu'une salle de billard où ont été regroupées les tables de billard des anciennes demeures du Mille carré doré, qui appartiennent aujourd'hui à l'université McGill. La maison fut construite par étapes, entre 1887 et 1902, pour Alfred Friedrich Moritz Baumgarten, fils du médecin personnel du roi Frédéric-Auguste de Saxe, chimiste, inspecteur des raffineries de sucre allemandes et fondateur de la raffinerie de sucre Saint-Laurent à Montréal. Sa maison se différencie des autres demeures bourgeoises du Golden Square Mile à la fois par sa sobriété extérieure et par la répartition des pièces d'apparat sur trois niveaux. Au premier étage de la cage d'escalier, les privilégiés qui auront accès à l'intérieur auront une vue en plongée sur le tableau représentant la bataille d'Arras (XVIIe siècle), ramené de France par le recteur d'alors, Sir Arthur Currie. Du côté nord, on aperçoit le **Morrice Hall** *(3485 rue McTavish)*, édifice néogothique de 1881 qui abritait autrefois le collège théologique presbytérien de Montréal.

*Montez la côte de la rue McTavish. Remarquez la vue sur **Ravenscrag** (voir p 133), à flanc de colline, avant de tourner à gauche dans l'avenue du Dr Penfield puis à droite dans la rue Peel.*

La **maison James Ross** ★ *(3644 rue Peel, métro Peel)* fut construite en 1890, selon les plans de l'architecte étasunien Bruce Price (gare Windsor, Château Frontenac à Québec), pour l'ingénieur principal du

Attraits touristiques

Canadien Pacifique. Agrandie à plusieurs reprises, elle fut le théâtre de brillantes réceptions. Son allure de château médiéval contribue au charme du Mille carré doré. On remarquera tout particulièrement sa polychromie, faite d'un mélange de grès chamois, de granit rose et d'ardoise rouge. En 1948, la maison devint la faculté de droit de l'université McGill. Elle a vu son grand jardin considérablement amputé lors du percement de l'avenue du Dr Penfield en 1957.

La **maison John Kenneth L. Ross** ★ *(3647 rue Peel, métro Peel)* était à l'origine la résidence du fils Ross. Il a mené un grand train de vie pendant plusieurs années, multipliant les yachts, les chevaux de course et les voyages. Une fois la fortune de son père épuisée, il dut vendre sa précieuse collection de tableaux chez Christie's, à Londres, sacrifice inutile puisque la crise de 1929 aura tout de même raison de lui. Sa maison (1909), un bel exemple du style Beaux-Arts, est l'œuvre des frères Edward et William Sutherland Maxwell, les architectes favoris de la bourgeoisie écossaise de Montréal. Elle abrite dorénavant une annexe de la faculté de droit de l'université McGill.

Remontez la rue Peel jusqu'à l'avenue des Pins.

À une autre époque, les enfants descendaient en traîne sauvage (luge) la rue Peel, alors recouverte d'une épaisse couche de neige pour faciliter la circulation des traîneaux, comme d'ailleurs toutes les rues de la ville pendant les longs mois d'hiver.

La **maison Henry V. Meredith** ★ *(1110 av. des Pins O.)* est peut-être le meilleur exemple montréalais de ce courant pittoresque, éclectique et polychrome qui a balayé l'Amérique du Nord dans les deux dernières décennies du XIXe siècle. En effet, on y retrouve un mélange de styles allant de la période romane jusqu'au XVIIIe siècle finissant et des teintes fortes, en plus d'un merveilleux fouillis de tours, d'incrustations, de baies et de cheminées à mitrons. La maison fut construite en 1894 pour Henry Vincent Meredith, alors président de la Banque de Montréal.

La **maison Mortimer B. Davis** ★ *(1020 av. des Pins O.)* était autrefois la résidence du fondateur de l'Imperial Tobacco Company, Mortimer Barnett Davis. Elle fut par la suite habitée par Sir Arthur Purvis, avant d'être cédée à l'université McGill. Sir Purvis était responsable de l'acheminement en secret vers l'Europe des armements produits en Amérique au cours de la Seconde Guerre mondiale, ce qui a permis à la Grande-Bretagne d'éviter l'invasion nazie. La maison Davis adopte le style Beaux-Arts, reconnaissable à sa balustrade de couronnement, à ses petits balcons en fer forgé supportés par des consoles et à sa composition grandiose et symétrique.

À l'époque, Montréal n'est pas une capitale politique. C'est avant tout une ville marchande dotée d'un port important. Son château n'est pas celui d'un roi, mais plutôt celui d'un magnat de la finance et du commerce. **Ravenscrag** ★ ★ *(1025 av. des Pins O.)* pourrait effectivement être catalogué comme le «château» de Montréal en raison de sa situation proéminente dominant la ville, de sa taille exceptionnelle (plus de 60 pièces à l'origine) et de son histoire riche en réceptions mémorables et en hôtes de prestige. Cette vaste demeure fut construite entre 1861 et 1864 pour le richissime Sir Hugh Allan, qui détenait à l'époque le quasi-monopole du transport maritime entre l'Europe et le Canada. De la tour centrale de sa maison, ce «monarque» écossais pouvait surveiller étroitement les allées et venues de ses navires dans le port.

La maison de Sir Hugh Allan est un des meilleurs exemples nord-américains du style néo-Renaissance inspiré des villas toscanes, caractérisé notamment par un plan irrégulier et une «tour-observatoire». Son intérieur, presque entièrement détruit à la suite de la reconversion du bâtiment en institut psychiatrique (1943), comprenait autrefois une salle de bal Second Empire pouvant accueillir 200 danseurs de polka. On remarquera, sur le pourtour de la maison, la très belle grille d'entrée en fonte, la maison du gardien et les luxueuses écuries transformées en bureaux.

Empruntez l'avenue des Pins vers l'ouest.

La **maison Hamilton** *(1132 av. des Pins O.)* est une œuvre très personnelle des frères Maxwell, qui avaient développé leur propre style, marqué par un élargissement graduel de leurs structures vers la base et par de petites ouvertures fantaisistes, disposées dans un désordre savamment étudié. La maison Hamilton (1903) arbore des éléments Arts & Crafts, mais aussi des composantes qui préfigurent l'Art déco, comme ce jeu de briques en zig-zag à l'étage.

Descendez l'escalier qui conduit à la rue Drummond.

La **maison James Thomas Davis** ★ *(3654 rue Drummond)* appartenait à l'origine à un entrepreneur de construction qui a doté sa maison d'une structure en béton armé. Les plans de ce «manoir» élisabéthain sont également des Maxwell (1908). Ceux qui auront accès à l'intérieur verront les belles tapisseries d'origine encore en place ainsi que des toiles marouflées du peintre canadien Maurice Cullen. Comme tant d'autres demeures anciennes du secteur, la maison Davis appartient maintenant à l'université McGill.

La **maison Hosmer** ★ *(3630 rue Drummond)* est sans contredit la plus exubérante des demeures de style Beaux-Arts à Montréal. Épaisses moulures, colonnes jumelées, gros cartouches, le tout taillé dans le grès rouge importé d'Écosse, voilà ce qui était sûr d'impressionner le visiteur et le rival en affaires. Les plans ont été réalisés par Edward Maxwell, à l'époque où son frère William étudiait à l'École des beaux-arts de Paris: les croquis envoyés d'outre-Atlantique ont grandement influencé le design de cette maison érigée en 1900 pour Charles Hosmer, lié au Canadien Pacifique et à 26 autres entreprises canadiennes. Chaque pièce de l'intérieur a été conçue dans un style différent afin de servir d'écrin à la collection d'antiquités variée de la famille Hosmer, qui a habité les lieux jusqu'en 1968, date à laquelle la maison est devenue partie intégrante de la faculté de médecine de l'université McGill.

Tournez à droite dans l'avenue du Dr Penfield puis encore à droite dans l'avenue du Musée.

Rares sont les demeures du Mille carré doré ayant été construites pour des bourgeois canadiens-français. Ceux-ci, en général moins nantis que leurs confrères anglo-saxons, préféraient encore les environs du square Saint-Louis. Rodolphe Forget (1861-1919) faisait donc figure d'exception. Cet homme distingué et francophile a fondé la Banque internationale du Canada, a été membre du conseil de la Société Générale et a participé à la fondation du Crédit Foncier Franco-canadien. La **maison Rodolphe-Forget** ★ *(3685 av. du Musée)*, inspirée des hôtels particuliers parisiens d'époque Louis XV, fut dessinée en 1912 par Jean Omer Marchand, premier diplômé canadien-français de l'École des beaux-arts de Paris. La célèbre suffragette québécoise Thérèse Casgrain, fille de Rodolphe Forget, a vécu sa tendre enfance dans la maison. Le bâtiment fait maintenant partie du consulat russe de Montréal.

Montez l'escalier de l'avenue du Musée pour bénéficier d'une belle vue sur le centre-ville et sur le fleuve.

La **maison Clarence-de-Sola** ★ *(1374 av. des Pins O.)* est une demeure de style hispano-mauresque des plus exotiques qui tranche sur le bâti montréalais. Le contraste est encore plus amusant au lendemain d'une tempête de neige. La maison fut érigée en 1913 pour Clarence de Sola, fils d'un rabbin d'origine juive portugaise.

Suivez l'avenue des Pins vers l'ouest.

La **maison Cormier** ★★ *(1418 av. des Pins O.)* fut dessinée en 1930 par l'architecte Ernest Cormier pour son propre usage. L'auteur de l'**Université de Montréal** (voir p 172) et de la Cour suprême à Ottawa en a fait un laboratoire, donnant à chacune des faces de sa maison une allure différente, à savoir

Art déco pour la façade, monumental pour le côté est et nettement moderniste pour l'arrière. L'intérieur fut étudié avec minutie, Cormier ayant créé la plupart des meubles, les autres pièces du mobilier étant des acquisitions effectuées à l'Exposition des Arts décoratifs de Paris de 1925. La façade donnant sur l'avenue des Pins paraît bien petite, mais la maison compte, en réalité, quatre étages hors terre sur l'autre face en raison de la dénivellation prononcée du terrain au sud de l'avenue. L'ensemble, maintenant classé, a été restauré avec soin.

Descendez l'escalier, sur votre gauche, pour rejoindre l'avenue Redpath, puis tournez à droite dans l'avenue du Dr Penfield.

La **maison Raymond** *(1507 av. du Dr Penfield, métro Guy-Concordia)* fut une des dernières demeures unifamiliales érigées dans le Mille carré doré (1930) et est toujours habitée de nos jours. Elle appartient à la famille de l'homme d'affaires Aldéric Raymond, propriétaire, dans les années 1950, du Forum de Montréal ainsi que de plusieurs grands hôtels montréalais. Il s'agit d'un autre excellent exemple du style Beaux-Arts français.

Descendez la petite rue Simpson jusqu'à la rue Sherbrooke Ouest.

Chelsea Place ★ *(du côté est de la rue Simpson, métro Guy-Concordia)* est un subtil ensemble de résidences néogeor-

giennes de taille plus modeste que les demeures vues précédemment. Il fut construit en 1926 selon les plans de l'architecte Ernest Isbell Barott, à l'époque où la bourgeoisie montréalaise d'origine écossaise amorçait son déclin, dépeuplée par la Grande Guerre, affligée par les impôts (pratiquement inexistants avant 1914) et victime d'une pénurie de domestiques qui forcera plus d'un homme d'affaires à vendre son «palais» pour se loger dans un contexte plus pratique. On notera le beau jardin central qui confère à Chelsea Place un cachet particulier, à la fois communautaire et distingué. Summerhill Terrace est un ensemble similaire, construit par le même architecte sur le côté ouest de la rue Simpson.

La **maison Linton** *(3424 rue Simpson, métro Guy-Concordia)* est une des plus belles réussites du style Second Empire à Montréal. Mais il ne faut pas s'y tromper, la façade de la rue Simpson est en réalité le côté est de la maison, dont la façade principale donnait, à l'origine, sur une vaste pelouse s'étendant jusqu'à la rue Sherbrooke. Le portique et son escalier furent démontés, puis reconstruits pour faire face à la rue Simpson lors de la construction de l'immeuble **Le Linton** (voir p 98), en 1907. On remarquera les petits cartouches, les ouvertures à arcs segmentaires et, surtout, la toiture en mansarde, caractéristiques du style Second Empire, appelé aussi Napoléon III. La maison fut érigée en 1867 selon les plans de Cyrus P. Thomas. Un garage souterrain a été creusé tout autour en 1990, mais son intérieur demeure tel qu'il apparaissait à la fin du XIXe siècle, des cheminées aux papiers peints embossés, en passant par les plantureuses moulures des plafonds.

Tournez à gauche dans la rue Sherbrooke puis à droite dans la rue Bishop.

On longe alors le campus principal de l'**université Concordia**, seconde université de langue anglaise à Montréal et dernière-née (1974) des quatre universités de la ville.

La **maison Lyall** *(1445 rue Bishop, métro Guy-Concordia)* se trouve au sud du boulevard De Maisonneuve. Tout au long du XIXe siècle, les Écossais ont immigré en grand nombre dans les colonies britanniques, parce qu'ils n'arrivaient pas à faire croître leurs modestes entreprises chez eux, le marché étant contrôlé par la grande bourgeoisie londonienne. Montréal représentait à cette époque le principal point d'arrivée de ces marchands, industriels et inventeurs de Glasgow ou d'Inverness, pressés d'ouvrir un magasin ou une usine dans ce pays neuf qui se peuplait rapidement et qui avait besoin de tout. Peter Lyall est un de ceux-là. Arrivé à Castletown en 1870, il fonde aussitôt une entreprise de construction prospère, que l'on chargera même de rebâtir le parlement canadien à la suite

de l'incendie de 1916. Sa maison éclectique, polychrome et pittoresque à souhait, fait penser à un gros gâteau recouvert de pain d'épice. Elle abrite maintenant des commerces et des bureaux. Il est possible de pénétrer dans le hall, doté d'une belle cheminée incrustée de marbres variés.

L'**église St. James The Apostle** *(1439 rue Ste-Catherine O., métro Guy-Concordia)* a été élevée en 1864. À l'époque, elle était située en plein champ, près du jeu de croquet, ce qui lui a valu le surnom de St. Cricket in the Fields (saint croquet des champs). Peu de temps après, la rue Sainte-Catherine se voyait bordée de maisons en rangée, qui ont depuis fait place à des édifices commerciaux.

*Tournez à gauche dans la **rue Sainte-Catherine**, la plus importante artère commerciale de Montréal, longue de 15 km.*

Le grand **magasin Ogilvy** *(1307 rue Ste-Catherine O., métro Peel)*, le plus écossais des grands magasins de Montréal, a été racheté, il y a quelques années, par un groupe d'hommes d'affaires qui a tenu à conserver le cachet d'origine de cette institution, animée par son joueur de cornemuse chaque midi. Au dernier étage, la salle Tudor est le lieu de fréquents concerts et galas. En face, on peut voir un ensemble de maisons néoclassiques de 1864 (ces ensembles sont appelés *terraces* en anglais) qui compte parmi les dernières résidences de la rue à avoir survécu.

Tournez à gauche dans la rue Drummond.

Lord Mount Stephen, né à Stephen Croft en Écosse, était un homme déterminé. Co-fondateur et premier président du Canadien Pacifique, il a mené à bien la construction du chemin de fer transcontinental canadien, qui s'étend sur plus de 5 000 km, de la Nouvelle-Écosse à la Colombie-Britannique. La **maison George Stephen** ★★ *(1440 rue Drummond, métro Peel)* (voir aussi p 304) est un véritable monument à la bourgeoisie écossaise de Montréal. Elle fut construite en 1883 selon les plans de William Tutin Thomas au coût de 600 000$, une somme astronomique à l'époque. Stephen a fait appel aux meilleurs artisans du monde entier, qui ont recouvert les murs intérieurs de la maison de boiseries d'essences rares (noyer anglais, acajou cubain et bois de satin du Ceylan), de marbre et d'onyx. Les plafonds y sont tellement hauts qu'on la dirait construite pour des géants. Depuis 1925, elle abrite le Mount Stephen Club (pour gens d'affaires).

Pour retourner au point de départ, empruntez le boulevard De Maisonneuve ou la rue Sainte-Catherine, plus agréable, vers l'est jusqu'à l'angle de l'avenue McGill College, à proximité de laquelle est située l'entrée de la station de métro McGill.

Circuit E: Le Village Shaughnessy

Lorsque les Messieurs de Saint-Sulpice prennent possession de l'île de Montréal en 1663, ils se réservent une partie des meilleures terres, sur lesquelles ils implanteront une ferme et un village amérindien en 1676. À la suite d'un incendie, le village est déplacé en différents endroits, avant de se fixer définitivement à Oka. Une section de la ferme, correspondant à l'actuel territoire de Westmount, est alors concédée à des colons français. Sur la portion restante, les sulpiciens aménagent un verger et un vignoble. Le lotissement de ces terres débute vers 1870: une partie d'entre elles servent à la construction de demeures bourgeoises, alors que de larges parcelles sont accordées aux communautés religieuses catholiques alliées des sulpiciens. C'est à cette époque que l'on érige la maison Shaughnessy, qui donnera son nom au quartier. Depuis 1960, la population du secteur a considérablement augmenté, faisant du Village Shaughnessy l'une des zones les plus densément peuplées du Québec.

De la rue Guy (station de métro Guy-Concordia), prenez la rue Sherbrooke à gauche. Le circuit débute au 1850 Sherbrooke Ouest.

Attraits touristiques

Les loges maçonniques, bien que déjà présentes en Nouvelle-France, prendront de l'ampleur avec l'immigration britannique. Ces associations de libres penseurs n'ont pas la faveur du clergé canadien, qui fustige leurs vues libérales. Ironiquement, le **Temple Maçonnique ★** *(1850 rue Sherbrooke O., métro Guy-Concordia)* des loges écossaises de Montréal est situé en face du Grand Séminaire, où l'on forme les prêtres catholiques. L'édifice, bâti en 1928, contribue à donner à la franc-maçonnerie son caractère mystique et secret grâce à sa façade hermétique sans fenêtres, dotée de vasques antiques et de luminaires bicéphales.

La maison de ferme des sulpiciens était entourée d'un mur d'enceinte relié à quatre tours d'angle en pierre, ce qui lui a valu le nom de Fort des Messieurs. La maison a été détruite au moment de la construction (1854-1860) du **Grand Séminaire ★★** *(2065 rue Sherbrooke O., métro Guy-Concordia)*, mais deux des tours érigées au XVIIe siècle selon les plans de François Vachon de Belmont, supérieur des sulpiciens de Montréal, subsistent dans les jardins ombragés de l'institution. C'est dans l'une d'elles que sainte Marguerite Bourgeoys enseignait aux petites Amérindiennes. Les longs bâtiments néoclassiques du Grand Séminaire, œuvre de l'architecte John Ostell, se sont vu coiffer d'une toiture en mansarde par Henri-Maurice Perrault vers

1880. Un centre d'interprétation extérieur, aménagé sur la rue Sherbrooke, dans l'axe de la rue du Fort, apporte des précisions sur la disposition des bâtiments de la ferme.

Il faut pénétrer à l'intérieur du Grand Séminaire pour voir la belle chapelle dessinée dans le style néoroman par Jean Omer Marchand en 1905. Les poutres de son plafond sont faites de cèdre de la Colombie-Britannique, alors que ses murs sont revêtus de pierres de Caen. Les 300 stalles en chêne, sculptées à la main, bordent la nef de 80 m de longueur, sous laquelle reposent les sulpiciens morts à Montréal depuis le XVIIe siècle. Rappelons que la compagnie des prêtres de Saint-Sulpice a été fondée à Paris par Jean-Jacques Olier en 1641 et que son église mère est la célèbre église parisienne Saint-Sulpice, sur la place du même nom.

La congrégation de Notre-Dame, fondée par sainte Marguerite Bourgeoys en 1671, possédait un couvent et une maison d'enseignement dans le Vieux-Montréal. L'ensemble, reconstruit au XVIIIe siècle, fut exproprié par la Ville au début du XXe siècle en vue du prolongement du boulevard Saint-Laurent jusqu'au port. Les religieuses durent se résoudre à quitter les lieux pour s'installer dans une nouvelle maison mère. C'est alors que la congrégation fit élever le couvent de la rue Sherbrooke selon les plans de Jean Omer Marchand

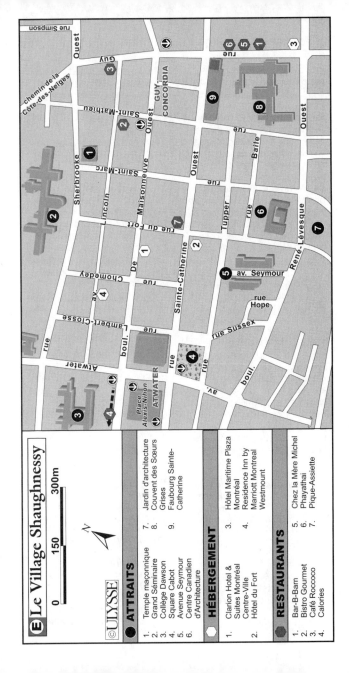

Le Village Shaughnessy

0   150   300m

N

©ULYSSE

ATTRAITS

1. Temple maçonnique
2. Grand Séminaire
3. Collège Dawson
4. Square Cabot
5. Avenue Seymour
6. Centre Canadien d'Architecture
7. Jardin d'architecture
8. Couvent des Sœurs Grises
9. Faubourg Sainte-Catherine

HÉBERGEMENT

1. Clarion Hotel & Suites Montréal Centre-Ville
2. Hôtel du Fort
3. Hôtel Maritime Plaza Montréal
4. Residence Inn by Marriott Montreal Westmount

RESTAURANTS

1. Bar-B-Barn
2. Bistro Gourmet
3. Café Roccoco
4. Calories
5. Chez la Mère Michel
6. Phayathai
7. Pique-Assiette

(1873-1936), premier architecte canadien-français diplômé de l'École des beaux-arts de Paris. L'immense complexe, où loge depuis 1987 le **collège Dawson** ★ *(3040 rue Sherbrooke O., métro Atwater)*, cégep (collège d'enseignement général et professionnel) de langue anglaise, témoigne de la vitalité des communautés religieuses québécoises avant la Révolution tranquille des années 1960. Sa chapelle néoromane, au centre, comporte un dôme de cuivre allongé rappelant l'architecture byzantine.

Le déclin de la pratique religieuse et la pénurie de nouvelles vocations ont obligé la communauté à s'installer dans des bâtiments plus modestes. Le couvent de la rue Sherbrooke fut vendu au gouvernement du Québec. L'édifice de briques jaunes, entouré d'un parc abondamment planté, est relié au métro et à la ville souterraine. L'ancienne chapelle, à peine modifiée, abrite la bibliothèque. C'est peut-être le plus beau de tous les cégeps du Québec.

Empruntez l'avenue Atwater vers le sud, puis tournez à gauche dans la rue Sainte-Catherine Ouest. Vous passerez devant l'ancien Forum de Montréal, reconverti en centre de divertissement.

Sur l'avenue Atwater se dresse la **Place Alexis-Nihon**, un complexe multifonctionnel relié à la ville souterraine et comprenant un centre commercial, des bureaux et des appartements. Le **square Cabot**, au sud du Forum, était autrefois le terminus des autobus pour tout l'ouest de la ville.

Tournez à droite dans la rue Lambert-Closse puis à gauche dans la rue Tupper.

Entre 1965 et 1975, le Village Shaughnessy a connu une vague massive de démolition. Quantité de maisons en rangée de l'ère victorienne ont alors été remplacées par des tours d'habitation que l'on a souvent qualifiées de «cages à poules», tellement leur architecture sommaire, caractérisée par une répétition sans fin des mêmes balcons de verre ou de béton, était caricaturale.

L'**avenue Seymour** ★ *(métro Atwater)* est une des seules rues du quartier qui ait échappé à cette vague, maintenant résorbée. On peut y voir de coquettes maisons de briques et de pierres grises présentant des détails Queen Anne, Second Empire ou néoroman.

Tournez à droite dans la rue du Fort puis à gauche dans la petite rue Baile (attention aux automobiles qui circulent trop rapidement sur ces rues environnant les accès de l'autoroute Ville-Marie). Empruntez le sentier qui longe le Centre Canadien d'Architecture à l'est pour rejoindre le boulevard René-Lévesque.

Fondé en 1979 par Phyllis Lambert, le **Centre Canadien**

d'Architecture ★★★ *(6$,
entrée libre jeu 17h30 à 20h; oct
à juin, mer-dim 11h à 18h;
1920 rue Baile, métro Guy-
Concordia, ☎939-7026)* est à la
fois un musée et un centre
d'étude de l'architecture du
monde entier. Ses collections
de plans, de dessins, de maquettes, de livres et de photographies d'architecture sont les
plus importantes du genre au
monde.

Le centre, érigé entre 1985 et
1989, comprend six salles
d'exposition, une librairie, une
bibliothèque, un auditorium de
217 places et une aile spécialement aménagée pour les chercheurs, sans compter les voûtes
et les laboratoires de restauration. L'édifice principal en
forme de *U*, réalisé par Peter
Rose, assisté de Phyllis Lambert, est recouvert de calcaire
gris extrait des carrières de
Saint-Marc-des-Carrières, près
de Québec. Le calcaire gris,
autrefois extrait des carrières du
Plateau Mont-Royal et de Rosemont, à Montréal, donne sa
couleur aux rues de la ville.

L'édifice enserre la **maison
Shaughnessy**, dont la façade
donne sur le boulevard René-
Lévesque Ouest. Cette maison
est en fait constituée de deux
habitations jumelées, construites en 1874 selon les plans de
l'architecte William Tutin Thomas. Elle est représentative des
demeures bourgeoises qui
bordaient autrefois le boulevard
René-Lévesque (anciennement
la rue Dorchester puis le boulevard du même nom).

En 1974, la maison Shaughnessy fut au centre du sauvetage
du quartier, éventré en plusieurs endroits. La maison, elle-
même menacée de démolition,
fut rachetée in extremis par
Phyllis Lambert, qui y a aménagé les bureaux et les salles de
réception du Centre Canadien
d'Architecture. Un ancien président du Canadien Pacifique, Sir
Thomas Shaughnessy, qui a
habité la maison pendant plusieurs décennies, a laissé son
nom au bâtiment. Les habitants
du secteur, regroupés en association, ont par la suite choisi de
donner son nom au quartier
tout entier.

L'amusant **jardin d'architecture ★** *(devant le Centre Canadien d'Architecture, du côté sud
du boulevard René-Lévesque O.)*
de l'artiste Melvin Charney,
aménagé entre deux bretelles
d'autoroute, fait face à la maison Shaughnessy. Il exprime les
différentes strates de développement du quartier à travers un
segment du verger des sulpiciens, sur la gauche, et les limites de lots des demeures victoriennes indiquées par des lignes
de pierre et des plantations de
rosiers qui rappellent les jardins
de ces maisons. Une promenade longeant la falaise qui
séparait autrefois le quartier
riche des quartiers ouvriers
permet de contempler la basse
ville (La Petite-Bourgogne,
Saint-Henri, Verdun) et le
fleuve Saint-Laurent. Certains
points forts de ce panorama
sont représentés de manière
stylisée au sommet de mâts en
béton.

Attraits touristiques

Poursuivez par le boulevard René-Lévesque en direction est et tournez dans la rue Saint-Mathieu.

À l'instar de la congrégation de Notre-Dame, les Sœurs Grises ont dû relocaliser leur couvent et leur hôpital, autrefois situés rue Saint-Pierre, dans le Vieux-Montréal (voir p 87). Elles ont obtenu un morceau de la ferme des sulpiciens, sur lequel elles ont fait ériger, entre 1869 et 1874, un vaste ensemble conventuel conçu par Victor Bourgeau.

Le **Couvent des Sœurs Grises ★★** *(1185 rue St-Mathieu, métro Guy-Concordia)* représente l'aboutissement d'une tradition architecturale québécoise développée à travers les siècles. Seule la chapelle présente une influence étrangère, soit le style néoroman, qui, avec le style néogothique, était privilégié par les Messieurs de Saint-Sulpice, par opposition aux styles néo-Renaissance et néobaroque, favorisés par l'évêché.

Le **Centre Marguerite-d'Youville** *(entrée libre; mar-dim 13h30 à 16h30; ☎937-9501)*, du nom de la fondatrice de la communauté, présente des expositions temporaires sur des thèmes liturgiques et historiques. Sur demande, il est possible d'avoir accès à la crypte ainsi qu'à la chapelle de l'Invention-de-la-Sainte-Croix, au centre du couvent. Ses vitraux proviennent de la Maison Champigneule de Bar-le-

Duc, en France. En 1974, le couvent devait être démoli pour être remplacé par des tours d'habitation. Heureusement, les protestations des Montréalais ont permis de sauver l'ensemble, aujourd'hui classé.

Tournez à droite dans la rue Sainte-Catherine Ouest.

Occupant un ancien garage recyclé, le **Faubourg Sainte-Catherine ★** *(1616 rue Ste-Catherine O., métro Guy-Concordia)* regroupe des cinémas, un marché composé de petites boutiques de spécialités locales et étrangères, ainsi qu'une aire de restauration rapide aménagée sous une longue verrière.

Pour retourner à la station de métro Guy-Concordia, tournez à gauche dans la rue Guy.

Circuit F: Le quartier de l'Hôtel-Dieu

En 1860, les religieuses hospitalières de Saint-Joseph quittent leur Hôtel-Dieu du Vieux-Montréal, fondé par Jeanne Mance en 1643, pour s'installer sur l'avenue des Pins. Victor Bourgeau conçoit les plans du nouvel hôpital, alors situé en rase campagne. Dans les années qui suivent, les religieuses lotissent leur propriété par étapes, perçant des rues

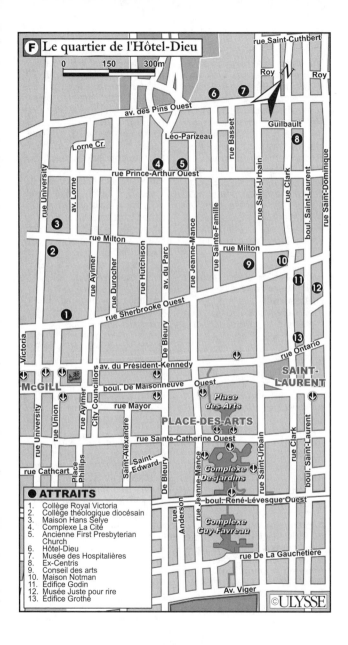

F Le quartier de l'Hôtel-Dieu

0   150   300m

rue Saint-Cuthbert

Roy · Roy

av. des Pins Ouest

Léo-Parizeau

Lorne Cr.

rue Prince-Arthur Ouest

rue Milton

rue Sherbrooke Ouest

av. du Président-Kennedy

boul. De Maisonneuve

rue Mayor

MCGILL

rue Sainte-Catherine Ouest

rue Cathcart

Place Phillips

Saint-Edward

boul. René-Lévesque Ouest

rue De La Gauchetière

Av. Viger

Guilbault

rue Basset

rue Saint-Urbain

rue Clark

boul. Saint-Laurent

rue Saint-Dominique

rue Sainte-Famille

rue Jeanne-Mance

av. du Parc

rue Hutchison

rue Durocher

rue Aylmer

av. Lorne

rue University

Victoria

rue Union

rue Aylmer

City Councillors

Saint-Alexandre

De Bleury

rue Anderson

rue Jeanne-Mance

rue Saint-Urbain

rue Clark

boul. Saint-Laurent

rue Ontario

SAINT-LAURENT

Place des Arts

PLACE-DES-ARTS

Complexe Desjardins

Complexe Guy-Favreau

● **ATTRAITS**

1. Collège Royal Victoria
2. Collège théologique diocésain
3. Maison Hans Selye
4. Complexe La Cité
5. Ancienne First Presbyterian Church
6. Hôtel-Dieu
7. Musée des Hospitalières
8. Ex-Centris
9. Conseil des arts
10. Maison Notman
11. Édifice Godin
12. Musée Juste pour rire
13. Édifice Grothé

©ULYSSE

bientôt bordées de jolies demeures victoriennes. Plusieurs de ces maisons en rangée seront menacées de démolition à la suite du dévoilement, en 1973, d'un gigantesque projet de développement immobilier. Les résidants du quartier lutteront toutefois férocement contre les promoteurs, qui ne réussiront à raser qu'une partie des bâtiments convoités. Les maisons sauvegardées font aujourd'hui partie du projet Milton Park, la plus importante coopérative d'habitation du Canada.

Pour les fins du présent guide, le circuit englobe également le **ghetto McGill**, quartier où habitent nombre d'étudiants de l'université éponyme, dont le campus principal est situé à l'ouest de la rue University (voir p 128). Les étudiants américains qui fréquentent l'université McGill en grand nombre ont reconverti quelques-unes des maisons du ghetto en *fraternities*, ces clubs privés peu recommandables, dépeints avec force détails par le cinéma hollywoodien. Ces clubs sont reconnaissables à leurs enseignes extérieures, généralement formées de lettres de l'alphabet grec antique.

Le circuit débute à la sortie du métro McGill. Empruntez la rue University vers le nord. À l'angle des rues Sherbrooke Ouest et University se trouve l'ancien Royal Victoria College, affilié à l'université McGill.

Le **collège Royal Victoria** *(555 rue Sherbrooke O., métro McGill)* était autrefois une école professionnelle pour jeunes femmes de bonne famille. Il abrite de nos jours la faculté de musique de l'université McGill et sa salle Pollack de 300 places, parfaite pour les concerts de musique de chambre. Le bâtiment de l'architecte étasunien Bruce Price (1899) est précédé d'une belle statue en bronze de la reine Victoria, réalisée par sa propre fille, la talentueuse princesse Louise. En remontant la rue University, on aperçoit l'édifice en briques jaune pâle du Montreal High School.

Le **Collège théologique diocésain** ★ *(3473 rue University, métro McGill)* est voué à la formation des prêtres anglicans. L'édifice néogothique de 1896 est représentatif de la période pittoresque et polychrome de la fin de l'ère victorienne, avec ses murs à l'ornementation touffue combinant le grès beige et la brique rouge.

Tournez à droite dans la rue Milton.

La **maison Hans Selye** *(659 rue Milton, métro McGill)* se trouve à l'angle de la rue University. Le célèbre docteur Hans Selye, spécialiste de la recherche sur le stress, y a habité et travaillé au cours des années 1940 et 1950.

Tournez à gauche dans l'avenue Lorne. Poursuivez au-delà de la rue Prince-Arthur pour découvrir Lorne Crescent, une artère

résidentielle méconnue des Mont-
réalais eux-mêmes.

On peut y voir d'intéressantes maisons victoriennes jumelées (vers 1875). Au cours de la guerre du Vietnam, des contestataires étasuniens se sont réfugiés dans le quartier pour échapper à l'enrôlement dans leur pays.

Tournez à droite dans la rue
Aylmer, puis prenez à gauche la
rue Prince-Arthur.

Le **complexe La Cité** *(angle av. du Parc)* a été rebaptisé «Place du Parc» il y a quelques années. Il est distribué sur quatre quadrilatères de part et d'autre de la rue Prince-Arthur. Il s'agit de l'unique portion construite du vaste projet de redéveloppement du quartier qui prévoyait la destruction de la majeure partie des bâtiments victoriens des rues Hutchison, Jeanne-Mance et Sainte-Famille. Le complexe, érigé entre 1974 et 1976, est un des seuls de cette importance au monde à avoir été réalisé par une femme, l'architecte Eva Vecsei. Il comprend des tours d'habitation, un hôtel, un centre commercial, des salles de cinéma ainsi qu'un vaste centre sportif.

L'**ancienne First Presbyterian Church** *(3666 rue Jeanne-Mance)* est visible à l'angle de la rue Jeanne-Mance. L'édifice, construit en 1910 pour les presbytériens étasuniens, a subi une transformation radicale en 1986, lorsque des logements ont été aménagés sous sa nef et

jusqu'au sommet de son clocher. Derrière l'église se trouve l'ancienne école Strathern, où sont maintenant regroupés les organismes communautaires du quartier, alors qu'en face on aperçoit la petite église luthérienne allemande Saint-Jean. À l'est de la rue Jeanne-Mance, on bénéficie d'une percée permettant de voir une ruelle complètement réaménagée en 1982, lors de la création d'un ensemble résidentiel coopératif. Les multiples hangars de tôle et les passerelles de bois ont alors fait place à de petites cours gazonnées, entourées de clôtures.

Tournez à gauche dans la rue
Sainte-Famille.

Cette dernière offre une double perspective sur la chapelle de l'Hôtel-Dieu de l'avenue des Pins au nord et sur l'ancienne École de design de l'UQAM de la rue Sherbrooke au sud. Elle n'est pas sans rappeler les aménagements de l'urbanisme classique français, dont le Vieux-Montréal renfermait autrefois quelques exemples. Le célèbre physicien Ernest Rutherford habitait au 3702 de la rue Sainte-Famille à l'époque où il enseignait à l'université McGill. Un peu plus haut sur la rue, on peut voir six immeubles résidentiels aux détails vaguement Art nouveau, élevés en 1910 pour les Hospitalières afin de loger les médecins de l'Hôtel-Dieu *(n°s 3705 à 3739 de la rue Ste-Famille).*

Attraits touristiques

Montréal l'irrésistible

J'étais arrivée de Calgary quatre jours plus tôt et ne connaissais personne en ville, lorsqu'en marchant sur le boulevard Saint-Laurent je me suis retrouvée face à face avec ma meilleure amie d'enfance. Que dire de plus, sinon que Montréal est une ville magnétique?

Je n'ai aucune statistique en main, mais il reste que la vibrante réputation de Montréal attire une foule incommensurable de jeunes gens de tous les coins du Canada, avides de s'approprier leur part du bouillon ethnique qui mijote ici. Même si l'idée d'avoir à apprendre ou à réapprendre le français en rebute certains, un nombre impressionnant de Canadiens anglais succombent à l'attrait de Montréal, stimulés par la soif de baigner dans une autre culture et une autre langue. Cette ville a par ailleurs l'avantage de vous offrir le meilleur des deux mondes; vous pouvez en effet passer vos journées à mettre des accents sur vos e et vos soirées à regarder des films produits à Toronto, une cohabitation qui perdure

envers et contre tous, et qui, ballottée par d'incessants courants d'amour et de haine, fait des étincelles de Vancouver à Halifax.

Nous avons tous en commun d'avoir posé nos valises ici, mais, au-delà, les similitudes s'estompent derrière un voile nébuleux. Je dirais que les anglophones qui s'établissent à Montréal accusent un certain penchant pour la diversité et un amour certain de l'exotisme.

Voyageurs dans l'âme, nous n'en éprouvons pas moins le besoin de nous sentir chez nous, et bon nombre d'entre nous ont élu domicile sur le Plateau Mont-Royal, disposés à vivre au sein d'une communauté anglophone restreinte en échange d'une ville dotée d'une âme. De plus, nous nous réjouissons de ce que les débats politiques, linguistiques et culturels soient au centre de nos conversations quotidiennes: la vie serait tellement triste sans eux!

Montréal exerce une fascination sur tous ceux

et celles d'entre nous qui viennent de régions plus homogènes du Canada, un je-ne-sais-quoi qui nous incite à tenter de nous faire une place au soleil dans cette ville où tout le monde, du grand chef d'orchestre au simple commis d'épicerie, doit pouvoir dire quelques mots dans au moins deux langues. Quoi qu'il en soit, le kaléidoscope des opinions intraitables, exprimées ici de part et d'autre au fil des jours, fait affluer les esprits curieux dans l'île. Aussi, parfois, mais pas toujours, les contradictions et les bizarreries inhérentes à notre terre d'adoption trahissent une magie qui nous pousse à y rester.

Carol Wood

L'**Hôtel-Dieu** ★ *(215 av. des Pins O., métro Place-des-Arts et autobus 80)* est toujours un des principaux hôpitaux de Montréal. Sa fondation et celle de la ville, pratiquement simultanées, participaient d'un même projet initié par un groupe de dévots parisiens, dirigé par Jérôme Le Royer de La Dauversière.

Grâce à la fortune d'Angélique Faure de Bullion, épouse du surintendant des finances de Louis XIV, et au dévouement de Jeanne Mance, originaire de Langres, l'institution prend rapidement de l'ampleur sur ses terrains de la rue Saint-Paul, dans le Vieux-Montréal. Mais le manque d'espace dans la vieille ville, l'air vicié et le bruit forcent les religieuses à relocaliser l'hôpital sur leur ferme du Mont-Sainte-Famille au milieu du XIXe siècle. Le complexe, maintes fois agrandi, est aménagé autour d'une belle chapelle

néoclassique coiffée d'un dôme, dont la façade rappelle les églises québécoises urbaines du Régime français. L'intérieur, épuré en 1967, a toutefois perdu plusieurs toiles marouflées d'un grand intérêt.

Le **Musée des Hospitalières** ★ *(5$; mi-oct à mi-juin mer-dim 13h à 17h; mi-juin à mi-oct mar-ven 10h à 17h, sam-dim 13h à 17h; 201 av. des Pins O., métro Place-des-Arts et autobus 80, ☎849-2919)* s'est installé dans l'ancien logement des aumôniers, voisin de la chapelle de l'Hôtel-Dieu. Il raconte en détail l'histoire de la communauté des Filles hospitalières de Saint-Joseph, fondée à l'abbaye de La Flèche (Anjou) en 1636, ainsi que l'évolution de la médecine au cours des trois derniers siècles. On peut y voir l'ancien escalier en bois de l'abbaye de La Flèche (1634), offert à la Ville de Montréal par

Attraits touristiques

le département de la Sarthe en 1963. Il a été habilement restauré par les Compagnons du Devoir et a été intégré au joli pavillon d'entrée du musée, œuvre des architectes D'Anjou, Bernard et Mercier (1992).

Suivez l'avenue des Pins vers l'est jusqu'au boulevard Saint-Laurent. La section du boulevard située dans les limites du quartier de l'Hôtel-Dieu est bordée d'un mélange de boutiques d'alimentation spécialisées dans les produits de l'Europe de l'Est et d'ailleurs, de restaurants et cafés à la mode, de brocanteurs et de librairies. Tournez à droite dans le boulevard Saint-Laurent.

On croise d'abord la **rue Prince-Arthur** *(entre le boulevard St-Laurent et l'avenue Laval).* Cette artère piétonne était, dans les années 1960, le centre de la contre-culture et du mouvement hippie à Montréal. Elle est, de nos jours, bordée de nombreux restaurants touristiques qui étendent leur terrasse jusqu'au milieu de la rue. Les soirs d'été, une foule compacte se masse entre les établissements pour applaudir les amuseurs publics. De la rue Prince-Arthur, on peut rejoindre le **square Saint-Louis** (voir p 151) et la rue Saint-Denis.

Ex-Centris *(3536 boul. St-Laurent, métro St-Laurent et autobus 55, ☎847-3536)* est confortablement logé dans un édifice en pierre qui se marie très bien avec ses voisins plus anciens. Complexe cinéma et nouveaux

médias de Montréal, il a ouvert ses portes en 1999. Daniel Langlois, son fondateur, a financé entièrement la construction. Ex-Centris s'est donné pour mission de diffuser les meilleures productions du cinéma indépendant local et international dans ses trois magnifiques salles de différente grandeur.

Tournez à droite dans la rue Milton, puis à gauche dans la rue Saint-Urbain.

Le **Conseil des arts de Montréal** *(3450 rue St-Urbain)* loge dans l'ancienne École d'architecture de Montréal, érigée en 1922. Le petit édifice en briques rouges, doté d'une verrière et aménagé sur les terrains de l'école, est l'ancien studio d'Ernest Cormier (1923). Le Conseil le loue à des artistes québécois désireux de se retirer du monde un certain temps afin de créer une œuvre particulière. À l'angle de la rue Sherbrooke se dresse l'ancienne École des beaux-arts.

Tournez à gauche dans la rue Sherbrooke Ouest.

La **maison Notman** ★ *(51 rue Sherbrooke O., métro Place-des-Arts)* fut habitée de 1876 à 1891 par le photographe montréalais William Notman, connu pour ses scènes canadiennes et ses portraits de la bourgeoisie du XIXe siècle. Les inépuisables archives photographiques Notman peuvent être consultées au **Musée McCord** (voir p 126). La maison, érigée en 1844 selon les dessins de John Wells, est un bel exemple du style néogrec tel qu'on l'exprimait alors en Écosse. Son extrême dépouillement n'est rompu que par de petites appliques décoratives, telles les palmettes en acrotère et les patères (rosaces) du portique. De 1894 à 1990, la résidence a abrité un hôpital de soins prolongés pour personnes âgées appelé «St. Margaret's Home for the Incurables».

La station-service voisine occupe un emplacement de choix, à l'angle de deux artères majeures de la ville, le boulevard Saint-Laurent et la rue Sherbrooke. On y trouvait autrefois la résidence des Molson, célèbres brasseurs et banquiers.

Empruntez le boulevard Saint-Laurent vers le sud.

L'**édifice Godin** ★ *(2112 boul. St-Laurent, métro St-Laurent)*, situé à l'angle de la rue Sherbrooke, est très certainement le plus audacieux exemple d'architecture moderne du début du XXᵉ siècle au Canada (1914). L'œuvre de l'architecte Joseph-Arthur Godin, à qui l'on doit par ailleurs le **Saint-Jacques** (voir p 154), est marqué par les expériences d'Auguste Perret et de Paul Guadet avec ses structures de béton armé apparentes. À cela s'ajoutent quelques subtiles courbes Art nouveau qui donnent une allure très parisienne à l'immeuble, d'abord conçu pour l'habitation, mais dont l'originalité fit peur aux locataires éventuels, tant et si bien qu'il demeurera abandonné plusieurs années après son achèvement, avant d'être finalement recyclé en manufacture de vêtements.

En 2004, cet immeuble historique logera un luxueux établissement d'hébergement: l'Hôtel Godin, avec quelque 140 chambres. On aura alors investi dans sa rénovation pas moins de 25 millions de dollars.

Installé dans les anciens bâtiments de la brasserie Ekers, le **Musée Juste pour rire** ★ *(5$ et plus, selon les spectacles ou activités; tlj 11h à 20h; 2111 boul. St-Laurent, métro St-Laurent, ☎845-4000, www. hahaha.com)*, fut inauguré en 1993. Ce musée, unique en son genre, explore diverses facettes du domaine de l'humour en présentant divers extraits de films et des décors parfois déroutants. Le bâtiment dans lequel il se trouve a été rénové et réaménagé par l'architecte Luc Laporte; il offre quelque 3 000 m² de surface d'exposition. On y trouve aussi Le Cabaret, une salle où sont présentés des spectacles en tous genres et des soirées dansantes des plus débridées.

Tout près de l'intersection du boulevard Saint-Laurent et de la rue Ontario, au sud de la rue Sherbrooke, loge **Jules Saint-Michel, luthier – Économusée de la lutherie** *(57 rue Ontario O., ☎288-4343)*. L'Économusée de la lutherie est le meilleur endroit pour voir comment on fabrique un violon, cet instrument dont la forme n'a pas changé depuis 450 ans. Vous y apprendrez par exemple quelles sont les différentes parties du violon, qui furent les grands luthiers de l'histoire, quel rôle a joué le Québec dans la lutherie. Le facteur de violons Jules Saint-Michel vous fera visiter sa boutique, son atelier et son musée.

Le boulevard Saint-Laurent change plusieurs fois de visage sur son long parcours. Pendant un court instant, il adopte un air industriel avant de reprendre son allure commerçante et affairée. À l'angle de la rue Ontario, l'**édifice Grothé** *(2000 boul. St-Laurent, métro St-Laurent)*, une ancienne fabrique de cigares, est un austère bâtiment de briques rouges construit en 1906, maintenant recyclé en habitations. Alors que les grandes banques, les transports et l'énergie étaient contrôlés par les magnats anglo-saxons, l'entreprise Grothé témoigne de la force des Canadiens français dans les domaines de l'industrie alimentaire et du tabac au début du XXe siècle.

Hors circuit, plus haut sur le boulevard Saint-Laurent, vous trouverez **La Tranchefile – Économusée de la reliure** *(5251 boul. St-Laurent, ☎270-9313)*. La Tranchefile vous donne l'occasion de découvrir toute la vitalité d'un métier ancien qui explore des formes d'expression contemporaines. En ces lieux d'où émanent de fines odeurs de cuir sont exposés entre autres de beaux livres-objets. La boutique présente entre autres une belle variété de produits reliés. Puis, à quelques enjambées de La Tranchefile, vous verrez **Hectarus – Économusée du verre vitrifié** *(5329 boul. St-Laurent, ☎495-2629)*. Hectarus vous transporte au cœur de l'art verrier en vous rappelant l'origine du verre et en vous montrant les différentes étapes et techniques de production du verre vitrifié. Vous y verrez les produits fabriqués par Hectarus dont les populaires lavabos. Les articles de la boutique vous séduiront du premier coup d'œil. Enfin, de biais avec Hectarus, se trouvent **Les Brodeuses – Économusée de la broderie** *(5364 boul. St-Laurent, ☎276-4181)*. Les Brodeuses vous entraînent dans un univers où, grâce à l'art de l'aiguille, s'entrelacent en harmonie fils et couleurs. Dans leur petit musée d'art, vous verrez des objets et des outils, ainsi que des illustrations et des ouvrages de broderie évoquant ce métier du textile, de même que vous y trouverez de la documentation sur l'histoire et la pratique de cet art séculaire. Enfin, la boutique vous proposera des produits brodés et tout le matériel requis pour vous adonner à cet art séculaire.

Le circuit du quartier de l'Hôtel-Dieu se termine à la station de métro Saint-Laurent, à l'angle du boulevard De Maisonneuve.

Circuit G: Le Quartier latin

Le Quartier latin, ce quartier universitaire qui gravite autour de la rue Saint-Denis, est apprécié pour ses théâtres, ses cinémas et ses innombrables cafés-terrasses d'où l'on peut observer la foule bigarrée d'étudiants et de fêtards. Son histoire débute en 1823, alors que l'on inaugure l'église Saint-Jacques, première cathédrale catholique de Montréal. Ce prestigieux édifice de la rue Saint-Denis a tôt fait d'attirer dans ses environs la crème de la société canadienne-française, composée surtout de vieilles familles nobles demeurées au Canada après la Conquête (1760). En 1852, un incendie ravage le quartier, détruisant du même coup la cathédrale et le palais épiscopal de Mgr Bourget. Reconstruit péniblement dans la seconde moitié du XIXe siècle, le secteur conservera sa vocation résidentielle, jusqu'à ce que l'Université de Montréal s'y installe en 1893. S'amorce alors une période d'ébullition culturelle, qui sera à la base de la Révolution tranquille des années 1960. Assurant la prospérité du Quartier latin, l'Université du Québec à Montréal (UQAM), créée en 1969, a pris la relève de l'Université de Montréal, déménagée sur le versant nord du mont Royal.

Le circuit débute à la sortie de la station de métro Sherbrooke.

L'**Institut de tourisme et d'hôtellerie du Québec (ITHQ)** *(3535 rue St-Denis, métro Sherbrooke)* loge paradoxalement dans l'édifice considéré par plusieurs comme le plus laid de Montréal. Implanté à l'est du square Saint-Louis, en bordure de la rue Saint-Denis, il fait partie d'un ensemble médiocre conçu entre 1972 et 1976, à la veille des Jeux olympiques. On y donne cependant des cours de cuisine, de tourisme et d'hôtellerie de tout premier ordre, en plus d'y offrir des services de restauration (salle à manger Gérard-Delage) et d'hébergement (Hôtel de l'Institut).

Enfin le bâtiment de l'ITHQ sera rénové! Jusqu'en 2005, l'Hôtel de l'Institut interrompt ses services de restauration et d'hébergement en raison d'importants travaux de rénovation.

Traversez la rue Saint-Denis pour vous rendre au square Saint-Louis.

À la suite de l'incendie de 1852, on aménage un réservoir d'eau au sommet de la côte à Barron. En 1879, le réservoir est démantelé et son site converti en parc de verdure sous le nom de **square Saint-Louis ★★** *(métro Sherbrooke)*. Des entrepreneurs érigent alors autour du square de belles demeures victoriennes d'inspiration Second Empire, qui constituent ainsi le noyau du quartier résidentiel de la bourgeoisie canadienne-française. Ces ensembles forment l'un des rares paysages urbains montréalais où règne une certaine harmonie. À l'ouest, la **rue Prince-Arthur** (voir p 148) débouche sur le square.

Tournez à gauche dans l'**avenue Laval**, l'une des seules rues de la ville où l'on puisse encore sentir pleinement l'ambiance de la Belle Époque. Délaissées par la bourgeoisie canadienne-française à partir de 1920, ses maisons seront reconverties en pensions avant de retrouver la faveur des artistes québécois qui ont entrepris de les restaurer une par une. Le poète Émile Nelligan (1879-1941) a habité le n° 3688 avec sa famille au tournant du XXe siècle.

La maison de l'Union des écrivains québécois, au n° 3492, occupe l'ancienne maison du cinéaste Claude Jutra, à qui l'on

---

● ATTRAITS

1. Institut de tourisme et d'hôtellerie du Québec (ITHQ)
2. Square Saint-Louis
3. Mont-Saint-Louis
4. Maison Fréchette
5. Le Saint-Jacques
6. Bibliothèque nationale
7. Théâtre Saint-Denis
8. Université du Québec à Montréal (UQAM)
9. Chapelle Notre-Dame-de-Lourdes
10. Place Émilie-Gamelin
11. Ancienne École des hautes études commerciales
12. Square Viger
13. Union Française
14. Église Saint-Sauveur

◗ HÉBERGEMENT

1. Armor Manoir Sherbrooke
2. Auberge de jeunesse de l'Hôtel de Paris
3. Crowne Plaza Métro Centre
4. Gîte Angelica Blue
5. Hôtel de l'Institut
6. Hôtel de Paris
7. Hôtel Gouverneur Place Dupuis
8. Hôtel Le Saint-André
9. Hôtel Lord Berri
10. Le Chasseur
11. Le Jardin d'Antoine
12. Pierre et Dominique

◆ RESTAURANTS

1. La Brioche Lyonnaise
2. La Brûlerie Saint-Denis
3. La Paryse
4. La Sila
5. Le Commensal
6. Le Pèlerin
7. Le Piémontais
8. Les Gâteries
9. Mikado
10. Zyng

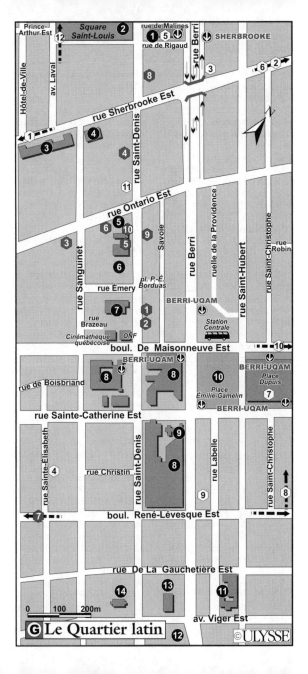

G Le Quartier latin

Prince-Arthur-Est
rue de Malines
rue de Rigaud
SHERBROOKE
rue de Ville
av. Laval
Square Saint-Louis
rue Berri
rue Sherbrooke Est
rue Saint-Denis
rue Ontario Est
rue Sanguinet
Savoie
rue Berri
ruelle de la Providence
rue Saint-Hubert
rue Saint-Christophe
rue Robin
rue Émery
pl. P.-É. Borduas
BERRI-UQAM
rue Brazeau
Cinémathèque québécoise
ONF
Station Centrale
boul. De Maisonneuve Est
BERRI-UQAM
rue de Boisbriand
Place Émilie-Gamelin
BERRI-UQAM
Place Dupuis
rue Sainte-Catherine Est
rue Sainte-Élisabeth
rue Christin
rue Saint-Denis
rue Labelle
rue Saint-Christophe
boul. René-Lévesque Est
rue De La Gauchetière Est
av. Viger Est

0   100   200m

©ULYSSE

doit des films comme *Mon oncle Antoine*. Plusieurs autres artistes tels que la chanteuse Pauline Julien et son conjoint le poète et politicien Gérald Godin, l'écrivain Michel Tremblay, le cinéaste Gilles Carle, le romancier Yves Navarre et le pianiste André Gagnon habitent ou ont habité dans les environs du square Saint-Louis et de l'avenue Laval.

Le **Mont-Saint-Louis** ★ *(244 rue Sherbrooke E., métro Sherbrooke)*, un ancien collège pour garçons dirigé par les frères des Écoles chrétiennes, a été construit dans l'axe de l'avenue Laval en 1887. Il est un des exemples les plus probants du style Second Empire tel qu'adapté pour les grandes institutions montréalaises: longue façade ponctuée de pavillons, murs de pierres grises bossagées, ouvertures à arcs segmentaires et toitures en mansarde. L'institution a fermé ses portes en 1970, et l'édifice fut transformé en immeuble résidentiel en 1987. À cette occasion, un stationnement fut aménagé discrètement sous le jardin.

Le journaliste, poète et député Louis Fréchette (1839-1908) a habité la **maison Fréchette** *(306 rue Sherbrooke E., métro Sherbrooke)*, de style Second Empire. Il a hébergé Sarah Bernhardt à quelques reprises quand elle effectuait ses tournées nord-américaines.

Tournez à droite dans la rue Saint-Denis et descendez la côte à Barron en direction de l'Université du Québec à Montréal.

La montée du Zouave, sur la droite, aujourd'hui la **Terrasse Saint-Denis**, était le lieu de rencontre favori des poètes et des écrivains québécois au tournant du XXe siècle. L'ensemble de maisons a été aménagé à l'emplacement de la demeure du sieur de Montigny, fier zouave pontifical.

L'architecte montréalais Joseph-Arthur Godin fut un des précurseurs de l'architecture moderne en Amérique du Nord. En 1914, il entreprend d'ériger trois immeubles de rapport, à structure de béton armé apparente, dans les environs du Quartier latin, dont le **Saint-Jacques** ★ *(1704 rue St-Denis, métro Berri-UQAM)*. À ce concept d'avant-garde, Godin marie de subtiles courbes Art nouveau qui donnent grâce et légèreté à ces bâtiments. L'entreprise fut cependant un échec commercial qui entraîna la faillite de Godin et mit un terme à sa carrière d'architecte.

La **Bibliothèque nationale** ★ *(1700 rue St-Denis, métro Berri-UQAM)* fut d'abord aménagée pour les Messieurs de Saint-Sulpice, qui voyaient d'un mauvais œil la construction d'une bibliothèque municipale ouverte à tous sur la rue Sherbrooke. Même si de nombreux ouvrages étaient encore à l'Index, donc interdits de lecture par le clergé, cette ouverture était vue comme de la concurrence déloyale. Autrefois connue sous le nom de Biblio-thèque Saint-Sulpice, cette succursale de la Bibliothèque nationale du Québec fut des-sinée par l'architecte Eugène Payette en 1914 dans le style Beaux-Arts. Ce style, synthèse de l'architecture française de la Renaissance et du classicisme, était enseigné à l'École des beaux-arts de Paris, d'où son nom en Amérique. À l'intérieur, on peut voir de belles verrières réalisées par Henri Perdriau en 1915. La Bibliothèque nationale s'apprête cependant à emmé-nager dans un tout nouveau bâtiment dont vous pourrez voir le chantier si vous déambu-lez à l'angle de la rue Berri et du boulevard De Maisonneuve. La nouvelle Bibliothèque natio-nale du Québec devrait être inaugurée à la fin de 2004. Elle regroupera sous un même toit les collections de l'ancienne Bibliothèque nationale et de la Bibliothèque centrale de Mont-réal.

Le **Théâtre Saint-Denis** *(1594 rue St-Denis, métro Berri-UQAM,* ☎ *790-1111)* possède deux salles de spectacle parmi les plus courues de la ville. Au cours de l'été, on y présente le festival d'humour Juste pour rire. Depuis son ouverture, en 1914, le théâtre a vu défiler tous les grands noms du show-biz français et québécois, et

Lumières sur ma ville

Depuis quelques années, Montréal possède son «Plan Lumière» qui a pour mission d'illuminer la ville durant la nuit et de la rendre aussi attrayante que le jour. Ce concept de mise en valeur du patrimoine, qui fait fureur en Europe depuis plusieurs années, est l'œuvre de Gilles Arpin, notre principal expert québécois en éclairage ur-bain.

Grâce à des lampadaires et des projecteurs soigneuse-ment positionnés, les monu-ments et les places publiques de Montréal immergent de l'ombre et révèlent des facettes de leur architecture qui pourraient passer inaper-çues sous la lumière naturelle. Le tout est contrôlé par ordinateur. Il s'agit de se promener au centre-ville ou dans le Vieux-Montréal pour apprécier la majorité de ces fresques nocturnes perma-nentes.

même du monde entier. Modernisé à plusieurs reprises, il fut une nouvelle fois complètement rénové en 1989. On remarquera le haut de la salle originale, qui dépasse la façade de granit rose, ajoutée lors de la dernière rénovation.

À l'angle du boulevard De Maisonneuve se trouvent les locaux d'**ONF Montréal** *(mardim 12h à 21h; 1564 rue St-Denis, ☎496-6887)*, le centre de diffusion et de consultation montréalais de l'**Office national du film du Canada** (ONF). ONF Montréal comprend la **Cinérobothèque** *(5,50$ pour 2 heures, 3$ pour une heure)*, qui permet aux usagers des 21 postes (individuels ou doubles) de visionner des films différents. De plus, ce complexe abrite deux salles de projection où l'on présente différents documentaires et films. On peut aussi y louer les films d'archives de l'ONF et se procurer des vidéocassettes et autres DVD ainsi que des articles promotionnels à sa CinéBoutique.

Un peu plus loin vers l'ouest, la **Cinémathèque québécoise** ★ *(expositions entrée libre, séance 6$; fermé lun; 335 boul. De Maisonneuve E., ☎842-9763)* accueille également les cinéphiles. Elle possède une collection de 25 000 films canadiens, québécois et étrangers, ainsi que de nombreux appareils témoignant des débuts du cinéma. La Cinémathèque loge, en plus de ses salles de projection, des salles d'exposition, une médiathèque et une boutique.

sans oublier son café-bar. En face se dresse la salle de concerts de l'Université du Québec à Montréal, la **salle Pierre-Mercure** du Centre Pierre-Péladeau.

Contrairement à la plupart des campus universitaires nord-américains, composés de pavillons disséminés dans un parc, le campus de l'**Université du Québec à Montréal (UQAM)** ★ est intégré à la ville à la manière des universités de la Renaissance en France ou en Allemagne. Il est en outre relié à la ville souterraine et au métro. L'UQAM occupe l'emplacement des premiers bâtiments de l'Université de Montréal et de l'église Saint-Jacques, reconstruite après l'incendie de 1852. Seuls le mur du transept droit et le clocher néogothique, dessiné par Victor Bourgeau, ont été intégrés au pavillon Judith-Jasmin en 1979, pour devenir l'emblème de l'institution. L'UQAM fait partie du réseau de l'Université du Québec, fondé en 1969 et réparti dans différentes villes du Québec. Ce lieu de haut savoir, en pleine expansion, accueille chaque année plus de 40 000 étudiants.

Tournez à gauche dans la rue Sainte-Catherine Est.

L'artiste Napoléon Bourassa habitait une grande maison de la rue Saint-Denis (n° 1242): remarquez sur la façade la «tête à Papineau». La **chapelle Notre-Dame-de-Lourdes** ★ *(430 rue Ste-Catherine E., métro Berri-*

La tête à Papineau

Beau-fils de Louis-Joseph Papineau, l'artiste Napoléon Bourassa, dont la chapelle Notre-Dame-de-Lourdes, érigée sur la rue Sainte-Catherine à Montréal en 1876, est l'œuvre de sa vie, habitait dans une grande maison située rue Saint-Denis (n° 1242), non loin de cette chapelle. Petit détail: sur la façade de sa demeure se trouve la «tête à Papineau». Quoi de plus banal? Certes non!

Instigateur héroïque du mouvement des Patriotes, Louis-Joseph Papineau demeure sans contredit un acteur important dans le démantèlement d'un régime politique inacceptable pour le peuple du Bas-Canada. Sa réputation d'homme très intelligent survit encore aujourd'hui dans l'expression populaire *«Ça ne prend pas la tête à Papineau!»*.

UQAM), érigée en 1876, est l'œuvre de sa vie. Elle a été commandée par les Messieurs de Saint-Sulpice, qui voulaient assurer leur présence dans ce secteur de la ville. Son vocabulaire romano-byzantin est en quelque sorte le résumé des carnets de voyage de son auteur. Il faut voir les fresques très colorées de Bourassa qui ornent l'intérieur de la petite chapelle.

La **place Émilie-Gamelin** ★ *(angle rue Berri et rue Ste-Catherine E., métro Berri-UQAM)* honore la mémoire de la fondatrice des sœurs de la Providence, dont l'asile occupait le site jusqu'en 1960. L'espace,

autrefois baptisé square Berri, fut aménagé en 1992 dans le cadre des fêtes du 350e anniversaire de Montréal. En fond de scène, on retrouve de curieuses sculptures métalliques de l'artiste Melvin Charney, à qui l'on doit également le jardin du **Centre Canadien d'Architecture** (voir p 140).

Au nord de la place se trouve la gare d'autocars (Station Centrale), aménagée au-dessus de la station de métro Berri-UQAM, où trois des quatre lignes du métro convergent. À l'est, la Place Dupuis, regroupant des commerces, des bureaux et un hôtel, occupe l'ancien grand magasin Dupuis

Attraits touristiques

Frères. Sur la rue Sainte-Catherine Est, on peut encore apercevoir certains magasins chers aux Montréalais, tels qu'Archambault. La section de la rue Sainte-Catherine Est située entre les rues Amherst et Papineau est appelée **Le Village gay** (voir p 200).

Tournez à droite dans la rue Saint-Hubert puis encore à droite dans l'avenue Viger Est.

Symbole de l'ascension sociale d'une certaine classe d'hommes d'affaires canadiens-français au début du XXe siècle, l'**ancienne École des hautes études commerciales ★★** *(535 av. Viger E., métro Berri-UQAM ou Champ-de-Mars)* va modifier en profondeur le milieu de l'administration et de la finance à Montréal, jusque-là dominé par les Canadiens d'origine britannique. L'architecture Beaux-Arts très parisienne de cet imposant bâtiment de 1908, caractérisée par des colonnes jumelées, des balustrades, un escalier monumental et des sculptures pâteuses, témoigne de la francophilie de ses promoteurs. En 1970, l'École des hautes études commerciales (HEC) a rejoint le campus de l'Université de Montréal sur le flanc nord du mont Royal. Ce magnifique édifice renferme aujourd'hui le Centre d'archives de Montréal – Archives nationales du Québec.

Le **square Viger** *(av. Viger E., métro Berri-UQAM ou Champ-de-Mars)* est le premier square autour duquel la bourgeoisie canadienne-française va se regrouper au cours des années 1850, avant de lui préférer le square Saint-Louis à partir de 1880. Défiguré par l'aménagement de l'autoroute Ville-Marie en sous-sol (1977-1979), il a été réaménagé en trois sections réalisées par autant d'artistes, qui ont préféré un design touffu à la sobriété du square du XIXe siècle. À l'arrière-plan, on aperçoit l'ancienne **gare Viger** (voir p 94), aux allures de château fort.

L'**Union française** *(429 av. Viger E., métro Berri-UQAM ou Champ-de-Mars)*, l'association culturelle française de Montréal, s'est installée dans cette ancienne demeure patricienne en 1909. On y organise des conférences et des salons sur la France et ses régions. Chaque année, le 14 Juillet est célébré dans le square Viger, en face. La maison, attribuée à l'architecte Henri-Maurice Perrault, fut construite en 1867 pour l'armateur Jacques-Félix Sincennes, fondateur de la Richelieu and Ontario Navigation Company. Elle est un des premiers exemples d'architecture Second Empire à avoir été réalisé à Montréal.

À l'angle de la rue Saint-Denis se dresse l'**église Saint-Sauveur** *(329 av. Viger E., métro Berri-UQAM ou Champ-de-Mars)*, église néogothique construite en 1865 selon les plans des architectes Lawford et Nelson. De 1922 à 1995, elle a été le siège de la communauté syrienne catholique de Montréal.

Comme plusieurs autres lieux de culte désertés à Montréal, l'église est aujourd'hui à vendre et en voie d'être abandonnée aux mains des démolisseurs ou autres promoteurs sans scrupules, malgré les œuvres d'art qui s'y trouvent.

Circuit H:
Le Plateau
Mont-Royal

S'il existe un quartier typique à Montréal, c'est bien le Plateau Mont-Royal. Rendu célèbre par les écrits de Michel Tremblay, l'un de ses illustres fils, «le Plateau», comme l'appellent ses résidants, c'est le quartier des intellectuels fauchés autant que des jeunes professionnels et des vieilles familles ouvrières francophones. Ses longues rues sont bordées des fameux duplex et triplex montréalais, dont les longs et étroits appartements sont accessibles par des escaliers extérieurs aux contorsions amusantes. Ces derniers aboutissent à des balcons en bois ou en fer forgé, qui sont autant de loges fleuries d'où l'on observe le spectacle de la rue.

Le Plateau Mont-Royal est délimité à l'ouest par le mont Royal, à l'est et au nord par les voies ferrées du Canadien Pacifique, et au sud par la rue Sherbrooke. Il est traversé par quelques artères bordées de

cafés et de théâtres, comme les rues Saint-Denis et Papineau, mais conserve dans l'ensemble une douce quiétude. Une visite de Montréal serait incomplète sans une excursion sur le Plateau Mont-Royal, ne serait-ce que pour flâner sur ses trottoirs et mieux saisir l'âme de Montréal.

Le circuit débute à la sortie du métro Mont-Royal. Dirigez-vous vers la droite sur l'avenue du Mont-Royal Est, principale artère commerciale du quartier.

Le **monastère des pères du Très-Saint-Sacrement** ★ *(500 av. du Mont-Royal E., métro Mt-Royal)* et son église Notre-Dame-du-Très-Saint-Sacrement ont été érigés à la fin du XIXe siècle pour la communauté des pères du même nom. Derrière une façade quelque peu austère se cache une église des plus colorées au décor italianisant, réalisée selon les plans de Jean-Zéphirin Resther. Ce sanctuaire voué à l'exposition et à l'adoration perpétuelle de l'Eucharistie est ouvert à la prière et à la contemplation tous les jours de la semaine. On y présente à l'occasion des concerts de musique baroque.

Suivez l'avenue du Mont-Royal vers l'est.

On côtoie sur l'**avenue du Mont-Royal** la population bigarrée du quartier qui magasine dans des commerces hétéroclites, allant des boulangeries artisanales aux magasins de babioles à un dollar, en passant

Attraits touristiques

par les boutiques où l'on vend des disques, livres et vêtements d'occasion.

Tournez à droite dans la rue Fabre, où vous verrez de bons exemples de l'habitat type montréalais. Ces maisons, construites entre 1900 et 1925, comprennent respectivement de deux à cinq logements, tous accessibles par des entrées individuelles donnant sur l'extérieur. On notera les détails d'ornementation qui varient d'un immeuble à l'autre, tels que les vitraux Art nouveau, les parapets et les corniches de brique et de tôle, les balcons aux colonnes toscanes ainsi que le fer ornemental qui s'exprime en frisettes et en torsades.

Tournez à gauche dans la rue Rachel Est.

À l'extrémité de la rue Fabre, on aperçoit le **parc La Fontaine ★** *(métro Sherbrooke)*, principal espace vert du Plateau Mont-Royal, créé en 1908 à l'emplacement d'un ancien champ de tir militaire. Des monuments honorant la mémoire de Sir Louis-Hippolyte La Fontaine, de Félix Leclerc et de Dollard des Ormeaux y ont été élevés. D'une superficie de 40 ha, le parc est agrémenté de deux petits lacs artificiels et de sentiers ombragés que l'on peut emprunter à pied ou à vélo. Des terrains de pétanque et des courts de tennis sont mis à la disposition des amateurs. En hiver, une grande patinoire éclairée est entretenue sur l'étang. On y trouve également

le Théâtre de Verdure, où sont présentés des concerts estivaux. La fin de semaine, le parc est envahi par les gens du quartier qui viennent profiter des belles journées ensoleillées.

Les églises paroissiales du Plateau Mont-Royal, conçues pour accueillir les familles nombreuses des ouvriers canadiens-français, sont immenses. L'**église de l'Immaculée-Conception** *(angle av. Papineau, métro Sherbrooke)* fut construite en 1895 dans le style néoroman selon les plans d'Émile Tanguay. Son intérieur décoré de toiles marouflées et de statues de plâtre est typique de l'époque. Quant à ses vitraux, ils proviennent de la Maison Vermont de France.

Tournez à droite dans l'avenue Papineau puis encore à droite dans la rue Sherbrooke Est.

La longue **place Charles-de-Gaulle** *(angle av. Émile-Duployé, métro Sherbrooke)*, située en bordure de la rue Sherbrooke, est dominée par un obélisque à la mémoire du général de Gaulle, réalisé par l'artiste français Olivier Debré. L'œuvre en granit bleu de Vire, extrait des carrières de Saint-Michel-de-Montjoie en Normandie, fait 17 m de hauteur. Elle a été donnée par la Ville de Paris à la Ville de Montréal en 1992, à l'occasion du 350e anniversaire de la fondation de la métropole québécoise.

En face, on aperçoit l'**hôpital Notre-Dame**, l'un des principaux hôpitaux de la ville. Un

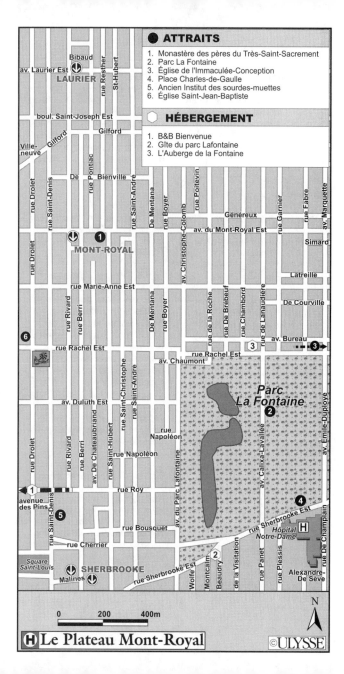

ATTRAITS

1. Monastère des pères du Très-Saint-Sacrement
2. Parc La Fontaine
3. Église de l'Immaculée-Conception
4. Place Charles-de-Gaulle
5. Ancien Institut des sourdes-muettes
6. Église Saint-Jean-Baptiste

HÉBERGEMENT

1. B&B Bienvenue
2. Gîte du parc Lafontaine
3. L'Auberge de la Fontaine

Le Plateau Mont-Royal

©ULYSSE

0   200   400m

peu plus à l'ouest, au 3700 de l'avenue Calixa-Lavallée, se trouve la jolie **école Le Plateau** (1930). L'édifice Art déco des architectes Perrault et Gadbois abrite aussi la salle qui a accueilli l'Orchestre symphonique de Montréal à ses débuts. Un sentier, au nord de l'école, donne accès aux étangs du parc La Fontaine.

De retour à la rue Sherbrooke Est, on peut voir la **Bibliothèque centrale de Montréal ★** *(1210 rue Sherbrooke E.)*, inaugurée en 1917 par le maréchal Joffre. La modeste taille de l'édifice, en comparaison de la population à desservir, même au début du XXᵉ siècle, s'explique par les réticences du clergé à voir s'ouvrir une bibliothèque laïque. De nos jours, heureusement, un réseau de 27 succursales de quartiers s'ajoute à la bibliothèque. On y trouve, entre autres, une salle complète consacrée à la généalogie des familles canadiennes-françaises (la salle Gagnon, au sous-sol). La Bibliothèque centrale de Montréal s'apprête cependant à emménager dans un tout nouveau bâtiment dont vous pourrez voir le chantier si vous déambulez à l'angle de la rue Berri et du boulevard De Maisonneuve. La nouvelle Bibliothèque nationale du Québec devrait être inaugurée à la fin de 2004. Elle regroupera sous un même toit les collections de l'ancienne Bibliothèque nationale et de la Bibliothèque centrale de Montréal.

Le monument en l'honneur de Sir Louis-Hippolyte La Fontaine (1807-1864), qui a donné son nom au parc, se trouve de l'autre côté de la rue. Considéré comme le père du gouvernement responsable au Canada, La Fontaine fut aussi l'un des principaux défenseurs du français dans les institutions du pays.

Empruntez la rue Cherrier, qui se détache de la rue Sherbrooke Est en face du monument à La Fontaine.

La rue Cherrier formait autrefois, avec le square Saint-Louis, à son extrémité ouest, le noyau du quartier résidentiel bourgeois canadien-français. Au nº 840, on peut voir l'**Agora de la danse**, où sont regroupés les studios de diverses compagnies de danse. L'édifice de briques rouges, terminé en 1919, abritait auparavant la Palestre nationale, centre sportif pour les jeunes du quartier et lieu de nombreuses assemblées publiques houleuses au cours des années 1930.

Tournez à droite dans la rue Saint-Hubert, bordée de beaux exemples d'architecture vernaculaire. Puis tournez à gauche dans la rue Roy afin d'apercevoir l'église Saint-Louis-de-France de 1936, construite pour remplacer l'église originale, détruite par le feu en 1933.

À l'angle de la rue Saint-Denis et de la rue Roy s'élève l'**ancien Institut des sourdes-muettes** *(3725 rue St-Denis, métro Sher-*

brooke), un vaste bâtiment de pierres grises composé de nombreuses ailes, érigées par étapes entre 1881 et 1900. L'ensemble de style Second Empire couvre un quadrilatère complet et est typique de l'architecture institutionnelle de l'époque au Québec. Il accueillait autrefois les sourdes-muettes de la région. L'étrange chapelle, aux colonnes de fonte, de même que la sacristie, avec ses hautes armoires et son surprenant escalier à vis, sont accessibles sur demande depuis l'entrée de la rue Berri.

Empruntez la rue Saint-Denis vers le nord.

La section de la **rue Saint-Denis** entre le boulevard De Maisonneuve, au sud, et le boulevard Saint-Joseph, au nord, est bordée de nombreux cafés-terrasses et de belles boutiques installées à l'intérieur d'anciennes demeures Second Empire de la deuxième moitié du XIXe siècle. On y trouve également plusieurs librairies et restaurants qui sont devenus au fil des ans de véritables institutions de la vie montréalaise.

Tournez momentanément à gauche dans la rue Rachel Est pour voir l'église Saint-Jean-Baptiste

et les bâtiments institutionnels qui l'avoisinent.

L'**église Saint-Jean-Baptiste** ★★ *(309 rue Rachel, métro Mont-Royal)*, consacrée sous le vocable du saint patron des Canadiens français, est un gigantesque témoignage de la foi solide de la population catholique et ouvrière du Plateau Mont-Royal au tournant du XXe siècle, laquelle, malgré sa misère et ses familles nombreuses, a réussi à amasser des sommes considérables pour la construction d'églises somptueuses. L'extérieur fut édifié en 1901 selon les plans de l'architecte Émile Vanier. L'intérieur, quant à lui, fut repris à la suite d'un incendie, selon des dessins de Casimir Saint-Jean, qui en fit

un chef-d'œuvre du style néo-baroque à voir absolument. Le baldaquin de marbre rose et de bois doré du chœur (1915) protège l'autel de marbre blanc d'Italie, faisant face aux grandes orgues Casavant du jubé, lesquelles comptent parmi les plus puissantes de la ville. L'église, qui peut accueillir 3 200 personnes assises, est le lieu de fréquents concerts.

En face de l'église, on peut voir l'ancien **collège Rachel**, construit en 1876 dans le style Second Empire. Enfin, à l'ouest de l'avenue Henri-Julien, se trouve l'**ancien hospice Auclair** de 1894, avec son entrée semi-circulaire sur la rue Rachel. La rue Drolet au sud de la rue Rachel présente de bons exemples de l'architecture ouvrière des années 1870 et 1880 sur le Plateau, avant l'avènement de l'habitat vernaculaire, à savoir le duplex et le triplex dotés d'escaliers extérieurs tels qu'on a pu en apercevoir sur la rue Fabre.

Retournez à la rue Saint-Denis, et remontez-la jusqu'à l'avenue du Mont-Royal. Tournez à droite pour reprendre le métro à la station Mont-Royal.

Circuit I:
Le mont Royal
et Westmount

Le mont Royal est un point de repère important dans le paysage montréalais, autour duquel gravitent les quartiers centraux de la ville. Appelée simplement «la montagne» par les citadins, cette masse trapue de 234 m de haut à son point culminant est en fait le «poumon vert» de Montréal. Elle est couverte d'arbres matures et apparaît à l'extrémité des rues du centre-ville, exerçant un effet bénéfique sur les Montréalais, qui ainsi ne perdent jamais totalement contact avec la nature.

La montagne comporte en réalité trois sommets: le premier est occupé par le parc du Mont-Royal, le second par l'Université de Montréal et le troisième par Westmount, ville autonome aux belles demeures de style anglais. À cela, il faut ajouter les cimetières catholique, protestant et juif, qui forment ensemble la plus vaste nécropole du continent nord-américain.

Pour vous rendre au point de départ du circuit, prenez l'autobus 11 à la station de métro Mont-Royal, sur le Plateau Mont-Royal. Descendez au belvédère Camillien-Houde.

Du **belvédère Camillien-Houde** ★★ *(voie Camillien-Houde)*, beau point d'observation, on embrasse du regard tout l'est de Montréal. On voit, à l'avant-plan, le quartier du Plateau Mont-Royal, avec sa masse uniforme de duplex et de triplex, percée en plusieurs endroits par les clochers de cuivre verdi des églises paroissiales, et, à l'arrière-plan, les

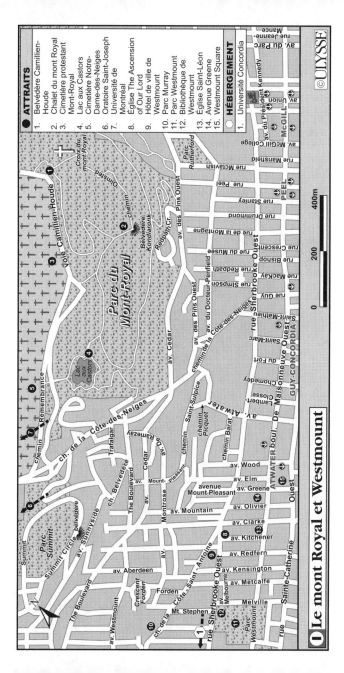

Le mont Royal et Westmount

ATTRAITS

1. Belvédère Camillien-Houde
2. Chalet du mont Royal
3. Cimetière protestant Mont-Royal
4. Lac aux Castors
5. Cimetière Notre-Dame-des-Neiges
6. Oratoire Saint-Joseph
7. Université de Montréal
8. Église The Ascension of Our Lord
9. Hôtel de ville de Westmount
10. Parc Murray
11. Parc Westmount
12. Bibliothèque de Westmount
13. Église Saint-Léon
14. Avenue Greene
15. Westmount Square

HÉBERGEMENT

1. Université Concordia

© ULYSSE

quartiers de Rosemont et de Maisonneuve, dominés par le Stade olympique.

Par temps clair, on distingue les raffineries de pétrole de Montréal-Est dans le lointain. À des fins comparatives, mentionnons que le fleuve Saint-Laurent, visible à droite, fait 1,5 km de largeur à son point le plus étroit. Le belvédère Camillien-Houde est le rendez-vous des amoureux motorisés.

*Montez l'escalier de bois à l'extrémité sud du stationnement de l'observatoire, puis empruntez sur votre gauche le chemin Olmsted, qui conduit au chalet du mont Royal et au belvédère Kondiaronk. On passe alors devant la **croix du mont Royal** (voir p 107).*

Le **parc du Mont-Royal** ★★★ a été créé par la Ville de Montréal en 1870 à la suite des pressions des résidants du Golden Square Mile qui voyaient leur terrain de jeu favori déboisé par divers exploitants de bois de chauffage. Frederick Law Olmsted (1822-1903), le célèbre créateur du Central Park à New York, fut mandaté pour aménager les lieux. Il prit le parti de conserver au site son caractère naturel, se limitant à quelques points d'observation

Les *Tam-Tams*

Sur le flanc du mont Royal qui donne sur l'avenue du Parc, les dimanches après-midi de la belle saison sont marqués depuis plusieurs années par un événement spontané haut en couleur, une fête qu'on appelle tout simplement les *Tam-Tams*. Une foule de jeunes et moins jeunes s'y rassemble, quand il fait beau temps, dans une ambiance très *Peace and Love*.

Plusieurs percussionnistes prennent alors d'assaut le socle de l'immense monument à Sir George-Étienne Cartier – l'un des pères de la Confédération – et improvisent l'après-midi durant des airs de plus en plus entraînants. Puis les danseurs, tout aussi improvisés, suivent le rythme endiablé des tambours africains et autres congas, tandis qu'une foule joyeuse observe qui en pique-niquant, qui en prenant du soleil sur l'herbe.

reliés par des sentiers en tire-bouchon. Inauguré en 1876, ce parc de 101 ha, concentré dans la portion sud de la montagne, est toujours un endroit de promenade apprécié par les Montréalais. Depuis 2003, le mont Royal, avec ses trois sommets, est dorénavant protégé par le gouvernement du Québec en tant qu'arrondissement historique et naturel.

Le **chalet du mont Royal** ★ ★ ★ *(tlj 8h30 à 21h; parc du Mt-Royal,* ☎872-3911), au centre du parc, fut conçu par Aristide Beaugrand-Champagne en 1932 en remplacement de l'ancien qui menaçait ruine. Au cours des années 1930 et 1940, les big bands donnaient des concerts à la belle étoile sur les marches de l'édifice. L'intérieur est décoré de 17 toiles marouflées représentant des scènes de l'histoire du Canada et commandées à de grands peintres québécois, comme Marc-Aurèle Fortin et Paul-Émile Borduas. Le chalet a fait récemment l'objet d'une importante rénovation, de même que les tableaux ont été restaurés.

Mais si l'on se rend au chalet du mont Royal, c'est d'abord pour la traditionnelle vue sur le centre-ville depuis le **belvédère Kondiaronk** (du nom du grand chef huron-wendat qui a négocié le traité de la Grande Paix en 1701), admirable en fin d'après-midi et en soirée, alors que les gratte-ciel s'illuminent.

Empruntez la route de gravier qui conduit au stationnement du chalet et à la voie Camillien-Houde. À droite se trouve une des entrées du cimetière Mont-Royal.

Le **cimetière protestant Mont-Royal** ★ ★ *(voie Camillien-Houde)* fait partie des plus beaux sites de la ville. Conçu comme un éden pour les vivants visitant leurs défunts, il est aménagé tel un jardin anglais dans une vallée isolée, donnant aux visiteurs l'impression d'être à mille lieues de la ville, alors qu'ils sont en fait en son centre. On y retrouve une grande variété d'arbres fruitiers et feuillus, sur les branches desquels viennent se percher des espèces d'oiseaux absentes des autres régions du Québec. Le cimetière, créé par les églises anglicane, presbytérienne, méthodiste, unitarienne et baptiste, a ouvert ses portes en 1852. Certains de ses monuments sont de véritables œuvres d'art créées par des artistes de renom. Parmi les personnalités et les familles qui y sont inhumées, il faut mentionner l'armateur Sir Hugh Allan, les brasseurs Molson, qui possèdent le plus imposant mausolée, ainsi que de nombreux autres personnages de la petite et de la grande histoire, parmi lesquels on retrouve Anna Leonowens, gouvernante du roi de Siam au XIXe siècle, qui a inspiré les créateurs de la pièce *The King and I* (Le roi et moi).

En route vers le lac aux Castors, on remarquera, sur la

Attraits touristiques

Le cimetière Notre-Dame-des-Neiges

C'est en 1855 que fut inauguré le cimetière Notre-Dame-des-Neiges. Il s'étend à l'endroit même où, après la fonte de l'Inlandsis Laurentidien (glacier continental d'une épaisseur maximale de 3 km), il y a 10 000 ans, les vagues déferlaient sur une plage occupant le flanc nord d'une île perdue de l'ancienne mer de Champlain, là où se dresse aujourd'hui le mont Royal. Pour les passionnés de la géomorphologie du quaternaire, notons qu'il est étonnant de retrouver sur cette ancienne plage postglaciaire, des coquillages non fossilisés dans des sédiments sableux remaniés du fait de la vocation de dépotoir temporaire de cet espace à une certaine époque.

Le 29 mai 1855, madame Jane Gilroy, épouse de Thomas McCready, alors conseiller municipal de Montréal, fut la première «résidante» de la nouvelle cité des morts et inhumée sur le lot F56. On se surprend à constater que l'épitaphe de son monument granitique est encore très lisible, par opposition à d'autres vieilles stèles souvent érodées en raison de leur caractère soluble, le calcaire ayant été grandement privilégié à une certaine époque.

Depuis l'enterrement de Mme Gilroy, près d'un million de personnes reposent ici en paix, faisant ainsi du cimetière Notre-Dame-des-Neiges le deuxième en importance en Amérique du Nord, après le cimetière Arlington de Washington. Il suffit d'arpenter les 55 km de sentiers qui sillonnent les lieux pour prendre conscience du fait que cette nécropole renferme un trésor unique en son genre, tant aux plans architectural, culturel et historique que naturel.

Non seulement se promène-t-on à l'intérieur du cimetière Notre-Dame-des-Neiges pour sa tranquillité et pour la richesse de sa flore et de sa faune (avis aux ornithologues amateurs), mais aussi pour en contempler l'aménage-ment. Afin de mieux planifier votre promenade, demandez à la réception, en face de la chapelle de la Résurrection, un plan détaillé du cimetière. Plusieurs monuments riches de détails fastueux font état de la présence d'une bourgeoisie dominante, et nombre de secteurs sont à recommander pour la beauté de leurs monuments. Il faut entre autres se balader dans le secteur T, où l'on peut contempler des monuments majestueux et des dizaines de cryptes dignes des classiques du cinéma d'horreur.

Le secteur des Vétérans, caractérisé par des centaines de petites stèles grisâtres alignées en rangées, ne doit pas non plus être négligé. De même, les secteurs ethniques valent souvent le détour afin de découvrir d'autres mœurs funéraires. Pensons entre autres au secteur chinois (secteur U598-604), où l'on constate que, sur chaque monument, apparaît une image du défunt. Les orthodoxes, quant à eux, possèdent des stèles garnies de fleurs multicolores avec, pour la plupart, des épitaphes en lettres dorées.

Outre les riches familles fières d'afficher leur fortune par le biais du granit sculpté, on remarque que la classe moins favorisée occupe une place non moins importante dans le secteur FT (fosse temporaire), où, comme son nom l'indique, les familles peuvent louer une parcelle de terrain pour une période de 10 ans. Il va sans dire qu'un monument onéreux n'est alors pas nécessaire, ce qui explique la présence de nombreuses petites croix de bois disséminées çà et là dans cette zone.

De plus, il ne faudrait pas passer à côté des nombreux monuments commémoratifs qui agrémentent la visite. Parmi ceux qui retiennent l'attention, le premier appartient à la Société Saint-Jean-Baptiste (lot C24) et est érigé sur la dépouille de son fondateur (Ludger Duvernay). Il y a aussi le magnifique monument de granit noir de l'Union des Artistes

(O203), qui honore la mémoire des comédiens ayant marqué le théâtre québécois. Enfin, le plus admiré de tous rend un hommage mérité aux nombreux Patriotes de 1837-1838 (lot B261) qui ont succombé aux batailles contre les Anglais, à la pendaison ou à l'exil.

Des centaines de milliers de personnes inhumées ici, un nombre plus qu'appréciable a influé sur le cours de l'histoire. Notamment, une succession de personnalités politiques, parmi lesquelles Robert Bourassa (secteur E), qui fut premier ministre du Québec, et George-Étienne Cartier (lot 01), qui a participé à la fondation du Canada en tant que père de la Confédération.

C'est aussi dans ce cimetière qu'ont été enterrés Philippe Aubert-de-Gaspé (lot G26), l'auteur du premier roman canadien-français, Olivier Guimond et son père Ti-Zoune (lot GA1341), qui ont marqué le théâtre québécois, Émile Nelligan (lot N588), un des poètes québécois les plus admirés, et Marie Travers, une cantatrice populaire des années 1930 mieux connue sous le nom de «La Bolduc» (TROIE1912).

Bref, promenez-vous dans les nombreux sentiers, au hasard de découvertes qui ne vous laisseront sûrement pas de marbre. Et, qui sait, peut-être croiserez-vous au passage un disparu de votre connaissance, ou lirez-vous une épitaphe qui éveillera en vous des souvenirs endormis, à moins que ce ne soit un émoi aussi fugace que soudain! S'il ne vous est jamais venu à l'idée de visiter un cimetière, Notre-Dame-des-Neiges vous convie tout bonnement à une expérience que vous ne regretterez pas un seul instant.

gauche, la seule des anciennes maisons de ferme de la montagne qui subsiste encore, la **Maison Smith** *(1620 ch. Remembrance, ☎843-8240, www.lemontroyal.qc.ca)*, quartier général des Amis de la montagne, organisme qui propose toutes sortes d'expositions et d'activités en collaboration avec le Centre de la montagne.

Suivez la voie Camillien-Houde puis le chemin Remembrance vers l'ouest. Ensuite, empruntez le chemin qui mène au lac aux Castors.

Le petit **lac aux Castors** *(en bordure du chemin Remembrance)* a été aménagé en 1958 sur le site des marécages se trouvant autrefois à cet endroit. En hiver, il se transforme en une agréable patinoire. Ce secteur du parc, aménagé de manière plus conventionnelle, comprend en outre des pelouses et un jardin de sculptures, contrevenant ainsi aux directives d'Olmsted le puriste. Le chalet du lac aux Castors ainsi que les environs du lac seront réaménagés d'ici quelques années; de plus, la patinoire sera dotée d'un système de réfrigération (les amateurs

pourront donc en jouir de l'automne jusqu'au printemps).

Le **cimetière Notre-Dame-des-Neiges** ★★ est une véritable cité des morts, puisque plus d'un million de personnes y ont été inhumées depuis 1855, date de son inauguration. Il succède au cimetière qui occupait le square Dominion, maintenant square Dorchester, jugé trop proche des habitations. Contrairement au cimetière protestant, il présente des attributs à caractère éminemment religieux, qui identifient clairement son appartenance au catholicisme. Ainsi, deux anges du paradis encadrant un crucifix accueillent les visiteurs à l'entrée principale, sur le chemin de la Côte-des-Neiges.

Les «deux solitudes» (les peuples d'origines française catholique et anglo-saxonne protestante du Canada) demeurent donc isolées jusque dans la mort. Le cimetière peut être visité tel un *Who's Who* des personnalités du monde des affaires, des arts, de la politique et de la science au Québec. Un obélisque à la mémoire des Patriotes de la rébellion de 1837-1838 et plusieurs monuments réalisés par des sculpteurs de renom parsèment les 55 km de routes et de sentiers qui sillonnent les lieux. Du cimetière et des chemins qui y conduisent, on jouit de plusieurs points de vue sur l'**oratoire Saint-Joseph ★ ★** *(entrée libre; tlj 6h à 22h, messe tlj, crèche de Noël de la mi-nov à la mi-fév; 3800 ch. Queen Mary, ☎733-8211).* L'énorme édifice, coiffé d'un dôme en cuivre, le second en importance au monde après celui de Saint-Pierre-de-Rome, est érigé à flanc de colline, ce qui accentue encore davantage son caractère mystique. De la grille d'entrée, il faut gravir plus de 300 marches pour atteindre la basilique. L'oratoire a été aménagé entre 1924 et 1956 à l'instigation du bienheureux frère André, portier du collège Notre-Dame (situé en face), à qui l'on attribue de nombreux miracles.

*Oratoire
Saint-Joseph*

Ce véritable complexe religieux est donc à la fois dédié à saint Joseph et à son humble créateur. Il comprend la basilique inférieure, la crypte du frère André et la basilique supérieure, ainsi que deux musées, l'un dédié à la vie du frère André et l'autre à l'art sacré. La première chapelle du petit portier, aménagée en 1910, une cafétéria, une hostellerie et un magasin d'articles de piété complètent les installations.

L'oratoire est un des principaux lieux de dévotion et de pèlerinage en Amérique. Il accueille chaque année quelque deux millions de visiteurs. L'enveloppe extérieure de l'édifice fut réalisée dans

Attraits touristiques

le style néoclassique selon les plans des architectes Dalbé Viau et Alphonse Venne, mais l'intérieur est avant tout une œuvre moderne de Lucien Parent et du bénédictin français dom Paul Bellot, à qui l'on doit notamment l'abbaye de Saint-Benoît-du-Lac, dans les Cantons-de-l'Est. Il ne faut pas manquer de voir dans la basilique supérieure les verrières de Marius Plamondon, l'autel et le crucifix d'Henri Charlier, ainsi que l'étonnante chapelle dorée, à l'arrière. La basilique est dotée d'un imposant orgue du facteur Beckerath que l'on peut entendre tous les mercredis soir durant l'été. À l'extérieur, on peut aussi voir le carillon de la Maison Paccard et Frères, d'abord destiné à la tour Eiffel, et le beau chemin de croix dans les jardins à flanc de montagne, réalisé par Louis Parent et Ercolo Barbieri. L'observatoire de l'oratoire Saint-Joseph, d'où l'on embrasse du regard l'ensemble de Montréal, est le point culminant de l'île à 263 m de hauteur.

Le site de l'oratoire Saint-Joseph est actuellement l'objet d'un grand projet de restauration de 45 millions de dollars. Les travaux consistent essentiellement à en réaménager les aires et les axes de circulation et à construire un nouveau pavillon d'accueil. Le projet prévoit plusieurs travaux de rénovation et l'aménagement d'ascenseurs et d'escaliers mobiles facilitant le déplacement et la sécurité des visiteurs. La réception est maintenant

située au Pavillon des pèlerins en face de la boutique. Le bureau général a été déplacé dans l'entrée qui mène à la chapelle votive. Depuis le mois de mai 2003, c'est à cet endroit que les pèlerins font bénir leurs objets de piété.

Une succursale de l'Université Laval de Québec ouvre ses portes dans le Château Ramezay en 1876, après bien des démarches entravées par la maison mère, qui voulait garder le monopole de l'éducation universitaire en français à Québec. Quelques années plus tard, elle emménage sur la rue Saint-Denis, donnant ainsi naissance au **Quartier latin** (voir p 151). L'**Université de Montréal ★** *(2900 boul. Édouard-Montpetit)* obtient finalement son autonomie en 1920, ce qui permet à ses directeurs d'élaborer des projets grandioses. Ernest Cormier (1885-1980) est approché pour la réalisation d'un campus sur le flanc nord du mont Royal. Cet architecte, diplômé de l'École des beaux-arts de Paris, fut un des premiers à introduire l'Art déco en Amérique du Nord.

Les plans du pavillon central évoluent vers une structure Art déco épurée et symétrique, revêtue de briques jaune clair et dotée d'une tour centrale, visible depuis le chemin Remembrance et le cimetière Notre-Dame-des-Neiges. La construction, amorcée en 1929, est interrompue par la crise américaine, et ce n'est qu'en 1943 que le pavillon central, sur la montagne, accueille ses premiers étudiants. Depuis, une pléiade de pavillons se sont joints à celui-ci, faisant de l'Université de Montréal la seconde plus grande université de langue française au monde, avec plus de 58 000 étudiants. L'entrée de l'université est assez éloignée du trajet suivi, aussi une visite du site constitue-t-elle une excursion supplémentaire à laquelle il faut consacrer environ une heure.

L'Université de Montréal, plus spécifiquement l'École polytechnique, qui se trouve aussi sur le mont Royal, a été le témoin d'un événement tragique qui a marqué la ville et tout le Canada. Le 6 décembre 1989, 14 étudiantes ont été froidement assassinées dans l'enceinte même de l'école par un tueur fou qui s'en prenait particulièrement aux femmes de cette école. Afin de conserver vivant le souvenir de ces femmes et de toutes les femmes victimes de violence, on a inauguré le 6 décembre 1999 la **place du 6-Décembre-1989** *(angle Decelles et Queen mary)*. L'artiste Rose-Marie Goulet y a érigé la *Nef pour quatorze reines*, sur laquelle sont gravés les noms des victimes de «Polytechnique».

Suivez ensuite les sentiers du parc du Mont-Royal jusqu'à la sortie menant à Westmount.

Ce secteur résidentiel cossu de plus de 20 000 habitants, autrefois une ville à part entière enclavée dans le territoire de Montréal, a longtemps été considérée comme le bastion de l'élite anglo-saxonne du Québec. Après que le Golden Square Mile eut été envahi par le centre des affaires, Westmount a pris la relève. Ses rues ombragées et sinueuses, sur le versant sud-ouest de la montagne, sont bordées de demeures de styles néo-Tudor et néogeorgien, construites pour la plupart entre 1910 et 1930. Des hauteurs de Westmount, on bénéficie de beaux points de vue sur la ville, en contrebas.

Empruntez The Boulevard, puis tournez à gauche dans l'avenue Clarke (près du petit parc triangulaire) pour rejoindre la rue Sherbrooke Ouest.

L'église catholique anglaise de Westmount, l'**église The Ascension of Our Lord** ★ *(angle av. Kitchener, métro Atwater)*, érigée en 1928, témoigne de la persistance du style néogothique dans l'architecture nord-américaine et de l'exactitude historique, croissante au XXe siècle, des édifices dont les formes se réfèrent à des modèles anciens. On a donc l'impression d'avoir sous les yeux une authentique église de village anglais du XIVe siècle, avec son revêtement de pierres brutes, ses lignes étirées et ses fines sculptures.

Westmount est comme un morceau de Grande-Bretagne transposé en Amérique. L'ancien **hôtel de ville de Westmount** ★ *(4333 rue Sherbrooke O.)* adopte le style néo-Tudor, inspiré de l'architecture de l'époque d'Henri VIII et d'Élisabeth Ire, considéré dans les années 1920 comme le style national anglais, puisque émanant exclusivement des îles Britanniques. Celui-ci se définit, entre autres choses, par la présence d'ouvertures horizontales à multiples menaux de pierres, d'oriels et d'arcs surbaissés. À l'arrière s'étend la pelouse irréprochable d'un club de bowling sur gazon, sur laquelle se détachent, en saison, les joueurs portant le costume blanc réglementaire.

Empruntez le chemin de la Côte-Saint-Antoine jusqu'au parc Murray.

Le terme «côte» au Québec n'a, en général, rien à voir avec la dénivellation du terrain, mais réfère plutôt au système seigneurial de la Nouvelle-France. Les longs rectangles de terre distribués aux colons présentant leur «côté» face aux chemins qui relient les fermes les unes aux autres, ceux-ci ont pris le nom de «côte». La côte Saint-Antoine est un des premiers chemins de l'île de Montréal. Aménagé en 1684 par les Messieurs de Saint-Sulpice sur le tracé d'une ancienne piste amérindienne, ce chemin s'ouvre sur les plus anciennes maisons du territoire de Westmount. À l'angle de l'avenue Forden, une **borne** installée là au XVIIe siècle, discrètement identifiée par un aménagement rayonnant du trottoir, est la seule survivante d'une signalisation développée par les sulpi-ciens sur leur seigneurie de l'île de Montréal.

Pour ceux qui voudraient s'imprégner d'une atmosphère Mid-Atlantic, faite d'un mélange d'Angleterre et d'Amérique, le **parc Murray** *(au nord de l'avenue Mount Stephen)* offre la combinaison parfaite: terrain de football américain et courts de tennis dans un cadre champêtre. On y trouve les restes d'un bosquet naturel d'acacias, essence rarissime à cette latitude à cause du climat rigoureux. Sa présence indique que l'on se trouve là où le climat est le plus doux au Québec. La clémence de la température dépend à la fois de l'inclinaison sud-ouest du terrain et de l'influence bénéfique des rapides de Lachine, situés non loin.

Descendez l'avenue Mount Stephen pour retourner à la rue Sherbrooke Ouest.

Le **parc Westmount** ★ *(4575 rue Sherbrooke O.)* a été créé à l'emplacement de marécages en 1895. Quatre ans plus tard, on y construisait la première bibliothèque municipale du Québec, la **Bibliothèque de Westmount**. La province avait un retard considérable en la matière, les seules communautés religieuses ayant jusque-là pris en charge ce type d'équipement culturel. L'édifice de briques rouges se rattache aux courants éclectiques, pittoresques et polychromes des deux dernières décennies du XIXe siècle.

Empruntez l'avenue Melbourne à l'est du parc pour voir de beaux exemples de maisons de style Queen Anne. Tournez à droite dans l'avenue Metcalfe, puis à gauche dans le boulevard De Maisonneuve Ouest.

À l'angle de l'avenue Clarke et du boulevard De Maisonneuve se dresse l'**église Saint-Léon ★**, dans la seule paroisse catholique de langue française de Westmount. Derrière une sobre et élégante façade d'inspiration néoromane se dissimule un décor d'une rare richesse, exécuté à partir de 1928 par l'artiste Guido Nincheri. Nincheri a bénéficié d'une somme importante pour exécuter un ouvrage sans substitut et sans artifice.

Ainsi, le sol et la base des murs sont revêtus des plus beaux marbres d'Italie et de France, alors que la portion supérieure de la nef est en pierre de Savonnières et que les salles du chœur ont été sculptées à la main par Alviero Marchi dans le plus précieux des noyers du Honduras. Les vitraux complexes représentent différentes scènes de la vie du Christ, incluant parfois des personnages contemporains de la construction de l'église qu'il est amusant de découvrir entre les figures de la Bible. Enfin, l'ensemble du panthéon chrétien est représenté dans le chœur et sur la voûte sous forme de fresques très colorées, réalisées selon la technique traditionnelle de l'œuf. Cette technique, qui fut notamment utilisée par Michel-Ange, consiste à faire adhérer le pigment sur la surface détrempée (la détrempe) à l'aide d'un enduit fait d'œuf. Comme chacun sait, l'œuf, une fois séché, devient très dur et résistant.

Poursuivez par le boulevard De Maisonneuve, pour traverser l'ancien quartier francophone de Westmount, avant d'aboutir à l'intersection avec l'avenue Greene.

L'**avenue Greene** *(métro Atwater)*, un petit bout de rue au cachet typiquement canadien-anglais, regroupe plusieurs des boutiques bon chic bon genre de Westmount. Outre des commerces de services, on y retrouve des galeries d'art, des antiquaires et des librairies remplies de beaux livres.

L'architecte Ludwig Mies van der Rohe (1886-1969), l'un des principaux maîtres à penser du mouvement moderne et le directeur du Bauhaus en Allemagne, a dessiné le **Westmount Square ★ ★** *(angle av. Wood et boul. De Maisonneuve O., métro Atwater)* en 1964. Cet ensemble est typique de la production nord-américaine de l'architecte, caractérisée par l'emploi de métal noir et de verre teinté. Il comprend un centre commercial souterrain, surmonté de trois tours de bureaux et d'appartements. Le revêtement extérieur original des espaces publics en travertin blanc veiné, matériau cher à Mies, a été remplacé par une couche de

Attraits touristiques

granit, davantage capable de résister aux effets dévastateurs du gel et du dégel.

À l'ouest de Westmount s'étend le quartier de **Notre-Dame-de-Grâce**, tandis qu'au nord, vers l'Université de Montréal, on trouve le quartier de **Côte-des-Neiges**.

Un corridor souterrain mène du Westmount Square à la station de métro Atwater.

Hors circuit, mais facilement accessible par métro, se trouve le **Centre commémoratif de l'Holocauste à Montréal** *(entrée libre; édifice Cummings, 1 Cummings Square, métro Côte-Ste-Catherine, ☎345-2605).* Musée d'histoire, le Centre commémoratif de l'Holocauste à Montréal présente entre autres des objets d'art et des photographies ainsi que des souvenirs et des archives reliés à l'Holocauste. Ici la vie des personnes touchées par cette tragédie est exposée au vu et au su de tout le monde.

Circuit J: Outremont

Il existe, de l'autre côté du mont Royal (c'est-à-dire «outre mont»), un quartier qui, comme Westmount (son vis-à-vis anglophone du côté sud), s'est accrochée au flanc du massif montagneux et a accueilli au cours de son développe-ment une population relative-ment aisée, composée de nombreux hommes et femmes influents de la société québé-coise: Outremont.

Ce n'est pas d'hier qu'Outre-mont, autrefois une municipali-té, constitue un emplacement de choix pour l'établissement humain. De récentes recher-ches avancent en effet que ce serait dans cette région qu'aurait probablement été établi le mystérieux village amé-rindien d'Hochelaga, disparu entre les visites de Jacques Cartier et de Maisonneuve (XVIe et XVIIe siècles). Le che-min de la Côte-Sainte-Cathe-rine, axe principal de dévelop-pement d'Outremont, serait d'ailleurs là pour témoigner d'une certaine activité amérin-dienne dans le secteur: il se superposerait à celui d'un an-cien sentier de communication aménagé par les Autochtones pour contourner la montagne.

Après la venue des Européens, le territoire d'Outremont de-viendra d'abord zone agricole maraîchère (XVIIe et XVIIIe siècles), puis horticole et de villégiature (XIXe siècle) pour bon nombre de bourgeois de Montréal attirés par cette cam-pagne toute proche. Les pro-duits de la culture des terres outremontaises étaient alors de grande renommée pour toutes les tables importantes du Nord-Est américain. L'expansion urbaine de Montréal aura raison de cette vocation dès la fin du XIXe siècle et sera à l'origine de

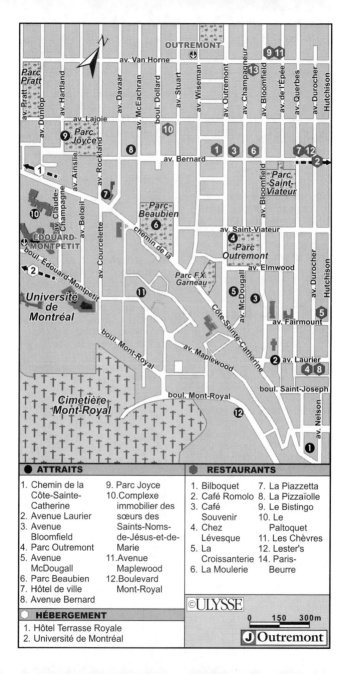

OUTREMONT

av. Van Horne

Parc
Pratt

av. Lajoie

Parc
Joyce

av. Bernard

Parc
Saint-
Viateur

chemin de la

Parc
Beaubien

ÉDOUARD-
MONTPETIT

boul. Édouard-Montpetit

av. Saint-Viateur

Parc
Outremont

av. Elmwood

Parc F.X.
Garneau

Université
de
Montréal

boul. Mont-Royal

av. Maplewood

Côte-Sainte-Catherine

av. Laurier

boul. Saint-Joseph

Cimetière
Mont-Royal

boul. Mont-Royal

Streets (left to right / labeled):
av. Pratt, av. Dunlop, av. Hartland, av. Claude-Champagne, av. Ainslie, av. Belœil, av. Courcelette, av. Rockland, av. McEachran, boul. Dollard, av. Davaar, av. Stuart, av. Wiseman, av. Outremont, av. Champagneur, av. Bloomfield, av. de l'Épée, av. Querbes, av. Durocher, Hutchison, av. McDougall, av. Fairmount, av. Nelson

ATTRAITS

1. Chemin de la Côte-Sainte-Catherine
2. Avenue Laurier
3. Avenue Bloomfield
4. Parc Outremont
5. Avenue McDougall
6. Parc Beaubien
7. Hôtel de ville
8. Avenue Bernard
9. Parc Joyce
10. Complexe immobilier des sœurs des Saints-Noms-de-Jésus-et-de-Marie
11. Avenue Maplewood
12. Boulevard Mont-Royal

HÉBERGEMENT

1. Hôtel Terrasse Royale
2. Université de Montréal

RESTAURANTS

1. Bilboquet
2. Café Romolo
3. Café Souvenir
4. Chez Lévesque
5. La Croissanterie
6. La Moulerie
7. La Piazzetta
8. La Pizzaïolle
9. Le Bistingo
10. Le Paltoquet
11. Les Chèvres
12. Lester's
14. Paris-Beurre

©ULYSSE

0   150   300m

J Outremont

l'Outremont essentiellement résidentiel d'aujourd'hui.

L'itinéraire proposé pour explorer Outremont s'articule autour du chemin de la Côte-Sainte-Catherine et a pour point de départ l'intersection du boulevard du Mont-Royal et du chemin de la Côte-Sainte-Catherine.

Voie de contournement de la montagne, le **chemin de la Côte-Sainte-Catherine** est curviligne sur une bonne partie de son parcours, ainsi qu'en angle par rapport à la trame générale des rues du secteur. Il constitue, en quelque sorte, la frontière entre deux types de relief en séparant du même coup ce qu'il est convenu d'appeler «Outremont-en-haut» (la partie la plus cossue d'Outremont, juchée sur la montagne proprement dite) du reste de l'arrondissement. Ce grand boulevard fut d'abord le lieu d'établissement de nombreuses résidences imposantes tirant notamment profit de la pente accentuée du côté sud *(maisons des héritiers du fameux fabricant de cigares Grothé aux n°s 96 et 98)*. À cet effet, on remarquera, tout le long du chemin, l'aménagement des terrains réalisé en réponse à cette pente: accès et façades du côté de l'avenue Maplewood, située derrière (pour certaines des résidences), terrassement en plateaux, conservation d'éléments de bois propres à retenir le sol, érection de murets de soutènement, etc.

Depuis une trentaine d'années, cependant, le développement sporadique et controversé de tours d'habitation de prestige, du côté nord de la rue, est venu changer quelque peu l'allure générale du chemin, du moins dans la partie comprise entre le boulevard du Mont-Royal et l'avenue Laurier. De facture architecturale sans grande originalité, ces tours, voulues par la municipalité pour donner au chemin les allures d'une Cinquième Avenue new-yorkaise, ont souvent remplacé des résidences d'un intérêt certain, comme celles de la famille Berthiaume-Du Tremblay, autrefois propriétaire du journal *La Presse*, qui se dressaient à l'angle de l'avenue Bloomfield *(remplacées par la tour Le Tournesol, au n° 205)*.

Rendez-vous jusqu'à l'angle de l'avenue Bloomfield et de l'avenue Laurier.

L'**avenue Laurier** ★ est une des trois artères commerciales d'Outremont les plus fréquentées par la population aisée outremontaise et montréalaise. L'avenue a bénéficié d'un retapage et d'un réaménagement urbain qui participent au chic des commerces spécialisés. À l'angle de l'avenue Laurier et de l'avenue Bloomfield s'élève cependant l'**église Saint-Viateur** ★, qui date de la deuxième décennie du XXe siècle. D'inspiration néogothique, son intérieur est particulièrement remarquable, orné qu'il fut par des artistes renommés en peinture (Guido Nincheri), en verrerie (Henri Perdriau), en ébénisterie (Philibert Lemay) et en sculpture (Médard Bourgault et Olindo Gratton). À cet effet, les peintures recouvrant le plafond des voûtes et racontant la vie de saint Viateur sont très particulières.

Engagez-vous le long de l'église sur l'avenue Bloomfield.

On pense que le toponyme «Bloomfield» tirerait ses origines d'une ferme jadis située à cet endroit, dont les produits auraient été caractéristiques de l'époque des grandes cultures maraîchères et fruitières de la région. Aujourd'hui, l'avenue est le témoin des premiers lotissements de type urbain à avoir couvert la ville d'est en ouest.

La composition formelle générale de la rue est très agréable (grands arbres, bons espaces en cour avant, architecture distinctive des bâtiments, sinuosité de la rue). Quelques immeubles, le long de cette artère, valent la peine d'être mentionnés: l'**académie Querbes,** aux nᵒˢ 215 à 235, construite en 1915-1916, d'architecture originale (entrée monumentale, galeries de pierre développées jusqu'au deuxième étage) et d'aménagement avant-gardiste pour l'époque (avec piscine, bowling, gymnase, etc.); les nᵒˢ 249 et 253, avec leurs balcons en forme de dais, au-dessus d'entrées traitées à la manière de loggias; le nᵒ 261, construit par le même architecte que les précédents et où

a habité le chanoine Lionel Groulx, prêtre, écrivain, professeur d'histoire et grand nationaliste québécois (l'édifice abrite maintenant une fondation à son nom); le nᵒ 262, qui se distingue par l'alternance des matériaux dans la composition de sa façade (briques rouges et pierres grises). Un peu plus loin, en face du parc Outremont, au nᵒ 345, se trouve une maison construite en 1922 par et pour Aristide Beaugrand-Champagne, architecte, caractérisée par son toit cathédrale et son stuc blanc.

Tournez à gauche dans l'avenue Elmwood.

Le **parc Outremont** *(métro Outremont)* est une des nombreuses aires de détente et de jeux de la municipalité, très prisées de la population. Il a été aménagé sur l'emplacement d'un marécage recevant jadis l'eau d'un ruisseau des hauteurs limitrophes. Son aménagement, datant du début du XXᵉ siècle, confère à l'endroit une tranquille beauté. Au centre du bassin McDougall trône une fontaine qui s'inspire des «Groupes d'enfants» qui ornent le parterre d'eau du château de Versailles. Un monument se dresse en face de la rue McDougall à la mémoire des citoyens d'Outremont morts durant la Première Guerre mondiale.

Tournez à gauche dans l'avenue McDougall.

Attraits touristiques

L'**avenue McDougall** (*métro Outremont*) est rendue particulièrement intéressante par une maison très importante dans l'histoire d'Outremont: la «**ferme OutreMont**», construite pour L.-T. Bouthillier entre 1833 et 1838, aux n°s 221 et 223. De 1856 à 1887, la ferme est devenue la résidence de la famille du financier McDougall, pour servir par la suite de lieu d'enseignement de l'horticulture aux sourds-muets sous l'égide des clercs de Saint-Viateur.

C'est là que fut célébrée la première messe à Outremont, le 21 avril 1887. La maison est considérée comme la troisième plus vieille habitation de la ville. Henri Bourassa, fondateur du journal *Le Devoir*, y aurait été locataire. La section blanche du bâtiment (qui est maintenant divisé en deux logements) a conservé l'essentiel de ses caractéristiques d'origine (grand porche surmonté d'une galerie, lucarne coincée entre deux cheminées, petites fenêtres). Au n° 268, il faut voir la maison conçue par l'architecte Ralston de Toronto dans le cadre d'un concours d'architecture. Cette résidence témoigne du style international du Bauhaus, qui fut, dans les années 1920, une école de pensée célèbre en architecture prônant le fonctionnalisme.

Tournez à droite dans le chemin de la Côte-Sainte-Catherine.

Le chemin de la Côte-Sainte-Catherine continue ici encore

d'attirer la construction de résidences dont certaines sont d'un intérêt architectural indéniable. C'est le cas notamment du n° 325, avec sa galerie très développée et ses nombreux détails ornementaux, et du n° 356, que l'architecte Roger D'Astous a habité jusqu'à son décès, en 1998, et auquel il avait ajouté une volière. D'Astous, élève du célèbre architecte Frank Lloyd Wright, fut entre autres le concepteur du Village olympique de Montréal.

Le **parc Beaubien** (*métro Outremont ou Édouard-Montpetit*) est situé sur l'emplacement du domaine agricole de la famille Beaubien, famille outremontaise importante dont plusieurs membres ont été des acteurs importants de la scène québécoise. Les membres du clan Beaubien habitaient tous près les uns des autres sur le flanc de la colline dominant leurs terres (en partie sur l'emplacement actuel des Terrasses Les Hautvilliers). Parmi les membres, citons Justine Lacoste-Beaubien, fondatrice du réputé hôpital Sainte-Justine pour enfants, Louis Beaubien, député fédéral et provincial, et sa femme, Lauretta Stuart. Louis Riel, le chef métis du Manitoba au procès et à l'exécution célèbres, aurait travaillé sur les terres des Beaubien entre 1859 et 1864.

Rendez-vous jusqu'à l'avenue Davaar et empruntez-la à droite.

L'**hôtel de ville** (1817) *(métro Édouard-Montpetit)* servit notamment d'entrepôt pour la Compagnie de la Baie d'Hudson, d'école et de prison. Un poste de péage se trouvait sur le chemin de la Côte-Sainte-Catherine à cet endroit, pour percevoir un droit d'utilisation destiné à l'entretien du chemin qui, comme beaucoup d'autres à l'époque, était à la charge de l'entreprise privée.

Descendez l'avenue Davaar jusqu'à l'avenue Bernard.

L'**avenue Bernard** ★ *(métro Outremont)* est à la fois une rue de commerces, de bureaux et de logements. Sa prestance (avenue large, grands terre-pleins de verdure, aménagement paysager sur rue, bâtiments de caractère) reflète la volonté d'une époque de confirmer formellement le prestige de la municipalité grandissante. C'est sur cette rue qu'est érigé notamment le **Théâtre Outremont** *(nos 1234-1248)*, jadis salle de cinéma de répertoire très populaire dont la vocation actuelle en fait une salle de spectacle. Sa décoration intérieure est d'Emmanuel Briffa.

D'autres édifices retiennent également l'attention sur cette rue: l'ancien bureau de poste au n° 1145, le **Clos Saint-Bernard** aux nos 1167 à 1175 (vaste garage recyclé en condominiums) et l'ancien premier grand magasin d'alimentation à grande surface de la famille Steinberg (qui en viendra plus tard à posséder plus de 190 établissements du genre à travers le Québec, mais qui fera tout de même faillite en 1992). Plusieurs immeubles résidentiels sont aussi d'une belle architecture: le **Montcalm** *(nos 1040 à 1050)*, le **Garden Court** *(nos 1058 à 1066)*, le **Royal York** *(nos 1100 à 1144)* et le **Parklane** *(no 1360)*.

Dirigez-vous vers l'ouest sur l'avenue Bernard, jusqu'à l'avenue Rockland, pour pénétrer dans le parc situé le long de cette dernière.

Le **parc Joyce** *(métro Outremont ou Édouard-Montpetit)* est situé à l'emplacement d'une vaste propriété d'un Canadien d'origine britannique, confiseur de son métier, James Joyce. Les bâtiments étaient d'un grand intérêt architectural, mais ont été démolis, faute de pouvoir leur trouver une affectation après la cession de la propriété à la Ville en 1926. Le parc qui en a résulté est doucement accidenté et possède une végétation mature, héritée de l'époque du domaine.

L'avenue Ainslie, qui aboutit dans le parc, compte notamment deux résidences qui valent le déplacement. Les nos 18 et 22 sont en effet particulièrement impressionnants, tant par l'ampleur des terrains sur lesquels ils ont été érigés que par le volume des constructions et la majesté de leur composition inspirée du style victorien. Le n° 7, quant à lui, construit en 1936, est l'expression des premières tentatives du style moderne au Canada.

De retour au chemin de la Côte-Sainte-Catherine, si l'on dépasse pour un moment l'avenue Claude-Champagne, on remarquera, du côté nord, trois résidences de valeur architecturale et patrimoniale plus qu'évidente: au n° 637, la **maison J.B. Aimbault**, construite vers 1820 et d'architecture rurale, est un héritage rarissime d'une époque révolue de la municipalité; sa voisine (n° 645), au toit à pente raide, signature de l'architecte Beaugrand-Champagne; enfin, celle du n° 661, bâtie à la fin du XIXe siècle, dont le style relativement unique pour le secteur est plutôt d'inspiration georgienne de Nouvelle-Angleterre.

Engagez-vous sur l'avenue Claude-Champagne.

L'enfilade de gros bâtiments institutionnels le long de l'avenue Claude-Champagne, qui se prolonge même au-delà dans la montagne et sur le boulevard Mont-Royal, à savoir le **Complexe immobilier des sœurs des Saints-Noms-de-Jésus-et-de-Marie** *(métro Édouard-Montpetit)*, a déjà été propriété d'une seule et même congrégation de religieuses, les sœurs des Saints-Noms-de-Jésus-et-de-Marie. Arrivées à Outremont au XIXe siècle, les religieuses avaient essentiellement une mission éducative qu'elles ont su respecter dans le développement de ce vaste secteur.

En suivant l'avenue Claude-Champagne, on voit d'abord le **pensionnat du Saint-Nom-de-Marie**, construit en 1903, qui s'impose sur le chemin de la Côte-Sainte-Catherine tant par son architecture (portique Renaissance, toiture argentée, dôme couronné d'une coupole) que par son volume et son emplacement sur un terrain surélevé. Plus haut, c'est-à-dire immédiatement derrière, se trouve le **pavillon Marie-Victorin**, de facture beaucoup plus moderne, qui abrita initialement une école supérieure des sœurs, avant d'être acquis par l'Université de Montréal pour loger sa faculté des sciences de l'éducation. Encore plus haut et carrément dans la montagne, on aperçoit le **pavillon Vincent-d'Indy**, devenu lui aussi propriété de l'Université de Montréal et de sa faculté de musique. L'acoustique de la salle de concerts de l'édifice, la **salle Claude-Champagne**, est d'une très grande qualité, et elle sert régulièrement aux enregistrements. La vue que l'on peut avoir, à partir du terrain de la faculté, sur Outremont ainsi que sur toute la partie nord de l'île de Montréal, est remarquable. Enfin, à l'est de cet édifice et un peu en contrebas sur le boulevard Mont-Royal *(aux nos 1360 à 1430)*, la maison mère des religieuses, construite dans les années 1920, complète le tableau.

L'avenue Claude-Champagne, en tant que partie d'«Outremont-en-haut», est aussi bordée d'édifices résidentiels à la mesure de la réputation de ce quartier de la ville. L'imposante «**villa**» **Préfontaine**, au n° 22, est l'exemple même du style général que nombre de citoyens des environs ont voulu donner à leur propriété. Plus haut, aux n°s 36 à 76, on remarquera le résultat très réussi d'une construction en série de maisons jumelées, différenciées avec succès par certains détails ornementaux et architecturaux.

Au bout de l'avenue Claude-Champagne, tournez à gauche dans le boulevard Mont-Royal et continuez tout droit aux feux de signalisation pour vous engager sur l'avenue Maplewood.

Appelée aussi l'«avenue du pouvoir», l'**avenue Maplewood** ★ *(métro Édouard-Montpetit)* est l'axe central de ce secteur appelé «Outremont-en-haut», où, souvent dans une topographie très accidentée, sont venues se percher des résidences cossues à l'architecture marquée qu'ont habitées ou habitent toujours de nombreux personnages influents du Québec.

Les n°s 161 et 159 ainsi que le n° 6 de la place Duchastel sont, quant à eux, remarquables pour leur architecture inspirée de la période Tudor et élisabéthaine. La masse de l'édifice du n° 153, édifié par l'architecte Randolph C. Betts, impressionne. La polychromie des matériaux de recouvrement ainsi que ceux de la toiture, de même que la diversité organisée des composantes archi-

tecturales du volume, contribuent cependant à atténuer l'impact de la construction dans le paysage. Les belles résidences situées aux n°s 118 et 114, d'époque différente, enserrent un beau petit ruisseau qui ajoute à la beauté de l'avenue. Alimentant à l'époque un abreuvoir à chevaux sur le chemin de la Côte-Sainte-Catherine, pour ensuite former le marécage du parc Outremont, ce ruisseau se perd aujourd'hui dans les canalisations en contrebas de l'avenue, sur le terrain des religieuses de l'Immaculée-Conception.

Au-delà de l'avenue McCulloch (qui a vu s'établir pour un temps la famille de Pierre Elliott Trudeau, un ancien premier ministre du Canada, au n° 84), l'avenue Maplewood devient encore plus pittoresque. Sa petite pente ainsi que sa légère sinuosité, associées à la beauté des résidences et à l'aménagement soigné des cours qui la bordent, confirment l'attrait que peut exercer «Outremont-en-haut» sur l'intelligentsia québécoise. De multiples habitations valent à cet endroit le coup d'œil: le n° 77, bel exemple du style colonial américain; les n°s 71 et 69, du type pavillon de banlieue des années 1920; les n°s 47 et 49, maisons jumelées d'ambiance encore campagnarde qui datent de 1906 (elles sont les plus anciennes demeures de la rue); enfin le n° 41, qui évoque, par son style architectural et sa grande cour avant, les grands manoirs français de la Renaissance.

Attraits touristiques

Empruntez le passage piétonnier, situé entre les n°s 52 et 54, qui mène au boulevard Mont-Royal par la ruelle du même nom.

Le **boulevard Mont-Royal** est la deuxième grande artère d'«Outremont-en-haut». Son toponyme tire son origine du fait que le premier tronçon de cette voie conduisait au cimetière protestant Mont-Royal. Quoiqu'elle soit strictement résidentielle, la rue a tendance de nos jours à être relativement encombrée: c'est qu'elle sert de chemin de transit pour de nombreux automobilistes se rendant à l'Université de Montréal. Elle est aussi très utilisée comme piste de jogging par les coureurs des environs.

La section du boulevard proposée ici est à l'image de la qualité architecturale et paysagère du quartier. De belles demeures de style y ont été érigées, dont certaines ont tenu compte de leur double accès au boulevard et à l'avenue Maplewood: c'est le cas notamment de celle sise au n° 1151, qui présente des façades très équilibrées sur les deux rues. La maison du n° 1139 est, quant à elle, typique de l'Art déco. L'intégrité du vaste espace boisé, situé au sud du boulevard, ajoute à la beauté du secteur. Après avoir fait l'objet de pressions pour le développer à outrance (à l'aide de grandes tours d'habitations du type de celles qui ont été érigées le long du chemin de la Côte-Sainte-Catherine), le

territoire fait maintenant partie du parc du Mont-Royal.

La belle vue sur l'est de Montréal (Plateau Mont-Royal) qui s'offre à vous au bout de la rue (au tournant du boulevard) révèle du même coup la différence radicale qui existe entre cette section d'Outremont et la ville à son pied. Après le tournant, sur la gauche, on peut voir, en terminant le parcours, le **couvent des sœurs de Marie-Réparatrice**, considéré très moderne pour son temps en raison de sa brique de couleur chamois (construit en 1911).

Le **cimetière protestant Mont-Royal** ★★, voir p 167.

Circuit K: La Petite Italie

Montréal possède une importante communauté italienne. Déjà au début du XIXe siècle, les meilleurs hôtels de la ville appartiennent à des Italiens. À la fin du même siècle, un premier groupe d'immigrants des régions pauvres du sud de l'Italie et de la Sicile s'installe dans les environs de la rue Saint-Christophe, au nord de la rue Ontario. Mais la plus importante vague arrive avec la fin de la Seconde Guerre mondiale. On voit alors débarquer dans le port de Montréal des milliers de paysans et d'ouvriers italiens. Nombre d'entre eux s'installent autour du marché Jean-Talon et

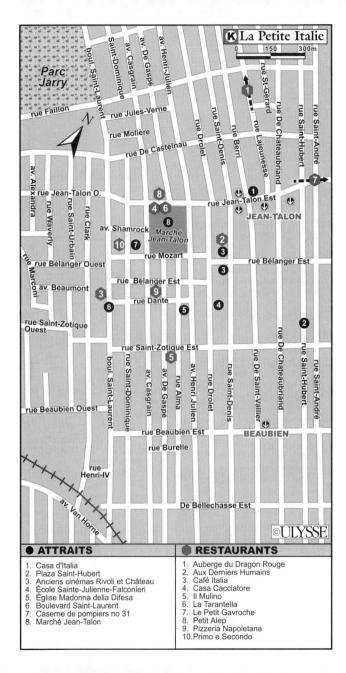

K La Petite Italie

0   150   300m

Parc Jarry

rue Faillon
rue Jules-Verne
rue Molière
rue De Castelnau
boul. Saint-Laurent
rue Saint-Dominique
av. Casgrain
av. De Gaspé
av. Henri-Julien
rue Drolet
rue Saint-Denis
rue Berri
rue Lajeunesse
rue St-Gérard
rue De Chateaubriand
rue Saint-Hubert
rue Saint-André

1

7

rue Jean-Talon O.
av. Alexandra
rue Waverly
rue Saint-Urbain
rue Clark
av. Shamrock

8
4 **6**
8
Marché Jean-Talon

1

rue Jean-Talon Est

JEAN-TALON

2
3

rue Bélanger Ouest
10 **7**
rue Mozart

rue Bélanger Est

3

rue Bélanger Est
av. Marconi
av. Beaumont
3
6
rue Dante
9

5

rue Saint-Zotique Ouest
boul. Saint-Laurent
rue Saint-Dominique
av. Casgrain
av. De Gaspé
rue Alma
av. Henri-Julien
rue Drolet
rue Saint-Denis
rue De Saint-Vallier
rue De Chateaubriand
rue Saint-Hubert
rue Saint-André

4

2

rue Saint-Zotique Est
5

rue Beaubien Ouest

rue Beaubien Est

BEAUBIEN

rue Burelle

rue Henri-IV

av. Van Horne

De Bellechasse Est

©ULYSSE

● **ATTRAITS**

1. Casa d'Italia
2. Plaza Saint-Hubert
3. Anciens cinémas Rivoli et Château
4. École Sainte-Julienne-Falconieri
5. Église Madonna della Difesa
6. Boulevard Saint-Laurent
7. Caserne de pompiers no 31
8. Marché Jean-Talon

◆ **RESTAURANTS**

1. Auberge du Dragon Rouge
2. Aux Derniers Humains
3. Café Italia
4. Casa Cacciatore
5. Il Mulino
6. La Tarantella
7. Le Petit Gavroche
8. Petit Alep
9. Pizzeria Napoletana
10. Primo e Secondo

de l'église Madonna della Difesa, donnant véritablement naissance à la Petite Italie, où l'on trouve, de nos jours, cafés, trattorias, magasins d'alimentation spécialisés, etc. Depuis les années 1960, les Italiens de Montréal se sont déplacés vers Saint-Léonard, au nord-est, mais reviennent toujours faire leurs emplettes dans la Petite Italie.

De la station de métro Jean-Talon, dirigez-vous vers la rue Saint-Hubert, à l'est. Tournez à droite. La rue Jean-Talon honore la mémoire de celui qui fut intendant de la Nouvelle-France de 1665 à 1668 puis de 1670 à 1672. Ses deux courts mandats auront permis de réorganiser les finances de la colonie et de diversifier son économie.

La **Casa d'Italia** (*505 rue Jean-Talon E., métro Jean-Talon*) abrite le centre communautaire italien. Elle fut construite en 1936 dans le style Art moderne, variante de l'Art déco qui privilégie les lignes horizontales et arrondies s'inspirant de l'aérodynamisme des paquebots et des locomotives. Un groupe faciste y avait élu domicile avant la Seconde Guerre mondiale.

La **Plaza Saint-Hubert** (*rue St-Hubert entre les rues De Bellechasse E. et Jean-Talon E., métro Jean-Talon ou Beaubien*) est une des principales artères commerciales de Montréal, reconnue pour ses boutiques bon marché. C'est notamment sur cette rue qu'a ouvert la

première rôtisserie Saint-Hubert en 1951. En 1986, des marquises vitrées furent tendues au-dessus des trottoirs.

Tournez à droite dans la rue Bélanger et rendez-vous jusqu'à la rue Saint-Denis.

Les **anciens cinémas Rivoli et Château** (*6906 et 6956 rue St-Denis, métro Jean-Talon*), situés de part et d'autre de la rue Bélanger, font partie de ces palaces de quartier reconvertis à d'autres usages. Le cinéma Château a été construit en 1931 selon les plans de l'architecte René Charbonneau. Le décor intérieur, exécuté dans un style Art déco exotique par Emmanuel Briffa, est toujours en place. Le cinéma Rivoli n'aura pas eu cette chance, puisque seule la façade Adam de 1926 a été préservée, l'intérieur ayant fait place à une pharmacie. Cette section de la rue Saint-Denis est bordée de logements montréalais typiques, où l'on pénètre par les traditionnels escaliers de fer et de bois. On notera la présence de plusieurs corniches et balcons ouvragés, ainsi que de vitraux Art nouveau dans la partie supérieure des ouvertures.

Poursuivez vers l'ouest par la rue Bélanger. Tournez à gauche dans la rue Drolet.

L'**école Sainte-Julienne-Falconieri** (*6839 rue Drolet, métro Jean-Talon*) a été dessinée en 1924 par Ernest Cormier, architecte à qui l'on doit le pavillon principal de l'**Université de Montréal** (voir p 172). Il a visiblement été influencé dans son travail par les bâtiments de l'Étasunien Frank Lloyd Wright, réalisés une dizaine d'années auparavant.

Revenez à la rue Bélanger. Tournez à gauche, puis encore à gauche dans l'avenue Henri-Julien.

L'**église Madonna della Difesa** ★ *(6810 av. Henri-Julien, métro Jean-Talon)*, ou église Notre-Dame-de-la-Défense, tire son inspiration du style romano-byzantin, caractérisé par un traitement varié des matériaux disposés en bandes horizontales et par de petites ouvertures cintrées. Son plan basilical est inhabituel à Montréal. L'église fut dessinée en 1910 par le peintre, maître-verrier et décorateur Guido Nincheri. Il y travaillera pendant plus de 30 ans, exécutant l'ensemble du décor dans ses moindres détails. Nincheri avait l'habitude de représenter des personnages contemporains dans ses vitraux et dans ses fresques à l'œuf, dont il maîtrisait très bien la technique. L'une d'elles, représentant Mussolini sur son cheval, a longtemps suscité la controverse: effacer ou ne pas effacer... Elle est toujours visible au-dessus du maître-autel.

Au n° 6841, on peut voir l'**école Madonna della Difesa** *(métro Jean-Talon)*, de style art moderne. On remarquera tout particulièrement les bas-reliefs

représentant des écoliers. À l'ouest de l'église s'étend le parc Dante, au centre duquel trône un modeste buste du poète italien sculpté par Carlo Balboni en 1924. Les amateurs de jeux de dames et d'échecs du quartier s'y donnent rendez-vous pendant la belle saison.

Suivez la rue Dante vers l'ouest jusqu'au boulevard Saint-Laurent. Tournez à droite.

Le **boulevard Saint-Laurent** *(métro Jean-Talon)* peut être décrit comme le «couloir» de l'immigration à Montréal. Depuis 1880, les nouveaux arrivants s'installent le long d'un segment précis du boulevard selon leur appartenance ethnique. Au bout de quelques décennies, ils quittent le secteur, pour ensuite se disperser dans la ville ou se regrouper dans un autre quartier. Certaines communautés laissent peu de trace de leur passage sur le boulevard Saint-Laurent, alors que d'autres créent un quartier commercial où les descendants des premiers arrivants viennent se ressourcer en famille. Le boulevard regroupe, entre les rues De Bellechasse, au sud, et Jean-Talon, au nord, nombre de restaurants et de cafés italiens, ainsi que des magasins d'alimentation, tels que Milano, très couru les fins de semaine par les Montréalais de toutes les origines. Certains des bâtiments érigés en bordure de l'artère comportent d'intéressantes façades modernes.

Tournez à droite dans l'avenue Shamrock, nom associé au trèfle irlandais. Cette avenue nous rappelle que le quartier a déjà été celui des Irlandais avant de devenir celui des Italiens.

La **caserne de pompiers n° 31** *(7041 rue St-Dominique, métro Jean-Talon)* est une réalisation du programme de création d'emploi de la Crise (1929). Le bâtiment de 1931 a été conçu par l'architecte E.A. Doucet dans le style Art déco. À l'angle des avenues Shamrock et Casgrain, on aperçoit un petit bâtiment de briques moderne aux coins arrondis qui abritait autrefois la clinique Jean-Talon, où plusieurs nouveaux arrivants allaient chercher soins et réconfort.

Le **marché Jean-Talon ★** *(entre l'avenue Casgrain et l'avenue Henri-Julien, et entre la rue Jean-Talon et la rue Mozart, métro Jean-Talon)* a été aménagé en 1934 à l'emplacement du terrain de crosse des Irlandais, le stade Shamrock. Le site devait à l'origine servir de terminus d'autobus, ce qui explique la présence de quais, avec marquises de béton. Même s'il est plutôt laid (et qu'on projette de l'agrandir malgré tout), le marché Jean-Talon est un lieu agréable à fréquenter, car il regorge d'animation et de trouvailles. Des boutiques d'alimentation spécialisées, souvent aménagées dans les fonds de cours des immeubles dont les façades donnent sur les rues avoisinantes, encerclent le site du marché. Parmi ces boutiques, on retrouve le **Marché des Saveurs** *(angle av. Henri-Julien)*, qui étale une belle panoplie de produits du terroir québécois. Le centre est occupé par les agriculteurs offrant leurs produits frais aux citadins ravis. Un amoncellement de fruits et légumes de saison, ainsi que divers autres produits, vous sont offerts à des prix uniques en ville. Même s'il demeure ouvert tout l'année, le meilleur temps pour le visiter est la belle saison s'échelonnant de mi-avril à mi-septembre.

À travers le quartier, on remarquera les potagers aménagés dans les maigres espaces disponibles, les madones dans leurs niches et les treillis accrochés aux balcons, sur lesquels grimpent des vignes chargées de raisins qui donnent à ce coin de Montréal un air méditerranéen.

Circuit L: Le Sault-au-Récollet

Vers 1950, le quartier du Sault-au-Récollet formait encore un village agricole isolé de la ville sur le bord de la rivière des Prairies. De nos jours, il est facile de s'y rendre par le métro, dont la station Henri-Bourassa constitue le terminus nord. L'histoire du «Sault» est cependant très ancienne, puisque, dès 1610, monsieur des Prairies emprunta la rivière qui porte désormais son nom, en

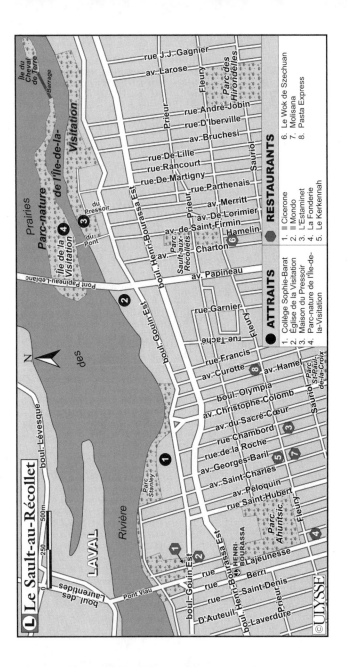

Le Sault-au-Récollet

LAVAL

ATTRAITS

1. Collège Sophie-Barat
2. Église de la Visitation
3. Maison du Pressoir
4. Parc-nature de l'Île-de-la-Visitation

RESTAURANTS

1. Il Cicerone
2. Il Mondo
3. L'Estaminet
4. La Fonderie
5. Le Kerkennah
6. Le Wok de Szechuan
7. Molisana
8. Pasta Express

Parc-nature de l'Île-de-la-Visitation

Prairies

Île du Cheval de Terre

Barrage

Île de la Visitation

Rivière des

Pont Papineau-Leblanc

boul. Lévesque

boul. des Laurentides

Pont Viau

boul.-Gouin Est

Parc Stanley

boul.-Gouin Est

boul.-Henri-Bourassa Est

rue J.J.-Gagnier

av.-Larose

Fleury

Parc des Hirondelles

Prieur

rue-André-Jobin

rue-D'Iberville

av.-Bruchesi

rue-De-Lille

rue-Rancourt

rue-De-Martigny

rue-Parthenais

av.-Merritt

av.-De-Lorimier

av.-de-Saint-Firmin

Prieur

Parc Sault-aux-Récollets

Charton

Hamelin

av. Papineau

rue Garnier

rue-Taché

rue-Francis

av.-Curotte

av.-Hamel

boul.-Olympia

av.-Christophe-Colomb

av.-du-Sacré-Cœur

rue-Chambord

rue-de-la-Roche

av.-Georges-Baril

av.-Saint-Charles

av.-Péloquin

rue-Saint-Hubert

Fleury

Sauriol

Parc St-Paul-de-la-Croix

Parc Ahuntsic

Fleury

du Pressoir

du Pont

Lajeunesse

HENRI-BOURASSA

Berri

Saint-Denis

Prieur

rue

D'Auteuil

boul.-Henri-Bourassa Est

Laverdure

N

© ULYSSE

0   250   500m

pensant qu'il s'agissait du fleuve Saint-Laurent. Puis, en 1625, le récollet Nicolas Viel et son guide amérindien Ahuntsic se noyèrent dans les rapides du cours d'eau, d'où le nom de «Sault-au-Récollet».

En 1696, les sulpiciens y installèrent la mission huronne du fort Lorette. Au XIXe siècle, le Sault-au-Récollet devient un lieu de villégiature apprécié par les Montréalais qui ne désirent pas trop s'éloigner de la ville pendant la belle saison, ce qui explique la présence de quelques maisons d'été ayant survécu au récent développement.

À la sortie du métro Henri-Bourassa, suivez le boulevard du même nom vers l'est. Tournez à gauche dans la rue Saint-Hubert, puis à droite dans le boulevard Gouin Est; de là part le circuit.

Mgr Ignace Bourget, second évêque de Montréal, a courtisé plusieurs communautés religieuses françaises au cours des années 1840, afin qu'elles implantent des maisons d'enseignement dans la région de Montréal.

La communauté des Dames du Sacré-Cœur est de celles qui ont accepté de faire le grand voyage. Elles s'installent en 1856 en bordure de la rivière des Prairies, où elles construisent un couvent pour l'éducation des filles. L'ancien externat (1858), au 1105, boulevard Gouin Est, est tout ce qui reste du premier complexe. À la suite

d'un incendie, le couvent fut reconstruit par étapes. Le bâtiment, à l'allure d'un austère manoir anglais, est la plus intéressante de ces nouvelles installations (1929). Le **Collège Sophie-Barat** *(1105 et 1239 boul. Gouin E., métro Henri-Bourassa)* porte dorénavant le nom de la fondatrice de la communauté des Dames du Sacré-Cœur.

Avant d'atteindre l'église de la Visitation, on aperçoit quelques demeures ancestrales, comme la **maison David-Dumouchel**, au n° 1737, construite en 1839 pour un menuisier du Sault-au-Récollet. Elle est pourvue de hauts murs coupe-feu, même si aucun autre édifice ne lui est mitoyen, preuve que cette composante d'abord strictement utilitaire était devenue au XIXe siècle un élément du décor de la maison, symbole de prestige et d'urbanité.

L'**église de la Visitation** ★★ *(1847 boul. Gouin E.)* est la plus ancienne église qui subsiste sur l'île de Montréal. Elle fut construite entre 1749 et 1752, mais fut considérablement remaniée par la suite. Sa très belle façade palladienne, ajoutée en 1850, est l'œuvre de l'Anglais John Ostell, auteur de l'ancienne maison de la Douane, devant la place Royale, et du vieux palais de justice, rue Notre-Dame. Le degré de raffinement atteint ici est tributaire de la féroce compétition que se livraient les paroissiens du Sault-au-Récollet et ceux de Sainte-Geneviève, plus à l'ouest, qui venaient de se doter d'une église du même style.

L'intérieur de l'église de la Visitation forme un des ensembles les plus remarquables de la sculpture sur bois au Québec. Les travaux de décoration entrepris en 1764 ne furent terminés qu'en 1837. Philippe Liébert, originaire de Nemours, en France, exécuta les premiers éléments du décor, entre autres les portes abondamment sculptées du retable, précieuses œuvres de style Louis XV. Mais c'est à David-Fleury David que revient la part du lion, car on lui doit la corniche, les pilastres Louis XVI et la voûte finement ciselée. De beaux tableaux ornent l'église, dont *La Visitation de la Vierge*, acquis par le curé Chambon en 1756 et attribué à Mignard.

À l'extrémité de la rue Lambert, on aperçoit l'ancien noviciat Saint-Joseph abritant aujourd'hui le **collège du Mont-Saint-Louis** *(1700 boul. Henri-Bourassa E.)*. Le bâtiment néoclassique de 1853 a été agrandi par l'ajout d'un pavillon Second Empire en 1872. Le noyau du village du Sault-au-Récollet se trouve le long du boulevard Gouin Est, à l'est de l'avenue Papineau. Certains de ses bâtiments méritent d'être mentionnés: la maison Boudreau, au n° 1947, fut construite dès 1750; l'ancien magasin général, au n° 2010, est un petit édifice Second Empire de type urbain, transposé en milieu rural; et enfin, la fière maison Persillier-Lachapelle, érigée vers 1830,

au n° 2086, est l'ancienne demeure d'un meunier prospère et constructeur de ponts.

Tournez à gauche dans la rue du Pressoir.

Vers 1810, Didier Joubert érige un pressoir à cidre sur sa propriété du Sault-au-Récollet, aujourd'hui connu comme la **Maison du Pressoir** ★ *(entrée libre; avr à oct tlj 12h à 17h; 10865 rue du Pressoir, ☎850-4222)*. L'état des recherches actuelles permet d'affirmer qu'il s'agit de l'unique exemple de bâtiment en pieux maçonnés qui subsiste sur l'île de Montréal. Le bâtiment restauré en 1982 abrite aujourd'hui un centre d'interprétation de l'histoire.

Revenez sur vos pas en empruntant le boulevard Gouin vers l'ouest. Tournez à droite dans la rue du Pont pour rejoindre l'île de la Visitation.

Le **parc-nature de l'Île-de-la-Visitation** ★★ comprend une vaste superficie de terrain en bordure de la rivière des Prairies, ainsi que l'île elle-même, longue bande de terre fermée à chacune de ses extrémités par des digues qui contrôlent le niveau et le débit de l'eau, éliminant du coup le fameux sault qui a donné son nom au secteur. On traverse la digue depuis la rue du Pont, en bordure de laquelle les sulpiciens firent ériger de puissants moulins sous le Régime français. Il ne subsiste malheureusement plus que de maigres vestiges de ces installations.

La digue qui se trouve à l'extrémité est de l'île supporte la centrale hydroélectrique Rivière-des-Prairies, aménagée en 1928 par la Montreal Island Power. Son barrage contient une trappe à poissons qui en fait un lieu de prédilection pour la pêche à l'alose, espèce qui prolifère dans les eaux de la rivière.

Hors circuit se trouve le **Site cavernicole de Saint-Léonard** *(5200 boul. Lavoisier, arrondissement de St-Léonard, ☎252-3323 – sur réservation à la Société québécoise de spéléologie)*. Il est possible d'explorer sur l'île même de Montréal une formation rocheuse datant de 10 000 à 20 000 ans. La visite commentée comprend un diaporama et l'exploration de la caverne.

En outre, il ne faut pas manquer la visite, au nord de l'île, dans le quartier Saint-Michel, également hors circuit, de ce qui est désormais désigné du nom de **TOHU, la Cité des arts du cirque** ★ *(8129 boul. St-Michel, ☎374-3522, www.tohu.ca)*, qui permettra à la métropole québécoise de devenir une des capitales mondiales des arts du cirque, en plus de participer à la réhabilitation d'un important lieu d'enfouissement des déchets. Déjà on y retrouve le nouveau bâtiment qui abrite l'**École nationale de cirque de Montréal** *(8181 2ᵉ Avenue)*, de même que le **Chapiteau des arts**, salle de spectacle unique au Canada conçue spécifiquement pour les arts du cirque en plus de servir de pavillon d'accueil au **Complexe environnemental de Saint-Michel (CESM)**, sans oublier le **siège social du Cirque du Soleil** *(8400 2ᵉ Avenue)* et son centre d'hébergement pour artistes. En plus de profiter d'une grande place publique sur les lieux, les visiteurs ont accès au pavillon d'accueil d'où s'ébranlent les activités du CESM: on veut faire de l'ancien lieu d'enfouissement l'un des plus beaux parcs de l'île.

Circuit M: Les îles Sainte-Hélène et Notre-Dame

Lorsque Samuel de Champlain aborde l'île de Montréal en 1611, il trouve, en face, un petit archipel rocailleux. Il baptise la plus grande de ces îles du nom de son épouse, Hélène Boulé. L'île Sainte-Hélène est par la suite rattachée à la seigneurie de Longueuil. La baronne y fait ériger une maison de campagne entourée d'un jardin vers 1720. À noter qu'en 1760 l'île sera le dernier retranchement des troupes françaises en Nouvelle-France, sous le commandement du chevalier François de Lévis.

L'importance stratégique des lieux est connue de l'armée

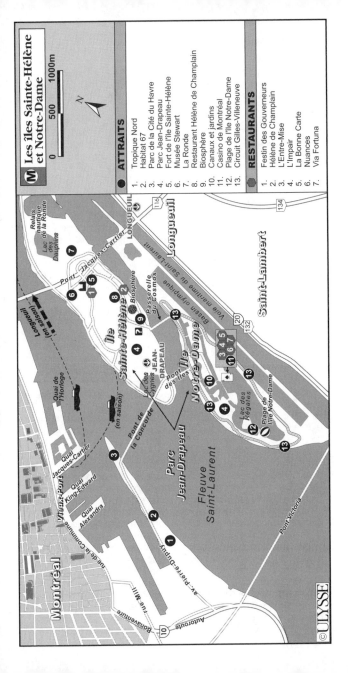

M Les îles Sainte-Hélène et Notre-Dame

0   500   1000m

N

ATTRAITS

1. Tropique Nord
2. Habitat 67
3. Parc de la Cité du Havre
4. Parc Jean-Drapeau
5. Fort de l'île Sainte-Hélène
6. Musée Stewart
7. La Ronde
8. Restaurant Hélène de Champlain
9. Biosphère
10. Canaux et jardins
11. Casino de Montréal
12. Plage de l'île Notre-Dame
13. Circuit Gilles-Villeneuve

RESTAURANTS

1. Festin des Gouverneurs
2. Hélène de Champlain
3. L'Entre-Mise
4. L'Impair
5. La Bonne Carte
6. Nuances
7. Via Fortuna

britannique, qui aménage un fort dans la partie est de l'île au début du XIXᵉ siècle. La menace d'un conflit armé avec les Étasuniens s'étant amenuisée, l'île Sainte-Hélène est louée à la Ville de Montréal par le gouvernement canadien en 1874. Elle devient alors un parc de détente relié au Vieux-Montréal par un service de traversier et, à partir de 1930, par le pont Jacques-Cartier.

Au début des années 1960, Montréal obtient l'Exposition universelle de 1967. On désire l'aménager sur un vaste site attrayant et situé à proximité du centre-ville. Un tel site n'existe pas. Il faut donc l'inventer de toutes pièces en doublant la superficie de l'île Sainte-Hélène et en créant l'île Notre-Dame à l'aide de la terre excavée des tunnels du métro. D'avril à novembre 1967, 45 millions de visiteurs fouleront le sol des deux îles et de la Cité du Havre, qui constitue le point d'entrée du site. «L'Expo», comme l'appellent encore familièrement les Montréalais, fut plus qu'un ramassis d'objets hétéroclites. Ce fut le réveil de Montréal, son ouverture au monde et, pour ses visiteurs venus de partout, la découverte d'un nouvel art de vivre, celui de la minijupe, des réactés, de la télévision en couleurs, des hippies, du *flower power* et du rock revendicateur.

Il n'est pas facile de se rendre du centre-ville à la Cité du Havre. Le meilleur moyen consiste à emprunter la rue

Mill, puis le chemin des Moulins, qui court sous l'autoroute Bonaventure jusqu'à l'avenue Pierre-Dupuy. Celle-ci conduit au pont de la Concorde, qui franchit un bras du fleuve Saint-Laurent pour atteindre les îles. On peut également s'y rendre avec l'autobus 168 à partir du métro McGill.

Tropique Nord, **Habitat 67** et le **parc de la Cité du Havre** ★★ sont construits sur une pointe de terre créée pour les besoins du port de Montréal, qu'elle protège des courants et de la glace, et qui offre de beaux points de vue sur la ville et sur l'eau. À l'entrée se trouvent le siège de l'administration du port ainsi qu'un groupe d'édifices qui abritait autrefois l'Expo-Théâtre et le Musée d'art contemporain. Un peu plus loin, on aperçoit la grande verrière de Tropique Nord, ce complexe d'habitation dont les appartements donnent sur l'extérieur, d'un côté, et sur un jardin tropical intérieur, de l'autre.

On reconnaît ensuite Habitat 67, cet ensemble résidentiel expérimental réalisé dans le cadre de l'Exposition universelle pour illustrer les techniques de préfabrication du béton et annoncer un nouvel art de vivre. Son architecte, Moshe Safdie, n'avait que 23 ans au moment de l'élaboration des plans. Habitat 67 se présente tel un gigantesque assemblage de cubes contenant chacun une ou deux pièces. Les appartements d'Habitat 67 sont toujours aussi prisés et logent plusieurs personnalités québécoises.

Le parc de la Cité du Havre comprend 12 panneaux retraçant brièvement l'histoire du fleuve Saint-Laurent. La piste cyclable menant aux îles Notre-Dame et Sainte-Hélène passe tout près.

Traversez le pont de la Concorde.

Le **parc Jean-Drapeau ★★** *(métro Jean-Drapeau)* est situé sur l'île Sainte-Hélène, qui avait à l'origine une superficie de 50 ha. Les travaux d'Expo 67 l'ont portée à plus de 120 ha. La portion originale correspond au territoire surélevé et ponctué de rochers, composés d'une pierre d'un type particulier à l'île appelée «brèche», une pierre très dure et ferreuse qui prend une teinte orangée avec le temps lorsqu'elle est exposée à l'air. En 1992, la portion ouest de l'île a été réaménagée en un vaste amphithéâtre (le «parterre» du parc Jean-Drapeau) en plein air où sont présentés des spectacles à grand déploiement. Sur une belle place en bordure de la rive faisant face à Montréal, on aperçoit *L'Homme*, important stabile d'Alexander Calder réalisé pour Expo 67.

Un peu plus loin, à proximité de l'entrée de la station Jean-Drapeau, se dresse une œuvre de l'artiste mexicain Sebastián intitulée *La porte de l'amitié*. Cette sculpture, offerte à la Ville de Montréal par la Ville de México en 1992, fut installée à cet emplacement trois ans plus tard pour commémorer la signature des accords de libre-échange entre le Canada, les États-Unis et le Mexique (ALÉNA).

Empruntez les sentiers qui convergent vers le centre de l'île.

À l'orée du parc Hélène-de-Champlain original, on peut voir le chalet des baigneurs et ses piscines extérieures, aménagés pendant la crise des années 1930. On

L'Homme,
d'Alexander Calder

Attraits touristiques

notera le revêtement en pierre de brèche du chalet. L'île, au relief complexe, est dominée par la **tour Lévis**, simple château d'eau aux allures de donjon érigé en 1936.

Suivez les indications vers le fort de l'île Sainte-Hélène.

À la suite de la guerre de 1812 entre les États-Unis et la Grande-Bretagne, le **Fort de l'île Sainte-Hélène** ★★ *(métro Jean-Drapeau)* est construit afin que l'on puisse défendre adéquatement Montréal si jamais un nouveau conflit devait éclater. Les travaux effectués sous la supervision de l'ingénieur militaire Elias Walker Durnford sont achevés en 1825. L'ensemble en pierre de brèche se présente tel un *U* échancré, entourant une place d'armes qui sert de nos jours de terrain de parade à la Compagnie Franche de la Marine et au 78ᵉ régiment des Fraser Highlanders. Ces deux régiments factices en costumes d'époque font revivre les traditions militaires françaises et écossaises du Canada, pour le grand plaisir des visiteurs. De la place d'armes, on bénéficie d'une belle vue sur le port et sur le pont Jacques-Cartier, inauguré en 1930, qui chevauche l'île et sépare le parc de verdure de La Ronde.

Le **Musée Stewart** ★★ *(8$; mi-oct à fin mai mer-lun 10h à 17h, fin mai à mi-oct tlj 10h à 18h; métro Jean-Drapeau, ☎861-6701)*, installé dans l'arsenal du fort, est voué à l'histoire de la découverte et de l'exploration du Nouveau Monde. On y présente un ensemble d'objets des siècles passés, parmi lesquels on retrouve d'intéressantes collections de cartes, d'armes à feu, d'instruments scientifiques et de navigation, rassemblées par l'industriel montréalais David Stewart et son épouse Liliane. Des animateurs en costumes d'époque accompagnent la visite.

Le **Festin des Gouverneurs** (voir p 341), un restaurant qui accueille principalement les groupes sur réservation, occupe les voûtes des anciennes casernes. On y recrée chaque soir l'ambiance d'un repas de fête à l'époque de la Nouvelle-France.

La Ronde ★ *(32$; métro Jean-Drapeau, ☎872-7044, www.la-ronde.com)*, ce parc d'attractions aménagé à l'occasion de l'Exposition universelle de 1967 sur l'ancienne île Ronde, ouvre chaque été ses portes aux jeunes et aux moins jeunes. Pour les Montréalais, la visite annuelle à La Ronde est presque devenu un pèlerinage. Un concours international d'art pyrotechnique s'y tient pendant les mois de juin et de juillet.

Empruntez le chemin qui longe la rive sud de l'île en direction de la Biosphère.

Construit comme pavillon des sports en 1938, le **restaurant Hélène-de-Champlain** ★ rappelle, par son style inspiré de l'architecture de la Nouvelle-

France, la maison d'été de la baronne de Longueuil, autrefois située dans les environs. Derrière le restaurant, une belle roseraie, créée à l'occasion d'Expo 67, agrémente la vue des convives, alors qu'en face se trouve l'**ancien cimetière militaire** de la garnison britannique, stationnée sur l'île Sainte-Hélène de 1828 à 1870. La plupart des pierres tombales originales ont disparu. Un monument commémoratif installé en 1937 les remplace.

Bien peu de pavillons d'Expo 67 ont survécu à l'usure du temps et aux changements de vocation des îles. L'un des rares survivants est l'ancien pavillon étasunien, qui représente un véritable monument à l'architecture moderne. Il s'agit du premier dôme géodésique complet à avoir dépassé le stade de la maquette. Son concepteur est le célèbre ingénieur Richard Buckminster Fuller (1895-1983).

La Biosphère ★★ *(8,50$; début juin à fin sept tlj 10h à 18h; début oct à fin mai lun, mer, jeu, ven 12h à 17h, sam-dim et jours fériés 10h à 17h; métro Jean-Drapeau, ☎283-5000)* de 80 m de diamètre, à structure tubulaire en aluminium, a malheureusement perdu son revêtement translucide en acrylique lors d'un incendie en 1978. Elle abrite de nos jours un centre d'observation environnementale portant sur le fleuve Saint-Laurent, les Grands Lacs et les différents écosystèmes canadiens.

L'exposition permanente vise à sensibiliser le public dans les domaines du développement durable et de la conservation de l'eau en tant que ressource précieuse. On y trouve quatre salles interactives dotées d'écrans géants et de maquettes tactiles pour explorer tout en s'amusant. Un «restaurant-terrasse» avec vue panoramique sur l'ensemble des îles complète le musée.

Traversez le pont du Cosmos pour vous rendre à l'île Notre-Dame.

L'**île Notre-Dame** est sortie des eaux du fleuve Saint-Laurent en l'espace de 10 mois, grâce aux 15 millions de tonnes de roc et de terre transportés sur le site depuis le chantier du métro. Comme il s'agit d'une île artificielle, on a pu lui donner une configuration fantaisiste en jouant autant avec la terre qu'avec l'eau. Ainsi l'île est traversée par d'agréables **canaux** et **jardins ★★** *(métro Jean-Drapeau et autobus 167)*, aménagés à l'occasion des Floralies internationales de 1980. Il est possible de louer des embarcations pour sillonner les canaux et admirer les fleurs qui se mirent dans les eaux.

Situé sur l'île Notre-Dame, construite de toutes pièces pour Expo 67, le **Casino de Montréal ★** (voir p 365) *(entrée libre, stationnement et vestiaire gratuits; tlj 24 heures sur 24; métro Jean-Drapeau et autobus 167, ☎392-2746 ou 800-*

Attraits touristiques

665-2274) est aménagé dans ce qui fut les pavillons de la France et du Québec lors de l'Exposition universelle de 1967. Le bâtiment principal, correspondant à l'ancien **pavillon de la France** ★, a été conçu en aluminium par l'architecte Jean Faugeron. Les galeries supérieures offrent une vue imprenable sur le centre-ville et sur le fleuve Saint-Laurent. Le bâtiment à l'allure d'une pyramide tronquée que l'on voit immédiatement à l'ouest est l'ancien **pavillon du Québec** ★.

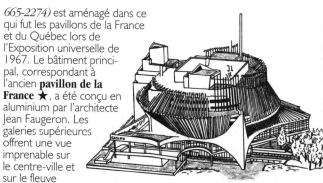

Casino de Montréal

Le visiteur trouvera au Casino de Montréal une gamme très variée de divertissements dans une atmosphère de fête: environ 15 000 personnes s'y rendent chaque jour. Ses 2 700 machines à sous et ses 107 tables de jeu en font l'un des 10 plus grands casinos au monde. L'établissement est aussi fréquenté pour ses bars et son cabaret, ainsi que pour ses cinq restaurants, parmi lesquels figure **Nuances** (voir p 341), classé parmi les meilleurs au Canada. Entrée réservée aux personnes de 18 ans et plus.

À proximité se trouve l'accès à la **plage de l'île Notre-Dame** *(7,50$; fin juin à fin août tlj 10h à 19h; ☎872-6120)*, qui donne l'occasion aux Montréalais de se prélasser sur une vraie plage de sable, même au milieu du

fleuve Saint-Laurent. Le système de filtration naturel permet de garder l'eau du petit lac intérieur propre, sans devoir employer d'additifs chimiques. Le nombre de baigneurs que la plage peut accueillir est cependant rigoureusement contrôlé afin de ne pas déstabiliser ce système.

D'autres équipements de sport et de loisir s'ajoutent à ceux déjà mentionnés, soit le **bassin d'aviron**, aménagé à l'occasion des Jeux olympiques de 1976, et le **circuit Gilles-Villeneuve** *(métro Jean-Drapeau et autobus 167)*, où l'on dispute chaque année le Grand Prix du Canada, course de formules 1 faisant partie du circuit mondial, ainsi que, depuis 2002, la série Champ Car en course automobile.

Pour retourner au centre-ville de Montréal, prenez le métro à la station Jean-Drapeau.

Circuit N: Le Village

Le quartier qui constitue le Village aujourd'hui, situé en marge du centre-ville, est né du prolongement du Vieux-Montréal vers l'est à la fin du XVIIIe siècle. D'abord connu sous le nom de «faubourg Québec», car il borde alors la route menant à Québec, il est rebaptisé «quartier Sainte-Marie» lorsqu'il s'industrialise, avant d'être surnommé «faubourg à M'lasse» vers 1880, époque où l'on décharge tous les jours, sur les quais du port tout proche, des centaines de tonneaux de mélasse odorante.

Au milieu des années 1960, les fonctionnaires accoleront au quartier le nom peu romantique de «Centre-Sud». C'était avant que la communauté homosexuelle ne le reprenne en main en 1980 et en fasse le Village gay. Malgré ses multiples noms, il demeure un lieu doté d'une âme profonde, marqué depuis toujours par la misère et la marginalité. Parfois laid et de mauvais goût, il est grouillant de vie et sait être attachant, pour peu que l'on s'y attarde.

Le Village se divise en trois lisières d'épaisseur variable du sud vers le nord: d'abord celle du port et des industries, presque infranchissable à pied depuis la construction de l'autoroute Ville-Marie (1974-

1977), celle de la Cité des Ondes (entre autres Radio-Canada), dont l'aménagement en 1970 a entraîné la destruction du tiers du quartier, et enfin celle de la rue Sainte-Catherine, où l'on retrouve une importante concentration de cafés, de discothèques et de bars.

De la station de métro Berri-UQAM, empruntez la rue Sainte-Catherine vers l'est.

La **Place Dupuis** *(en face de la place Émilie-Gamelin, métro Berri-UQAM)* a succédé en 1979 au grand magasin Dupuis Frères, pendant canadien-français des Eaton et Ogilvy, situés au centre-ville. La rue Sainte-Catherine aux environs de la rue Saint-Hubert était d'ailleurs considérée comme le noyau commercial des Canadiens français de Montréal jusqu'au milieu du XXe siècle.

Un peu plus loin à l'est se trouve l'ancien **magasin de mode Pilon** *(915 rue Ste-Catherine E.)*. Il est le doyen des bâtiments commerciaux du quartier, car sa structure proto-rationaliste à ossature de pierre remonte à 1878. La belle façade Art déco du n° 916 appartenait autrefois à la **Pharmacie Montréal** (1934), première institution du genre au Québec à livrer des médicaments à domicile et à être ouverte jour et nuit.

Les amateurs de culture industrielle et ouvrière ne manqueront pas de faire le détour qui

Attraits touristiques

conduit à l'**Écomusée du Fier Monde ★** (*6$; en été mer 11h à 20h, jeu-dim 10h30 à 17h; en hiver mer 11h à 20h, jeu-ven 9h30 à 16h sam-dim 10h30 à 17h; 2050 rue Amherst, métro Berri-UQAM,* ☎528-8444). Situé au nord de la rue Ontario, le musée est installé dans un ancien bain public, le Bain Généreux, construit en 1927 sur le modèle de la piscine de la Butte-aux-Cailles à Paris. On y présente, dans un cadre habilement recyclé, l'histoire sociale et économique du quartier Centre-Sud.

À l'est de la rue Amherst, on pénètre dans le Village gay de Montréal.

Le Village gay (*rue Ste-Catherine E., entre les rues Amherst et Papineau, métro Berri-UQAM, Beaudry ou Papineau*). Auparavant regroupés dans «l'Ouest», le long des rues Stanley et Drummond, les bars homosexuels n'avaient pas toujours la faveur des promoteurs immobiliers et des édiles municipaux qui les trouvaient trop voyants. Le harcèlement continuel et les «grands ménages» épisodiques ont amené les propriétaires de bars, alors locataires au centre-ville, à acheter des bâtiments peu coûteux dans le Centre-Sud afin d'exploiter leurs commerces à leur guise. C'est ainsi qu'est né le Village gay, une concentration d'établissements desservant une clientèle homosexuelle (saunas, bars, restaurants, boutiques de vêtements, hôtels). Loin d'être cachés ou mystérieux, plusieurs de ces

établissements s'ouvrent sur la rue et se prolongent à l'extérieur, en été, par des terrasses et des jardins.

Ouimetoscope (*1206 rue Ste-Catherine E., métro Beaudry*). Ernest Ouimet (1877-1973), cinéaste, distributeur et propriétaire de salle, fut le pionnier de l'industrie cinématographique montréalaise. En 1907, il fait construire le Ouimetoscope, première salle conçue et vouée exclusivement au cinéma dans tout le Canada. Le Ouimetoscope, relocalisé, modernisé puis fermé, n'est plus qu'un souvenir. Tout juste à l'est se trouve l'**ancien Théâtre National** (*1220 rue Ste-Catherine E.*), dont la jolie petite salle néo-Renaissance, inaugurée en 1900, est toujours intacte. Ce théâtre, autrefois spécialisé dans le burlesque et le vaudeville, a longtemps été dirigé par l'inénarrable Rose Ouellette, dite «La Poune», comme le mentionne une plaque apposée à l'entrée. Quelques autres théâtres anciens jalonnent la rue Sainte-Catherine Est jusqu'au pont Jacques-Cartier.

Tournez à droite dans la rue Beaudry puis à gauche dans le boulevard René-Lévesque Est.

La **Maison de Radio-Canada** (*1400 boul. René-Lévesque E., métro Beaudry*) est cette construction hors d'échelle, isolée au milieu de son stationnement, que l'on aperçoit au sortir de la

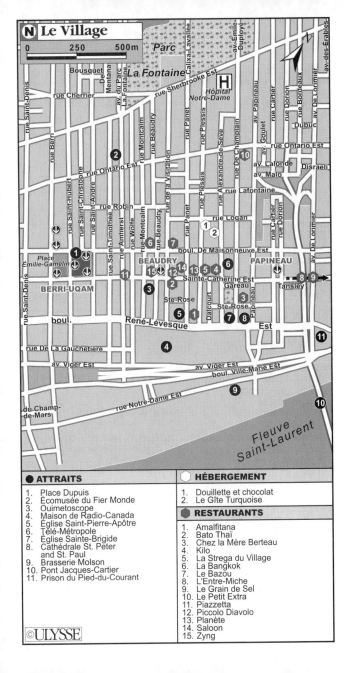

N Le Village

0   250   500m

Parc La Fontaine

ATTRAITS

1. Place Dupuis
2. Écomusée du Fier Monde
3. Ouimetoscope
4. Maison de Radio-Canada
5. Église Saint-Pierre-Apôtre
6. Télé-Métropole
7. Église Sainte-Brigide
8. Cathédrale St. Peter and St. Paul
9. Brasserie Molson
10. Pont Jacques-Cartier
11. Prison du Pied-du-Courant

HÉBERGEMENT

1. Douillette et chocolat
2. Le Gîte Turquoise

RESTAURANTS

1. Amalfitana
2. Bato Thaï
3. Chez la Mère Berteau
4. Kilo
5. La Strega du Village
6. La Bangkok
7. Le Bazou
8. L'Entre-Miche
9. Le Grain de Sel
10. Le Petit Extra
11. Piazzetta
12. Piccolo Diavolo
13. Planète
14. Saloon
15. Zyng

© ULYSSE

petite rue Beaudry. La Maison fut érigée entre 1970 et 1973 selon les plans de l'architecte scandinave Tore Bjornstad pour loger l'ensemble des services en français de Radio-Canada, la radio-télévision nationale ainsi que les services locaux de langue anglaise. Lors de son édification, la trame urbaine traditionnelle fut complètement effacée. Six cent soixante-dix-huit familles, soit près de 5 000 personnes, furent déplacées. Déjà, 20 ans plus tôt, on avait triplé la largeur du boulevard Dorchester (aujourd'hui René-Lévesque), isolant la partie sud du quartier de sa contrepartie nord.

L'**église Saint-Pierre-Apô-tre ★ ★** *(1323 boul. René-Lévesque E., métro Beaudry)* est intégrée à l'ensemble conventuel des pères oblats, installés à Montréal grâce aux bons soins de Mgr Ignace Bourget en 1848. Le bâtiment, terminé en 1853, est une œuvre majeure du style néogothique québécois et la première réalisation du prolifique architecte Victor Bourgeau dans ce style.

On y retrouve notamment des arcs-boutants, éléments de support extérieur des murs de la nef rarement employés à Montréal, alors que la flèche culmine à 70 m, une hauteur exceptionnelle à l'époque. L'intérieur, délicatement orné, recèle d'autres éléments inusités, tels ces piliers en pierre calcaire séparant le vaisseau principal des nefs latérales, dans un pays où la structure des

églises est généralement faite entièrement de bois. Certaines des verrières provenant de la Maison Champigneule de Bar-le-Duc, en France, attirent l'attention, entre autres le *saint Pierre* du chœur, haut de 9 m (1854).

Remontez la rue de la Visitation, puis tournez à droite dans la petite rue Sainte-Rose.

Chemin faisant, on longe le presbytère néoclassique de Saint-Pierre-Apôtre et les anciens bâtiments de la maîtrise Saint-Pierre, école et résidence des prêtres aujourd'hui transformées en centre de services communautaires. La jolie petite rue Sainte-Rose, bordée au nord par une série d'habitations ouvrières à toitures mansardées, a conservé son apparence ancienne. Plusieurs cadres et artistes travaillant à Radio-Canada, tout proche, ont restauré des maisons du quartier depuis 1975.

Tournez à gauche dans la rue Panet puis à droite dans la rue Sainte-Catherine.

On croise alors la petite **rue Dalcourt**, sorte de rue secondaire entre deux rues principales, basée sur le modèle des *meus* londoniennes. Elle est bordée de logements exigus, autrefois destinés aux ouvriers les plus pauvres. La rue Dalcourt fut réaménagée par la Ville de Montréal en 1982 dans le cadre de son programme «Place au Soleil».

Les bureaux du réseau **TVA** *(1425 rue Alexandre-de-Sève, angle De Maisonneuve E., métro Papineau)* occupent tout un quadrilatère du quartier. Fondé en 1961 par Alexandre de Sève sous le nom de Télé-Métropole, ce réseau de télévision privé a longtemps déclassé Radio-Canada dans les milieux ouvriers. Certains de ses studios occupent l'ancien théâtre Arcade et la pharmacie Gauvin de 1911, un bel édifice de quatre étages en terre cuite blanche vitrifiée. TVA forme avec Sonolab, Radio-Canada, Télé-Québec et Téléglobe une véritable «Cité des Ondes» dans l'est de Montréal.

Si vous faites un petit crochet hors du circuit, vous trouverez **Ceramica – Économusée de la céramique** *(2261 av. Papineau, local 103, ☎526-6919)*, qui crée de belles pièces exclusives, de grand format, entièrement réalisées à la main. Les céramistes sont ici passés maîtres dans l'art d'allier matière, précision et pureté. La boutique ravit les yeux.

Revenez où vous étiez et tournez à droite dans la rue Alexandre-de-Sève.

L'édifice de briques rouges, précédé d'un parc de quartier, sur la gauche, est l'**ancienne école Sainte-Brigide** *(1125 rue Alexandre-de-Sève, métro Papineau)*, ouverte par les frères des Écoles chrétiennes en 1895. Elle a été transformée en résidence pour les aînés en 1989.

La forte concentration d'ouvriers catholiques dans le faubourg à M'lasse à la fin du XIXᵉ siècle, conjuguée à la concurrence que se livraient encore l'évêché et les Messieurs de Saint-Sulpice à l'époque, justifiait la construction en 1878 d'une seconde église à quelques centaines de mètres seulement de l'église Saint-Pierre-Apôtre, décrite plus haut. L'**église Sainte-Brigide ★** *(1153 rue Alexandre-de-Sève, métro Papineau)*, de l'architecte Louis-Gustave Martin (Poitras et Martin), adopte le style néoroman, alors préconisé par les sulpiciens. L'intérieur du lieu de culte de cette paroisse, aujourd'hui moribonde, a peu changé depuis sa construction, laissant voir de beaux luminaires de la fin du XIXᵉ siècle ainsi qu'un encombrement de statues de plâtre défraîchies, témoignage éloquent de meilleures années.

Empruntez le boulevard René-Lévesque vers l'est.

La **cathédrale St. Peter and St. Paul ★** *(1151 rue De Champlain, métro Papineau)* est la cathédrale orthodoxe russe de Montréal. Elle occupe une ancienne église épiscopalienne érigée en 1853. Ceux qui se rendront à la messe du dimanche pourront voir le bel ensemble d'icônes et le trésor provenant de Russie, et écouter les chants envoûtants de la chorale.

La **Brasserie Molson** *(1650 rue Notre-Dame E.)* est visible de-

Attraits touristiques

puis le boulevard René-Lévesque Est. Ceux qui voudront s'y rendre devront être très prudents en traversant les artères passantes qui sillonnent le secteur. Le hall de la brasserie abrite des agrandissements de photos d'archives ainsi qu'une boutique de souvenirs. En face se trouve un monument en souvenir de l'*Accomodation*, premier navire à vapeur lancé sur le fleuve Saint-Laurent par la famille Molson en 1815.

En 1786, un Anglais du nom de John Molson (1763-1836) ouvre dans le faubourg Québec une brasserie qui portera son nom, et qui deviendra par la suite une des principales entreprises canadiennes. Cette brasserie, maintes fois reconstruite et agrandie, existe toujours en bordure du port. Quant à la famille Molson, elle demeure un des piliers de la haute bourgeoisie montréalaise, impliquée dans les banques (voir p 81), dans la construction ainsi que dans le transport ferroviaire et maritime.

Au début du XIXe siècle, on retrouvait, dans les environs de la brasserie, un quartier bourgeois, une église anglicane et une place de marché (avenue Papineau). Les derniers fragments de cette époque ont disparu lors de la construction de l'autoroute Ville-Marie (1974).

Poursuivez par le boulevard René-Lévesque vers l'est. Passez sous le pont Jacques-Cartier, puis tournez à droite dans l'avenue De Lorimier. Traversez à l'angle de l'avenue Viger pour rejoindre le siège social de la Société des alcools du Québec, installé dans l'ancienne prison de Montréal, mieux connue sous le nom de «prison du Pied-du-Courant».

Le **pont Jacques-Cartier** ★★ fut inauguré en 1930. Jusque-là, seul le pont Victoria, achevé en 1860, permettait d'atteindre la Rive-Sud sans avoir à emprunter un bac. Le pont Jacques-Cartier permettait en outre de relier directement le parc de l'île Sainte-Hélène aux quartiers centraux de Montréal. Sa construction fut un véritable casse-tête, les élus ne s'entendant pas sur un tracé qui éviterait les démolitions massives. Il fut finalement décidé de le doter d'une courbure (qu'on a récemment adoucie grâce à de gros travaux sur le tablier du pont) dans son approche montréalaise, ce qui le fit surnommer le «pont croche». Aujourd'hui on peut traverser le pont Jacques-Cartier aussi bien à pied (large trottoir et belvédère central) et à vélo (piste cyclable partagée avec les piétons) qu'en voiture, comme le font des milliers d'automobilistes qui se rendent au travail chaque jour.

La **prison du Pied-du-Courant** ★★ *(2125 place des Patriotes, métro Papineau)* est appelée ainsi parce qu'elle est située en face du fleuve, au pied du courant Sainte-Marie, qui offrait autrefois une certaine résistance aux navires entrant dans le port. Elle consiste en un long bâtiment néoclassique en pierre de taille, précédé d'un porche de même matériau et construit entre 1830 et 1836 selon les plans de l'architecte britannique George Blaiklock. Il s'agit du plus ancien bâtiment public subsistant à Montréal.

Une maison pour le directeur de la prison est venue s'ajouter à l'angle de l'avenue de Lorimier en 1894. Les derniers détenus ont quitté la prison du Pied-du-Courant en 1912. Elle devient en 1921 le siège de la Commission des Liqueurs, future Société des alcools du Québec. Au fil des ans, des annexes et des entrepôts vinrent se greffer à la vieille prison oubliée. Cependant, entre 1986 et 1990, le gouvernement du Québec a procédé à la démolition des ajouts et a restauré la prison, ravivant le souvenir des événements tragiques qui y ont pris place peu après son inauguration.

C'est en effet en ces murs qu'ont été exécutés 12 des Patriotes ayant pris part à la rébellion armée de 1837-1838 qui recherchait l'émancipation du Québec; parmi eux, le chevalier de Lorimier a laissé son nom à l'avenue voisine. Cinq cents autres y ont été emprisonnés, avant d'être déportés vers les colonies pénitenciaires de l'Australie et de la Tasmanie, dans le Pacifique Sud. Un beau **monument aux Patriotes**, œuvre d'Alfred Laliberté, se dresse sur les terrains de l'ancienne prison. La résidence néogothique du gouverneur de la prison abrite maintenant les salles de réception de la SAQ.

Situé au sous-sol de l'édifice du Pied-du-Courant, le nouveau **Centre d'exposition de la Prison-des-Patriotes** *(entrée libre; mar-ven 13h à 17h, sam-dim 10h à 17h; 903 av. De Lorimier, métro Papineau)*, réalisation de la SAQ, est géré par la Maison nationale des Patriotes et le Musée de Saint-Eustache et de ses Patriotes. On y présente une exposition thématique sur les rébellions de 1837 et 1838. L'exposition compte sept volets: l'introduction, l'économie, l'identitaire, le politique, Avant les armes, Aux armes! et l'épilogue.

Pour revenir à la rue Sainte-Catherine, empruntez l'avenue De Lorimier vers le nord, puis tournez à gauche en direction de la station de métro Papineau.

★★★

Circuit O: Maisonneuve

En 1883, la ville de Maisonneuve voit le jour dans l'est de Montréal à l'initiative de fermiers et de marchands canadiens-français. Dès 1889, les installations du port de Montréal la rejoignent, facilitant ainsi son développement. Puis, en 1918, cette ville autonome est annexée à Montréal, devenant de la sorte un de ses principaux quartiers ouvriers, francophone à 90%. Au cours de

Attraits touristiques

son histoire, Maisonneuve a été profondément marquée par des hommes aux grandes idées, qui ont voulu faire de ce coin de pays un lieu d'épanouissement collectif. Les frères Marius et Oscar Dufresne, à leur arrivée au pouvoir à la mairie de Maisonneuve en 1910, institueront une politique de démesure en faisant ériger de prestigieux édifices publics de style Beaux-Arts destinés à faire de «leur» ville un modèle de développement pour le Québec français. Puis, le frère Marie-Victorin y fonde en 1931 le Jardin botanique de Montréal, aujourd'hui le second en importance au monde. Enfin, en 1971, le maire Jean Drapeau inaugure dans Maisonneuve les travaux de l'immense complexe sportif qui accueillera les Jeux olympiques de Montréal en 1976.

Visites guidées de l'Atelier d'histoire Hochelaga-Maisonneuve *(départ de la Place du marché Maisonneuve, ☎256-4636, www.tourismemaisonneuve.qc.ca)*. Les circuits thématiques sur lesquels vous accompagnent les guides de l'Atelier d'histoire Hochelaga-Maisonneuve ont déjà séduit plus d'un visiteur.

De la station de métro Pie-IX, montez la côte qui mène à l'angle de la rue Sherbrooke Est. Le circuit commence au Jardin botanique.

Jardin botanique, **Maison de l'Arbre** et **Insectarium de Montréal** ★★★ *(10,50$ entrée serres et Insectarium, basse saison 7$, billet combiné avec le Biodôme et la Tour de Montréal 25$ valide pour 2 jours; sept à mai tlj 9h à 17h, jusqu'à 21h oct à début nov; mai à sept tlj 9h à 19h; 4101 rue Sherbrooke E., métro Pie-IX, ☎872-1400)*. D'une superficie de 73 ha, le Jardin botanique de Montréal a été entrepris pendant la crise des années 1930 sur le site du Mont-de-La-Salle, la maison mère des frères des Écoles chrétiennes, grâce à une initiative du frère Marie-Victorin, célèbre botaniste québécois. Derrière le pavillon Art déco de l'École de biologie de l'Université de Montréal s'étirent les 10 serres d'exposition ouvertes tout au long de l'année et reliées les unes aux autres, où l'on peut notamment voir une précieuse collection d'orchidées ainsi que le plus important regroupement de bonsaïs et de *penjings* hors d'Asie, dont fait partie la fameuse collection «Wu», donnée au jardin par le maître Wu Yee-Sun de Hong-Kong en 1984.

Trente jardins thématiques extérieurs, ouverts du printemps à l'automne, conçus pour instruire et émerveiller le visiteur, s'étendent au nord et à l'ouest des serres. Parmi ceux-ci, il faut souligner une belle roseraie, le Jardin japonais et son pavillon de thé de style *sukiya*, ainsi que le très beau Jardin de Chine du Lac de rêve, dont les pavillons ont été réalisés par des artisans venus exprès de Chine. Montréal étant jumelée entre autres villes à Shanghai, on a voulu en

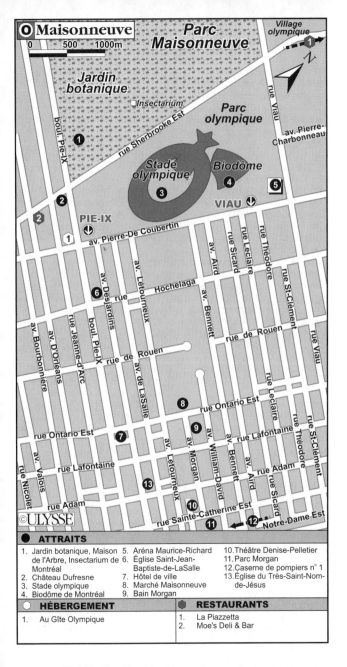

O Maisonneuve

0 500 1000m

Village olympique

Parc Maisonneuve

Jardin botanique

Insectarium

Parc olympique

av. Pierre-Charbonneau

rue Viau

boul. Pie-IX

rue Sherbrooke Est

Stade olympique

Biodôme

VIAU

PIE-IX

av. Pierre-De Coubertin

av. Sicard

rue Leclaire

rue Théodore

rue St-Clément

av. Desjardins

rue Hochelaga

av. Létourneux

boul. Pie-IX

av. Bennett

av. Aird

rue de Rouen

rue Viau

av. Bourbonnière

av. D'Orléans

rue Jeanne-d'Arc

rue de Rouen

av. de LaSalle

rue Ontario Est

rue Leclaire

rue Ontario Est

av. Létourneux

av. Morgan

av. William-David

av. Bennett

rue Lafontaine

rue Théodore

rue St-Clément

av. Valois

rue Lafontaine

av. Aird

rue Adam

av. Sicard

rue Nicolet

rue Adam

rue Sainte-Catherine Est

av. Létourneux

Notre-Dame Est

© ULYSSE

● ATTRAITS

1. Jardin botanique, Maison de l'Arbre, Insectarium de Montréal
2. Château Dufresne
3. Stade olympique
4. Biodôme de Montréal
5. Aréna Maurice-Richard
6. Église Saint-Jean-Baptiste-de-LaSalle
7. Hôtel de ville
8. Marché Maisonneuve
9. Bain Morgan
10. Théâtre Denise-Pelletier
11. Parc Morgan
12. Caserne de pompiers n° 1
13. Église du Très-Saint-Nom-de-Jésus

○ HÉBERGEMENT

1. Au Gîte Olympique

● RESTAURANTS

1. La Piazzetta
2. Moe's Deli & Bar

faire le plus vaste jardin du genre hors d'Asie. Le soir, à la fin de l'été, le Jardin de Chine se pare de centaines de lanternes chinoises qui créent une merveilleuse féerie de lumière et de fleurs.

Il faut aussi voir le Jardin des Premières-Nations, inauguré en 2001. Il est l'aboutissement des efforts de plusieurs intervenants, autochtones ou non, dont le frère Marie-Victorin lui-même, qui avait pensé intégrer au Jardin botanique un jardin de plantes médicinales utilisées par les Amérindiens. Sa réalisation permet au non-initié de se familiariser avec le monde autochtone, particulièrement en regard de leur relation au monde végétal. On y apprendra, par exemple, les multiples utilisations que les Hurons-Wendats et les Mohawks faisaient du maïs. Les 11 premières nations du Québec sont représentées dans leur zone d'habitat naturel, soit la forêt feuillue, la forêt de conifères et le territoire nordique. Un pavillon d'exposition complète la visite.

Un arboretum occupe la partie nord du Jardin botanique. C'est dans ce secteur qu'a été érigée la **Maison de l'Arbre**, véritable outil de vulgarisation permettant de mieux comprendre la vie d'un arbre. L'exposition permanente interactive que l'on y présente reprend d'ailleurs la forme d'une moitié de tronc d'arbre. Les modules y sont faits de bouleau jaune, arbre emblématique du Québec. La

structure du bâtiment, formé d'un assemblage de poutres provenant de différentes essences, veut rappeler une forêt de feuillus. On remarquera plus particulièrement les jeux d'ombre et de lumière de la charpente sur le grand mur blanc qui suggère des troncs et des branches. À l'arrière, une terrasse permet de contempler l'étang de l'arboretum et donne accès à un charmant petit jardin de bonsaïs. On peut se rendre à la Maison de l'Arbre en montant à bord de *la Balade*, navette qui fait régulièrement le tour du Jardin botanique, ou encore y accéder directement par l'entrée nord du Jardin située le long du boulevard Rosemont.

L'**Insectarium de Montréal** (☎872-1400) est situé à l'est des serres. D'un type nouveau, ce musée vivant invite les visiteurs à découvrir le monde fascinant des insectes, à l'aide de courts films, de jeux interactifs et d'une surprenante collection d'insectes. Surveillez les diverses activités organisées tout au long de l'année: vous pourriez y faire une dégustation d'insectes comestibles...

Retournez au boulevard Pie-IX. Du côté ouest, tout juste au sud de la rue Sherbrooke Est, se dresse le Château Dufresne.

Le **Château Dufresne** ★ ★ *(6$; lun-mer 9h à 17h, jeu-dim 10h à 17h; 2929 rue Jeanne-d'Arc, métro Pie-IX, ☎259-9201)* est constitué en réalité de deux résidences bourgeoises jume lées de 22 pièces chacune, érigées derrière une façade unique. Le château fut réalisé en 1916 pour les frères Marius et Oscar Dufresne, fabricants de chaussures et promoteurs d'un projet d'aménagement grandiose pour Maisonneuve, auquel la Première Guerre mondiale allait mettre un terme, engendrant la faillite de la municipalité. Leur demeure, œuvre conjointe de Marius Dufresne et de l'architecte parisien Jules Renard, devait former le noyau d'un quartier résidentiel bourgeois qui n'a jamais vu le jour. Elle est un des meilleurs exemples d'architecture Beaux-Arts à Montréal. Ancien Musée des arts décoratifs de Montréal, relocalisé au Musée des beaux-arts de Montréal, le Château Dufresne, bâtiment historique classé, décoré par Guido Nincheri, propose des visites des salles avec leur collection de meubles tout en faisant revivre l'histoire de ses occupants, de même que des expositions temporaires sur les arts visuels ou le patrimoine.

Redescendez la côte du boulevard Pie-IX, puis tournez à gauche dans l'avenue Pierre-De Coubertin.

Jean Drapeau fut maire de Montréal de 1954 à 1957 puis de 1960 à 1986. Il rêvait de grandes choses pour «sa» ville. D'un pouvoir de persuasion peu commun et d'une détermination à toute épreuve, il mena à bien plusieurs projets importants, notamment la construction du métro et de la Place des Arts, ainsi que la venue à Montréal de l'Exposition universelle de 1967 et, bien sûr, des Jeux olympiques d'été de 1976. Mais, pour cet événement international, il fallait doter la ville d'équipements à la hauteur.

Qu'à cela ne tienne, on irait chercher un visionnaire parisien qui dessinerait du jamais vu. Un milliard de dollars plus tard, l'œuvre maîtresse de l'architecte Roger Taillibert, également auteur du stade du Parc des Princes, à Paris, étonne par la courbure de ses formes organiques en béton.

Le **Stade olympique** ★ ★ ★ *(5,50$, 12,50$ visite guidée et funiculaire; visites guidées à 11h et 14h; 4141 av. Pierre-De Coubertin, métro Pie-IX, ☎252-4737 ou 877-997-0919)*, de forme ovale, dispose de

Stade olympique

Attraits touristiques

56 000 places, et sa tour penchée fait 190 m de hauteur. Au loin, on aperçoit les deux tours de forme pyramidale du Village olympique, qui ont logé les athlètes en 1976. Le Stade olympique accueille, chaque année, différents événements. D'avril à septembre, l'équipe de baseball Les Expos y dispute ses matchs à domicile.

La tour du stade, la plus haute tour penchée du monde, a été rebaptisée la **Tour de Montréal**. Un funiculaire *(10$; tlj 9h à 17h)* grimpe à l'assaut de la structure, permettant de rejoindre l'observatoire d'où les visiteurs peuvent contempler l'ensemble de l'Est montréalais. Au second niveau de l'observatoire sont présentées des expositions diverses. On y trouve aussi une aire de détente, le Salon Montréal. Le pied de la tour abrite les piscines du Complexe olympique, alors qu'à l'arrière se profile un gros cinéma multisalles.

L'ancien vélodrome, situé à proximité, a été transformé en un milieu de vie artificiel pour les plantes et les animaux, appelé le **Biodôme de Montréal ★ ★ ★** *(10,50$; tlj 9h à 17h, jusqu'à 18h en été; 4777 av. Pierre-De Coubertin, métro Viau, ☎868-3000)*. Ce musée, rattaché au Jardin botanique, présente sur 10 000 m² quatre écosystèmes fort différents les uns des autres: la forêt tropicale, la forêt laurentienne, le Saint-Laurent marin et le monde polaire. Ce sont des microcosmes complets, comprenant végétation, mammifères et oiseaux en liberté, ainsi que conditions climatiques réelles.

Quant à l'**Aréna Maurice-Richard** *(2800 rue Viau, métro Viau, ☎872-6666)*, il précède de 20 ans le Parc olympique, auquel il est maintenant rattaché. Sa patinoire est la seule, dans tout l'est du Canada, à respecter les normes internationales en matière de superficie. Elle sert à l'entraînement de l'Équipe olympique canadienne de patinage de vitesse ainsi qu'à celui de plusieurs champions de patinage artistique. Depuis 1998, on peut admirer, devant l'entrée de l'aréna, une statue représentant Maurice Richard. Haute de 2,5 m, sortie de la fonderie d'art de l'Atelier du Bronze d'Inverness, elle est l'œuvre des sculpteurs Annick Bourgeau et Jules Lasalle.

Le hockey sur glace occupe une place bien particulière dans le cœur des Québécois. Plusieurs d'entre eux considèrent Maurice «Rocket» Richard (1921-2000) comme le plus grand hockeyeur de tous les temps. Un petit musée, l'**Univers Maurice «Rocket» Richard** *(entrée libre; mar-dim 12h à 18h; 2800 rue Viau, métro Viau, ☎251-9930)* lui est consacré en marge du Complexe olympique. Situé à l'intérieur de l'aréna qui porte son nom, le musée expose l'équipement sportif, les trophées et autres objets significatifs ayant appartenu à ce héros montréalais qui a joué pour le club de hockey Le Canadien de 1942 à 1960. On trouve aussi au musée une boutique de souvenirs liés au hockey.

Revenez au boulevard Pie-IX et empruntez-le vers le sud.

L'**église Saint-Jean-Baptiste-de-LaSalle** *(angle rue Hochelaga et boul. Pie-IX, métro Pie-IX)* a été construite en 1964 à l'occasion du renouveau liturgique de Vatican II. Dans un effort visant à conserver ses ouailles, le clergé catholique a chambardé les règles du culte, introduisant une architecture audacieuse qui n'atteint pas toujours son objectif. Ainsi, sous cette mitre d'évêque évocatrice, se cache un intérieur déprimant en béton brut qui donne l'impression de s'abattre sur l'assistance.

Poursuivez vers le sud par le boulevard Pie-IX, puis tournez à gauche dans la rue Ontario.

Le coup d'envoi de la politique de grandeur de l'administration Dufresne fut donné en 1911 par la construction de l'**hôtel de ville ★** *(4120 rue Ontario E.)* selon les plans de l'architecte Cajetan Dufort. De 1926 à 1967, on y trouvait l'Institut du Radium, spécialisé dans la recherche sur le cancer. Depuis 1981, l'édifice abrite la maison de la culture Maisonneuve, l'un des centres culturels de quartier de la Ville de Montréal. À l'étage, un dessin «à vol d'oiseau» de Maisonneuve vers 1915 laisse voir les bâtiments

prestigieux réalisés ainsi que ceux qui sont demeurés sur papier.

Le **marché Maisonneuve ★** *(4445 rue Ontario E., ☎937-7754)* est un des agréables marchés publics de Montréal. Depuis 1995, il loge dans un bâtiment relativement récent si on le compare avec celui, voisin, qui l'abritait autrefois. Ce dernier s'inscrit dans un concept d'aménagement urbain hérité des enseignements de l'École des beaux-arts de Paris, appelé «Mouvement City Beautiful» en Amérique du Nord. Il s'agit d'un mélange de perspectives classiques, de parcs de verdure et d'équipements civiques et sanitaires. Érigé dans l'axe de l'avenue Morgan en 1914, l'ancien marché Maisonneuve, de Cajetan Dufort, est la réalisation la plus ambitieuse initiée par Dufresne. On trouve, au centre de la **place du Marché**, une œuvre importante du sculpteur Alfred Laliberté intitulée *La fermière*.

Empruntez l'avenue Morgan.

Malgré sa petite taille, le **Bain Morgan ★** *(1875 av. Morgan)* en impose par ses éléments Beaux-Arts: escalier monumental, colonnes jumelées, balustrade de couronnement et sculptures pâteuses du Français Maurice Dubert. À cela, il faut ajouter un autre bronze d'Alfred Laliberté intitulé *Les petits baigneurs*. À l'origine, les bains publics servaient non seulement à la détente et aux plaisirs de la baignade, mais

Attraits touristiques

aussi à se laver, dans ces quartiers ouvriers où les maisons n'avaient pas toutes de salle de bain.

L'ancien cinéma Granada a été reconverti en salle de théâtre en 1977. Il porte dorénavant le nom de **Théâtre Denise-Pelletier** *(4353 rue Ste-Catherine E.)* afin d'honorer l'une des grandes comédiennes de la Révolution tranquille morte prématurément. La façade de terre cuite arbore un décor de la Renaissance italienne. L'intérieur d'origine (1928), réalisé par Emmanuel Briffa, et en partie conservé, est de type «atmosphérique». Au-dessus de la colonnade d'un palais mythique faisant le tour de la salle, une voûte noire était autrefois piquée de milliers d'étoiles, ce qui donnait l'impression au public d'assister à une représentation en plein air. Un projecteur créait des effets de nuages mouvants et même d'avions volant dans la nuit. Le Théâtre Denise-Pelletier comporte également la **Salle Fred-Barry**.

Le **parc Morgan** *(à l'extrémité sud de l'avenue Morgan)* a été aménagé en 1933 à l'emplacement de la maison de campagne de Henry Morgan, propriétaire des magasins du même nom. Du chalet, au centre, on peut contempler une étrange perspective où le marché Maisonneuve se superpose à l'énorme silhouette du Stade olympique.

Empruntez la rue Sainte-Catherine Est vers l'ouest jusqu'à l'avenue Létourneux. Tournez à gauche.

Maisonneuve pouvait s'enorgueillir de posséder deux casernes de pompiers, dont une tout à fait originale et réalisée selon les dessins de Marius Dufresne en 1914. Celui-ci, en plus de sa formation d'ingénieur et d'homme d'affaires, s'intéressait beaucoup à l'architecture. Fort impressionné par l'œuvre de Frank Lloyd Wright, il a conçu la **caserne de pompiers n° 1** ★ *(côté sud de la rue Notre-Dame)* telle une variante de l'Unity Temple d'Oak Park, en banlieue de Chicago (1906). L'édifice compte donc parmi les premières réalisations de l'architecture moderne au Canada.

Tournez à droite dans l'avenue Desjardins. Le sol instable dans cette partie de la ville laisse voir des maisons aux inclinaisons inquiétantes.

Derrière la façade néoromane quelque peu terne de l'**église du Très-Saint-Nom-de-Jésus** ★ *(angle rue Adam et avenue Desjardins)*, datée de 1906, s'élabore un riche décor polychrome auquel a contribué l'artiste d'origine italienne Guido Nincheri, dont l'atelier était situé dans Maisonneuve. On remarquera les grandes orgues des frères Casavant, réparties entre le jubé arrière et le chœur de l'église, ce qui est tout à fait inhabituel pour un temple catholique. Des tiges de métal retiennent la voûte de cette structure soumise aux mêmes caprices du sol que les maisons avoisinantes.

Circuit P: La Petite-Bourgogne et Saint-Henri

La Petite-Bourgogne et Saint-Henri, ces deux quartiers ouvriers de Montréal, constituaient autrefois autant de municipalités autonomes. La ville de Saint-Henri-des-Tanneries et La Petite-Bourgogne, alors connue officiellement sous le nom de Ville de Sainte-Cunégonde, furent cependant toutes deux annexées à Montréal en 1905. Saint-Henri fut fondée à la fin du XVIIIe siècle autour de la tannerie de la famille Rolland, aujourd'hui disparue (elle était située à l'angle du chemin Glen et de la rue Saint-Antoine).

À la suite de l'ouverture du canal de Lachine en 1825, la petite ville connut une croissance importante, les industries s'agglutinant dans sa partie sud, aux abords du canal. La prospérité de La Petite-Bourgogne fut également assurée par les industries du canal de Lachine, mais aussi par le transport ferroviaire, car elle était traversée par une série de voies ferrées aboutissant à la gare Bonaventure de la rue Peel (détruite en 1952). Les voies, démantelées au cours des années 1970, ont

fait place à des logements dont l'allure banlieusarde ne cadre pas du tout avec le reste du quartier.

De la station de métro Georges-Vanier, dirigez-vous vers le boulevard du même nom. Ils honorent tous deux la mémoire du général Georges-Philias Vanier (1888-1967), gouverneur général du Canada de 1959 à 1967. Son fils Jean a fondé à Trosly-Breuil, dans le nord de la France, L'Arche, communauté venant en aide aux handicapés mentaux. Tournez à droite dans la petite rue Coursol.

La **rue Coursol** est bordée de coquettes maisons unifamiliales en rangée, construites vers 1875 pour les contremaîtres et les ouvriers spécialisés des usines de Sainte-Cunégonde. Les demeures Second Empire en pierre de la rue Saint-Antoine Ouest, plus au nord, étaient, quant à elles, habitées par les notables et les commerçants de la ville. Sainte-Cunégonde étant située à proximité des gares du centre-ville (Bonaventure et Windsor), plusieurs des maisons de ces deux artères sont par la suite devenues des pensions pour les employés des chemins de fer travaillant sur les trains (serveurs, manutentionnaires, cuisiniers, etc.).

Avant 1960, la plupart de ces employés étaient des Noirs. **La Petite-Bourgogne** a donc été identifiée à cette communauté dès la fin du XIXe siècle, bien que celle-ci n'ait jamais formé la

Attraits touristiques

majorité de la population du quartier. Plusieurs de ces immigrants, arrivés des États-Unis au cours des années 1880-1890 en espérant un meilleur sort, ont largement contribué à l'histoire de la musique à Montréal. La Petite-Bourgogne est en effet le lieu de naissance du célèbre pianiste de jazz Oscar Peterson et d'un cabaret fameux, le Rockhead's Paradise, ouvert en 1928 à l'angle des rues Saint-Antoine et de la Montagne, où Louis Armstrong et Cab Calloway ont joué et chanté régulièrement (fermé depuis 1984).

Tournez à gauche dans la rue Vinet.

À l'angle des rues Vinet et Coursol se trouve l'ancienne **église St. Jude** *(2390 rue Coursol)*, aujourd'hui devenue The Bible-Way Pentecostal Church (1876, Goodwin et Mann, architectes).

L'**église Sainte-Cunégonde** ★ *(2641 rue St-Jacques)*, à l'angle de la rue Saint-Jacques, est un vaste temple catholique de style Beaux-Arts dessiné par l'architecte Jean-Omer Marchand en 1906. L'édifice, dont on remarquera l'étonnant chevet arrondi, comporte une ingénieuse toiture à armature d'acier d'une seule portée permettant de dégager le vaste intérieur, complètement libre de colonnes et de piliers. Celui-ci, orné de belles boiseries et de toiles marouflées très colorées, mises en valeur par l'éclairage naturel provenant des larges ouvertu-

res, a été endommagé lors de la fermeture de l'église en 1971. Celle-ci devait alors être démolie. Elle fut heureusement sauvée in extremis et sert notamment, de nos jours, au culte catholique traditionnel en latin.

Poursuivez par la rue Vinet jusqu'à la rue Notre-Dame Ouest.

L'**ancien hôtel de ville de Sainte-Cunégonde** *(en face du parc Vinet)*, érigé à la fin du XIXe siècle, servait également de bureau de poste, de caserne de pompiers et de poste de police. Le célèbre homme fort Louis Cyr (on peut voir sa statue à l'angle des rues Saint-Jacques et De Courcelle) a été membre de la force constabulaire de la municipalité pendant quelques années.

Tournez à droite dans la rue Notre-Dame Ouest.

Toute la section de la **rue Notre-Dame** comprise entre les rues Guy, à l'est, et Atwater, à l'ouest, est surnommée «la rue des antiquaires» en raison de la présence de plusieurs commerces qui font dans la brocante et, dans certains cas, dans les antiquités locales (surtout des meubles victoriens et Art déco). Ces boutiques aux mille trouvailles occupent de beaux bâtiments commerciaux du XIXe siècle, tous situés sur le flanc sud de la rue. Derrière s'étalent les usines vétustes bordant le canal de Lachine. Certaines d'entre elles ont été transformées en complexes d'habitation au cours des années 1980. Au 2490 de la

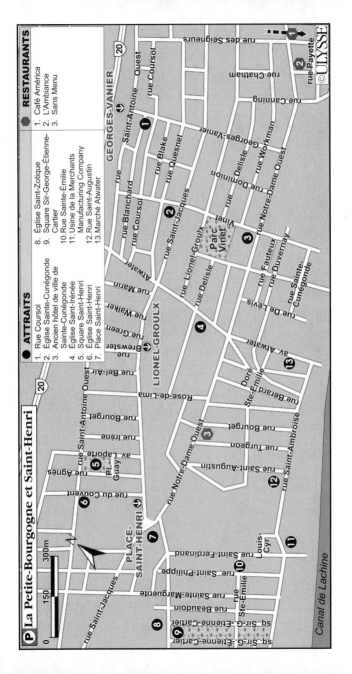

P La Petite-Bourgogne et Saint-Henri

● ATTRAITS

1. Rue Coursol
2. Église Sainte-Cunégonde
3. Ancien hôtel de ville de Sainte-Cunégonde
4. Église Saint-Irénée
5. Square Saint-Henri
6. Église Saint-Henri
7. Place Saint-Henri
8. Église Saint-Zotique
9. Square Sir-George-Étienne-Cartier
10. Rue Sainte-Émilie
11. Usine de la Merchants Manufacturing Company
12. Rue Saint-Augustin
13. Marché Atwater

● RESTAURANTS

1. Café América
2. L'Ambiance
3. Sans Menu

© ULYSSE

Canal de Lachine

rue Notre-Dame Ouest, on peut voir la façade de l'ancien cinéma Corona de 1912, reconverti en salle de spectacle: le **Théâtre Corona**.

Tournez à droite dans l'avenue Atwater.

L'**église Saint-Irénée** *(3030 rue Delisle)* est une de ces églises dont les clochers de cuivre verdi percent le profil bas des quartiers ouvriers de Montréal. Elle fut construite en 1912 avec une partie des murs de l'église de 1904, incendiée en 1911. Son intérieur étriqué est l'œuvre des architectes Mac-Duff et Lemieux. On remarquera tout particulièrement les courbures exagérées des arcs et les motifs très «Belle Époque» employés dans la décoration.

Du côté ouest de l'avenue Atwater débute **Saint-Henri**. La romancière canadienne Gabrielle Roy a merveilleusement décrit ce quartier et sa vie quotidienne dans son roman ***Bonheur d'occasion*** (1945).

Empruntez la rue Delisle vers l'ouest. Sur l'angle, on aperçoit l'Union United Church de 1899. Tournez à droite dans la rue Rose-de-Lima, à gauche dans la rue Saint-Jacques et enfin à droite dans l'avenue Laporte.

Tout comme à Sainte-Cunégonde, le quartier des notables de Saint-Henri est situé en bordure de la rue Saint-Antoine. Le beau **square Saint-Henri** ★ *(entre av. Laporte,*

place Guay, rue Agnès et rue St-Antoine), orné d'une fontaine en fonte surmontée d'une copie de la statue de Jacques Cartier (1896) qui se trouve à l'intérieur de la station de métro Saint-Henri, a servi de pôle d'attraction pour les nantis de la ville. Le maire Eugène Guay, responsable de ces aménagements, s'est d'ailleurs fait construire en 1902 une demeure au 846 de la rue Agnès, en face du square. Elle a été reconvertie en un agréable gîte touristique.

Tournez à gauche dans la rue Saint-Antoine puis encore à gauche dans la rue du Couvent.

Lorsque la vénérable église Saint-Henri de la place du même nom a été démolie en 1969, la paroisse catholique canadienne-française de Saint-Henri a été relocalisée dans une petite église, l'**église Saint-Henri**, rue du Couvent, qui abritait à l'origine la communauté catholique anglaise St. Thomas Aquinas. L'édifice de 1923 est une réalisation néobaroque italianisante de l'architecte Joseph-Albert Karch. Remarquez les beaux vitraux à l'intérieur.

Poursuivez vers le sud par la rue du Couvent, puis tournez à droite dans la rue Saint-Jacques, pour rejoindre la place Saint-Henri, qui gravite autour de la station de métro du même nom.

La **place Saint-Henri**, autrefois exceptionnelle, a été transformée au point d'être méconnaissable. Dans un effort effréné de modernisation, le collège, l'école, le couvent et l'église, dont la façade néo-Renaissance faisait front sur le flanc nord de la place, ont été rasés en 1969-1970 pour être remplacés par l'école polyvalente et la piscine publique, dont on aperçoit le mur de briques aveugle. L'ensemble tourne le dos à la place, qui s'était formée naturellement au croisement de la voie ferrée (la gare était située à proximité), de la rue Saint-Jacques et de la rue Notre-Dame, qui constituait à la fin du XVIIIe siècle la principale route vers l'ouest de l'île de Montréal.

Seuls quelques bâtiments ont survécu à la vague de changements des années 1960, entre autres la **caserne de pompiers** Art déco de 1931, érigée à l'emplacement de l'ancien hôtel de ville de Saint-Henri, la **caisse populaire** *(4038 rue St-Jacques O.)*, installée dans l'ancien bureau de poste, et la **Banque Laurentienne** *(4080 rue St-Jacques O.)*. Ce dernier édifice appartenait auparavant à la Banque d'Épargne de la Cité et du District de Montréal, dont les succursales bancaires à travers Montréal présentent une qualité architecturale qui mérite d'être soulignée.

Un crochet par le petit **Musée des ondes Émile Berliner** *(3$; ven-dim 14h à 17h; 1050 rue Lacasse, ☎932-9663, métro Place Saint-Henri)* vous permettra d'en savoir plus sur les inventions audiovisuelles mondiales. La mission du Musée des ondes Émile Berliner est de préserver et faire connaître le patrimoine de l'industrie du son. L'exposition présente entre autres objets des téléviseurs ainsi qu'une variété d'appareils radio des années 1920 à 1970.

Revenez à la place Saint-Henri et traversez-la pour rejoindre la rue Notre-Dame Ouest. Tournez à droite dans cette rue et suivez-la jusqu'à l'église Saint-Zotique.

L'**église Saint-Zotique** *(4565 rue Notre-Dame O.)* a été érigée par étapes, entre 1910 et 1927, pour la paroisse la plus pauvre de Saint-Henri. C'est pourquoi l'église est revêtue de brique, matériau moins coûteux que la pierre. Ses clochers néobaroques sont posés sur une structure qui n'est pas sans rappeler les bâtiments industriels du canal de Lachine, tout proche. La caisse populaire voisine fait penser à un vaisseau spatial venu du futur.

Le **square Sir-George-Étienne-Cartier ★** *(rue Notre-Dame O., en face de l'église Saint-Zotique)* honore la mémoire de l'un des pères de la Confédération canadienne. Il fait partie des améliorations sanitaires consenties par Montréal, qui avait fort mauvaise réputation en la matière comme on le verra plus loin. L'espace vert, entouré de triplex montréalais, a remplacé en 1912 les abattoirs de Saint-Henri, desquels se dégageait une odeur putride qui avait envahi tout le secteur. On notera la présence d'une jolie

Attraits touristiques

fontaine en fonte au milieu du square.

Traversez le square et empruntez la rue Sainte-Émilie vers l'est.

La **rue Sainte-Émilie** est bordée de maisons ouvrières typiques du XIXe siècle. Saint-Henri, tout comme Sainte-Cunégonde et Pointe-Saint-Charles, correspond à la basse ville de Montréal. Avant 1910, celle-ci comptait parmi les zones les plus pauvres en Amérique du Nord. La mortalité infantile y était quatre fois plus élevée qu'ailleurs sur le continent. Les ouvriers vivaient dans la misère, enveloppés par la pollution. Ils étaient à la merci des conflagrations majeures et des maladies infectieuses.

En 1897, le réformiste municipal Herbert Browne Ames publie *The City Below the Hill* (que l'on pourrait traduire littéralement par «La ville au bas de la colline»), ouvrage qui fera date dans l'histoire des mouvements d'embellissement urbain et qui révélera à la face du monde la décrépitude des quartiers ouvriers montréalais de l'époque. De nos jours, les programmes de rénovation et d'aide sociale ont remis de l'ordre dans les rues du quartier, mais l'avenir de Saint-Henri n'est pas assuré pour autant, sa structure industrielle vieillissante ayant provoqué la fermeture de plusieurs des usines qui faisaient vivre ses familles. Comme pour exagérer le contraste entre la haute et la basse ville, la colline de Westmount, entourée de grandes demeures luxueuses noyées dans la verdure, est visible dans l'axe nord de la plupart des artères qui croisent la rue Sainte-Émilie.

Tournez à droite dans la rue Saint-Ferdinand puis à gauche dans la rue Saint-Ambroise, qui longe le canal de Lachine.

L'**usine de la Merchants Manufacturing Company** *(4000 rue St-Ambroise)* a été pendant longtemps le principal employeur de Saint-Henri. Dans cette usine acquise par la compagnie Dominion Textile au début du XXe siècle, on fabrique alors des tissus, des couvertures, des draps et des vêtements en tout genre. Les femmes travaillent en grand nombre dans l'usine, qui connaîtra la première grève du textile à Montréal, en 1891. L'édifice de briques rouges tout en longueur, érigé en 1880, est un bon exemple de l'architecture industrielle de la fin du XIXe siècle, caractérisée par de grandes ouvertures vitrées et par des tours d'escalier coiffées de corniches de brique.

La **rue Saint-Augustin** *(immédiatement à l'est de la voie ferrée desservant les usines du canal de Lachine)* regroupe certaines des maisons les plus anciennes de Saint-Henri, où ont longtemps vécu les familles les plus pauvres. Elles sont de bois (parfois recouvertes d'aluminium, plus récemment) et de taille modeste. L'une d'elles, la maison Clermont de 1870 *(110 rue St-Augustin)*, a été admirablement restaurée en 1982, ce qui donne une bonne idée de ce type d'habitat ouvrier à l'état neuf. C'est dans ces maisons accolées à la voie ferrée que la romancière Gabrielle Roy a puisé son inspiration.

Suivez la rue Saint-Ambroise jusqu'au marché Atwater.

Le **marché Atwater** ★ *(110 av. Atwater)* est l'un des marchés publics montréalais. On y trouve, tout au long de l'année, les légumes et les fruits frais de la ferme, ainsi que des boucheries, fromageries et poissonneries. Le marché fut construit en 1932 dans le cadre des programmes de création d'emplois de la Crise (1929) selon les plans de l'architecte Ludger Lemieux. Il s'agit d'une élégante réalisation Art déco.

Revenez à la station de métro Lionel-Groulx, érigée sur l'emprise des voies ferrées de Sainte-Cunégonde, en suivant l'avenue Atwater vers le nord.

Circuit Q: Pointe-Saint-Charles et Verdun

La pointe Saint-Charles a été nommée ainsi par les marchands de fourrures Charles LeMoyne et Jacques LeBer, à qui fut d'abord concédé le terrain. Ils le vendirent à Marguerite Bourgeoys, qui y aménagera la ferme Saint-Gabriel

des sœurs de la Congrégation de Notre-Dame en 1668. La nature pastorale des lieux sera grandement troublée par la construction du canal de Lachine entre 1821 et 1825, qui va attirer dans le secteur des filatures et des moulins, berceau de la Révolution industrielle canadienne.

Le village de Saint-Gabriel se forme alors sur la pointe Saint-Charles au sud des manufactures. La construction du pont Victoria, entre 1854 et 1860, et l'aménagement de diverses infrastructures ferroviaires près du Saint-Laurent feront de Saint-Gabriel une véritable petite ville.

Les Irlandais, omniprésents sur les chantiers de ces deux projets majeurs (le canal et le pont), s'établiront nombreux à Saint-Gabriel et dans d'autres villages plus au nord (Griffintown, Sainte-Anne et Victoriatown), dont il ne reste malheureusement que peu de trace. Le village de Saint-Gabriel, annexé à Montréal en 1887 et rebaptisé Pointe-Saint-Charles, est situé à proximité du centre-ville, mais en est isolé par le canal et des autoroutes, et est traversé en son centre par des voies ferrées. On y retrouve un riche patrimoine issu de la révolution industrielle.

De nos jours, **Pointe-Saint-Charles** se présente tel un quartier ouvrier dont la structure de production vieillissante ne génère plus guère d'emplois. Quelques usines ont

Attraits touristiques

été reconverties en complexes d'habitation, alors que les abords du canal de Lachine, fermé en 1970 et rouvert à la navigation de plaisance en 2002, ont été transformés en parc linéaire doté d'une agréable piste cyclable. Quant à Verdun, à l'ouest, son histoire est plus récente. Nombre des descendants des immigrants irlandais catholiques, mélangés aux Canadiens français par métissage, y ont élu domicile dans l'entre-deux-guerres.

De la station de métro Charlevoix, dirigez-vous vers l'est par la rue Centre. Le circuit peut aussi être facilement parcouru à bicyclette à partir de la piste cyclable du canal de Lachine.

Victimes d'une famine épouvantable causée par la maladie de la pomme de terre, les Irlandais fuiront en grand nombre leur île pour trouver refuge au Canada. Beaucoup ne dépasseront cependant pas la Grosse Île, en aval de Québec. Parmi les autres, plusieurs se rendront travailler dans les chantiers coloniaux. Cette main-d'œuvre bon marché et non spécialisée vivra longtemps dans la misère. Ses premières maisons de bois d'allure médiévale, construites dans Victoriatown (aussi appelé Village aux Oies), n'ont pas survécu au progrès.

L'**église Saint-Gabriel** (*2157 rue Centre, métro Charlevoix*) fut érigée en 1893 par la communauté irlandaise catholique de Pointe-Saint-Charles. Au même moment s'élevait, sur la pro-

priété voisine, l'église catholique des Canadiens français. Les deux édifices imposants ont en effet été construits côte à côte selon les plans des mêmes architectes (Perrault et Mesnard), vision inusitée qui permet véritablement d'attribuer à Montréal le surnom de «ville aux cent clochers». Le décor intérieur d'origine de l'église Saint-Gabriel a été détruit en 1959 par un incendie. Il a été remplacé par un décor minimaliste qui met en valeur les épais murs de moellon de l'édifice. On remarquera le beau presbytère néoroman aux accents Queen Anne qui avoisine l'église.

L'**église Saint-Charles** ★ (*2125 rue Centre, métro Charlevoix*), des architectes Perrault et Mesnard, a été détruite par les flammes en 1913. L'année suivante, elle fut rebâtie selon les plans des architectes MacDuff et Lemieux, qui lui conserveront son allure néoromane. L'intérieur, aux colonnes peintes de motifs faux-marbre, mérite une petite visite. Le presbytère de la paroisse Saint-Charles est, à l'opposé de celui de l'église Saint-Gabriel, une œuvre symétrique influencée par l'École des beaux-arts.

Tournez à gauche dans la rue Island. Traversez la rue Saint-Patrick pour rejoindre le parc du canal de Lachine. Faites très attention en traversant la piste cyclable, où les amateurs de vélo circulent parfois à haute vitesse. Ne vous immobilisez pas sur cette

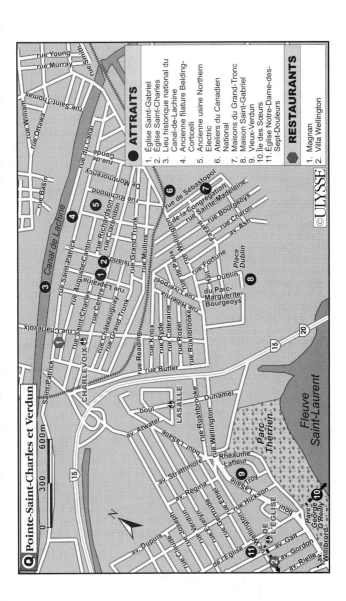

Q Pointe-Saint-Charles et Verdun

0   300   600m

● ATTRAITS

1. Église Saint-Gabriel
2. Église Saint-Charles
3. Lieu historique national du Canal-de-Lachine
4. Ancienne filature Belding-Corticelli
5. Ancienne usine Northern Electric
6. Ateliers du Canadien National
7. Maisons du Grand-Tronc
8. Maison Saint-Gabriel
9. Vieux-Verdun
10. Île des Sœurs
11. Église Notre-Dame-des-Sept-Douleurs

◆ RESTAURANTS

1. Magnan
2. Villa Wellington

© ULYSSE

Canal de Lachine

Fleuve Saint-Laurent

piste en pensant que c'est aussi un sentier pédestre.

Une ferme appartenant aux Messieurs de Saint-Sulpice, alors seigneurs de l'île de Montréal, occupait toute la partie nord de la pointe Saint-Charles au XVIIe siècle. Les sulpiciens, soucieux de développer leur île, entreprennent en 1689 de creuser un canal à même la rivière Saint-Pierre, qui délimite leur propriété, afin de contourner les fameux rapides de Lachine, qui entravent la navigation sur le fleuve Saint-Laurent en amont de Montréal. Ces prêtres visionnaires, peut-être trop ambitieux pour leur époque, entament les travaux avant même d'en demander la permission à leur ordre ou d'obtenir des fonds du roi, deux conditions qui leur seront refusées. Les travaux furent donc interrompus jusqu'en 1821, alors que débute le chantier du canal actuel. Il fut élargi à deux reprises par la suite. L'ouverture de la voie maritime du Saint-Laurent en 1959 entraîne cependant la désuétude du canal, qui fermera en 1970.

En 1979, le Service canadien des parcs se porte acquéreur du canal et de ses rives, et crée le **Lieu historique national du Canal-de-Lachine ★** *(entre le Vieux-Port de Montréal et le lac Saint-Louis, ☎283-6054)* pour préserver la mémoire du rôle majeur que le canal a joué dans l'histoire du pays. Puis naît l'idée de rouvrir le canal, de réaménager ses rives et de revitaliser les quartiers limitrophes. Le canal de Lachine est finalement rouvert à la navigation de plaisance en 2002. Une belle piste polyvalente, entièrement réaménagée, longe le canal sur toute sa longueur, soit près de 15 km, du Vieux-Montréal au **Centre de services aux visiteurs de Lachine** (voir p 230). Elle permet aux cyclistes, aux marcheurs et aux amateurs de patins à roues alignées de déambuler tranquillement au bord de ce canal entouré de beaux aménagements paysagers. Des visites guidées en bateau permettent aussi de découvrir l'écluse Saint-Gabriel, le bassin Peel et toute cette infrastructure qui a permis le développement industriel de Montréal.

Il est possible de parcourir le canal de Lachine avec la **Croisière historique sur le canal de Lachine** *(17,50$; fin juin à début sept tlj 13h et 15h30; ☎846-0428, www.croisierecanaldelachine.ca)*. Le bateau-mouche du canal de Lachine vous emporte sur la route navigable qui traversait le berceau industriel du Canada, désormais le Lieu historique national du Canada du Canal-de-Lachine. À bord de *L'Éclusier*, qui compte 49 places, vous vous ferez raconter de long en large l'histoire du précurseur de la voie maritime du Saint-Laurent qu'est le canal de Lachine ainsi que celle des quartiers limitrophes tout en assistant à un authentique éclusage.

Longez le canal vers l'est pour jouir des vues sur les bâtiments industriels et sur les gratte-ciel du centre-ville de Montréal.

L'eau du canal fut utilisée non seulement pour la navigation, mais également comme force motrice. Ainsi, l'énergie hydraulique servait à faire tourner les machines d'une filature de soie, l'**ancienne filature Belding-Corticelli** ★ *(1790 rue du Canal, métro Charlevoix)*, érigée en 1884. Le bâtiment de brique rouge à structure de fonte a depuis été rénové pour accueillir des lofts. Un peu plus loin se dressent les anciens édifices de la raffinerie de sucre Redpath, fondée par John Redpath en 1854. Redpath, originaire du Berwickshire, en Écosse, était père de 17 enfants et fut un des principaux donateurs de l'université McGill.

Revenez à la rue Saint-Patrick en traversant le complexe résidentiel de l'ancienne filature Belding-Corticelli. On franchit alors un des rares bras du canal qui n'ait pas été comblé. Tournez à gauche dans la rue Saint-Patrick puis à droite dans la rue Richmond, qui longe l'ancienne usine Northern Electric.

L'**ancienne usine Northern Electric** *(angle rue Richmond et Richardson, métro Charlevoix)* abrite l'incubateur d'entreprises qu'est la Cité Nordelec. Des dizaines de petites manufactures de vêtements et de meubles design se partagent des services de secrétariat ainsi que les conseils de spécialistes en marketing, ce qui réduit les coûts du démarrage d'une en-treprise et permet d'éviter des erreurs coûteuses dans la fabrication et la mise en marché des produits. Le vaste édifice monolithique a été construit entre 1913 et 1926 pour la Northern Electric Company, aujourd'hui Northern Telecom, qui y fabriquait divers appareils d'usage courant fonctionnant à l'électricité. En face, on peut voir la vieille **caserne de pompiers n° 15** *(72 rue Richardson)*, érigée en 1903 dans un style vaguement néoroman.

Continuez par la rue Richmond vers le sud. Aux alentours de la rue Mullins, vous pourriez voir de bons exemples de l'architecture résidentielle ouvrière de Pointe-Saint-Charles. Certaines maisons ont même conservé leur fenestration d'origine. Tournez à droite dans la rue Wellington puis à gauche dans la petite rue de Sébastopol, qui borde la cour de triage. Cette dernière rue fut ouverte en 1855, alors que sévissait la guerre de Crimée en Europe, guerre marquée par le siège de Sébastopol (Ukraine).

Les **ateliers du Canadien National** *(à l'est de la rue de Sébastopol, métro Charlevoix)* étaient autrefois ceux du Grand-Tronc, connu en anglais sous le nom de «Grand Trunk Railway», société ferroviaire fondée à Londres en 1852 dans le but de développer les chemins de fer au Canada. Elle a fusionné avec la Canadian Northern Railway en 1923 pour former le Canadien National. Le Grand Tronc, à l'origine de la construction du pont Victoria, aménagera ses ateliers de réparation à proximité de la sortie du pont en 1856.

Les **maisons du Grand-Tronc**

(nᵒˢ 422 à 444 rue de Sébastopol, métro Charlevoix) comptent parmi les premiers exemples d'habitations spécialement conçues pour les ouvriers par une entreprise en Amérique du Nord. Ces «maisons de compagnie», inspirées de modèles britanniques, ont été construites en 1857 selon les plans de Robert Stephenson (1803-1859), ingénieur-concepteur du pont Victoria et fils de l'inventeur de la locomotive à vapeur. Des sept maisons de quatre logements chacune, dessinées par Stephenson, près de la moitié ont été démolies, alors que les autres ont bien triste mine.

De la rue de Sébastopol, empruntez la rue Favard.

La **rue Favard** et les rues avoisinantes sont bordées d'exemples variés d'architecture résidentielle ouvrière avec jeux de briques, boiseries et incrustations de terre cuite. Les noms des rues indiquent que nous sommes sur les anciennes terres des sœurs de la Congrégation de Notre-Dame. Ces terres furent loties graduellement, ce qui explique que le quartier semble de plus en plus neuf à mesure que l'on se rapproche de la maison de la ferme Saint-Gabriel.

Tournez à gauche dans la place Dublin.

La **Maison Saint-Gabriel** ★★ *(7$, entrée libre sam fin juin à début sept; visites guidées mi-avr à fin juin et début sept à mi-déc mar-dim 13h à 16h, fin juin à début sept mar-dim 11h à 17h; 2146 place Dublin, métro Charlevoix ou LaSalle, ☎935-8136)* est un précieux témoin de la vie quotidienne en Nouvelle-France. La maison de ferme et la grange voisine, aujourd'hui entourées par la ville, ont été construites entre 1662 et 1698. L'ensemble fut acquis de la famille LeBer par Marguerite Bourgeoys en 1668, afin d'y installer la communauté religieuse des Dames de la Congrégation de NotreDame, qu'elle a elle-même fondée en 1653. La maison a par la suite servi d'école pour les petites Amérindiennes et de foyer d'accueil pour les filles du Roy, ces jeunes femmes sans famille envoyées de Paris à Montréal par Louis XIV pour y prendre mari.

En 1964, la maison fut restaurée et ouverte au public. On y expose depuis des objets des XVIIᵉ et XVIIIᵉ siècles appartenant à la communauté. Le bâtiment lui-même présente un grand intérêt, puisqu'on peut notamment y voir une des seules authentiques charpentes du XVIIᵉ siècle en Amérique du Nord ainsi que de rares éviers en pierre noire.

Empruntez la place Dublin puis la rue du même nom vers le nord. Tournez à gauche dans la rue Wellington.

En plus d'un quartier chinois des plus animés, Montréal possède,
au Jardin botanique, un jardin chinois unique. - *Philippe Renault*

Le dôme argenté du marché Bonsecours fut pendant près d'un siècle le symbole de la ville. Aujourd'hui, de nombreuses boutiques de produits artisanaux vous y attendent.
- *Patrick Escudero*

Entièrement de bois peint et doré à la feuille, le décor de la basilique Notre-Dame est l'un des plus remarquables ouvrages du genre en Amérique du Nord.
- *Philippe Renault*

Vous y verrez deux églises néogothiques en brique de la fin du XIXe siècle *(625 rue Fortune et 2183 rue Wellington)*, des bains publics *(2188 rue Wellington)* de style Art déco, construits pendant la crise des années 1930, ainsi qu'une rangée de maisons victoriennes, dessinées vers 1875 par l'architecte de l'hôtel de ville de Montréal, Henri-Maurice Perrault.

La promenade à pied conduisant à Verdun dure une dizaine de minutes. Longez la rue Wellington jusqu'au boulevard LaSalle. Tournez à gauche dans l'avenue Lafleur pour voir de rares exemples d'escaliers extérieurs qui tourbillonnent jusqu'au troisième niveau des triplex et des quadruplex.

Verdun était une municipalité autonome d'environ 60 000 habitants. Elle est maintenant annexée à Montréal. Son histoire débute en 1665, alors que huit miliciens s'installent en bordure du fleuve à l'ouest de la ferme Saint-Gabriel. Ces colons armés, surnommés «les Argoulets», seront néanmoins massacrés par les Iroquois. En 1671, le territoire est concédé en fief à Zacharie Dupuys, originaire de Saverdun, près de Carcassonne, qui lui donne le nom de Verdun en souvenir de son ancien patelin. Entre 1852 et 1856, on aménage le canal de l'aqueduc de Montréal dans la partie nord des terres de Verdun. Un village voit le jour au sud du canal, mais mettra du temps à se développer à cause des crues printanières fréquentes. À la suite de l'aménagement d'une digue en bordure du fleuve (1895), le développement s'accélère. Verdun est aujourd'hui urbanisé à 97%. Le **vieux Verdun** *(à l'est de Willibrord, métro De l'Église)* recèle quantité d'immeubles montréalais typiques auxquels s'ajoutent de charmantes loggias dont on retrouve une étonnante variété.

L'avenue Lafleur débouche sur l'avenue Troy. Dans les années 1930 et 1940, plusieurs familles originaires des Îles de la Madeleine ont été attirées dans le secteur par les emplois offerts à l'hôpital du Christ-Roi, tout proche. On exigeait alors des infirmiers et infirmières le bilinguisme intégral, car l'hôpital desservait une population mi-francophone, mi-anglophone. Les Madelinots comptaient, à l'époque, parmi les seuls Québécois à pouvoir s'exprimer aisément dans les deux langues officielles du Canada.

Au bout de l'avenue Troy se trouve une des entrées du parc Therrien, qui longe le fleuve Saint-Laurent. Dans le parc, on bénéficie d'une belle vue sur les gratte-ciel du centre-ville de Montréal, à l'est, et sur les tours d'habitation de l'île des Sœurs (voir ci-dessous), au sud.

Longez le parc Therrien vers l'ouest jusqu'à l'Auditorium de Verdun. Empruntez l'avenue de l'Église jusqu'à la rue Wellington.

L'**église Notre-Dame-des-Sept-Douleurs** ★ *(4155 rue Welling-*

ton, métro De l'Église) est une des plus vastes églises paroissiales de l'île de Montréal. Elle fut construite entre 1907 et 1914 selon les plans de Joseph Venne. On remarquera particulièrement le décor néobaroque de l'intérieur. En face se trouve une belle banque Art déco de 1931.

La station de métro De L'Église, située sur la même ligne que la station Charlevoix, se trouve à proximité.

Ceux qui voudront se rendre à l'**île des Sœurs ★** devront en faire une excursion séparée, puisque l'île est difficile d'accès depuis Verdun. Pour s'y rendre, il faut suivre la rue Wellington vers l'est, puis prendre l'autoroute 20, en direction du pont Champlain.

L'île des Sœurs s'avère fort intéressante pour les amateurs d'architecture contemporaine. Elle a été acquise par les Dames de la Congrégation de Notre-Dame en 1676. Elles la baptiseront «île Saint-Paul». Vers 1720, un vaste manoir de pierre et divers bâtiments de ferme sont érigés dans la partie nord de l'île. À la suite du départ des religieuses en 1956, les bâtiments sont incendiés. L'île passe entre les mains d'un important promoteur qui trace les premières rues et qui fait construire trois tours d'habitation (sur le boulevard de l'île des Sœurs, au sud-ouest de la rue Corot), dessinées en 1967 par le célèbre architecte d'origine allemande Ludwig Mies van der

Rohe. Celui-ci est également l'auteur de l'élégante station-service située près de la rue Berlioz (1968).

Plus récemment, l'île des Sœurs a vu éclore différents projets d'intérêt inégal. Parmi les meilleurs, il faut citer les maisons de briques jaunes de la rue Corot, dessinées en 1982 par l'architecte Dan Hanganu, et les habitations du projet L'Isle (chemin du Golf et chemin Marie-LeBer), que l'on doit à l'architecte et professeur Aurèle Cardinal.

Circuit R:
L'ouest de l'île

Seul véritable circuit riverain parmi ceux que l'on retrouve sur l'île de Montréal, l'ouest de l'île permet de découvrir de vieux villages ainsi que les plus beaux panoramas du fleuve Saint-Laurent, des lacs Saint-Louis et des Deux Montagnes. Bien que la plupart des agglomérations qui le forment aient été fondées par des colons français, nombre d'entre elles sont aujourd'hui peuplées d'une majorité d'anglophones. Aussi ne faut-il pas s'étonner d'entendre davantage la langue de Shakespeare que celle de Molière dans les commerces et le long des rues résidentielles, qui ne sont pas sans rappeler celles des banlieues étasuniennes aisées. Rappelons que toutes

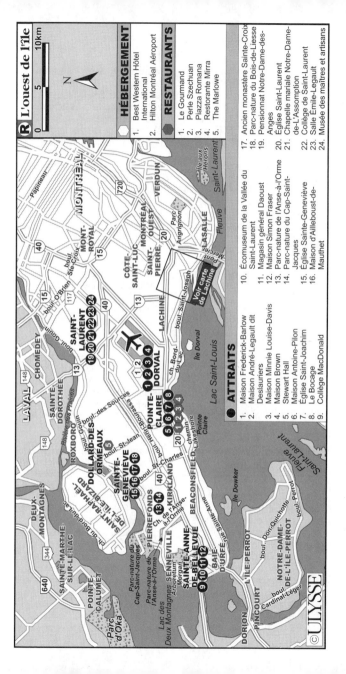

R L'ouest de l'île

0 5 10km

N

HÉBERGEMENT

1. Best Western Hôtel
   International
2. Hilton Montréal Aéroport

RESTAURANTS

1. Le Gourmand
2. Perle Szechuan
3. Piazza Romana
4. Restorante Mirra
5. The Marlowe

ATTRAITS

1. Maison Frederick-Barlow
2. Maison André-Legault dit Deslauriers
3. Maison Minnie Louise-Davis
4. Maison Brown
5. Stewart Hall
6. Maison Antoine-Pilon
7. Église Saint-Joachim
8. Le Bocage
9. Collège MacDonald
10. Écomuseum de la Vallée du Saint-Laurent
11. Magasin général Daoust
12. Maison Simon Fraser
13. Parc-nature de l'Anse-à-l'Orme
14. Parc-nature du Cap-Saint-Jacques
15. Église Sainte-Geneviève
16. Maison d'Ailleboust-de-Mauthet
17. Ancien monastère Sainte-Croix
18. Parc-nature du Bois-de-Liesse
19. Pensionnat Notre-Dame-des-Anges
20. Église Saint-Laurent
21. Chapelle mariale Notre-Dame-de-L'Assomption
22. Collège de Saint-Laurent
23. Salle Émile-Legault
24. Musée des maîtres et artisans

© ULYSSE

ces villes font dorénavant partie de la grande ville de Montréal.

Ce circuit ne fait pas partie des circuits pédestres urbains, car il s'étend sur près de 50 km. Il peut cependant être parcouru à bicyclette, puisqu'une bonne part du trajet longe soit une piste cyclable bien aménagée, soit des routes à vitesse réduite. Il est même possible de se rendre au point de départ du circuit en suivant la piste du canal de Lachine depuis le Vieux-Montréal. Les automobilistes qui partent du centre-ville devront quant à eux emprunter l'autoroute 20 Ouest puis, brièvement, l'autoroute 138 en direction du pont Mercier.

Prenez la sortie de la rue Clément à LaSalle. Tournez à droite dans la rue Clément, à gauche dans la rue Saint-Patrick, puis immédiatement à gauche dans l'avenue Stirling pour rejoindre la rive du fleuve. Tournez à droite dans le chemin LaSalle.

Lachine

En 1667, les Messieurs de Saint-Sulpice concèdent des terres dans l'ouest de l'île de Montréal à l'explorateur Robert Cavelier de La Salle. Celui-ci, obsédé par l'idée de trouver un passage vers la Chine, «découvrira» finalement la Louisiane, à l'embouchure du Mississippi. Par dérision, les Montréalais désigneront dorénavant ses terres comme étant «La Chine», nom qui est devenu officiel par la suite. En 1689, les habitants de Lachine ont été victimes du pire massacre iroquois du Régime français. Mais plutôt que de quitter les lieux, la population augmenta, et deux forts furent construits pour la protéger en raison de l'emplacement stratégique de Lachine, en amont des rapides du même nom qui entravent toujours la navigation sur le fleuve Saint-Laurent. Aussi les précieuses fourrures de l'hinterland, destinées au marché européen, devaient-elles être débarquées à Lachine et transportées à pied jusqu'à Montréal, située en aval des rapides. Dans les années qui suivirent l'ouverture du canal de Lachine en 1825, plusieurs industries s'installèrent à Lachine, qui a alors connu une urbanisation importante. Aujourd'hui, son industrie vieillissante est heureusement compensée par son site enchanteur, qui attire toujours une population enthousiaste.

Le **moulin Fleming** *(entrée libre; juin tlj 11h30 à 18h, juil et août mar-dim 11h30 à 18h; parc Stinson, ☎367-1000)*, même s'il est situé sur le territoire de la ville de LaSalle, est étroitement lié au développement de Lachine, dont il faisait partie autrefois. Construit en 1816 pour un marchand écossais, il adopte la forme conique des moulins étasuniens. Une exposition raconte son histoire.

Le fort Rémy, l'une des deux enceintes de Lachine, était situé

à proximité. Il fut érigé pour protéger la première église en pierre du village, construite en 1703 et aujourd'hui disparue. L'ancienne usine de produits pharmaceutiques Burrows-Welcome, visible à l'ouest, abrite de nos jours la mairie d'arrondissement de LaSalle.

Suivez le boulevard LaSalle jusqu'au chemin du Musée. Tournez à gauche pour rejoindre le stationnement du musée de Lachine, qui fait face au chemin LaSalle.

Le **Musée de Lachine** ★ *(entrée libre; avr à déc mer-dim 11h30 à 16h30; 1 chemin du Musée,* ☎*634-3471, poste 346)* loge dans un ancien comptoir de traite (**maison LeBer-LeMoyne**, *110 ch. LaSalle*) et dans l'ancien entrepôt de fourrures (**la Dépendance**) percé de meurtrières: ce sont les plus vieilles structures qui subsistent dans toute la région de Montréal. Leur construction remonte à 1670. À cette époque, Lachine constituait le dernier lieu habité de la vallée du Saint-Laurent, avant les contrées sauvages à l'ouest, ainsi que le point d'arrivée des cargaisons de fourrures, qui ont représenté pendant longtemps la principale richesse naturelle du Canada et la véritable raison d'être de sa

Attraits touristiques

colonisation par la France. Le bâtiment a été érigé pour Jacques LeBer et Charles Le-Moyne, riches marchands de Montréal. Ce musée historique existe depuis 1948 et comprend aussi un centre en arts visuels, le **Pavillon Benoît-Verdickt**.

Empruntez le chemin LaSalle en face du musée. Tournez à droite dans le chemin du Canal puis à gauche dans le chemin du Musée, qui devient ensuite le boulevard Saint-Joseph.

Ce qu'on appelle le **Musée plein air de Lachine** ★ *(☎634-3471, poste 346)* est en fait constitué d'environ 50 sculptures extérieures qui ponctuent le parc René-Lévesque (voir ci-dessous) et d'autres parcs riverains du lac Saint-Louis à Lachine.

Trois étroites langues de terre aménagées de main d'homme forment l'**embouchure du canal de Lachine** *(parc Monk)*, à la manière d'un estuaire évasé et tentaculaire. Le **parc René-Lévesque** ★★, accessible du chemin du Canal, permet de découvrir le majestueux lac Saint-Louis. Il est parsemé de plusieurs sculptures contemporaines, notamment *Les Forces vives* de Georges Dyens, en hommage à l'ancien premier ministre du Québec, dont le parc porte aujourd'hui le nom. Le Yachting Club occupe la seconde bande de terre, alors que la **promenade du Père-Marquette** ★ et le **parc Monk** ★ s'inscrivent entre

l'entrée initiale du canal, inauguré en 1825, et l'élargissement de 1848.

Érigé à l'entrée du canal et avoisinant l'écluse récemment restaurée, le **Centre de services aux visiteurs de Lachine** *(entrée libre; mi-mai à mi-oct 10h à 18h; ☎283-6054)* permet de bien se préparer à la visite du canal. Ici on vous indiquera tous les services offerts le long du canal (sur le Lieu historique du Canal-de-Lachine) et on vous racontera son histoire et son patrimoine. Vous y trouverez un casse-croûte, un comptoir de vente, des terrasses pour des vues d'ensemble, en plus de pouvoir y faire un circuit extérieur d'interprétation. En outre, l'exposition *Un projet vieux de plus de 300 ans* y a cours, avec photos et objets anciens, cartes et plans d'époque, ainsi que jeux interactifs. Un centre de documentation sur le canal *(sur rendez-vous: ☎283-6054)* s'y trouve également, avec ses 3 000 archives.

En suivant la promenade du Père-Marquette, il est possible d'atteindre le Lieu historique national du Commerce-de-la-fourrure-à-Lachine.

La traite des fourrures a représenté, pendant près de deux siècles, la principale activité économique de la région montréalaise. Lachine a joué un rôle primordial dans l'acheminement des peaux vers le marché européen, au point où la fameuse Compagnie de la Baie

Le canal de Lachine: d'hier à aujourd'hui

Pivot de l'industrialisation de Montréal, le canal de Lachine, d'une longueur de 13,5 kilomètres, s'inscrit dans le patrimoine de la métropole québécoise depuis que son creusement et la construction de ses écluses, aux XIXe et XXe siècles, ont permis de contourner les tumultueux rapides de Lachine, après quelques tentatives infructueuses.

En 1689, le supérieur des sulpiciens, François Dollier de Casson, fut le premier à croire au projet d'un canal qui permettrait d'éviter les rapides et de naviguer jusqu'aux Grands Lacs. Son projet sera abandonné en cours de route, faute de fonds suffisants. Après la Conquête, les Britanniques soumettent un

projet similaire à Londres, études, tractations et requêtes s'étalant sur sept ans, entre 1812 et 1819.

C'est alors que des marchands montréalais forment la *Compagnie des propriétaires du Canal de Lachine* pour enfin réaliser le canal actuel. En 1821, la compagnie fait faillite, mais le gouvernement du Bas-Canada prend le contrôle du projet et amorce les travaux. Les élargissements du canal ainsi que la restauration ou l'ajout d'écluses n'auront de cesse entre son ouverture, en 1825, et l'inauguration de la voie maritime du Saint-Laurent, en 1959. Entre 1970 et 2002, le canal de Lachine sera complètement fermé à la circulation maritime.

Attraits touristiques

d'Hudson en fit le centre névralgique de ses opérations. Le **Lieu historique national du Commerce-de-la-fourrure-à-Lachine** ★ *(2,50$; mi-avr à mi-oct lun 13h à 18h, mar-dim 10h* *à 12h30 et 13h à 18h, mi-oct à début déc mer-dim 9h30 à 12h30 et 13h à 17h, fermé déc à avr; 1255 boul. St-Joseph, ☎637-7433)* occupe l'ancien entrepôt de la compagnie, érigé en

1803. On y présente divers objets de traite et des exemples de fourrures et de vêtements fabriqués avec ces peaux. Une exposition interactive ramène le visiteur directement au XIXe siècle. De leur côté, des expositions temporaires retracent la vie des trappeurs, des «voyageurs», des communautés amérindiennes qui, au XVIIe siècle, effectuaient la plupart des prises, ainsi que celle des dirigeants des puissantes compagnies françaises et anglaises qui se livraient une lutte pour le monopole de ce commerce lucratif.

Reprenez le boulevard Saint-Joseph en direction ouest.

Le Couvent de Lachine ★

(1250 boul. St-Joseph). En 1861, les sœurs de Sainte-Anne acquièrent la maison construite en 1833 pour Sir George Simpson, alors gouverneur de la Compagnie de la Baie d'Hudson. Elles érigent leur maison mère puis un couvent pour les jeunes filles autour du bâtiment initial, qu'elles font finalement démolir pour le remplacer, en 1889, par l'imposante chapelle coiffée d'un dôme argenté aux accents russes, conçue par les architectes Maurice Perrault et Albert Mesnard. L'intérieur de la chapelle, qui rappelle une salle de concerts de l'époque victorienne, mérite une petite visite.

Derrière le couvent se trouve l'**église anglicane St. Stephen's** *(25 12e Avenue)*, construite en 1831 pour servir de temple au personnel cadre de la Compagnie de la Baie d'Hudson. L'humble bâtiment de moellons vaguement néogothique fait contraste avec l'immense église catholique située à proximité.

Jusqu'en 1865, l'église catholique de Lachine se trouvait plus à l'est, dans l'enceinte du fort Rémy. Cette année-là, on inaugura une église de style néogothique français sur le site actuel, au centre de la ville. Malheureusement, un violent incendie la détruisit en 1915. L'**église des Saints-Anges Gardiens** *(1400 boul. St-Joseph)* actuelle fut érigée sur les ruines de la précédente en 1919, selon les plans des architectes Dalbé Viau et Alphonse Venne. Le vaste édifice paroissial arbore le style néoroman.

L'**église unie St. Andrew**, autrefois associée au culte presbytérien, avoisine l'église catholique à l'ouest de la 15e Avenue. Elle a été construite dans le style néogothique en 1832 selon les plans de John Wells. Un incendie a endommagé son clocher il y a quelques années. On remarquera, au 1560 du boulevard Saint-Joseph, la belle résidence (1845) du pasteur de l'église, le Reverend Doctor, aux ouvertures encadrées par des colonnettes néoclassiques.

Le **complexe culturel Guy-Descary ★★** *(2901 boul. St-Joseph, ☎634-3471, poste 302)* comprend en fait trois des anciens bâtiments de la brasserie Dawes, qui s'était installée à Lachine au début du XIXe siècle: le **Pavillon de l'Entrepôt**, la **Maison du brasseur** et la **Vieille brasserie**. Il abrite une belle salle de spectacle de 318 places, une salle d'exposition temporaire et une autre salle pour son exposition permanente sur la fabrication de la bière, ainsi que des salles de réception.

La **brasserie Dawes** a ouvert ses portes à Lachine en 1811 afin de procurer de la bière aux trappeurs et marchands de passage. L'entreprise a fermé ses portes en 1922, à la suite de la fusion de plusieurs petites brasseries de la région. Ces installations, parmi les plus anciennes du genre en Amérique, ont toutefois survécu de part et d'autre du boulevard Saint-Joseph. Du côté du lac, on aperçoit la brasserie (deux bâtiments en moellon érigés vers 1850) ainsi que la résidence de Thomas Amos Dawes, fils du fondateur de l'entreprise, construite en 1862. Du côté de la ville se trouvent la grande glacière, transformée en appartements (1878), et le vieil entrepôt, situé à l'extrémité de la 21e Avenue (vers 1820). Les restes du quartier ouvrier qui gravitait autour de la brasserie complètent l'ensemble d'une rare valeur anthropologique.

Poursuivez vers l'ouest par le boulevard Saint-Joseph.

Un monument rappelle que le **fort Rolland** *(à l'ouest de la 34e Avenue)*, principal poste de traite à Lachine au XVIIe siècle, était situé à cet endroit. Une garnison militaire y était cantonnée pour assurer la défense des habitants et pour surveiller le transbordement des précieuses cargaisons de peaux. Au passage, on peut apercevoir quelques belles maisons datant du Régime français, entre autres la maison Quesnel *(5010 boul. St-Joseph)*, construite vers 1750, et la maison Picard *(5430 boul. St-Joseph)*, de 1719.

À Dorval, le boulevard Saint-Joseph prend le nom de «Lakeshore Drive» (chemin Bord-du-Lac), mais il s'agit essentiellement de la même route.

Dorval

En 1691, le sieur d'Orval acheta de la succession de Pierre Le Gardeur de Repentigny le fort de La Présentation, établi par les sulpiciens en 1667, et lui donna son nom. Puis, de 1790 à 1821, la petite **île Dorval**, située en face de la ville, devint le point de départ des coureurs des bois et des «voyageurs» de la Compagnie du Nord-Ouest, qui se rendaient, chaque année, dans les régions de l'Outaouais et des Grands Lacs en quête de peaux de castor. Dorval fait partie de la banlieue aisée de Montréal et est surtout connue pour son aéroport (récemment renommé en hommage à Pierre Elliott Trudeau); on y retrouve encore d'anciennes maisons de ferme soigneusement restaurées par des

Les attraits favoris des enfants

Le Vieux-Montréal

Au **Vieux-Port**, il existe toute une gamme d'activités destinées aux enfants et des spectacles où les animateurs de foule veillent à ce que chacun s'amuse.

Le **Centre des sciences de Montréal**, entre autres, promet aux petits comme aux grands de belles heures à s'amuser tout en apprenant. Il abrite aussi un cinéma Imax, ainsi que le Ciné-jeu Immersion, particulièrement appréciés des enfants.

Le centre-ville

Afin d'initier les jeunes au merveilleux monde de l'astronomie, le **Planétarium de Montréal** a mis sur pied plusieurs spectacles qui s'adressent à un public d'âges différents. Les spectacles sont construits autour de la thématique du système solaire et de ses mystères.

Durant l'été, le **Musée des beaux-arts** organise des camps de jour dans le but d'éveiller la créativité des enfants.

Au **Musée d'art contemporain**, les enfants ont l'occasion de faire l'apprentissage de diverses techniques d'arts plastiques et de peinture grâce aux ateliers du dimanche.

Les îles Sainte-Hélène et Notre-Dame

Temple récréatif absolu de la jeunesse d'aujourd'hui, **La Ronde**, avec ses mille et un jeux renversants, saura plaire aux jeunes amateurs de sensations fortes.

L'ouest de l'île

Le **Lieu historique national du Commerce-de-la-fourrure-à-Lachine** présente une exposition sur ce lucratif commerce qui favorisa le développement de la colonie. Des fourrures à toucher, des jeux interactifs et lumineux, tout y est pour intéresser les enfants et leur dévoiler quelques aspects d'un pan de l'histoire.

Maisonneuve

Le **Biodôme**, avec ses reconstitutions d'habitats

naturels peuplés d'une faune variée, émerveille toujours les enfants.

L'**Insectarium** s'est donné la mission de mieux faire connaître les insectes au public, en général, et aux enfants en particulier, en présentant toute une sélection de ces petits êtres mystérieux et fascinants.

familles anglo-saxonnes qui savent apprécier l'héritage français du Québec, ou du moins son côté décoratif...

Les murs de pierres, à la base de la **maison Frederick Barlow** *(900 ch. du Bord-du-Lac)*, seraient ceux du fort de La Présentation des Messieurs de Saint-Sulpice, érigé au XVIIe siècle. Au n° 940, on peut apercevoir la **maison André Legault dit Deslauriers**, dotée de murs coupe-feu décoratifs (1817). Elle a servi de maison d'été à Lord Strathcona, l'un des principaux actionnaires du Canadien Pacifique, avant d'être restaurée soigneusement en 1934 par l'architecte Galt Durnford.

La **maison Minnie Louise Davis** *(1240 ch. du Bord-du-Lac)*, datée de 1922, montre l'intérêt porté par certains architectes d'origine britannique et leurs clients envers l'architecture traditionnelle du Québec dans l'entre deux-guerres, allant jusqu'à ériger de nouvelles demeures dans le style du XVIIIe siècle. Percy Nobbs, professeur d'architecture à l'université McGill, a tracé les plans de la maison Davis, que sa propriétaire a baptisé *Le Canayen*.

Certains des principaux clubs sportifs de la bourgeoisie anglo-saxonne de Montréal étaient autrefois installés à Dorval, entre autres le Royal Montreal Golf Club, le plus ancien club de golf en Amérique du Nord (il fut fondé en 1873), et le Royal St. Lawrence Yacht Club, fondé en 1888, dont on peut encore apercevoir les installations en bordure du lac Saint-Louis. Mais le plus étrange de ces clubs est sans contredit le Forest and Stream Club, qui loge dans l'ancienne villa d'Alfred Brown, la **maison Brown** *(1800 ch. du Bord-du-Lac)*, érigée en 1872. L'institution est toujours en activité, mais a connu de meilleurs jours dans les années 1920, alors qu'on servait le thé à des dizaines de personnes dans ses jardins, les samedis et les dimanches après-midi d'été.

Poursuivez en direction de Pointe-Claire.

Attraits touristiques

Pointe-Claire

L'une des premières missions implantées sur le pourtour de l'île de Montréal par les Messieurs de Saint-Sulpice, Pointe-Claire, malgré qu'elle fasse partie de la banlieue aisée de Montréal, a conservé son noyau de village initial. Le chemin du Bord-du-Lac, qui traverse les municipalités de l'ouest de l'île, de Lachine jusqu'à Sainte-Anne-de-Bellevue en passant par Pointe-Claire, était jusqu'en 1940 la seule route pour se rendre de Montréal à Toronto en voiture.

Stewart Hall *(entrée libre; parc ouvert toute l'année; galerie d'art lun-ven 13h à 17h et lun, mer, ven 19h à 21h; 176 ch. du Bord-du-Lac, ☎630-1220)*, une maison faite sur le long, a été construite en 1915 pour l'industriel Charles Wesley MacLean selon les plans de Robert Findlay. Depuis 1963, elle abrite le centre culturel de Pointe-Claire et est donc ouverte au public, ce qui permet d'en voir les intérieurs et de bénéficier depuis sa galerie arrière de vues imprenables sur le lac Saint-Louis, autrefois réservées à son seul propriétaire.

La **maison Antoine-Pilon** *(258 ch. du Bord-du-Lac)*, une petite habitation en «pièce sur pièce», est la plus ancienne de Pointe-Claire puisque sa construction remonte à 1710. Une restaura-

tion a permis de lui redonner son apparence d'antan.

Tournez à gauche dans la rue Sainte-Anne pour atteindre la pointe Claire, qui avance dans le lac Saint-Louis, où sont regroupés les bâtiments institutionnels du village traditionnel.

L'**église Saint-Joachim ★** *(1 rue St-Joachim)*, de style néogothique, date de 1882, et son clocher, fort original, domine l'ensemble institutionnel. Il s'agit de l'une des dernières œuvres de Victor Bourgeau, à qui l'on doit des dizaines d'églises dans la région de Montréal. Son intérieur flamboyant en bois polychrome, orné de nombreuses statues, mérite une petite visite. Le **couvent** des sœurs de la Congrégation de Notre-Dame a été construit en 1867 sur la portion sud de la pointe balayée par les vents. Quant au **moulin**, pour lequel on ne pouvait trouver meilleur emplacement, il a été érigé dès 1709 par les Messieurs de Saint-Sulpice.

Reprenez le chemin du Bord-du-Lac en direction de Beaconsfield et de Baie d'Urfé. Ces deux anciennes municipalités forment le cœur du West Island. On y trouve cependant des propriétés anciennes ayant appartenu à de grandes familles canadiennes-françaises.

Jean-Baptiste de Valois, descendant direct de la famille royale de France, s'est installé au Canada en 1723. Son fils, Paul Urgèle Gabriel, fit construire **Le**

Bocage ★ *(26 ch. du Bord-du-Lac, Beaconsfield)* en 1810. Notons que les maisons à façade en pierres de taille étaient chose rarissime en milieu rural au début du XIXe siècle et que celle-ci faisait donc état du statut particulier du propriétaire de la demeure. En 1874, cette dernière fut vendue à Henri Menzies, qui transforma la propriété en vignoble. L'expérience fut un échec lamentable en raison du sol peu propice, mais surtout à cause de l'exposition du site aux vents froids comme aux vents chauds. Menzies a eu davantage de succès en rebaptisant le domaine «Beaconsfield» en l'honneur du premier ministre britannique Disraeli, fait Lord Beaconsfield par la reine Victoria. Puis, de 1888 à 1966, la maison a accueilli un club privé avant de devenir le chalet du club nautique de Beaconsfield.

Sainte-Anne-de-Bellevue

Tout comme Lachine, Sainte-Anne-de-Bellevue possède un centre plus ou moins dense, agglutiné le long de la route panoramique qui prend ici le nom de «rue Sainte-Anne». On y trouve de nombreuses boutiques et des restaurants qui sont, pour la plupart, dotés d'agréables terrasses donnant sur l'eau à l'arrière des immeubles. On peut alors apercevoir les maisons de l'île Perrot, en face. Le village doit son existence à l'écluse qui permet, de nos jours, aux embarcations de plaisance de passer du lac Saint-Louis au très beau lac des Deux Montagnes, dans lequel se déverse la rivière des Outaouais. Le vieux village avoisine, à l'est, une banlieue confortable et des institutions telles que l'hôpital militaire, le cégep John Abbott et le collège Macdonald.

Le collège Macdonald ★ *(21111 ch. du Bord-du-Lac)*. En arrivant à Sainte-Anne-de-Bellevue, on est surpris d'apercevoir toute une série d'édifices néobaroques anglais, revêtus de briques orangées et entourant une vaste pelouse d'herbe rase. Ils font partie du campus Macdonald du département d'agriculture de l'université McGill, élevé entre 1905 et 1908. Une partie des immeubles abrite aussi le cégep John Abbott, seule institution de ce niveau à l'ouest du collège de Saint-Laurent.

L'**Écomuséum de la Vallée du Saint-Laurent** ★ *(6$; tlj 9h à 16h; de Montréal, prendre l'autoroute 40 O., sortie 41, et suivre le chemin Ste-Marie; 21125 ch. Ste-Marie, ☎457-9449)* a pour mission de faire connaître la faune et la flore de la plaine du Saint-Laurent, et il présente, dans un vaste parc bien aménagé, quelques espèces animales comme le renard et l'ours noir. On y trouve également une volière d'oiseaux aquatiques.

Au centre du village se trouve le **magasin général Daoust** *(73* *rue Ste-Anne,* ☎*457-5333).* Ce type de commerce familial, autrefois très répandu, a presque disparu du paysage québécois. Fondé en 1902, le magasin Daoust vendait de tout, de la farine aux bottines, en passant par les couvertures de laine et le tabac à priser. De nos jours, on peut surtout s'y procurer des bibelots et des vêtements. Mais si l'on s'y rend, c'est d'abord pour observer le fonctionnement de son convoyeur de monnaie Lamson, l'un des seuls du genre au Canada encore en fonction. Ce système de câbles, de poulies et de rails suspendus reliant les différents rayons du magasin à une caisse centrale a été installé en 1924.

Vers 1960, la **maison Simon Fraser** *(153 rue Ste-Anne)* devait être démolie pour permettre la construction de la rampe du pont de l'autoroute 20. Elle fut sauvée par une société historique, mais le pont érigé quelques années plus tard passe à moins de 5 m de la maison, habitée sporadiquement par Simon Fraser au début du XIXe siècle. Ce marchand montréalais était un des dirigeants de la Compagnie du Nord-Ouest, spécialisée dans la traite des fourrures. C'est ici que le poète irlandais Thomas Moore (1779-1852) a séjourné lors de son voyage en Amérique en 1804. Il y a composé la célèbre *Canadian Boat Song,* qui honore la mémoire des «voyageurs» qui passaient par Sainte-Anne-de-Bellevue, en route vers les forêts du Bouclier

canadien. La maison abrite maintenant un café à but non lucratif exploité par The Victorian Order of Nurses, une organisation charitable fondée au XIXe siècle pour venir en aide aux malades à domicile.

On se trouve ici sur la pointe occidentale de l'île de Montréal, soit à 50 km de Pointe-aux-Trembles, située à l'extrémité est. L'**écluse** *(mi-mai à mi-oct; 170 rue Ste-Anne,* ☎*457-5546)* est bordée par une agréable promenade qui permet d'observer le fonctionnement des portes et le remplissage des bassins, dans lesquels se pressent les embarcations de «marins d'eau douce» et autres capitaines du dimanche. Une minuscule plage et une aire de pique-nique se trouvent à proximité. L'église Sainte-Anne (1853-1875) et le couvent font face à l'écluse, au nord des ponts.

Suivez la courbe de la rue Sainte-Anne, puis tournez à gauche dans le **chemin Senneville** ★★.

Cette route traverse Senneville, la plus rurale de toutes les agglomérations de l'île de Montréal. On y voit en effet les dernières fermes de l'île ainsi que de vastes propriétés sur la rive du lac des Deux Montagnes. Le cadre champêtre se prête merveilleusement bien aux balades à bicyclette. On traverse ensuite Pierrefonds, où se trouvent deux parcs régionaux importants: **le parc-nature de L'Anse-à-l'Orme** (voir p 249) et **le parc-nature du Cap-Saint-Jacques** (voir p 248).

À Pierrefonds, le chemin Senneville prend le nom de «boulevard Gouin», qu'il conserve ensuite à travers tout le reste de l'île jusqu'à la pointe est.

Sainte-Geneviève

Le vieux village de Sainte-Geneviève constitue une enclave francophone dans le territoire de Pierrefonds. Son origine remonte à 1730, alors que l'on construit un fortin pour défendre le portage des rapides du Cheval-Blanc, sur la rivière des Prairies, que longe le village. Au XIXe siècle, les «cageux», ces solides gaillards qui descendent par voie d'eau les trains de bois (aussi appelés les «cages») en direction de Québec, où se trouvent alors les plus importants chantiers navals, s'arrêtent à Sainte-Geneviève. Les cages y sont reformées en radeaux afin de «passer» les nombreux rapides de la rivière des Prairies. Cette méthode de flottage du bois sera graduellement remplacée par le transport ferroviaire à partir de 1880.

L'**église Sainte-Geneviève ★★** *(16037 boul. Gouin O.)* est le seul bâtiment de la famille Baillargé de Québec dans la région de Montréal. Thomas Baillargé, qui en a conçu les plans en 1836, lui a donné une imposante façade néoclassique

à deux clochers, qui a influencé l'architecture des églises catholiques de toute la région au cours des années 1840 et 1850. L'intérieur s'inspire d'une église de Rotterdam, de l'architecte Guidici, aujourd'hui disparue. On remarquera le tabernacle et son tombeau d'Ambroise Fournier, ainsi que la *sainte Geneviève* du chœur d'Ozias Leduc. L'église est encadrée par le couvent de Sainte-Anne et par le presbytère, et possède un chemin de croix extérieur en fonte bronzée, réalisé par l'Union artistique de Vaucouleurs, en France.

Tout comme l'église, la **maison d'Ailleboust-de-Manthet** *(on ne visite pas; 15886 boul. Gouin O.)* est de facture néoclassique. Elle a été construite en 1845 et habitée par les d'Ailleboust de Manthet, l'une des grandes familles canadiennes-françaises des XVIIIe et XIXe siècles qui s'est illustrée à plusieurs reprises, dans les domaines tant militaire que civil.

Au tournant de la route, on aperçoit l'**ancien monastère Sainte-Croix ★** *(15693 boul. Gouin O.)*, de style lombard, que l'on dirait sorti tout droit du Moyen Âge. Il s'agit, en fait, d'un édifice construit en 1932, selon les plans du talentueux architecte Lucien Parent, pour les pères de Sainte-Croix. Le cloître, au centre, est un havre de paix et de sérénité. L'édifice, vendu en 1968, abrite désormais le centre DomRémy pour la réadaptation des alcooliques.

Attraits touristiques

*Continuez par le boulevard
Gouin.*

Après avoir traversé la portion
est de Pierrefonds, on atteint
Roxboro. Plus loin se trouvent
deux espaces verts, le **parc-
nature du Bois-de-Liesse** (voir
p 248) et le Bois-de-Saraguay.

*Tournez à droite dans le boule-
vard O'Brien, puis prenez la voie
d'embranchement qui conduit à
l'avenue Sainte-Croix, pour
suivre cette dernière jusqu'à la
fin du circuit.*

Saint-Laurent

Le secteur résidentiel de Saint-
Laurent est concentré sur le
cinquième du territoire de ce
qui était autrefois une municipalité autonome. Tout le reste est
accaparé par un vaste parc
industriel qui en faisait la seconde ville en importance au
Québec sur ce plan. Saint-
Laurent s'est développée à
l'intérieur des terres à la suite
de la signature du traité de la
Grande Paix avec les tribus
iroquoises en 1701. La venue
des pères, des frères et des
sœurs de Sainte-Croix en
1847, à l'instigation de Mgr
Ignace Bourget, second évêque
de Montréal, va permettre la
croissance du village dominé
par les institutions de cette
communauté originaire du
Mans, en France.

L'ancien couvent des sœurs de
Sainte-Croix, le **pensionnat**

Notre-Dame-des-Anges *(821
av. Ste-Croix)*, a été fondé en
1862. La chapelle moderne de
l'architecte Gaston Brault a été
ajoutée en 1953. Une aile de
l'édifice abritait autrefois le collège Basile-Moreau, l'une des
seules institutions du Québec
qui offrait un enseignement
supérieur en français aux jeunes
femmes avant la Révolution
tranquille. En 1970, le couvent
est devenu le cégep anglophone Vanier.

L'**église Saint-Laurent ★** *(805
av. Ste-Croix)*, construite en
1835, s'inspire de la basilique
Notre-Dame de Montréal,
inaugurée six ans plus tôt. Malheureusement, les pinacles ainsi
que les créneaux de la façade et
des bas-côtés ont été suppri-
més dès 1868, et le magnifique
décor intérieur néogothique,
exécuté par François Dugal et
Janvier Archambault entre 1836
et 1845, a été altéré lors de la
frénétique vague de renouveau
de Vatican II, au début des années 1960. Il s'agissait pourtant
du plus ancien décor néogothique subsistant dans un
temple catholique.

Au sud de l'église se trouvent la
**chapelle mariale Notre-Dame-
de-l'Assomption**, le **presbytère**
et l'**ancien hangar à grain**
(1810), où les paroissiens pou-
vaient payer leur dîme «en nature», c'est-à-dire sous forme
de grains ou d'autres denrées. Il
abrite maintenant la salle paroissiale. Lui fait face le monument
qui commémore la visite à
Saint-Laurent, en 1841, de

l'apôtre de la tempérance, monseigneur de Forbin-Janson.

C'est dans la maison située au 696, avenue Sainte-Croix que furent hébergés les pères et les frères de Sainte-Croix à leur arrivée au Canada en 1847. Dès 1852, ils emménageront dans leur collège, situé de l'autre côté de la rue. L'édifice a cependant été modifié et agrandi à plusieurs reprises. Au cours de son histoire, le **Collège de Saint-Laurent ★** *(625 av. Ste-Croix, métro Du Collège)* s'est démarqué par son avant-gardisme. Ainsi, il n'a pas hésité à former des gens d'affaires à une époque où l'on privilégiait la prêtrise, le droit, la médecine ou le notariat. Au cours des années 1880, on y a créé un musée de sciences naturelles, qui sera logé dans une tour octogonale en 1896. La même année, le collège se dote d'un auditorium de 300 places pour les représentations de théâtre des élèves. En 1968, le collège devient cégep dans la foulée de la Révolution tranquille, et les prêtres qui ont fondé et piloté l'institution pendant plus de 100 ans n'ont que quelques jours pour faire leurs valises...

La Salle Émile-Legault ★ ★ *(613 av. Ste-Croix, métro Du Collège, billetterie ☎855-6110).* En 1928, la direction du Collège de Saint-Laurent décide de construire une nouvelle chapelle, car l'ancienne déborde d'élèves. Entre-temps, un ancien diplômé de l'institution, alors président du comité exécutif de la Ville de Montréal,

propose le rachat et la reconstruction, à Saint-Laurent, de l'église presbytérienne St. Andrew and St. Paul, située sur le boulevard Dorchester (aujourd'hui René-Lévesque) à l'emplacement de l'actuel Hôtel Reine-Élisabeth. L'édifice, exproprié par la société ferroviaire du Canadien National en 1926, doit être détruit pour faire place aux voies ferrées de la Gare centrale. Le projet est accepté malgré son caractère inusité.

En 1930-1931, le temple protestant, dessiné en 1866 selon les plans de l'architecte Frederick Lawford, est démonté pierre par pierre et remonté à Saint-Laurent, avec quelques modifications apportées par Lucien Parent. Ainsi, le sous-sol est exhaussé pour permettre l'aménagement d'un auditorium moderne. Cette salle jouera au cours des années 1930 et 1940 un grand rôle dans l'évolution des arts au Québec grâce, notamment, aux Compagnons de Saint-Laurent, une troupe de théâtre fondée par le père Paul-Émile Legault en 1937, au sein de laquelle ont comédiens québécois ont appris leur métier. Toujours active, la Salle Émile-Legault compte 700 sièges et présente régulièrement du théâtre, des concerts, des variétés, des ciné-conférences et du cinéma.

En 1968, lors de la transformation du collège en cégep, la chapelle, qui a quant à elle aussi accueilli un grand nombre de concerts, perd son utilité. Le Musée d'art de Saint-Laurent, fondé en 1963 par Gérard Lavallée, s'y installe en 1979. Il présentera des collections de meubles québécois, d'outils et de tissus traditionnels, ainsi que plusieurs objets d'art religieux des XVIIIe et XIXe siècles.

À la suite d'un réaménagement de l'ancienne chapelle, le **Musée des maîtres et artisans du Québec ★★** *(3$, mer entrée libre; mer-dim 12h à 17h; 615 av. Ste-Croix, métro Du Collège,* ☎ *747-7367)* a pris le relais du Musée d'art de Saint-Laurent, le 1er avril 2003, avec une nouvelle exposition permanente sur les métiers du bois, du métal et du textile. On y trouve toujours une collection de 8 000 objets d'art ancien et de tradition artisanale couvrant les XVIIIe et XIXe siècles. Le musée a ainsi été rebaptisé pour mieux signaler sa mission, tout en offrant un programme éducatif plus consistant et mieux adapté à sa collection.

Pour reprendre l'autoroute, suivez le boulevard Sainte- Croix vers le sud jusqu'à la jonction avec l'autoroute 40. Pour retourner au centre-ville de Montréal, poursuivez vers le sud par le chemin Lucerne, tournez à gauche dans la rue Jean-Talon et enfin à droite dans le chemin de la Côte-des-Neiges.

Plein air

A ux quatre coins de l'île de Montréal se trouvent des parcs offrant la possibilité de s'adonner à mille et une activités.

En toutes saisons, les Montréalais profitent de ces îlots de verdure, le temps de se détendre loin de l'activité urbaine tout en restant au cœur même de leur ville. Parcs-nature, parcs métropolitains, grands parcs urbains et parcs de quartier et autres parcs récréatifs s'ouvrent à tous, été comme hiver.

Parcs

Le **parc La Fontaine** ★ *(délimité par l'avenue du Parc-La Fontaine, la rue Sherbrooke, la rue Rachel et l'avenue Papineau; Plateau Mt-Royal; voir p 160)* et le **parc René-Lévesque** ★★ *(à l'extrémité ouest du canal de Lachine, voir p 230)* s'avèrent bien agréables pour se détendre. Par ailleurs, tous deux, et quelques autres parcs montréalais, sont rattachés à la **Route Verte**, ce réseau cyclable de 3 000 km qui sillonne le Québec.

Le **parc Jeanne-Mance** *(délimité par l'avenue de l'Esplanade, la place du Parc, l'avenue du Mont-Royal O. et l'avenue des Pins; Plateau Mt-Royal)* porte depuis 1910 le nom de la cofondatrice de Montréal et fondatrice de l'Hôtel-Dieu, premier hôpital de la ville. Prolongement naturel du flanc est du mont Royal, le parc Jeanne-Mance fait partie officiellement du parc du Mont-Royal depuis 1990. Ce parc de près de 15 ha offre à la population de nombreux équipements et installations: aires de jeu pour les enfants et les tout-petits incluant une pataugeoire, des terrains de balle, de soccer et de tennis, des patinoires et une aire pour la pratique de la raquette.

Le **parc Sir-Wilfrid-Laurier** ★ *(délimité par l'avenue Laurier E., la rue De Mentana, la rue De Brébeuf et la rue St-Grégoire; Plateau Mt-Royal)*, un beau parc récréatif de 10 ha, est surtout connu sous le nom simple de «parc Laurier», créé en 1925. Les résidants du coin en profitent grandement l'été, en raison de la belle piscine qui les incite à se rafraîchir, et l'hiver aussi, à cause de la patinoire qu'on y entretient (une deuxième patinoire n'est accessible qu'aux sportifs). Les enfants ne sont pas en reste, car ils ont leur propre aire de jeu, tout comme les tout-petits. Le parc Laurier comprend également un terrain de balle et un terrain de soccer, et il est joliment arboré.

Le **parc Angrignon** ★ ★ *(délimité par LaSalle, le boulevard des Trinitaires et le boulevard La Vérendrye; métro Angrignon, ☎872-3816)*, d'une superficie de 110 ha, devait à l'origine abriter un important jardin zoologique. Son réseau de sentiers pédestres et de pistes de ski de fond s'étend sur une dizaine de kilomètres; une petite route sinueuse traverse aussi le parc. En plus d'un magnifique espace vert et d'un bel étang, il renferme aujourd'hui la Ferme Angrignon (voir ci-dessous) et le **Fort Angrignon** *(droit d'entrée; métro Angrignon, ☎872-3816)*, ouvert toute l'année et offrant des épreuves intérieures (genre Fort Boyard) pour les enfants, les familles et même les adultes. Le Centre d'animation du parc Angrignon (CAPA) a pris en mains les activités du Fort Angrignon.

Ferme d'animation sous la responsabilité du Jardin botanique de Montréal, la **Ferme Angrignon** *(droit d'entrée; mi-juin à début sept tlj 9h30 à 17h; 3400 boul. des Trinitaires, angle rue Lacroix; métro Angrignon, ☎872-2816)* prend soin, depuis 1990, d'une centaine d'animaux de la ferme que les enfants peuvent approcher et qu'ils découvriront dans cinq volières, un clapier, un poulailler, une bergerie, une chèvrerie, une étable et deux étangs. Cueillette des œufs, alimentation des animaux, traite de la vache, visites guidées et plusieurs autres activités sont offertes à la Ferme Angrignon. Au cours de l'été, en plus des camps de jour qui y sont proposés, des journées thématiques agroalimentaires y ont lieu, avec petites dégustations instructives.

D'une superficie de 268 ha, le **parc Jean-Drapeau** ★ ★ *(métro Jean-Drapeau, ☎872-6120)* englobe les **îles Sainte-Hélène et Notre-Dame** (voir p 195). En été, les Montréalais s'y rendent nombreux, par les jours de beau temps, pour goûter les plaisirs de sa plage. Des sentiers de randonnée, des voies cyclables et une piste pour le patin à roues alignées sillonnent le parc et révèlent plusieurs beaux paysages. Durant la saison hivernale, la **fête des Neiges** (voir p 369) y a lieu.

Tout au long de l'année, le **parc du Mont-Royal** ★ ★ ★ *(on s'y rend par l'avenue du Parc, puis en empruntant la voie Camillien-Houde; ☎843-8240)* (voir p 166), ce vaste espace vert en plein cœur de la ville appelé tout simplement «la montagne» par les Montréalais, offre une foule d'activités de plein air. En été, on y entretient des sentiers de randonnée pédestre et de vélo de montagne. En hiver, pour le plaisir de tous, les sentiers se transforment en pistes de ski de fond; la glace du lac aux Castors devient une belle grande patinoire, et les côtes de la montagne inspirent de superbes glissades. Pendant la belle saison, le secteur à l'est du parc, le long de l'avenue du Parc près du monument à Sir George Étienne Cartier, s'anime tous les dimanches au son des tam-tam. Une foule hétéroclite s'y rassemble alors pour s'éclater dans une atmosphère chaude et conviviale.

Deux organismes montréalais prennent à cœur la conservation du mont Royal: le **Centre de la montagne** et Les Amis de la montagne *(Maison Smith, 1260 ch. Remembrance, parc du Mt-Royal, ☎843-8240)*. Ils organisent tout au long de l'année plusieurs activités mettant en valeur la beauté du parc.

Pour l'amant de la nature, le parc du Mont-Royal offre l'occasion d'apprécier une faune et une flore riches en espèces. Les ornithologues seront émerveillés d'apprendre que cet éden recèle une variété d'oiseaux unique pour un milieu urbain comme Montréal. Parmi les espèces les plus splendides, il suffit de mentionner la crécelle d'Amérique, le pic mineur, le tangara écarlate, la sitelle à poitrine blanche, l'oriole du Nord et le chardonneret jaune, pour provoquer l'hystérie chez les amoureux de la faune ailée. Une grande variété d'arbres y est également présente. Parmi ceux-ci, signalons le bouleau pleureur, le chêne rouge, l'érable à sucre, le marronnier, le tilleul et le catalpa. Enfin, comment ne pas citer la présence de mammifères tels que l'écureuil, le tamia rayé, la marmotte commune, le raton laveur, la moufette rayée et le renard roux?

D'une superficie de 80 ha incluant le **Jardin botanique de Montréal** ★ ★ ★ *(4101 rue Sherbrooke E., Maisonneuve, ☎872-1400)* et le **golf municipal Le Village**, le **parc Maison-**

Plein air

neuve ★ (*délimité par le boulevard Pie-IX, la rue Sherbrooke, le boulevard Rosemont et la rue Viau avec le terrain de golf; 4601 rue Sherbrooke O., ☎872-5558, métro Pie-IX ou Viau*), un grand espace vert, est tout indiqué pour une promenade ou un pique-nique en été. En hiver, une belle patinoire et des pistes de ski de fond font la joie des Montréalais.

Le **parc Jarry** (*délimité par le boulevard St-Laurent, la rue Faillon O., la rue Jarry et la voie ferrée; métro De Castelnau ou Jarry*) a été aménagé à l'emplacement de la ferme des clercs de Saint-Viateur, dont on aperçoit l'ancien institut des Sourds-muets au sud de la rue Faillon. D'abord connu pour son stade, qui a accueilli le club de baseball Les Expos de 1968 à 1976, le parc sert maintenant d'écrin au **Centre de tennis du parc Jarry** (voir p 374). En plus de pouvoir y jouer au tennis, tant à l'intérieur qu'à l'extérieur, il est possible d'y faire du patin à roues alignées et de la planche à roulettes sur un circuit expressément aménagé pour ces sports extrêmes.

Bien qu'il soit peu arboré, le parc Jarry est tapissé de plusieurs terrains de sport pour petits et grands (football, soccer, baseball). On y trouve également une sculpture célébrant la paix dans le monde.

L'**Arboretum Morgan** ★★ (*autoroute 40 O., sortie 41, angle ch. Ste-Marie et ch. des Pins, Ste-Anne-de-Bellevue, ☎398-7811*)

s'étend sur 245 ha, ce qui en fait le plus grand arboretum du Canada. Un arboretum se définit comme un endroit destiné à être planté d'arbres d'essences différentes qui font l'objet de cultures expérimentales. On y trouve un lacis de sentiers aménagés pour la randonnée pédestre. Des sentiers tracés pour l'aménagement forestier s'enfoncent sur 3 km de profondeur dans la forêt et sont bordés de panneaux qui permettent de se renseigner sur les différentes méthodes d'aménagement forestier et sur les écosystèmes qui caractérisent la forêt.

Le sentier écologique, long de 1 km, est jalonné de 11 stations qui illustrent les relations entre les organismes vivants et leur environnement. Un autre sentier, qui s'allonge sur 2 km, est réservé uniquement aux randonneurs qui souhaitent s'y promener sans tenir leur chien en laisse. Au total, c'est plus de 20 km de sentiers qui sont offerts aux marcheurs. Notez que, durant les fins de semaine de janvier et de février, seuls les membres ont accès à l'Arboretum Morgan.

Une visite de l'Arboretum serait incomplète sans un arrêt à l'**Écomuséum de la Vallée du Saint-Laurent** ★ (voir p 237), où l'on peut voir et apprécier la flore et la faune de la vallée du Saint-Laurent (oiseaux de proie, loups, lynx, ours, caribous, oiseaux aquatiques, etc.).

Le **parc linéaire du Complexe environnemental Saint-Michel** ★ *(délimité par l'avenue Papineau, la rue Jarry, la 2e Avenue et la rue Champdoré; accès à l'angle des rues D'Iberville et Louvain; St-Michel)* comprend, en plus de plusieurs terrains de jeu, des pistes cyclables l'été et des pistes de ski de fond l'hiver, le tout sur 55 ha. Le Complexe même compte quelque 192 ha. Cette ancienne carrière de calcaire devenue dépotoir est en voie de se faire recycler par la Ville de Montréal grâce à un grandiose projet de réhabilitation environnementale. On prévoit transformer les lieux en un immense parc urbain réparti entre plusieurs pôles: culturel, éducatif, sportif, commercial, industriel. Le projet est déjà en branle, car, en plus du parc linéaire, s'y trouve entre autres **TOHU, la Cité des arts du cirque** ★ *(voir p 192)*, accolée à des organisations à vocation environnementale.

Le **parc de la Promenade Bellerive** ★ *(délimité par le fleuve Saint-Laurent, la terrasse Bellerive, Montréal-Est et la rue Liébert; Mercier; ☎493-1967 ou 493-1050)* est devenu, grâce à la Société d'animation de la Promenade Bellerive, responsable des activités dans le parc et sur le fleuve, l'un des grands parcs urbains les plus animés de Montréal, et ce, été comme hiver. De plus, du printemps à l'automne, un service de navette (payant) pour piétons et cyclistes le relie au parc national des Îles-de-Boucherville, au cœur du Saint-Laurent. Ce parc riverain, avec ses 2,2 km de long, offre une fenêtre imprenable sur le fleuve Saint-Laurent. Durant la belle saison, des équipements nautiques y sont offerts en location, et, en hiver, un anneau de glace attire les patineurs; aussi un beau chalet est accessible aux usagers du parc.

Situé à LaSalle, le **parc des Rapides** ★★ *(délimité par le boulevard LaSalle, le fleuve Saint-Laurent, la 3e Avenue et la 31e Avenue; LaSalle; accès par la 6e Avenue; ☎367-6351)* est le meilleur endroit pour voir, entendre et humer les célèbres rapides de Lachine, qui font vibrer les visiteurs de tout leur être. Ouvert sur le fleuve, il permet aussi d'observer les oiseaux migrateurs qui ont trouvé refuge dans les environs, entre autres la plus grande colonie de hérons au Québec. Les plus audacieux pourront y louer des kayaks; les autres sauront profiter des pistes cyclables (vélo et patin à roues alignées) et des sentiers pédestres.

Les parcs-nature

Sur l'île de Montréal, on trouve un intéressant réseau de parcs: les **parcs-nature** *(information générale: ☎280-7272)*. Ces parcs, dispersés dans l'île, sont entretenus religieusement. Ouverts depuis le début des années 1980, les parcs-nature sont accessibles au public à longueur d'année, tous les

Plein air

jours, du lever au coucher du soleil. Ils disposent d'aires de pique-nique, de sentiers de randonnée, de voies cyclables et de chalets d'accueil avec casse-croûte, ainsi que de pistes de ski de fond (location de skis) en hiver. Dans plusieurs des parcs, on fait aussi la location de vélos et de canots, de même que de traîneaux, de tapis pour glisser et de raquettes. Enfin, un concours amateur de photographie se tient dans tout le réseau des parcs-nature.

Notez que tous les chalets d'accueil et centres d'interprétation sont fermés de la fin octobre à la mi-décembre, ainsi qu'à Noël et au jour de l'An. Voici une brève description des six parcs-nature actuels (la Ville de Montréal projette d'en ouvrir d'autres à moyen terme, comme le Bois-de-Saraguay, le Bois-d'Anjou et le Bois-de-la-Roche):

Situé à l'ouest de l'île de Montréal, le **parc-nature du Cap-Saint-Jacques ★★** *(chalet d'accueil, 20099 boul. Gouin O., Pierrefonds,* ☎*280-6871)* occupe une pointe de 267 ha qui avance dans le lac des Deux Montagnes, sur les rives duquel s'étend une plage publique. Des sentiers ont été aménagés afin de mettre en valeur la faune et la flore variées du parc. Une **base de plein air** *(190 ch. du Cap-St-Jacques, Pierrefonds,* ☎*280-6778)* propose l'hébergement aux groupes, et la **Ferme écologique du Cap-Saint-Jacques** *(183 ch. du Cap-St-Jacques, Pierrefonds,* ☎*280-6743)*

offre des visites gratuites de ses installations. Par ailleurs, une cabane à sucre se trouve dans le parc. Enfin, à l'intérieur du **Château Gohier**, un service de location d'équipements nautiques et de restauration est disponible.

Aménagé sur un site de 159 ha abritant une flore exceptionnelle, le **parc-nature du Bois-de-Liesse ★** *(Accueil Pitfield, 9432 boul. Gouin O., Pierrefonds,* ☎*280-6729; Accueil des Champs, 3555 rue Douglas-B. Floreani, St-Laurent,* ☎*280-6678)* est pourvu d'une belle forêt d'arbres feuillus et de champs de fleurs sauvages. Une faune variée, tant aquatique qu'ailée (attirée par les mangeoires d'oiseaux), y évolue. Des sentiers de randonnée pédestre, des voies cyclables et des pistes de ski de fond sillonnent cet espace vert, également équipé pour la raquette et la glissade en hiver. Sur la péninsule du parc, aux abords de la rivière des Prairies, près de l'intersection du boulevard Gouin et de l'autoroute 13, se dresse la **Maison du Ruisseau** *(5 rue Oakridge, Cartierville,* ☎*280-6829)*), un lieu d'hébergement tout

équipé qui accueille les groupes. À côté du gîte se trouve la **Maison de la découverte** *(1 rue Oakridge, Cartierville,* ☎*280-6829)*, centre d'interprétation de la nature et bureau des naturalistes.

Malgré ses 42 ha, le **parc-nature de L'Anse-à-l'Orme** *(autoroute 40 O., sortie ch. Ste-Marie N.; suivre ensuite le chemin de L'Anse-à-l'Orme jusqu'au boulevard Gouin O., Pierrefonds,* ☎*280-6784)* est exclusivement destiné aux amateurs de planche à voile, car des vents d'ouest exceptionnels y soufflent. Quelques tables de pique-nique sont également mises à la disposition des visiteurs.

Couvrant 201 ha, le **parc-nature du Bois-de-l'Île-Bizard** ★ *(chalet d'accueil, 2115 ch. du Bord-du-Lac, L'Île-Bizard,* ☎*280-8517)* occupe l'extrémité ouest de l'île de Montréal au bord du lac des Deux Montagnes, à l'endroit où s'arrêtaient au XIXᵉ siècle les cageux qui assuraient le transport des billots de bois sur la rivière des Prairies jusqu'au fleuve Saint-Laurent. En plus des sentiers de randonnée et de ski de fond, parsemés de mangeoires d'oiseaux, s'y trouvent un casse-croûte ainsi qu'une plage, une rampe de mise à l'eau et un quai (location d'embarcations). Enfin, une passerelle traversant le marais du parc permet d'y observer sa nature palustre.

Le **parc-nature de l'Île-de-la-Visitation** ★ ★ *(chalet d'accueil, 2425 boul. Gouin E.,*

Ahuntsic, ☎ *280-6733)* attire sur ses 34 ha bon nombre de Montréalais en mal de nature, que ce soit pour la pique-nique ou profiter de courts sentiers ponctués de mangeoires d'oiseaux (location de jumelles et guides), à parcourir à pied en été ou en skis de fond l'hiver (aussi glissade: locations de traîneaux et de tapis). Baignant dans la rivière des Prairies, il offre de magnifiques paysages. Sur le site, deux bâtiments historiques, la **Maison du Pressoir** ★ (voir p 191), un centre d'interprétation de l'histoire, et la **maison du Meunier** *(10897 rue du Pont, Ahuntsic,* ☎*850-4222)*, qui abrite le bistro des Moulins, sont ouverts aux visiteurs.

D'une superficie de 261 ha, le **parc-nature de la Pointe-aux-Prairies** ★ *(chalet d'accueil Héritage, 14905 rue Sherbrooke E.,* ☎*280-6691; pavillon des Marais, 12300 boul. Gouin E.,* ☎*280-6688; Maison Bleau, 13200 boul. Gouin E.,* ☎*280-6698)*, qui s'étend à l'extrémité est de l'île de Montréal, abrite un beau réseau de sentiers pédestres, de voies cyclables et de pistes de ski de fond (aussi en hiver: aire de pratique de raquette et pentes pour glissade, et location de raquettes et de traîneaux et tapis). Ils sillonnent tous des milieux boisés et des champs en bordure des marais d'où se prête merveilleusement bien l'observation de la faune ailée du parc, sans compter les nombreuses mangeoires d'oiseaux qui y attirent plusieurs espèces. Il est aussi possible d'y

Plein air

voir des cerfs à l'occasion. Le **pavillon des Marais**, pour sa part, loge un centre d'interprétation de la nature (location de jumelles et de guides). La **Maison Bleau**, quant à elle, se présente comme une maison d'artistes-résidants (visite de l'atelier sur rendez-vous).

Activités de plein air

Randonnée pédestre

Montréal est une ville qui se laisse découvrir aisément en marchant. Mais à ceux qui désirent parcourir des coins de verdure magnifiques, où l'asphalte et le béton ne sont pas encore maîtres, Montréal offre des centaines de kilomètres de sentiers de randonnée pédestre où il fait bon sentir, découvrir et explorer ces grandes étendues apaisantes.

Pour en connaître davantage sur les sentiers pédestres de la ville, il faut se procurer le guide Ulysse ***Randonnée pédestre Montréal et environs***. Nous vous proposons ici quelques balades.

L'**Arboretum Morgan** offre 20 km de pistes boisées et de sentiers écologiques. On y dénombre quelque 500 espèces végétales, principalement des arbres, et plus de 170 essences indigènes.

Tout près du centre-ville, le **parc du Mont-Royal** est une oasis de verdure qui se prête bien à la randonnée pédestre. Le parc compte une vingtaine de kilomètres de sentiers, incluant de nombreux petits sentiers secondaires ainsi que le magnifique chemin Olmsted et la boucle du sommet.

Le **parc-nature du Bois-de-Liesse** compte 11 km de sentiers de marche dont certains consacrés à l'interprétation de la nature. Ce parc abrite la superbe maison Pitfield (1954) ainsi qu'une magnifique passerelle japonaise au tracé irrégulier.

Le **parc-nature du Cap-Saint-Jacques** dispose de 17 km de sentiers pédestres parcourant une forêt mature (érablière à caryers et érablière à hêtres), des zones de transition (bouleaux et peupliers) ainsi que des étendues où pousse une grande diversité de plantes aquatiques et riveraines.

Le **parc-nature de l'Île-de-la-Visitation** offre 8 km de sentiers pédestres à vocation écologique. On y trouve des étendues vallonnées, de petits sousbois, les berges de la rivière des Prairies ainsi qu'une très jolie île, l'île de la Visitation.

Le **parc-nature de la Pointe-aux-Prairies** est pourvu de 15 km de sentiers de randonnée sillonnant une variété d'écosystèmes. Ce parc abrite les seuls bois matures à l'est du mont Royal. S'étendant, en différents secteurs, de la rivière des Prairies jusqu'au fleuve Saint-Laurent, il comporte également des marais ainsi que des champs.

Le **parc-nature du Bois-de-l'Île-Bizard** offre 10 km de sentiers de randonnée pédestre. Il est divisé en deux zones, la pointe aux Carrières et le boisé. On y trouve une jolie plage de sable naturelle ainsi qu'une superbe passerelle de 406 m aménagée au-dessus d'un marais.

Le **parc Maisonneuve**, situé en face du Stade olympique, compte une dizaine de kilomètres de sentiers de randonnée pédestre incluant ceux du **Jardin botanique de Montréal** avec sa trentaine de jardins extérieurs.

Quelques kilomètres de sentiers sillonnent le **parc La Fontaine**, où les Montréalais viennent se reposer sous les grands arbres ou près de l'étang.

Le **parc Jean-Drapeau** compte une douzaine de kilomètres de sentiers. On y trouve une multitude de petits chemins ainsi que des sentiers mieux aménagés et de petites routes.

Le **parc Angrignon** compte plusieurs petits sentiers ainsi qu'une petite route principale, pour un total d'une dizaine de kilomètres.

La piste du **canal de Lachine** (☎283-6054), longue de 14 km et très prisée des cyclistes, peut également être parcourue à pied. Elle relie le Vieux-Port et le parc René-Lévesque, à Lachine.

Le **canal de Sainte-Anne-de-Bellevue** (☎457-5546) est situé à l'extrémité ouest de l'île de Montréal. Le réseau compte 2 km de sentiers de randonnée, incluant la promenade de Sainte-Anne-de-Bellevue.

Vélo

La **Société de transport de Montréal (STM)** (☎288-6287, *www.stm.info*) permet aux usagers de transporter un vélo dans le métro, mais pose les conditions suivantes:

Les usagers doivent être âgés d'au moins 16 ans ou être accompagnés d'un adulte s'ils sont plus jeunes. Ils doivent transporter leur vélo entre 10h

Plein air

et 15h ou après 19h, et ce, du lundi au vendredi; les samedis, dimanches et jours fériés, ils ont accès au métro avec leur vélo toute la journée. Ils doivent cependant monter dans la première voiture de la rame, mais les piétons y ont priorité. Ils ne doivent pas y monter si la voiture compte déjà quatre vélos. Ils ne peuvent pas prendre le métro avec leur vélo lors des grands événements tels que les feux d'artifice de La Ronde et les courses automobiles de l'île Notre-Dame.

En tout temps, les cyclistes peuvent garer leur vélo près d'une station de métro, la STM mettant à leur disposition plusieurs supports à bicyclettes.

Au printemps, la Ville de Montréal installe également de nombreux supports à vélo un peu partout sur l'île; elle les remise pour l'hiver.

Sur les trains de banlieue, qui sont sous la responsabilité de l'**Agence métropolitaine de transport (AMT)** (*☎287-tram, www.amt.qc.ca*), on peut aussi transporter un vélo.

Notez qu'il est possible de participer au **Tour de l'Île** (voir p 374), qui a lieu le premier dimanche du mois de juin et qui est l'événement le plus important de la **Féria du vélo de Montréal**, un festival sur deux roues pendant lequel beaucoup de cyclistes amateurs et chevronnés s'en donnent à cœur joie.

La Maison des cyclistes (*1251 rue Rachel E., ☎521-8356*) propose différents services. En plus d'un café, on y trouve une boutique spécialisée.

Le Monde à Bicyclette (*911 rue Jean-Talon E., bureau 135, ☎270-4884*), pour sa part, s'est donné une vocation plus militante.

Montréal offre environ 400 km de pistes cyclables que l'on découvre avec ravissement. On peut se procurer une carte des pistes cyclables aux bureaux d'information touristique, ou encore acheter dans les librairies le guide Ulysse **Le Québec cyclable**. Nous vous proposons ici quelques promenades.

Les abords du **canal de Lachine** ont été réaménagés dans le but de mettre en valeur cette voie de communication importante au cours des XIXe et XXe siècles. Depuis, une piste cyclable fort agréable longe le canal (sur une section, il y en a même une de chaque côté du canal). Très prisée des Montréalais, surtout le dimanche, elle mène du **Vieux-Port** au **parc René-Lévesque**, cette mince bande de terre qui avance dans le lac Saint-Louis et d'où la vue est splendide. Le parc René-Lévesque dispose de quelques bancs et de tables de pique-nique. On peut boucler sa promenade en revenant vers le Vieux-Port en y empruntant la piste du **Pôle des Rapides** qui longe le fleuve. Plusieurs oiseaux fréquentent les abords du fleuve en cette partie de l'île, et vous aurez peut-être la chance d'apercevoir des hérons et des canards.

Au nord de l'île (on peut s'y rendre par la piste cyclable qui traverse l'île de Montréal du sud au nord ou par métro), une piste cyclable a été aménagée sur le **boulevard Gouin** et sur le bord de la rivière des Prairies. Elle se rend au **parc-nature de l'Île-de-la-Visitation**. Longeant ainsi la rivière, la piste conduit les cyclistes en une partie tranquille de Montréal. Il est possible de continuer la balade jusqu'au **parc-nature de la Pointe-aux-Prairies**. De là, on peut suivre la piste qui se rend au Vieux-Montréal en passant par le sud-est de l'île (comptez une bonne demi-journée).

En partant du Vieux-Montréal, on peut se rendre aux **îles Notre-Dame et Sainte-Hélène**. La piste traverse d'abord un secteur où sont établies diverses usines, puis passe par la Cité du Havre et va jusqu'aux îles (on traverse le fleuve par le pont de la Concorde). Il est facile de circuler d'une île à l'autre. Celles-ci, joliment paysagées, constituent un havre de détente où il fait bon se promener en contemplant, au loin, la silhouette de Montréal.

Le **parc-nature du Bois-de-Liesse** est sillonné par un réseau de 8 km de voies cyclables en pleine forêt de feuillus.

Location de vélos

Plusieurs boutiques de vélos ont un service de location. Vous pouvez aussi vous adresser à **Vélo-Québec** *(1251 rue Rachel E.,* ☎*521-8356)* ou aux **Associations touristiques régionales (ATR)**, qui vous indiqueront les établissements offrant ce service, ou encore de consulter les *Pages Jaunes* sous la rubrique «Bicyclettes-Location». Il est conseillé de se munir d'une bonne assurance. Certains de ces établissements incluent une assurance vol dans le prix de location. Il est préférable de se renseigner au moment de la location.

Bicycletterie J.R.
151 rue Rachel E., Plateau Mt-Royal
☎*843-6989*

Ça Roule Montréal
27 rue de la Commune E.,
Vieux-Montréal
☎*866-0633*

La Cordée Plein Air
2159 rue Ste-Catherine E.,
Centre-Sud
☎*524-1106*

Montréal En-Ligne Plus
55 rue de la Commune O.,
Vieux-Montréal
☎*849-5211*

Pignon sur Roues
1308 av. du Mt-Royal E.,
Plateau Mt-Royal
☎*523-6480*

Plein air

Observation des oiseaux

Pour de l'information sur des publications spécialisées, des lieux d'observation ou des sorties de groupe, contactez l'organisme suivant:

Fédération québécoise des groupes d'ornithologues (AQGO)
☎*252-3190*

L'île de Montréal compte plusieurs sites naturels et autres lieux uniques où observer la faune ailée. Nous vous en proposons ici quelques-uns.

De nombreuses espèces d'oiseaux peuvent être observées aux abords du lac des Deux Montagnes, dans le **parc-nature du Bois-de-l'Île-Bizard**; on y voit notamment des foulques d'Amérique ainsi que plusieurs espèces de canards.

Une centaine d'espèces ailées peuvent être observées au **parc-nature du Cap-Saint-Jacques**, dont des échassiers, des rapaces, des passereaux ainsi que plusieurs oiseaux aquatiques. Canards branchus,

grands ducs et buses à queue rousse profitent, entre autres, de ce milieu naturel.

Bon nombre d'oiseaux appartenant à plus de 125 espèces différentes viennent nicher au **parc-nature de la Pointe-aux-Prairies**.

Le **Jardin botanique de Montréal** reçoit, tout au long de l'hiver, la visite de nombreuses espèces de la faune ailée. Parmi celles que vous aurez la chance de rencontrer, citons le gros-bec errant, le pic mineur, la mésange à tête noire, le sizerin flamme et la sittelle à poitrine rousse.

Tennis

Plusieurs parcs urbains ou récréatifs mettent des courts de tennis à la disposition des amateurs en été. Quelques-uns de ces terrains sont payants, tandis que d'autres sont gratuits.

Avec ses courts intérieurs et extérieurs, le **Centre de tennis du parc Jarry** *(285 rue Faillon O., métro De Castelnau ou Jarry,* ☎ *872-1856)* est des mieux équipés pour satisfaire les mordus tout au long de l'année. Construit pour Tennis Canada, qui y présente la Coupe Rogers AT&T et les Masters de tennis du Canada, il est toutefois ouvert à tous. Parmi les services et installations, on y retrouve entre autres des douches, des vestiaires, des cases et un restaurant.

Golf

La très grande partie du terrain de golf qui se trouvait autrefois au nord du Stade olympique a été détruite lors de la construction du Village olympique. Il y reste toutefois le bien-nommé **golf municipal Le Village** *(4235 rue Viau, Maisonneuve, ☎872-4653)*, qui compte neuf trous. Situé à l'est de la rue Viau et au nord de la rue Sherbrooke, il est ouvert à tous.

Baignade

La plupart des cégeps et universités de la ville ont leur propre centre sportif abritant une piscine ouverte à la baignade libre. De plus, la ville de Montréal a construit dans plusieurs quartiers des piscines extérieures, très fréquentées en été. Sans compter les quelques plages publiques qui bordent l'île. Les prix et les horaires étant sujets à changement, il est préférable de s'en informer avant de se déplacer.

Piscine intérieure du **Cégep du Vieux-Montréal** *(255 rue Ontario E., Quartier latin, ☎982-3457)*.

Piscine intérieure du **Centre Claude-Robillard** *(1000 rue Émile-Journault, Ahuntsic, ☎872-6905)*.

Piscine intérieure de l'**Université de Montréal** *(2100 boul. Édouard-Montpetit, Outremont, ☎343-6150)*.

Piscine intérieure du **Campus John-Abbott** *(21275 ch. du Bord-du-Lac, Ste-Anne-de-Bellevue, ☎457-6610)*.

Piscine intérieure du **Parc olympique** *(3200 rue Viau, Maisonneuve, ☎252-4622)*.

Plages

Située en bordure du lac des Deux Montagnes, la plage de sable fin du **parc-nature du Cap-Saint-Jacques** se prête agréablement bien à la baignade.

Le **parc-nature du Bois-de-l'Île-Bizard** dispose d'une jolie plage où l'on peut s'adonner à diverses activités nautiques.

Sur l'île Notre-Dame, l'eau de la plage du **parc Jean-Drapeau** est filtrée de façon naturelle, ce qui permet aux gens de se baigner dans une eau propre ne contenant aucun additif chimique. Le nombre de baigneurs admis étant limité, il faut arriver tôt les beaux jours d'été.

Rafting

Vous recherchez une activité rafraîchissante par les chaudes journées d'été? La jeune et dynamique entreprise **Descentes sur le Saint-Laurent** *(8912 boul. LaSalle, LaSalle,* ☎ *767-2230)* vous propose trois circuits à travers les rapides de Lachine. Faisant appel au sens du travail en équipe, le rafting garantit rires et éclaboussures. Tout en naviguant à travers les petites îles, en direction des rapides, les guides vous rapporteront les anecdotes ayant marqué la région. Pour ceux qui préfèrent une expérience plus paisible, une croisière d'une durée d'environ une heure est également organisée. Une navette assure le transport entre le **Centre Infotouriste** *(1001 du Square-Dorchester)* et le point de départ, situé à LaSalle. Des vêtements de rechange sont requis.

Avec les **Expéditions sur les Rapides de Lachine** *(mai à oct; 5 départs par jour; 47 rue de la Commune O.,* ☎ *284-9607)*, vous pourrez également prendre part à une excursion au cœur des bouillonnants rapides.

Navigation de plaisance

L'**École de Voile de Lachine** *(3045 boul. St-Joseph, Lachine,* ☎ *634-4326)* fait la location de planches à voile, de petits voiliers ainsi que de dériveurs légers, et propose des cours privés ou de groupe.

La restauration des écluses du **canal de Lachine**, berceau de l'histoire industrielle du Canada, a enfin amené la réouverture de cette voie historique à la navigation de plaisance.

Patin à roues alignées

La popularité croissante du patin à roues alignées a franchi les frontières des États-Unis et s'est installée de façon spectaculaire à Montréal. Cependant, selon le Code de sécurité routière, faire du patin à roues alignées dans les rues des villes est formellement interdit. Toutefois, cette pratique est tolérée sur les pistes cyclables et est même permise à l'île Notre-Dame, sur le circuit Gilles-Villeneuve, où les amateurs peuvent patiner à loisir sans risquer d'être frappés par une voiture.

Aussi, le **TAZ Roulodôme & Skate Park** *(1310 rue des Car-*

rières, ☎*284-0051*), un centre intérieur aménagé expressément pour les amateurs de patin à roues alignées et de planche à roulettes, offre des cours pour non-initiés, de la location d'équipement ainsi que des activités pour groupes et pour fêtes d'enfants.

Cet engouement pour le patin à roues alignées s'est également traduit par l'ouverture de plusieurs boutiques spécialisées qui vendent ou louent de patins ainsi que tout l'équipement nécessaire pour pratiquer ce sport, et qui souvent proposent des cours. Voici les coordonnées de boutiques situées près du Vieux-Port, d'où part la très populaire piste cyclable du canal de Lachine, ouverte non seulement aux cyclistes mais aussi aux amateurs de patin à roues alignées.

Ça roule Montréal
27 rue de la Commune E.
Vieux-Montréal
☎*866-0633*

Montréal En-Ligne Plus
55 rue de la Commune O.,
Vieux-Montréal
☎*849-5211*

Patin à glace

La popularité du patin à glace ne faiblit pas à Montréal. Cette activité extérieure est peu coûteuse et ne nécessite qu'un minimum d'équipement et de technique.

En hiver, dans plusieurs parcs, des patinoires sont aménagées pour le plus grand plaisir de tous. Parmi les plus belles, mentionnons celle du **lac aux Castors** *(parc du Mont-Royal)*, celle de l'étang du **parc La Fontaine**, celle du **Bassin Bonsecours** *(droit d'entrée; location de patins; Vieux-Port, 333 rue de la Commune O., ☎496-port)* et celle du **parc Maisonneuve**.

L'**Atrium** *(5,50$; location de patins 4,50$; 1000 rue De La Gauchetière O., ☎395-0555)*, situé dans la plus haute tour à bureaux de Montréal, le 1000 De La Gauchetière, renferme une grande patinoire de 900 m^2 de superficie qui est ouverte toute l'année. Elle est entourée de comptoirs d'alimentation et d'aires de repos, et une mezzanine la surplombe. Au-dessus de la patinoire, il y a une superbe coupole vitrée qui diffuse les rayons du soleil.

Ski de fond

Montréal regorge d'endroits facilement accessibles par métro ou autobus où il est possible de faire de belles randonnées à skis dans des décors qui, souvent, font oublier la ville. Admirer du haut du mont Royal, skis aux pieds, les tours à bureaux du centre-ville est une expérience inoubliable que peu de villes peuvent offrir!

Plus de 25 km de pistes de ski de fond, avoisinant des plantations de plusieurs espèces d'arbres, sont entretenues durant la saison hivernale à l'**Arboretum Morgan**. Durant les fins de semaine de janvier et de février, seuls les membres y ont accès. Au printemps, on y retrouve une coquette cabane à sucre, considérée comme la plus vieille sur l'île de Montréal qui soit toujours en exploitation.

En hiver, le **parc-nature du Cap-Saint-Jacques** offre 32 km de pistes de ski de fond. Location d'équipement. École de ski de fond les dimanches de janvier et de février.

Le **parc-nature de la Pointe-aux-Prairies** compte 23,5 km de sentiers de ski de randonnée agréablement aménagés parmi une flore et une végétation

abondante. Location d'équipement.

Au **parc-nature de l'Île-de-la-Visitation**, 8 km de sentiers de ski de fond permettent de faire le tour du parc ainsi que de l'île du même nom. Location d'équipement. École de ski de fond les samedis de janvier et de février.

Le **parc-nature du Bois-de-Liesse** compte 16 km de sentiers de ski de fond. Location d'équipement.

Le **parc-nature du Bois-de-l'Île-Bizard** offre 20 km de sentiers de ski de fond répartis en trois boucles. Location d'équipement.

Il est possible de s'adonner aux plaisirs du ski de randonnée à travers la végétation hivernale du **Jardin botanique de Montréal**. Près de 6 km de sentiers permettent de découvrir les nombreuses variétés d'arbres. Du côté du **parc Maisonneuve**, une dizaine de kilomètres de sentiers permettent d'en faire le tour complet tout en admirant le mât du Stade olympique.

Le **parc du Mont-Royal** offre plusieurs pistes de ski de fond bien conçues, en plus d'une belle vue sur la ville. Plus de 25 km de sentiers permettent de découvrir ce poumon vert de la ville.

Le **parc Angrignon** dispose de deux pistes de ski de fond longues de 12 km.

Forfaits aventure

Si vous séjournez à Montréal et que vous soyez envahi par un désir de grands espaces, participer à l'une des activités organisées par **Globe-Trotter Aventure Canada** *(2467 rue Ste-Catherine E., bureau 200, Centre-Sud, ☎ 523-0606)* pourrait vous satisfaire. Cette jeune entreprise propose entre autres divers forfaits, hiver comme été, d'équitation, de canot, de camping et de motoneige dans différentes régions autour de la métropole. Ces forfaits comprennent le transport et la location d'équipement, ce qui est bien pratique pour les voyageurs. Un guide expérimenté accompagne ces sorties de long ou court séjour. En été, une grille horaire fixe et garantie vous permet de planifier vos excursions.

Hébergement

Il se trouve à Montréal une myriade d'hôtels et d'auberges de toutes catégories. Notez que le coût de location des chambres varie grandement d'une saison à l'autre.

Ainsi, durant la haute saison (l'été), les chambres sont plus dispendieuses. Les semaines du Grand Prix du Canada, à la mi-juin, et du Festival international de jazz de Montréal, au début du mois de juillet, sont parmi les plus demandées de l'année; il est recommandé de réserver longtemps à l'avance si vous prévoyez séjourner à Montréal pendant cette période. En outre, les prix sont généralement moins élevés la fin de semaine qu'en semaine.

Le choix est grand, et, suivant le type de tourisme que l'on fait, on choisira l'une ou l'autre des nombreuses formules proposées. En général, le niveau de confort est élevé, et plusieurs services sont souvent disponibles. Les prix pratiqués par les établissements varient selon le type d'hébergement choisi. Il faut généralement ajouter aux prix affichés une taxe de 7% (la TPS: taxe fédérale sur les produits et les services) et la taxe de vente du Québec de 7,5%. Ces taxes sont toutefois remboursables aux non-résidents (voir p 64). Une taxe applicable sur les frais d'hébergement est en vigueur à

Montréal. Appelée «Taxe spécifique sur l'hébergement», elle a été instaurée pour soutenir l'infrastructure touristique de la région. Il s'agit d'un montant de 2$ par nuitée (peu importe le total de la note), non remboursable, et qui n'est pas imposé aux campings et aux auberges de jeunesse.

$	moins de 50$
$$	de 50$ à 100$
$$$	de 100$ à 150$
$$$$	de 150$ à 200$
$$$$$	plus de 200$

Dans la mesure où vous souhaitez réserver (fortement conseillé pour l'été), une carte de crédit s'avère indispensable, car, dans plusieurs cas, on vous demandera de payer à l'avance la première nuitée.

Il existe à Montréal une centrale d'Hospitalité Canada qui offre un service gratuit de réservation pour des forfaits hébergement et attractions touristiques au Québec et ailleurs au Canada:

Hospitalité Canada
651 rue Notre-Dame O., bureau 260
☎287-9049 ou 888-338-9839
≠287-1220
www.hospitality-canada.com

Prix et symboles

Les tarifs mentionnés dans ce guide s'appliquent, sauf indication contraire, à une chambre standard pour deux personnes, en haute saison.

Les prix indiqués sont ceux qui avaient cours au moment de mettre sous presse; ils s'appliquent à une chambre standard pour deux personnes en haute saison. Ils sont, bien sûr, sujets à changement en tout temps. De plus, souvenez-vous de bien vous informer des forfaits proposés et des rabais offerts aux corporations, membres de diverses associations, etc.

Les divers services offerts par chacun des établissement hôteliers sont indiqués à l'aide d'un symbole qui est expliqué dans la liste des symboles se trouvant dans les premières pages du guide. Rappelons que cette liste n'est pas exhaustive quant aux services offerts par chacun des établissements hôteliers, mais qu'elle représente les services les plus demandés par leur clientèle. Attention, la présence d'un symbole ne signifie pas que toutes les chambres sont pourvues de ce service; il vous faudra parfois débourser un supplément au prix indiqué pour jouir par exemple d'un foyer ou d'une baignoire à remous. Par contre, si le symbole n'est pas accolé au nom de l'établissement, c'est probablement parce que l'établissement ne peut vous offrir ce service. Il est à noter que, sauf indication contraire, tous les établissements hôteliers inscrits dans le guide offrent des chambres avec salle de bain privée.

Le bateau Ulysse

Le pictogramme du bateau Ulysse est attribué à nos établissements favoris (hôtels et restaurants). Bien que chacun des établissements inscrits dans ce guide s'y retrouve en raison de ses qualités ou particularités, en plus de son rapport qualité/prix, de temps en temps un établissement se distingue parmi d'autres. Ainsi il mérite qu'on lui attribue un bateau Ulysse. Les bateaux Ulysse peuvent se retrouver dans n'importe lesquelles des catégories d'établissements: supérieure, moyenne-élevée, petit budget. Quoi qu'il en soit, dans chacun de ces établissements, vous en aurez pour votre argent. Repérez-les en premier!

Gîtes touristiques

Contrairement aux hôtels, les chambres des gîtes touristiques ne sont pas toujours louées avec salle de bain privée. Il en existe plusieurs à Montréal. Elles offrent l'avantage, outre le prix, de pouvoir partager une ambiance plus familiale. Avertissement: la carte de crédit n'est pas acceptée partout.

La Fédération des Agricotours publie, chaque année, le guide des *Gîtes et Auberges du Passant*

au Québec, dans lequel se trouvent le nom et l'adresse des membres de cette fédération qui propose des chambres aux voyageurs. Les chambres ont été sélectionnées en fonction des critères de qualité de la fédération. Elles sont généralement économiques. Ce guide est en vente au Québec, en France, en Belgique et en Suisse.

Réseau de gîtes Centre-ville Montréal
$$ pdj
3458 av. Laval
☎ *289-9749 ou 800-267-5180*
⇄ *287-7386*
www.bbmontreal.qc.ca
Depuis son existence il y a près de 25 ans, le Réseau de gîtes Centre-ville Montréal s'associe à des gîtes touristiques du centre-ville, du Vieux-Montréal, du Quartier latin et du Plateau Mont-Royal. Il en regroupe quelque 80, dont un bon nombre sont aménagés dans des maisons victoriennes. Afin de s'assurer du niveau de confort des chambres, l'organisme prend le soin de visiter chacun des gîtes. Les réservations sont essentielles.

Universités

Cette formule reste assez compliquée à cause des nombreuses restrictions qu'elle implique: elle ne peut s'appliquer que pendant l'été (de la mi-mai à la mi-août), et il faut réserver plusieurs mois à l'avance et de préférence posséder une carte de crédit afin de payer la première nuitée à titre de réservation. Toutefois, ce type d'hébergement est moins cher que les formules «classiques», et, si l'on s'y prend à temps, cela peut s'avérer agréable. La literie est comprise dans le prix, et, en général, une cafétéria sur place permet de se restaurer.

Camping

La pratique du camping et du caravaning n'est pas possible à Montréal même, mais les campeurs et caravaneurs trouveront par contre de nombreux terrains tout autour de l'île, soit à Laval, en Montérégie, dans les Laurentides et dans la région de Lanaudière. Le site Internet ***www.campingquebec.com*** est la référence du camping et du caravaning au Québec; vous y trouverez toute l'information que vous désirez. Enfin, le **Centre Infotouriste** *(☎873-2015)* saura aussi guider les amateurs d'hébergement en plein air.

Personnes à mobilité réduite

Plusieurs hôtels montréalais sont aménagés pour accueillir les personnes à mobilité réduite. Nous signalons par le symbole ♿ ceux qui présentent une accessibilité totale. Assurez-vous toutefois que l'hôtel que vous choisirez répond bien à vos besoins et que les chambres spécialement équipées sont disponibles au moment de votre séjour. D'autres hôtels pourraient aussi répondre aux besoins de certaines personnes handicapées. Nous vous suggérons de contacter l'association **Kéroul**, qui publie le guide ***Accès Tourisme***.

Les établissements qui se distinguent

Le Vieux-Montréal

Voir le plan p 77.

Depuis le début des années 2000, le Vieux-Montréal a servi de terreau fertile à l'ouverture d'un grand nombre d'hôtels haut de gamme. Cette vague surprenante est constituée, pour la plupart, de ces hôtels appelés **hôtels-boutiques**, où le design fait preuve d'innovation et de créativité. Plusieurs des anciens édifices du quartier ont donc fait l'objet d'intenses rénovations qui leur ont redonné lustre et éclat. Chacun de ces hôtels rivalise de beauté et d'originalité, et leurs chambres sont toutes équipées pour répondre aux besoins des gens d'affaires comme des voyageurs. Presque tous offrent aussi en location des condos pour long séjour.

L'Auberge Alternative
dortoir $
chambre double $$ pdj
bc, C, 🐾
358 rue St-Pierre
☎*282-8069*
www.auberge-alternative.qc.ca
L'Auberge Alternative a ouvert ses portes en avril 1996. Tenue par un jeune couple, elle est située dans un immeuble rénové datant de 1875. Les 34 lits des chambres et des dortoirs sont rudimentaires mais confortables, et les salles de bain sont très propres. Murs aux couleurs gaies, beaucoup d'espace, vaste salle de «repos-cuisinette» avec murs de pierres et vieux plan-

chers de bois. L'ambiance est conviviale. Buanderie à votre disposition et accès 24 heures par jour.

Les Passants du Sans Soucy
$$$ pdj
≡, ⊛
171 rue St-Paul O.
☎*842-2634*
⇄*842-2912*
www.lesanssoucy.com
Les Passants du Sans Soucy est une charmante auberge située dans une maison construite en 1723 et rénovée il y a une quinzaine d'années. Elle est d'autant plus fréquentée qu'elle propose neuf coquettes chambres meublées d'antiquités. Réservations requises. Établissement non-fumeurs.

L'Auberge Bonaparte
$$$$ pdj
≡, ℜ, ⊛
447 rue St-François-Xavier
☎*844-1448*
⇄*844-0272*
www.bonaparte.ca
Le restaurant **Le Bonaparte** (voir p 296), bien connu pour sa délicieuse cuisine française, se double maintenant d'une auberge. Une trentaine de chambres logent donc sur ses étages supérieurs. Outre l'accès à Internet, elles offrent toutes un bon confort ainsi qu'une décoration agréable, bien que leurs lits pourraient avoir l'air plus douillets. Celles situées à l'arrière de l'édifice, qui date de 1886, ont vue sur le jardin des Sulpiciens, derrière la basilique Notre-Dame. Le petit déjeuner est servi au restaurant.

🏨 L'Auberge du Vieux-Port
$$$$ pdj
≡, ⊛, ℂ, 🍴
97 rue de la Commune E.
☎ **876-0081 ou 888-660-7678**
⇄ **876-8923**
www.aubergeduvieuxport.com
Située juste en face du Vieux-Port de Montréal, L'Auberge du Vieux-Port, qui a ouvert ses portes en août 1996, est un bijou à découvrir. Le hall, chic et agréablement décoré, laisse voir les murs de pierres du bâtiment historique, érigé en 1882. La construction et la division des chambres ont mis en valeur les nombreuses poutres en bois et les murs de pierres de l'édifice. Les 38 chambres sont décorées dans un esprit historique, et le résultat est tout à fait remarquable. Au sous-sol, où un restaurant sert de la cuisine française, on peut voir une partie des anciennes fortifications de la vieille ville. En plus d'une literie hypoallergène, chaque chambre dispose d'un téléphone avec boîte vocale, et il est interdit d'y fumer.

Marriott SpringHill Suites Vieux-Montréal
$$$$ pdj
ℂ, 🍴, ≈ ≡, ☉
445 rue St-Jean-Baptiste
☎ **875-4333 ou 866-875-4333**
⇄ **875-4331**
www.springhillsuites.com
Niché dans une petite rue du Vieux-Montréal, le Marriott SpringHill Suites Vieux-Montréal est pourtant imposant. Il compte 124 suites, toutes équipées d'une cuisinette, d'un sofa, d'une table de travail et de modems. Vieux-Montréal oblige, les suites ne sont pas très grandes, et leur décor, similaire d'une chambre à l'autre, rappelle celui des grandes chaînes, mais elles restent tout de même confortables. L'hôtel s'est associé à ses voisins de l'**Auberge Saint-Gabriel** (voir p 296), qui malgré son nom est un restaurant, et un passage intérieur relie entre eux les deux établissements.

🏨 Hôtel Inter-Continental Montréal
$$$$-$$$$$
≈, ☉, △, 🍴, ⚐, ≡, 🐾
360 rue St-Antoine O.
☎ **987-9900 ou 800-361-3600**
⇄ **847-8730**
www.montreal.interconti.com
Tout près du Palais des congrès, l'Hôtel Inter-Continental Montréal s'élève aux abords du Vieux-Port. Relié au Centre de commerce mondial et à plusieurs boutiques, il est aisément reconnaissable grâce à sa jolie tourelle aux multiples fenêtres, dans laquelle le salon des suites a été aménagé. Les 357 chambres, garnies de meubles aux lignes harmonieuses, sont décorées sans surcharge et avec goût, et comprennent entre autres une salle de bain spacieuse. L'hôtel offre aussi tous les services nécessaires aux gens d'affaires: ordinateur, fax, photocopieur. L'accueil est empressé et poli.

Le Saint-Sulpice
$$$$-$$$$$
ℜ, ℂ, ≡, ☉, ℑ, ♿
414 rue St-Sulpice
☎*288-1000 ou 877-sulpice*
⇄*288-0077*
www.lesaintsulpice.com

Pénétrez dans l'immense hall d'entrée du Saint-Sulpice, c'est accéder à un monde de luxe et de confort aux accents du Vieux-Montréal. Un peu partout dans l'hôtel, des éléments du décor nous rappellent constamment qu'on est ici au cœur de l'histoire: boiseries aux teintes ambrées ou d'acajou, murs de pierres, tapis aux motifs de fleurs de lys, foyer, etc. Après tout, les sulpiciens ont joué un grand rôle dans l'histoire de Montréal! Leur basilique et leur séminaire sont d'ailleurs les voisins immédiats de l'hôtel, dont la cour, où trône une fontaine, donne directement sur le beau jardin des sulpiciens. L'hôtel se targue de ne proposer que des suites, au nombre de 108. Vous y aurez donc assez d'espace pour évoluer à l'aise et disposerez même d'une cuisinette. On peut aussi louer des condos pour des séjours prolongés. Plaisir suprême: certaines suites disposent d'un balcon ou d'une terrasse sur le toit.

⛵ L'Auberge-restaurant Pierre du Calvet
$$$$$ pdj
≡, ℑ, ℜ
405 rue Bonsecours
☎*282-1725 ou 866-544-1725*
⇄*282-0456*
www.pierreducalvet.ca

Non loin du métro Champ-de-Mars, Ll'Auberge-restaurant Pierre du Calvet loge dans une des plus vieilles maisons de Montréal (1725). Elle se cache discrètement à l'angle des rues Bonsecours et Saint-Paul, et a été entièrement rénovée ces dernières années, comme beaucoup d'anciennes maisons du quartier. Ses neuf chambres charmantes et raffinées sont toutes munies d'un foyer, aux murs lambrissés de jolies boiseries anciennes et rehaussées de vitraux et d'antiquités. En outre, les salles de bain sont recouvertes de marbre d'Italie. Par ailleurs, une jolie cour intérieure et une salle de séjour ont été aménagées pour permettre aux clients de s'affranchir du grouillement de la foule. Le petit déjeuner est servi dans une serre victorienne; le service y est attentionné et soigné. Bref, cette hostellerie, située au cœur historique de la ville, est un vrai petit bijou qui rendra votre séjour tout à fait inoubliable. Sans compter que le chef du restaurant élabore une excellente cuisine française. Enfin, l'établissement dispose d'un fumoir.

Delta Centre-Ville
$$$$$
≈, ℜ, △, ⊘, ≡, ♿, ✪
777 rue University
☎ 879-1370 ou 877-814-7706
⇄ 879-1831
www.deltahotels.com
En entrant à Montréal par
l'autoroute Bonaventure, vous
apercevrez le Delta Centre-
Ville, avec ses 720 chambres,
jolies mais un peu petites, qui
offrent l'accès à Internet. Au
dernier étage se trouve un
restaurant panoramique tournant qui propose de la cuisine
régionale et d'où vous profite-
rez d'une belle vue sur la ville
tout en mangeant.

Hôtel Gault
$$$$$ pdj
≡, ⊘, ♿
449 rue Ste-Hélène
☎ 904-1616 ou 866-904-1616
⇄ 904-1717
www.hotelgault.com
L'Hôtel Gault, inauguré en juin
2002, est un petit hôtel de 30
chambres d'où se dégage une
ambiance d'hôtel particulier
dans lequel on peut rapidement
prendre ses habitudes. Il exhibe
des meubles et objets design
créés spécialement pour apparaître ici ou là dans les agence-
ments novateurs qui le composent. Du hall d'entrée, avec ses
grandes fenêtres, se dégage
une impression d'espace, tandis
qu'à l'arrière un coin lecture se
fait plutôt douillet. Une grande
table étale les petits déjeuners
en toute convivialité. Toutes les
chambres, réparties sur quatre
étages, sont enjolivées à partir
d'un thème. Bien que semblables, elles diffèrent les unes des

autres, mais ont toutes été
décorées dans les règles du
design contemporain. Elles ne
sont pas très grandes, sauf pour
les lofts, mais leur espace a été
pensé jusque dans les moindres
détails pour les rendre confortables. Les belles salles de bain
modernes sont équipées d'une
baignoire, d'un plancher chauf-
fant et de tout le nécessaire
pour vous dorloter. Certaines
chambres disposent d'une
terrasse, et toutes les fenêtres
s'ouvrent sur la rue et sur les
jolies boîtes à fleurs qui ornent
la façade. Accès à Internet dans
les chambres et service de
nettoyeur.

Hôtel Nelligan
$$$$$ pdj
ℜ, ⊘, ≡, ℑ, ⊛
106 rue St-Paul O.
☎ 788-2040 ou 877-788-2040
⇄ 788-2041
www.hotelnelligan.com
Un hôtel de luxe à la mémoire
d'un grand poète: on ne sait
trop ce qu'en aurait pensé
Nelligan lui-même... mais
l'établissement a de la gueule.
Installé dans le Vieux-Montréal,
cet hôtel-boutique propose une
soixantaine de chambres et de
suites tout confort. Il appartient
à une famille qui possède plusieurs autres établissements
dans le quartier et qui dispose
donc d'un certain savoir-faire
dans le domaine. Entre le hall
d'entrée et le restaurant s'étend
une agréable petite cour intérieure où est servi le petit déjeuner. Les fenêtres de certaines chambres donnent sur
cette cour, ce qui, faute de vue,
assure un peu de tranquillité.

Les chambres sont belles, avec leurs murs de pierres ou de briques, leurs stores de bois, leurs salles de bain modernes dont certaines sont équipées d'une baignoire à remous double, leurs couettes en duvet... De 17h à 19h, on sert aussi un «vins et fromages» dans la cour, attenante à un coin lecture invitant. Le thème de la poésie se retrouve d'ailleurs un peu partout dans l'hôtel, particulièrement dans les tableaux accrochés aux murs des chambres où sont calligraphiés des vers de Nelligan. Le matin, un petit déjeuner continental élaboré est servi gracieusement à la clientèle.

Hôtel Place d'Armes
$$$$$ pdj
⊘, ℜ, ≡, ⊛
701 côte de la Place d'Armes
☎*842-1887 ou 888-450-1887*
⇌*842-6469*
www.hotelplacedarmes.com
Parmi les nouveaux hôtels-boutiques qui ont pris d'assaut le Vieux-Montréal, l'un des premiers ouverts, l'Hôtel Place d'Armes, se dresse à l'un des angles de la place du même nom, devant laquelle s'élève aussi la magnifique basilique Notre-Dame. Certaines des 48 chambres offrent donc une vue attrayante sur cette dernière ou, de l'autre côté, sur la ville. Mais, si vous vous lassez de la vue extérieure, vous pourrez toujours admirer le décor intérieur, de tout aussi bon goût. Les boiseries foncées et les tons crème lui donnent une allure classique fort réussi. Certaines chambres sont même pourvues

d'un mur de briques. Équipées de lecteurs CD, de l'accès à Internet haute vitesse et de salles de bain modernes, toutes sont confortables et pratiques. En plus du petit déjeuner, vins et fromages sont offerts dans le hall d'entrée à l'heure de l'apéro. Établissement non-fumeurs.

Hôtel Saint-James
$$$$$
≡, ⊛, △, ℜ, ℝ, 🐾, ✪
355 rue St-Jacques
☎*841-3111 ou 866-841-3111*
⇌*841-1232*
www.hotellestjames.com
Magnifique hôtel qui respire le grand luxe, le Saint-James comble, depuis son ouverture au printemps 2002, une clientèle fortunée qui désire visiter Montréal tout en prenant ses aises dans un environnement somptueux et raffiné. Il se dresse justement en plein cœur de l'ancien quartier des affaires de Montréal, dans un splendide édifice où se sont tenues diverses activités financières et qui a fait l'objet, ces dernières années, d'une rénovation complète. Pendant qu'à Montréal on s'affairait à rendre à l'édifice son lustre d'antan, tout en le pourvoyant d'installations modernes et d'un équipement de haute technologie, une équipe de spécialistes parcourait l'Europe, l'Extrême-Orient et le reste du monde, à la recherche de meubles et d'œuvres d'art triés sur le volet. Antiquités, tableaux, sculptures, mobilier trônent donc maintenant dans le hall, dans les couloirs ainsi que dans les 61 chambres et

suites de l'hôtel qui se voit ainsi richement paré. Le résultat est à la hauteur des attentes des plus exigeants. L'architecture de l'édifice, avec ses frises et ses moulures, est rehaussée par la chaleur et l'opulence du décor qui s'accompagne de services et d'équipements haut de gamme, tel le spa pour les soins du corps.

Hôtel XIXe Siècle
$$$$$ pdj

≡, ☀

262 rue St-Jacques O.
☎ 985-0019
⇌ 985-0059
www.hotelxixsiecle.com

Établi dans une ancienne banque à l'architecture Second Empire, l'Hôtel XIXe Siècle exhibe un charme certain, celui du XIXe siècle sans doute, mais rehaussé d'attributs modernes. Ses 56 chambres sont spacieuses, alors que leur haut plafond et leurs grandes fenêtres ajoutent à cette impression d'espace. Des couleurs chaudes, des meubles qui ont du style, de jolis tissus et de belles salles de bain confèrent à chacune un décor confortable et douillet, sans oublier l'accès à Internet. Dans la salle où est servi le petit déjeuner, le noir et le blanc se marient, tandis que, dans le hall, quelques fauteuils et une bibliothèque accueillent les visiteurs.

St-Paul Hotel
$$$$$

☉, ℜ, ≡, ♿

355 rue McGill
☎ 380-2222 ou 866-380-2202
⇌ 380-2200
www.hotelstpaul.com

Les 96 chambres et les 24 suites de l'hôtel St-Paul ont pour cadre un magnifique édifice historique entièrement rénové. Le décor intérieur est pourtant on ne peut plus moderne. Différents matériaux s'y côtoient pour créer un effet saisissant. Albâtre et feu, fourrure et vinyle, carrelage noir et tissus crème, chaque chambre, chaque agencement a été soigneusement créé. On est loin de la sobriété et du classique ici, on donne plutôt dans l'audace et l'avant-garde du design. Ce qui en fait un lieu unique où les gens nantis et à la page aiment à se retrouver. D'autant plus qu'on a réussi à y créer, somme toute, des lieux sobres et invitants. L'espace autour du lit, par exemple, est délimité, dans certaines chambres, par un drapé qui donne un effet des plus douillets. Accès à Internet dans chacune des chambres et des suites. Le restaurant de l'hôtel, **Cube** (voir p 297), jouit déjà d'une renommée internationale.

Le centre-ville et le Mille carré doré

L'Abri du voyageur
$-$$
bc, ≡
9 rue Ste-Catherine O.
☎*849-2922 ou 866-302-2922*
⇄*499-0151*
www.abri-voyageur.ca
L'Abri du voyageur est un hôtel parfait pour les jeunes voyageurs. Il est situé sur la trépidante rue Sainte-Catherine, presque à l'angle du boulevard Saint-Laurent, une localisation idéale pour qui voudrait fréquenter le Montréal nocturne! On n'y trouve que quatre salles de bain pour ses deux étages, mais les 28 chambres sont toutes munies d'un lavabo. Les chambres sont simples mais propres, et l'accueil est souriant.

Auberge de jeunesse
$-$$
≡, ℂ
1030 rue Mackay
☎*843-3317*
⇄*934-3251*
www.hostellingmontreal.com
L'Auberge de jeunesse, située à deux pas du centre-ville, propose 250 lits répartis dans des chambres logeant de 4 à 10 personnes ainsi qu'une quinzaine de chambres privées. Les chambres sont toutes équipées de salles de bain complètes. Cette auberge compte parmi les moins chères à Montréal. Il est interdit d'y fumer. Un service de consignation des bagages, une cuisine, une buanderie, une salle de télévision et une table de billard y sont disponibles.

Université McGill
$-$$
mi-mai à mi-août
bc, ℂ, ℝ, ♿
3935 rue University
☎*398-6367*
⇄*398-4854*
www.residences.mcgill.ca/summer.html
Enfin, si vous désirez loger au centre-ville même, vous pouvez opter pour les résidences de l'université McGill, situées sur le flanc du mont Royal. Elles renferment environ 1 100 chambres d'un ou deux lits réparties dans six pavillons. Bien qu'elles soient petites, ces chambres ont une grande commode et un bureau de travail, et certaines offrent une vue magnifique sur le mont Royal. La plupart des chambres sont équipées d'un mini-frigo, et toutes les fenêtres s'ouvrent. Il y a deux cuisinettes et deux grandes salles de bain par étage. Sur le campus, on peut profiter de la piscine, d'un gymnase et d'un court de tennis (frais supplémentaires).

Hôtel du Nouveau Forum
$$ pdj
bc/bp, ≡, ℜ, ♿
1320 rue St-Antoine O.
☎*989-0300 ou 888-989-0300*
⇄*931-3090*
www.nouveau-forum.com
Érigé juste à côté du Centre Bell (le «nouveau Forum») et pas très loin du Vieux-Montréal, le petit Hôtel du Nouveau Forum, qui a ouvert ses portes

en juin 1996, propose 38 petites chambres sans prétention mais convenables, dont 6 avec salles de bain partagées. Il est aménagé dans une maison historique dont la façade de pierres a été restaurée. L'intérieur a été quant à lui entièrement remis à neuf. L'atmosphère aseptisée des couloirs et de la salle à manger est heureusement réchauffée par un personnel très sympathique et un petit déjeuner des plus copieux. Un téléphone public se trouve sur chaque étage, et les clients peuvent communiquer avec la réception par interphone. Chambres avec douche seulement.

Hôtel Casa Bella
$$-$$$ pdj
bc/bp, ≡
264 rue Sherbrooke O.
☎*849-2777 ou 888-453-2777*
⇄*849-3650*
www.hotelcasabella.com
Situé rue Sherbrooke près de la Place des Arts, le charmant Hôtel Casa Bella, aménagé dans une maison centenaire, offre un bon rapport qualité/prix au centre-ville. Les 20 chambres sont jolies, et l'on sent qu'un effort a été porté à la décoration. Le petit déjeuner est servi aux chambres. Le stationnement et un service de buanderie sont offerts sans frais supplémentaires. L'accueil courtois ajoute aux qualités de l'établissement.

Le Manoir Ambrose
$$-$$$ pdj
bc/bp, ≡
3422 rue Stanley
☎*288-6922*
⇄*288-5757*
www.manoirambrose.com
Le Manoir Ambrose se compose de deux maisons victoriennes placées côte à côte sur une rue tranquille. On y compte 23 petites chambres, dont 20 munies d'une salle de bain privée, réparties dans une sorte de dédale aux quatre coins de la demeure. L'hôtel, dont la décoration n'a rien de celle d'un manoir, vous semblera suranné et vous fera peut-être sourire, mais les chambres sont bien tenues et l'accueil est sympathique. Une laverie payante est mise à la disposition des voyageurs. Établissement non-fumeurs.

Marmelade
$$-$$$ pdj
bc
1074 rue St-Dominique
☎*876-3960*
⇄*876-3926*
www.total.net/~marmelad
Marmelade, tout près du Quartier chinois, est un gîte touristique de cinq chambres. Niché dans une belle maison de ville de style victorien, l'établissement est décoré avec raffinement. Vous y serez accueilli joyeusement par le chien de la maison. Établissement non-fumeurs. Buanderie.

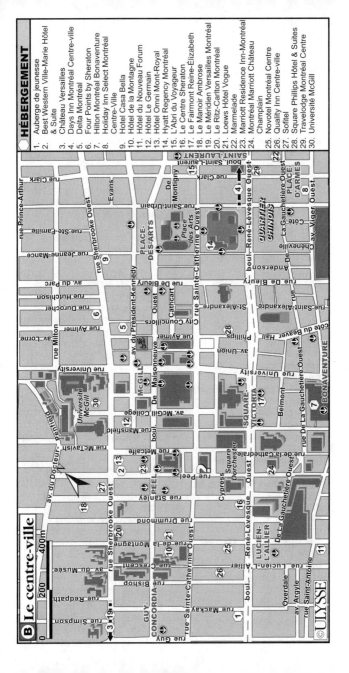

B Le centre-ville

0 200 400m

© ULYSSE

Courtyard Marriott Montréal
$$$

≈, ☉, ☺, ℜ, ≡, ↿

410 rue Sherbrooke O.

☎ *844-8855 ou 800-321-2211*

⇿ *844-0912*

www.courtyard.com

L'hôtel Courtyard Marriott Montréal se dresse à l'orée du centre-ville. Il compte 180 chambres réparties sur une vingtaine d'étages, de sorte que chaque étage ne regroupe pas plus de neuf chambres, ce qui lui donne des airs de petit hôtel. Des chambres au décor agréable offrent une belle vue sur la montagne ou sur le fleuve. Salles de réunion.

Travelodge Montréal Centre
$$$

≡, ℜ, 🐾, ↿

50 boul. René-Lévesque O.

☎ *874-9090 ou 800-365-6535*

⇿ *874-0907*

www.travelodge.com

L'hôtel Travelodge Montréal Centre propose 242 chambres confortables au décor moderne mais conventionnel. Sa situation en fait un établissement au bon rapport qualité/prix. Restaurant servant le petit déjeuner.

Holiday Inn Select Montréal Centre-Ville
$$$-$$$$

ℜ, ≈, ☉, △, ☺, ≡, ↿

99 av. Viger O.

☎ *878-9888 ou 888-878-9888*

⇿ *878-6341*

www.hiselect.com/yul-downtown

Le Holiday Inn Select Montréal Centre-Ville, construit en 1992, est un établissement qui offre tout le confort qu'on s'attend d'un hôtel de qualité supé-

rieure. Cet établissement étant situé au cœur du Quartier chinois, on reconnaît de loin son toit en pagode. À l'intérieur aussi, il présente un décor à l'orientale. En plus d'être pourvues de literies hypoallergènes, les 235 chambres sont toutes impeccables et spacieuses, tandis que le service est empressé et courtois. S'y trouve aussi un bon restaurant: **Chez Chine** (voir p 303).

Quality Inn Centre-ville
$$$-$$$$ pdj

≡

1214 rue Crescent

☎ *878-2711 ou 800-950-1363*

⇿ *878-0030*

www.choicehotels.ca

Établi sur une section tranquille de la rue Crescent, le Quality Inn Centre-ville se trouve à deux pas d'un quartier riche en restaurants et en boutiques. Ses 96 chambres simplement meublées offrent un confort adéquat et ont l'avantage de posséder un agréable petit balcon.

Best Western Ville-Marie Hôtel & Suites
$$$$

☉, ℜ, ≡ ↿, ℝ

3407 rue Peel

☎ *288-4141 ou 800-361-7791*

⇿ *288-3021*

www.hotelvillemarie.com

Au cœur du centre-ville, le Best Western Ville-Marie Hôtel & Suites propose, sur 19 étages, 106 chambres au décor sans âme, mais de bon confort, et 65 suites aménagées pour les gens d'affaires. Service de massage proposé. Le hall, où sont regroupés divers petits commerces, a des allures froides et se révèle peu invitant.

Four Points By Sheraton
$$$$
☺, ℜ, ≡, ℂ, △, ☀, 🐾
475 rue Sherbrooke O.
☎*842-3961 ou 800-842-3961*
⇆*842-0945*
www.fourpoints.com
Le Four Points By Sheraton dispose de 196 chambres simples mais agréables.

Novotel Montréal Centre
$$$$
☺, ℜ, △, ⟓, ≡, ✲
1180 rue de la Montagne
☎*861-6000 ou 800-221-4542*
⇆*861-0992*
www.novotelmontreal.com
La chaîne hôtelière Novotel, d'origine française, a pignon sur rue à Montréal. Elle vise à répondre aux besoins de sa clientèle de gens d'affaires en proposant des chambres comprenant un bureau de travail spacieux et un modem. Elle s'adresse également à une clientèle familiale en proposant des rabais pour l'hébergement des enfants. L'accent est mis sur la sécurité. Quelques chambres pour fumeurs. Accès à Internet dans les 227 chambres.

Square Phillips Hôtel & Suites
$$$$ pdj
1193 rue du Square-Phillips
☺, ≈, ≡
☎*393-1193*
⇆*393-1192*
www.squarephillips.com
Encore peu connu, le Square Phillips Hôtel & Suites a ouvert ses portes en 2003, et tout y sent encore le neuf. Situé au sud de la rue Sainte-Catherine, cet établissement est une excellente adresse pour tout visiteur qui fait un voyage d'affaires ou d'agrément. Conçus comme des appartements meublés, les 80 studios et 80 suites comportant une ou deux chambres à coucher sont répartis sur 10 étages et se louent à la journée, à la semaine ou au mois. On vous offre gratuitement l'accès à Internet haute vitesse. S'y trouve aussi une piscine intérieure flanquée d'une belle terrasse qui permet de jouir d'une vue intéressante sur le centre-ville.

Château Versailles
$$$$-$$$$$ pdj
ℜ, ☀, ☺, ≡, 🛏, △, ⟓
1659 rue Sherbrooke O.
☎*933-3611 ou 888-933-8111*
⇆*933-6867*
www.versailleshotels.com
Installé dans le bâtiment constitué du Château et de la Tour de Versailles, l'hôtel Château Versailles a rouvert en avril 2000 après avoir fait l'objet d'une importante rénovation. Il a en effet été racheté et reconverti en un charmant hôtel-boutique. Les 65 chambres ont conservé certains attributs du bâtiment ancien, tels que moulures, foyer, lustres, etc., agencés à des éléments de décor victorien et à des accessoires modernes. Il s'en dégage une belle atmosphère de détente.

Hébergement

Le Centre Sheraton
$$$$$
⊛, ≈, ⊘, △, ♿, ☺, ℜ, ≡
1201 boul. René-Lévesque O.
☎ *878-2000 ou 800-325-3535*
⇆ *878-3958*
www.sheraton.com/lecentre
Le Centre Sheraton s'élève sur plus de 30 étages et dispose de 825 chambres; il a donc une très grande capacité d'accueil. En entrant, prenez le temps de profiter du très beau hall orné de baies vitrées et de plantes tropicales. Les chambres, quant à elles, présentent une jolie décoration et révèlent plusieurs petites attentions (machine à café, séchoir électrique, étages non-fumeurs) qui ajoutent à leur confort. Certaines sont même très bien équipées pour les gens d'affaires. Accès à Internet dans toutes les chambres.

Days Inn Montréal Centre-ville
$$$$$
≡, ℜ, ≈, ⊘, ♿
215 boul. René-Lévesque E.
☎ *393-3388 ou 800-668-3872*
⇆ *395-9999*
www.daysinnmontreal.com
Le Days Inn Montréal Centre-ville a fait l'objet d'une rénovation en 1997. Les 123 chambres sont petites, et la situation géographique de l'hôtel, en marge du Quartier latin, se révèle un peu triste. Il est cependant assez près du Vieux-Montréal, où il est si difficile de se loger, et certaines chambres offrent une très belle vue sur la ville. Certains étages sont réservés aux non-fumeurs. Vous y trouverez deux restaurants: l'un

français et l'autre chinois. Service de nettoyeur.

Delta Montréal
$$$$$
≈, △, ⊘, ℜ, ☺, ♿, ≡, 🐕
475 av. du Président-Kennedy
☎ *286-1986 ou 877-286-1986*
⇆ *284-4342*
www.deltamontreal.com
L'hôtel Delta Montréal occupe un bâtiment qui dispose de deux entrées, l'une donnant sur la rue Sherbrooke et l'autre sur l'avenue du Président-Kennedy. Il propose 456 chambres agréables et joliment garnies de meubles en bois de couleur acajou. Quelques chambres pour fumeurs.

Le Fairmont Reine-Élizabeth
$$$$$
♿, ℜ, ≈, ⊘, ≡
900 boul. René-Lévesque O.
☎ *861-3511 ou 800-257-7544*
⇆ *954-2256*
www.fairmont.com
Le Fairmont Reine-Élizabeth fait partie des institutions hôtelières du centre-ville montréalais qui se sont démarquées au cours des ans. L'hôtel, comptant 1 050 chambres, a récemment été incorporé à la chaîne des hôtels Fairmont. Son hall orné de boiseries est splendide. Au rez-de-chaussée se trouve une galerie de boutiques, d'où, grâce aux couloirs souterrains, on rejoint aisément la gare ferroviaire ainsi que le Montréal souterrain.

Hilton Montréal Bonaventure
$$$$$
⅄, ⊙, ℜ, ≈, ≡, 🐾
1 Place Bonaventure
☎*878-2332 ou 800-267-2575*
⇄*878-3881*
www.hiltonmontreal.com
À l'hôtel Hilton Montréal Bonaventure, on retrouve dans ses 395 chambres plusieurs petites commodités (séchoir électrique, machine à café), ce qui en fait un établissement idéal pour la détente aux limites du centre-ville et du Vieux-Montréal. Il est possible de se baigner, même au cours de l'hiver, dans la piscine extérieure chauffée. L'hôtel dispose d'un charmant jardin et d'un accès à la ville souterraine. Quelques chambres pour fumeurs. Accès à Internet dans toutes les chambres.

Hôtel de la Montagne
$$$$$
ℜ, ≈, ≡, ⊛, ⅄, 🐾
1430 rue de la Montagne
☎*288-5656 ou 800-361-6262*
⇄*288-9658*
www.hoteldelamontagne.com
Outre ses 135 chambres réparties sur 19 étages, l'Hôtel de la Montagne dispose d'un excellent restaurant et d'un bar au personnel chaleureux. Accès à Internet haute vitesse dans les chambres.

Hôtel Le Germain
$$$$$
ℜ, ≡, ⊙, 🐾
2050 rue Mansfield
☎*849-2050 ou 877-333-2050*
⇄*849-1437*
www.hotelboutique.com
En plein cœur de l'animé centre-ville se dresse une ancienne tour à bureaux reconvertie en hôtel: l'Hôtel Le Germain. Cet établissement fait partie de la nouvelle vague d'hôtels-boutiques, où le service est personnalisé et où une attention particulière a été portée à la décoration. Chacune des 101 chambres est aménagée avec soin, dans un style minimaliste où règnent les tons terreux et crème, les meubles en bois d'acajou ou en osier et les jolis accessoires. Le tout donne un effet des plus reposants. L'usage qu'on fit d'abord de l'édifice n'est pas pour autant délaissé puisqu'il se retrouve dans certains détails architecturaux, tels les plafonds en béton, ou fonctionnels, comme les tables de travail équipées de l'accès à Internet et de fauteuils ergonomiques. Les chambres occupant l'angle du bâtiment jouissent d'une belle fenestration. Mais c'est sans doute le restaurant de l'hôtel qui offre la plus belle vue, puisque, devant l'un de ses murs, entièrement vitré, se déroule la rue Président-Kennedy.

Hôtel Omni Mont-Royal
$$$$$
≈, ⌂, ⊘, ℜ, ≡, 🐎
1050 rue Sherbrooke O.
☎ *284-1110 ou 800-843-6664*
⇄ *845-3025*
www.omnihotels.com
Faisant partie des hôtels les plus réputés de Montréal, l'Hôtel Omni Mont-Royal dispose de 299 chambres spacieuses et très confortables. Toutefois, les chambres régulières ont un décor banal, et les salles de bain sont bien petites pour un établissement de cette réputation. Il abrite d'excellents restaurants et dispose d'une piscine extérieure ouverte toute l'année.

Hyatt Regency Montréal
$$$$$ pdj
ℜ, ≡, ♿
1255 rue Jeanne-Mance
☎ *982-1234*
⇄ *285-1243*
www.montrealregency.hyatt.com
Le Hyatt Regency Montréal est intégré au complexe Desjardins, où se trouvent entre autres une galerie de boutiques, des restaurants et diverses entreprises de services. Situé en face de la Place des Arts et offrant une vue imprenable sur le centre-ville depuis ses étages supérieurs (il en compte 12), il bénéficie d'un emplacement avantageux, particulièrement durant le Festival de jazz et les Francofolies, qui ont lieu juste à côté, rue Sainte-Catherine. Ses 600 chambres et 34 suites récemment rénovées, vastes et tout confort, répondent à ce

que l'on attend d'un hôtel de cette catégorie et sont munies de plusieurs commodités (bureau de travail avec fauteuil ergonomique et accès à Internet haute vitesse dans les suites, téléphone à deux lignes et modem dans les chambres) qui faciliteront votre séjour. L'établissement a su conserver le charme français du premier hôtel qui y logeait, Le Méridien. À l'hôtel même, un restaurant propose ses tables à la clientèle: **Le Café Fleuri** (☎ *285-1450; pas de dîner*), et le Bar permet de se rencontrer dans une atmosphère intime, sans oublier la terrasse en plein air l'été.

🏛 Loews Hôtel Vogue
$$$$$
◉, ℜ, ⊘, ≡, ♿
1425 rue de la Montagne
☎ *285-5555 ou 800-465-6654*
⇄ *849-8903*
www.loewshotels.com/vogue.html
Au premier abord, le bâtiment de verre et de béton sans ornement qui abrite le Loews Hôtel Vogue peut sembler dénué de grâce. Le hall, agrémenté de boiseries aux couleurs chaudes, donne une idée plus juste du luxe et de l'élégance de l'établissement. Mais avant tout, ce sont les 132 vastes chambres, garnies de meubles aux lignes gracieuses, qui révèlent le confort de cet hôtel. Modems et literies hypoallergènes dans les chambres.

Marriott Residence Inn Montréal
$$$$$ pdj
☉, ≈, ≡, ℂ, ♿
2045 rue Peel
☎ *982-6064 ou 800-999-9494*
⇄ *844-8361*
Le Marriott Residence Inn Montréal a ouvert ses portes en janvier 1997 après avoir été entièrement rénové. Il renferme 189 suites équipées d'une cuisinette complète avec four traditionnel, four à micro-ondes, réfrigérateur et lave-vaisselle. Il est possible de louer une suite pour une journée ou pour plusieurs mois. Service de buanderie 24 heures par jour. Grande terrasse et piscine sur le toit.

Le Méridien Versailles Montréal
$$$$$
ℝ, ℜ, ☉, ≡, ⊛, ♿
1808 rue Sherbrooke O.
☎ *933-8111 ou 888-933-8111*
⇄ *933-6867*
www.versailleshotels.com
Campé juste en face et géré par la même administration, Le Méridien Versailles-Montréal, vous l'aurez deviné, est le frère du **Château Versailles** (voir p 275). Il a lui aussi été récemment rénové. Cependant, il ne s'agit pas, contrairement au Château, d'un hôtel-boutique. On a plutôt affaire ici à une centaine de chambres où la décoration, bien qu'agréable, se rapproche plus de celle des chaînes. L'établissement propose tous les services aux gens d'affaires ainsi que des salles de réunion. Certains soirs, un pianiste anime le restaurant.

Accès à Internet dans les 106 chambres.

Montréal Marriott Château Champlain
$$$$$
♿, ☉, △, ℜ, ≈, ✪, ≡
1050 rue De La Gauchetière O.
☎ *878-9000 ou 800-200-5909*
⇄ *878-6761*
www.marriott.com
Le Montréal Marriott Château Champlain occupe un bâtiment blanc aux fenêtres en demi-lune, ce qui lui a valu le surnom de «râpe à fromage». Cet hôtel réputé dispose malheureusement de 611 petites chambres moins belles que celles aux-quelles on pourrait s'attendre d'un établissement de cette classe. Accès direct à la ville souterraine.

Le Ritz-Carlton Montréal
$$$$$
☉, ℜ, ≡, ℂ, ⊛, ♞, 🐾
1228 rue Sherbrooke O.
☎ *842-4212 ou 800-363-0366*
⇄ *842-3383*
www.ritzcarlton.com
Le Ritz-Carlton fut inauguré en 1912 et n'a cessé depuis de s'embellir, afin d'offrir à sa clien-tèle un confort toujours supé-rieur tout en conservant son élégance et son charme d'antan. Dignes d'un établisse-ment de grande classe, les 229 chambres sont décorées de superbes meubles anciens et offrent un excellent confort. Un excellent restaurant (**Café de Paris**, voir p 305) se double en été d'un agréable jardin où l'on peut casser la croûte (**Jardin du Ritz**, voir p 306).

Sofitel
$$$$$
1155 rue Sherbrooke O.
☉, ℜ, △, ≡
☎ 285-9000

Nouveau venu dans le parc hôtelier montréalais, le Sofitel a nul besoin de présentation. Cet établissement de luxe propose deux types de chambres. On vous suggère d'opter pour les chambres de luxe si vous prévoyez y séjourner plusieurs jours, car celles-ci sont plus vastes, possèdent plus d'espace de rangement et sont dotées d'une baignoire (contrairement aux autres chambres qui disposent seulement d'une douche). Par contre, les 258 chambres de l'hôtel se révèlent à la fois élégantes et épurées, décorées de meubles de teck et baignées de couleur ambre. Les salles de bain modernes sont enjolivées de marbre italien. Le personnel multilingue est serviable.

Le Village Shaughnessy

Voir le plan p 139.

Residence Inn by Marriott Montreal Westmount
$$$
ℂ, ≈, △, ☉, ≡
2170 av. Lincoln
☎ 935-9224 ou 800-678-6323
⇆ 935-5049
www.residencemontreal.com

Le Residence Inn by Marriott Montreal Westmount est d'aspect plutôt modeste; mais ainsi situé, à la limite ouest du centre-ville, sur une rue paisible, et proposant des chambres équipées d'une cuisinette, il constitue une excellente adresse où loger.

Hôtel du Fort
$$$-$$$$$
ℂ, ☉, ≡, ℝ, ♿
1390 rue du Fort
☎ 938-8333 ou 800-565-6333
www.hoteldufort.com

L'Hôtel du Fort offre confort, sécurité et service personnalisé. Chacune des 124 chambres est munie d'une cuisinette équipée d'un four à micro-ondes, d'un réfrigérateur, d'une cafetière, d'un séchoir électrique, d'un minibar et d'un modem. Toutes les fenêtres des chambres s'ouvrent.

Clarion Hôtel & Suites Montréal Centre-Ville
$$$$
☉, △, ℜ, ℂ, ≡, ♿
2100 boul. De Maisonneuve O.
☎ 931-8861 ou 800-361-7191
⇆ 931-7726
www.clarionmontreal.com

Situé entre les stations de métro Atwater et Guy-Concordia, le Clarion Hôtel & Suites Montréal Centre-Ville a emménagé dans un ancien immeuble résidentiel. L'établissement propose 266 suites spacieuses et lumineuses, toutefois décorées sommairement. Elles sont toutes dotées d'une cuisine entièrement équipée. Qui plus est, on ne peut rien reprocher à la propreté des lieux. Favorisant les séjours prolongés, le Clarion pratique des tarifs dégressifs (semaine, mois).

Hôtel Maritime Plaza Montréal
$$$$
ℂ, ≡, ≈, ☺
1155 rue Guy
☎*932-1411*
⇄*932-0446*
www.hotelmaritime.com

L'Hôtel Maritime Plaza Montréal se dresse à deux minutes de marche de la rue Sainte-Catherine. L'établissement compte 210 chambres un tant soit peu exiguës, mais qui se révèlent toutefois élégantes et bien équipées, pour offrir tout le confort moderne dont les gens d'affaires ou les vacanciers ont besoin durant leur séjour. De plus, l'hôtel possède quatre suites luxueuses, chacune dotée d'une cuisinette. Une piscine intérieure chauffée, une petite salle d'exercices et un stationnement sont également à la disposition des clients.

Le Quartier latin

Voir le plan p 153.

Auberge de jeunesse de l'Hôtel de Paris
$-$$
bc, ℂ
901 rue Sherbrooke E.
☎*522-6861 ou 800-567-7217*
⇄*522-1387*
www.hotel-montreal.com

L'Auberge de jeunesse de l'Hôtel de Paris, qui appartient à l'Hôtel de Paris (voir plus bas), est divisée en dortoirs comptant 4, 8 ou 14 lits pour un total de 40 lits. On fournit couverture, draps et oreiller. La cuisine commune, bien qu'elle soit petite, dispose du nécessaire

pour permettre de se faire à manger, et il y a une terrasse extérieure d'où la vue est agréable. Il y a quatre douches et toilettes, une laverie tout près et pas de couvre-feu.

Le Chasseur
$$ pdj
bc/bp, ≡
1567 rue St-André
☎*521-2238 ou 800-451-2238*
⇄*527-0512*
www.lechasseur.com

Près du Village gay, le gîte touristique Le Chasseur propose, avec le sourire, huit chambres décorées avec goût. Pendant la belle saison, la terrasse permet de se soustraire de l'activé de la ville et de se détendre un peu. Établissement non-fumeurs.

Pierre et Dominique
$$ pdj
bc
271 rue du Square-St-Louis
☎*286-0307*
www.pierdom.qc.ca

Le **square Saint-Louis** (voir p 151) est un agréable parc entouré de superbes maisons victoriennes. Le gîte touristique Pierre et Dominique y a pignon sur rue. Non-fumeurs, il propose trois chambres confortables et décorées avec beaucoup de goût.

Armor Manoir Sherbrooke
$$-$$$ pdj
bc/bp, ⊛, ≡
157 rue Sherbrooke E.
☎*845-0915 ou 800-203-5485*
⇄*284-1126*
www.armormanoir.com

L'Armor Manoir Sherbrooke, installé dans une ancienne

demeure en pierre, propose 35 chambres au décor tout de simplicité. L'accueil est poli et efficace.

Gîte Angelica Blue
$$-$$$ pdj
1213 rue Ste-Élisabeth
☎ *844-5048 ou 800-878-5048*
www.angelicablue.com
Le Gîte Angelica Blue est un gîte touristique invitant qui propose six chambres thématiques différentes aux dimensions variées. Chacune des chambres exhale toutefois un cachet chaleureux. Après une journée de visite en ville, les hôtes peuvent relaxer dans la salle de séjour, agrémentée de murs de briques et d'un plancher de bois. Il s'agit d'un établissement non-fumeurs.

Hôtel de Paris
$$-$$$$
≡, ℜ, ℂ, 🐕, 🚗
901 rue Sherbrooke E.
☎ *522-6861 ou 800-567-7217*
⇄ *522-1387*
www.hotel-montreal.com
L'Hôtel de Paris, une belle maison construite en 1870, compte 39 chambres. Bien que rénové, l'hôtel conserve un cachet particulier avec ses magnifiques boiseries dans l'entrée, et les chambres sont confortables.

Hôtel de l'Institut
$$$ pdj
≡, ℜ, ♿
3535 rue St-Denis
☎ *282-5120 ou 800-361-5111*
⇄ *873-9893*
www.hotel.ithq.qc.ca
L'Hôtel de l'Institut occupe les étages supérieurs de l'Institut de tourisme et d'hôtellerie du Québec (ITHQ), une école de niveau collégial renommée. Les chambres offrent un confort élevé, car l'hôtel est tenu par les étudiants qui y font leurs stages et qui y suivent certains cours pratiques, et leur travail fait l'objet d'un suivi par des professeurs qui les forment pour les grands hôtels. Service de conciergerie complet. Situé au cœur de la rue Saint-Denis et de ses nombreuses terrasses et boutiques, et tout près de la rue piétonnière Prince-Arthur, qui fourmille de restaurants et de cafés.

Enfin! Le bâtiment de l'ITHQ sera rénové! Par conséquent, l'Hôtel de l'Institut interrompt, jusqu'en 2005, ses services de restauration et d'hébergement en raison des travaux de rénovation.

Hôtel Le Saint André
$$$-$$$$ pdj
≡, 🚗
1285 rue St-André
☎ *849-7070 ou 800 265-7071*
⇄ *849-8167*
www.hotelsaintandre.ca
Charmant petit hôtel, Le Saint André, situé à proximité des bars et restaurants de la rue Saint-Denis, du Vieux-Montréal et du centre-ville, vous offre un

accueil chaleureux, en plus 60 chambres confortables et bien décorées. Toutes climatisées, les chambres possèdent leur propre salle de bain et un téléviseur couleur. On sert un petit déjeuner continental dans la chambre le matin. Un petit hôtel à découvrir où l'on aime revenir.

Le Jardin d'Antoine
$$$-$$$$ pdj
≡, ®
2024 rue St-Denis
☎*843-4506 ou 800-361-4506*
≠*281-1491*
www.hotel-jardin-antoine.qc.ca
Réparties sur trois étages, les quelque 25 chambres du Jardin d'Antoine sont décorées avec soin, certaines exhibant mur de briques et plancher de bois franc. Plusieurs suites confortables et bien équipées sont disponibles. Le jardin, à l'arrière, est assez petit, mais les balcons sont ornés de bacs à fleurs, et l'effet est tout de même agréable. Literies hypoallergènes dans les chambres.

Hôtel Gouverneur Place Dupuis
$$$$-$$$$$
♿, ≡, △, ℛ, ≈, ☺
1415 rue St-Hubert
☎*842-4881 ou 888-910-1111*
≠*842-1584*
www.gouverneur.com
Situé au cœur du Quartier latin, le confortable Hôtel Gouverneur Place Dupuis est relié aux nombreuses boutiques de la Place Dupuis ainsi qu'à l'Université du Québec à Montréal (UQAM), et se trouve tout près des cafés et terrasses de la rue Saint-Denis. Ses 352 chambres ont accès à Internet.

Crowne Plaza Métro Centre
$$$$$
ℛ, ☺, ≈, ☺, ≡, △, ®, ✕, ♿
505 rue Sherbrooke E.
☎*842-8581 ou 800-561-4644*
≠*842-8910*
www.cpmontreal.com
Les 318 chambres spacieuses du Crowne Plaza Métro Centre, au décor moderne, sont toutes munies d'une cafetière, d'un téléviseur couleur et de deux téléphones. L'hôtel se dresse près du Quartier latin, où se trouvent de nombreux restaurants, bars et boutiques. De nombreux services d'affaires sont disponibles, entre autres la messagerie vocale et un service de secrétariat. Accès à Internet dans les chambres.

Hôtel Lord Berri
$$$$$
≡, ℛ, ℝ, ♿, ✕
1199 rue Berri
☎*845-9236 ou 888-363-0363*
≠*849-9855*
www.lordberri.com
La façade illuminée qu'arbore l'Hôtel Lord Berri cache un hall dépouillé et 154 chambres vastes, mais au décor un peu fade et sans grande originalité. Accès à Internet dans les chambres.

Hébergement

Le Plateau Mont-Royal

Voir le plan p 161.

Le Gîte du parc Lafontaine
$-$$ pdj
bc, ℂ
début juin à fin août
1250 rue Sherbrooke E.
☎ *522-3910 ou 877-350-4483*
⊷ *844-7356*
Le Gîte du parc Lafontaine est une maison de chambres centenaire. Les clients peuvent profiter de 21 chambres meublées, d'une cuisine, d'un salon, d'une buanderie, d'une terrasse, d'un accueil sympathique et surtout d'une situation géographique fort avantageuse: à deux pas du parc La Fontaine et non loin de la rue Saint-Denis.

Bienvenue Bed & Breakfast
$$-$$$ pdj
bc/bp
3950 av. Laval
☎ *844-5897 ou 800-227-5897*
⊷ *844-5894*
www.bienvenuebb.com
À deux pas de l'avenue Duluth se trouve le Bienvenue Bed & Breakfast. Situé sur une rue tranquille, cet établissement dispose de 12 chambres avec grand lit plutôt petites mais décorées de façon charmante. Il est installé depuis une quinzaine d'années dans une maison joliment entretenue d'où se dégage une atmosphère paisible et amicale. Le petit déjeuner, très copieux, est servi dans une agréable salle à manger.

L'Auberge de la Fontaine
$$$$$ pdj
⊛, ᗡ, ≡, ℝ
1301 rue Rachel E.
☎ *597-0166 ou 800-597-0597*
⊷ *597-0496*
www.aubergedelafontaine.com
Si vous cherchez un établissement sachant allier charme, confort et tranquillité, allez loger à l'Auberge de la Fontaine, qui, en plus de proposer 21 chambres décorées avec goût, se trouve en face du beau parc La Fontaine. Un sentiment de calme et de bien-être vous envahira dès l'entrée. Avec autant de qualités, l'auberge est vite devenue populaire, et les réservations sont fortement recommandées. Service de nettoyeur.

Notre-Dame-de-Grâce

Voir le plan p 165.

Université Concordia
$-$$
mi-mai à mi-août
bc
7141 rue Sherbrooke O.
☎ *848-4758*
⊷ *848-4780*
http://residence.concordia.ca/summer.html
Il est possible de louer des chambres aux résidences de l'université Concordia situées à l'ouest du centre-ville, à 15 min d'autobus du métro Vendôme. Location à la journée, à la semaine ou au mois.

Outremont

Voir le plan p 177.

Université de Montréal
$-$$
mi-mai à fin août
bc, &, ℝ, ☺, ℂ
2350 boul. Édouard-Montpetit
☎*343-6531*
⇌*343-2353*
www.resid.umontreal.ca
Pendant l'été, on peut louer une chambre dans les résidences étudiantes des universités de la ville. Ces chambres au confort élémentaire sont pourvues d'un lit simple, d'une petite commode, d'un petit réfrigérateur et d'un lavabo, et elles ne sont pas équipées de salle de bain privée. Il s'agit néanmoins d'une façon économique de loger à Montréal. Les réservations sont recommandées. Les résidences des étudiants de l'Université de Montréal ont été construites au pied du mont Royal dans un quartier tranquille. Elles se trouvent à quelques kilomètres du centre-ville et sont facilement accessibles par autobus ou métro. L'hébergement à la semaine ou au mois est également disponible.

Hôtel Terrasse Royale
$$$$-$$$$$
ℂ, ℝ, ≈
5225 ch. de la Côte-des-Neiges
☎*739-6391 ou 800-567-0804*
⇌*342-2512*
www.terrasse-royale.com
L'Hôtel Terrasse Royale se dresse à deux pas de l'Université de Montréal et propose 56 chambres vastes, propres et modernes, mais sans luxe ni grande originalité. Il se trouve dans un quartier riche en boutiques et restaurants.

Le Village

Voir le plan p 201.

Douillette et chocolat
$$ pdj
bc
1631 rue Plessis
☎*523-0162*
⇌*523-6795*
Douillette et chocolat est une petite auberge tenue par un jeune Français (et ses deux chats) qui a aménagé et rénové avec goût une vieille demeure victorienne. Les deux chambres, grandes et claires, ont un cachet particulièrement séduisant. La première possède un grand lit pouvant se transformer en lits jumeaux et la seconde possède un lit double. Elles partagent une grande salle de bain. Le petit déjeuner est copieux et servi dans une belle salle à manger. Non-fumeurs.

Le Gîte Turquoise
$$ pdj
bc
1576 rue Alexandre-de-Sève
☎*523-9943 ou 877-707-1576*
www.turquoisebb.com
En plein cœur du Village gay, Le Gîte Turquoise compte cinq chambres. Cette maison victorienne dont seul l'intérieur témoigne de cette époque a été rénovée. Une terrasse permet également de se faire

servir le petit déjeuner buffet à l'extérieur, dans le grand jardin privé, lorsque la température le permet.

Maisonneuve

Voir le plan p 207.

Au Gîte Olympique
$$-$$$ pdj
ℝ
2752 boul. Pie-IX
☎*254-5423 ou 888-254-5423*
≠*254-4753*
www.gomontrealgo.com
Bien qu'il soit situé sur le passant boulevard Pie-IX, Au Gîte Olympique bénéficie de cinq chambres tranquilles et d'une vue prenante sur le Stade olympique. Deux salons sont mis à la disposition des visiteurs, qui peuvent s'y détendre ou faire connaissance avec d'autres voyageurs. À l'arrière s'étend une large terrasse où l'on sert le petit déjeuner pendant la belle saison. Situé à deux pas du métro Pie-IX et près des principaux attraits de l'est de la ville. Établissement non-fumeurs.

L'ouest de l'île

Voir le plan p 227.

Dorval

Hilton Montréal Aéroport
$$$
≈, △, ☉, ℜ, 🐾, ৬, ≡, ℝ
12505 ch. de la Côte-de-Liesse
☎*631-2411 ou 800-567-2411*
≠*631-0192*
www.hiltoncanadafrancais.com
Le Montréal Aéroport Hilton propose 486 chambres agréables à proximité de l'aéroport Montréal-Trudeau. Service de nettoyeur. Accès à Internet dans les chambres.

Hôtel Best Western Montréal Aéroport
$$$-$$$$ pdj
≈, ☉, △, ℜ, ≡, ✪
13000 ch. de la Côte-de-Liesse
☎*631-4811 ou 800-361-2254*
≠*631-7305*
www.bestwestern.com
Les 110 chambres de l'Hôtel Best Western Montréal Aéroport sont agréables et économiques. L'hôtel offre à ses clients un service aussi rare qu'intéressant: on peut y garer sa voiture pour près de trois semaines. Un service de navette pour l'aéroport Montréal-Trudeau y est offert gratuitement.

Restaurants

Montréal jouit d'une réputation plus qu'enviable sur le plan gastronomique, réputation qui n'est d'ailleurs pas surfaite.

Toutes les cuisines du monde y sont représentées dans des établissements de toute taille. Et qui plus est, on peut toujours y dénicher une table qui saura devenir mémorable, quel que soit son budget. La sélection qui suit est classée selon l'ordre des circuits proposés afin de faciliter la découverte de la perle rare, peu importe où l'on en est dans son exploration de la ville.

Les Québécois appellent le petit déjeuner le «déjeuner», le déjeuner le «dîner» et le dîner le «souper». Ce guide suit cependant la nomenclature internationale, à savoir petit déjeuner, déjeuner et dîner.

Dans la majorité des cas, les restaurants proposent, du lundi au vendredi, des «menus du jour», c'est-à-dire des menus complets à prix avantageux. Servis le midi seulement, ces «menus du jour» incluent bien souvent un choix d'entrées et de plats, un café et un dessert. Le soir, la table d'hôte (même formule, mais plus chère) est également intéressante.

Vous devez, de préférence, réserver votre table, surtout si vous faites partie d'un groupe. Vous pourrez du même coup vous assurer que le restaurant que vous avez choisi sera ouvert pour votre repas. Généralement ouverts tous les jours en haute saison, certains établissements ferment leurs portes en début de semaine au cours de l'hiver.

Nous vous offrons deux index: le premier par types de cuisine (voir p 289) et le second dans l'ordre alphabétique (à la fin du guide sous «Restaurants»).

Les tarifs mentionnés dans ce guide s'appliquent, sauf indication contraire, à un dîner pour une personne, excluant les boissons, les taxes et le service (voir «Pourboire», p 64).

$	moins de 15$
$$	de 15$ à 30$
$$$	de 30$ à 60$
$$$$	plus de 60$

C'est généralement selon les prix des tables d'hôte du soir que nous avons classé les restaurants, mais souvenez-vous que les repas du midi sont souvent beaucoup moins coûteux.

Bateau Ulysse

Le pictogramme du bateau Ulysse est attribué à nos établissements favoris (hôtels et restaurants). Pour de plus amples renseignements, voir p 263.

Apportez votre vin

Il se trouve en effet des restaurants où l'on peut apporter sa bouteille de vin. Cette particularité étonnante pour les Européens vient du fait que, pour pouvoir vendre du vin, il faut posséder un permis de vente d'alcool assez coûteux. Certains restaurants voulant offrir à leur clientèle des formules économiques possèdent dès lors un autre permis qui permet aux clients d'apporter leur(s) bouteille(s) de vin. Dans la majorité des cas, un panonceau vous signalera cette possibilité. Nous l'indiquons pour les établissements que nous avons sélectionnés.

Autre «bizarrerie»: il existe, en plus du permis de vente d'alcool, un permis de bar! Autrement dit, les restaurants qui n'ont qu'un permis de vente d'alcool ne peuvent vous vendre de la bière, du vin et de l'alcool que s'ils accompagnent un repas. Les restaurants qui ont en plus un permis de bar peuvent vous vendre de l'alcool même si vous n'y prenez pas de repas.

Été comme hiver, le port de Montréal accueille des cargos géants en provenance du monde entier.
- *Philippe Renault*

Dans les parcs, le hockey demeure un des sports d'hiver favoris des jeunes Montréalais.
- *Philippe Renault*

Quelques-unes des jolies demeures qui bordent le square Saint-Louis.
- *Patrick Escudero*

Suggestions pour les noctambules

Voici quelques bons restaurants dont les cuisines ferment tard:

Bagel etc.
Café du Nouveau Monde
Le Continental
Le Saloon
L'Express
Shed Café

Suggestions pour les brunchs

Voici quelques bons restaurants reconnus pour leurs brunchs:

Bazou
Beauty's
Café Cherrier
Côté Soleil
Eggspectation
Fruits Folies
Le Petit Alep
Toi Moi et Café

Index par types de cuisine

Restaurants

Restaurants

Les établissements qui se distinguent

Restaurants

Le Vieux-Montréal

Voir le plan p 77.

Si, par une belle journée d'été pendant votre visite du Vieux-Montréal, vous êtes pris d'une irrésistible envie de crème glacée, pas de panique, vous trouverez de quoi vous sustenter!

Sur la rue de la Commune et autour, les bars laitiers sont légion, certains étant même jouxtés d'une agréable petite terrasse.

Bio train
$
410 rue St-Jacques O.
☎*842-9184*
Le Bio train est le restaurant libre-service que privilégient les gens d'affaires du quartier pour sa cuisine santé.

Chez Better

$

160 rue Notre-Dame E.
☎861-2617

Chez Better, la saucisse germa-
nique, les frites et la choucroute
composent l'essentiel du menu.
Bien que l'aménagement des
restaurants de cette chaîne
varie de l'un à l'autre, l'atmosphère est toujours détendue.
Ici, dans le Vieux-Montréal,
l'établissement occupe une
vieille demeure datant du Régime français.

Crémerie Saint-Vincent

$

153 rue St-Paul Est
☎392-2540

Ouvert uniquement durant
l'été, la Crémerie Saint-Vincent
est un des rares établissements
à Montréal où l'on peut savourer une excellente crème
glacée molle fourrée au sucre
d'érable. Une grande variété de
glaces figure au menu.

Steak-frites St-Paul

$

12 rue St-Paul O.
☎842-0972

Le midi, les gens d'affaires se
pressent au Steak-frites St-Paul,
tout à fait à l'aise dans cette salle
relativement petite et bruyante.
Ils y viennent pour manger des
steaks frites nappés de sauces
diverses.

Titanic

$

445 rue St-Pierre
☎849-0894

Voici un restaurant tout petit et
très achalandé à découvrir pour
le déjeuner. Installé dans un

demi-sous-sol, le Titanic propose une myriade de sandwichs
sur pain baguette et de salades
aux accents de la Méditerranée:
feta et autres fromages, poissons fumés, pâtés, légumes
marinés... Délicieux!

La Cage aux Sports

$-$$

395 rue Lemoyne
☎288-1115

Ce restaurant de la chaîne La
Cage aux Sports propose un
intéressant décor caractérisé
par une collection d'objets
hétéroclites, certains très imposants, comme un avion. Côtes
levées, poulet... très nord-
américain. Portions abondantes,
bière peu chère, service courtois et efficace. On peut aussi y
suivre les événements sportifs
de l'heure sur un écran géant.

Chez Delmo

$$

211 rue Notre-Dame O.
☎849-4061

Spécialisé dans les plats de
poisson et les fruits de mer,
Delmo propose une exception-
nelle bouillabaisse. La première
salle, où se trouvent les deux
longs comptoirs à huîtres, est la
plus agréable.

Gandhi

$$

230 rue St-Paul O.
☎845-5866

Une véritable perle que ce
restaurant indien du Vieux-
Montréal. On s'y croirait à la
table d'un maharadja, tant
l'élégance du décor et des
tables nous surprend. Le personnel aurait pu servir à la cour

du vice-roi des Indes et ne détonne pas une minute dans cet environnement raffiné. Quelques conversations avec les serveurs dans un français impeccable nous permettent de conclure qu'ils ont dû officier du côté de Pondichéry! Après tout cela, la table déçoit un peu par son manque d'audace et d'imagination, mais tous les plats font honneur aux plus pures traditions de la cuisine indienne, et, au bout du compte, on mange au Gandhi aussi bien que dans les meilleurs restos indiens, pour pas plus cher.

Casa de Matéo
$$
440 rue St-François-Xavier
☎*844-7448*
La Casa de Matéo est un joyeux restaurant mexicain garni de hamacs, de cactus et de bibelots latino-américains. Le personnel sera heureux de vous faire potasser votre espagnol. Plats typiques et excellents.

La Gargote
$$
351 place D'Youville
☎*844-1428*
Le restaurant La Gargote ne correspond peut-être pas à l'idée qu'on se fait généralement d'un tel établissement. Mais il correspond exactement à ce que l'on s'attend d'un petit restaurant français où se retrouvent habitués et curieux. Son décor est chaleureux, sa cuisine savoureuse, et ses prix sont abordables.

Le Petit Moulinsart
$$
139 rue St-Paul O.
☎*843-7432*
Le Petit Moulinsart est un bistro belge qui prend des allures de petit musée consacré aux personnages de bandes dessinées des aventures de *Tintin*, créé par Georges Rémi dit Hergé. Bibelots et affiches en tout genre évoquant ces personnages décorent les murs, le menu et les tables de l'établissement. Le service est sympathique mais lent. Outre le plat traditionnel de moules et de frites, ne manquez pas de goûter au sorbet du Colonel Sponz et à la salade du Capitaine Haddock.

Stash's Café Bazar
$$
200 rue St-Paul O.
☎*845-6611*
Décoré sans artifice, le Stash's Café Bazar, un charmant petit restaurant polonais, s'avère tout indiqué pour les amateurs de pirojkis farcis de fromage, de saucisse et de choucroute. La vodka y est excellente.

Modavie
$$-$$$
1 rue St-Paul O.
☎*287-9582*
À l'angle du boulevard Saint-Laurent et de la rue Saint-Paul, le restaurant Modavie présente aux passants ses fenêtres surmontées d'auvents. De son beau décor où se côtoient le moderne et l'antique, se dégage une douce atmosphère. On y mange des plats de viande, de pâtes et de poisson

Restaurants

inspirés des cuisines méditerranéennes.

Chez l'Épicier
$$$
311 rue St-Paul E.
☎878-2232

Auriez-vous pensé à manger
chez votre épicier? Pourtant,
quel merveilleux établissement
pour goûter des produits frais
et une cuisine du marché!
L'Épicier, qui fait effectivement
office d'épicerie fine, est surtout
un restaurant où l'on déguste
une formidable cuisine créative,
présentée de manière spectaculaire. Des murs de pierres,
de grandes fenêtres qui donnent sur la magnifique architecture du Marché Bonsecours et
un décor bistro donnent à
l'établissement à la fois
l'ambiance des lieux très fré-
quentés et une certaine intimité. L'Épicier se fait aussi som-
melier derrière son bar à vins.

🦞 Le Bonaparte
$$$
443 rue St-François-Xavier
☎844-4368

Le menu varié du restaurant
français Le Bonaparte réserve
toujours de délicieuses surprises. Les convives les dégustent
dans une des trois salles de
l'établissement, toutes richement décorées dans le style
Empire. La plus grande offre la
chaleur d'un foyer en hiver,
tandis qu'une autre, appelée La
Serre, dégage une ambiance
feutrée grâce à la présence de
nombreuses plantes vertes.

Le Cabaret du Roy
$$$
363 rue de la Commune E.
☎907-9000

Ne vous attendez pas, en pré-
voyant un dîner dans ce restaurant du Vieux-Montréal, à passer une soirée tranquille. Après
tout, vous êtes ici au Cabaret
du Roy, et vous n'êtes pas seul!
Une foule de personnages
sortis tout droit des beaux jours
de la fondation de Montréal
attendent les dîneurs dans un
décor d'époque pour les entraî-
ner dans une reconstitution
historique amusante. Rassurez-
vous, vous n'êtes pas obligé de
participer si vous n'en avez pas
envie. Vous n'apprendrez peut-
être pas tout un chapitre de
l'histoire en une soirée, mais le
divertissement en vaut la peine.
Sans parler de la boustifaille!
Des mets traditionnels repensés
composent un menu résolu-
ment réussi.

Le Vieux Saint-Gabriel
$$$
426 rue St-Gabriel
☎878-3561

On va au Vieux Saint-Gabriel
d'abord et avant tout pour
profiter d'un décor enchanteur,
car le restaurant est aménagé
dans une maison qui, déjà en
1754, abritait une auberge (voir
p 90), l'établissement évoquant
les premières années de la
Nouvelle-France. Le menu,
quant à lui, est sans extrava-
gance et présente des plats
français et italiens.

Soto
$$$
500 rue McGill
☎864-5115

Dans le grand espace d'un des beaux immeubles fin XIXe de la rue McGill, le Soto sert une excellente cuisine japonaise présentée comme elle se doit, pour le plaisir des yeux en introduction au plaisir du goût. Des formules avantageuses sont proposées le midi, qui permettent de savourer une palette de plats (sushis, makis, sashimis ou tempuras) sans alourdir l'addition. Plus cher le soir, mais trouve-t-on quelque part une bonne cuisine japonaise à prix doux? *Itadakimasu!*

Chez Queux
$$$-$$$$
158 rue St-Paul E.
☎866-5194

Profitant d'un site des plus agréables face à la place Jacques-Cartier, Chez Queux sert une délicieuse cuisine française. Le service et le décor raffinés en font un restaurant tout indiqué pour faire un excellent repas.

Gibby's
$$$-$$$$
298 place D'Youville
☎282-1837

Le restaurant Gibby's occupe une vieille étable rénovée et propose de généreuses portions de steak de bœuf ou de veau; on les déguste à des tables en bois bordées d'un muret de brique et de pierre, disposées devant un feu de braise. Pendant la belle saison, on peut manger confortable-ment à l'air libre dans une très grande cour intérieure. Somme toute, un décor assez extraordinaire mais qui se reflète dans les prix plutôt élevés. Végétariens, s'abstenir.

Cube
$$$$
355 rue McGill
☎876-2823

Le restaurant Cube de l'**hôtel St-Paul** (voir p 270) vous invite à rencontrer son chef réputé, Claude Pelletier, qui vous en fera voir de toutes les couleurs et de toutes les saveurs. Le restaurant est des plus populaires depuis son ouverture à l'été 2001. La faune branchée de Montréal le fréquente assidûment, non seulement pour sa cuisine exceptionnelle, mais aussi pour voir et être vue, dans un décor étonnant, de surcroît, où, comme à l'hôtel, différents matériaux se côtoient pour donner des effets inattendus. À l'étage, son acolyte le Bar Cru sert des tartares, des carpaccios, etc., dans une ambiance *lounge*. Cube fait incontestablement partie des lieux *in* de Montréal.

La Marée
$$$$
404 place Jacques-Cartier
☎861-9794

Situé sur la trépidante place Jacques-Cartier, le restaurant La Marée a su conserver, avec les ans, une excellente réputation. On y apprête à merveille le poisson et les fruits de mer. La salle étant spacieuse, chacun y est à son aise.

Restaurants

L'Auberge-restaurant Pierre du Calvet
$$$$
405 rue Bonsecours
☎282-1725

Fleuron de la restauration montréalaise, **L'Auberge-restaurant Pierre du Calvet** (voir p 267) abrite l'une des meilleures tables de Montréal. Cet établissement est en effet particulièrement recommandé pour sa délicieuse cuisine française imaginative, dont le menu, à base de gibier, de volaille, de poisson et de bœuf, change toutes les deux semaines. De plus, son cadre élégant, ses antiquités, ses plantes ornementales et la discrétion de son service vous feront passer une soirée des plus agréables dans l'historique **maison Pierre du Calvet** (voir p 96), datée de 1725.

Le centre-ville et le Mille carré doré

Ben's Delicatessen
$
990 boul. De Maisonneuve O.
☎844-1000

Au début du XXᵉ siècle, un immigrant lithuanien adapta une recette de chez lui (la viande fumée) aux besoins des travailleurs et implanta à Montréal la recette du sandwich dit *smoked meat*. C'est ainsi que vit le jour le restaurant Ben's Delicatessen. Au fil des ans, ce restaurant est devenu une institution montréalaise où se presse une foule bigarrée. On peut même y aller après la fermeture des bars! Les tables usées et bancales, ainsi que les photographies jaunies par le temps, donnent au restaurant des allures austères. Le service aussi est usé et il n'y a rien à en attendre!

Café Starbuck's
$
Librairie Chapters, 1ᵉʳ étage
1171 rue Ste-Catherine O.
☎843-4418

Le Café Starbuck's est aménagé dans un angle de la succursale du centre-ville de la chaîne de librairies Chapters. Excellents cafés mais aussi des livres... avec trois étages remplis d'ouvrages pour tous les goûts. Il y a même une section complète de magazines tout juste à côté du coin café. Une excellente façon de tuer le temps avant l'ouverture ou après la fermeture des magasins.

Eggspectation
$
1313 boul. De Maisonneuve O.
☎842-3447

Eggspectation est une excellente adresse pour le brunch de fin de semaine. On y sert bien sûr des œufs, mais aussi d'autres bons petits plats tels que gaufres, crêpes et pain doré garnis de fruits et de crème fouettée. Le tout dans un décor branché et une ambiance des plus animées.

La Brûlerie Saint-Denis
$
2100 rue Stanley, Maison Alcan
☎985-9159

La Brûlerie Saint-Denis, située au centre-ville, sert les mêmes délicieux cafés, repas légers et

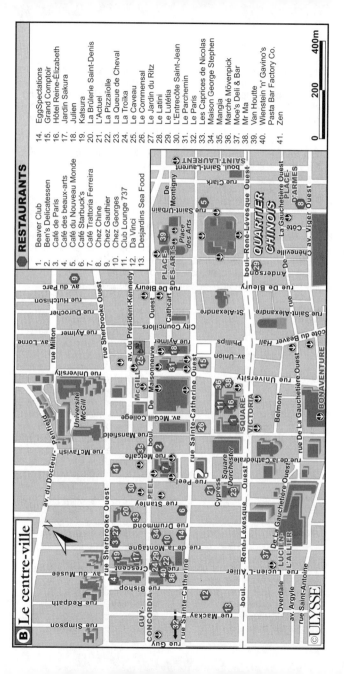

B Le centre-ville

◆ RESTAURANTS

1. Beaver Club
2. Ben's Delicatessen
3. Café de Paris
4. Café des beaux-arts
5. Café du Nouveau Monde
6. Café Starbuck's
7. Café Trattoria Ferreira
8. Chez Chine
9. Chez Gauthier
10. Chez Georges
11. Club Lounge 737
12. Da Vinci
13. Desjardins Sea Food

14. EggSpectations
15. Grand Comptoir
16. Hôtel Reine-Elizabeth
17. Jardin Sakura
18. Julien
19. Katsura
20. La Brûlerie Saint-Denis
21. L'Actuel
22. La Pizzaïolle
23. La Queue de Cheval
24. La Troïka
25. Le Caveau
26. Le Commensal
27. Le Jardin du Ritz
28. Le Latini
29. Le Lutétia
30. L'Entrecôte Saint-Jean
31. Le Parchemin
32. Le Paris
33. Les Caprices de Nicolas
34. Maison George Stephen
35. Mangia
36. Marché Mövenpick
37. Moe's Deli & Bar
38. Mr Ma
39. Van Houtte
40. Wienstein 'n' Gavino's Pasta Bar Factory Co.
41. Zen

0   200   400m

© ULYSSE

desserts que les autres bistros du même nom. Bien que le café ne soit pas torréfié sur place, il y arrive directement de la maison mère de la rue Saint-Denis.

Van Houtte
$
Place des Arts
Le Van Houtte de la Place des Arts présente un décor moderne, bien adapté à son environnement. L'établissement convient tout à fait pour prendre une bouchée en vitesse avant d'assister à un spectacle. Croissants, cafés et muffins figurent au menu.

La Pizzaïolle
$-$$
1446A rue Crescent
☎845-4158
Voir description p 336.

Le Grand Comptoir
$-$$
1225 rue du Square-Phillips
☎393-3295
Le midi, il faut aller au Grand Comptoir non pas pour son décor, tout à fait quelconque, mais pour sa cuisine bistro à prix imbattable.

Mangia
$-$$
1101 boul. De Maisonneuve O.
☎848-7001
Manger une nourriture raffinée et de qualité à peu de frais dans un beau décor n'est pas toujours facile au centre-ville de Montréal. Mangia constitue une solution à cette problématique, avec sa boutique de «prêt-à-manger». Salades et pâtes,

toutes plus appétissantes les unes que les autres, vendues au poids, sandwichs et repas plus élaborés, comme le steak aux poivrons, sont proposés sur le menu.

Marché Mövenpick
$-$$
1 Place Ville-Marie
☎861-8181
Le Marché Mövenpick est un concept unique réunissant tout à la fois un marché traditionnel et une cafétéria, où vous devez présenter à chaque cuistot un carton sur lequel il indique votre choix, que vous payerez en sortant. Plusieurs options s'offriront à vous, dès lors que des comptoirs de mets variés des quatre coins du monde, de tous les prix et à base d'ingrédients on ne peut plus frais sollicitent vos papilles à qui mieux mieux. La nourriture est excellente (compte tenu du fait qu'il s'agit de restauration rapide) et comprend aussi bien des potages asiatiques que du *bami goreng* indonésien, des pizzas sur mesure, du poisson, des fruits de mer, des biftecks, des soupes, des salades et des desserts. Notez toutefois que l'établissement peut devenir très affairé, et qu'on a parfois du mal à trouver une table. Cette chaîne de restauration suisse gagne de plus en plus de terrain en Amérique du Nord.

Café du Nouveau Monde
$$
84 rue Ste-Catherine O.
☎866-8669
Quel bel ajout dans ce secteur que ce Café du Nouveau

Monde, où il fait bon simplement prendre un verre, un café ou un dessert dans le décor déconstructiviste du rez-de-chaussée ou encore un bon repas à l'étage, où l'atmosphère rappelle les brasseries parisiennes. Le menu s'associe au décor et propose les classiques de la cuisine française de bistro. Service impeccable, belle présentation et cuisine irréprochable, que demander de plus?

Jardin Sakura
$$
2114 rue de la Montagne
☎288-9122

Avec une telle appellation, on pourrait s'attendre à retrouver un décor beaucoup plus raffiné au Jardin Sakura, d'autant plus que le mot *sakura* désigne la belle fleur des cerisiers japonais. Le restaurant propose une cuisine japonaise tout à fait respectable, bien que les sushis ne soient pas toujours d'égale qualité. Le service est des plus attentionnés, mais est difficilement fait en français.

Le Commensal
$$
1204 av. McGill College
☎871-1480

Le restaurant Le Commensal a opté pour une formule buffet. Les plats, tous végétariens, sont vendus au poids. Son décor moderne et chaleureux, ainsi que ses grandes fenêtres sur le centre-ville, en font un établissement agréable. Ouvert tous les jours, jusque tard le soir.

L'Entrecôte Saint-Jean
$$
2022 rue Peel
☎281-6492

Le menu de L'Entrecôte Saint-Jean se résume à un choix simple: l'entrecôte apprêtée de plusieurs façons, ce qui lui permet de proposer ce plat à bon prix.

Le Paris
$$
1812 rue Ste-Catherine O.
☎937-4898

Le Paris est le restaurant tout indiqué pour savourer quelques-unes des spécialités de la cuisine française, particulièrement si vous aimez le boudin, le foie de veau ou le maquereau au vin blanc, tout en désirant en prime profiter d'une ambiance décontractée et sympathique. Côté décoration, l'établissement n'a pas changé depuis des années. La carte des vins, quant à elle, est bien garnie et au goût du jour.

Moe's Deli & Bar
$$
1050 rue de la Montagne
☎931-6637

Le Moe's Deli & Bar sert d'excellents hamburgers et sandwichs de viande fumée (*smoked meat*) qui ont contribué à la renommée de cette chaîne de restaurants. Celui-ci présente en plus la particularité d'être axé sur le sport. Une ambiance de fête et une clientèle jeune y donnent le ton.

Restaurants

Café des beaux-arts
$$-$$$
accès par le 1380 ou le 1384 de la rue Sherbrooke Ouest, au Musée des beaux-arts de Montréal
☎843-3233
Le Café des beaux-arts du Musée des beaux-arts de Montréal offre une cuisine créative et alléchante ainsi qu'un service empressé. Salon privé du bistro, Le Collectionneur fait honneur aux groupes qui le louent soit pour des événements ou autres lancements, cocktails et conférences.

Chez Gautier
$$-$$$
3487 av. du Parc
☎845-2992
Chez Gautier est aménagé dans un local tout en longueur orné de boiseries. Le menu affiche des plats de type bistro dans la plus pure tradition. Tout y est excellent, sans oublier les desserts qui proviennent de la Pâtisserie Belge voisine. Très agréable terrasse.

Chez Georges
$$-$$$
1415 rue de la Montagne
☎288-6181
Chez Georges s'est fait connaître grâce à sa renommée cuisine française, traditionnelle et savoureuse. Service attentionné et efficace. C'est le rendez-vous des gens d'affaires du quartier.

Club Lounge 737
$$-$$$
1 Place Ville-Marie
☎397-0737
Situé au 46e étage de la Place Ville-Marie, le restaurant Club Lounge 737 est pourvu de grandes fenêtres qui permettent de jouir d'une vue imprenable sur Montréal et ses environs. On y sert un buffet de cuisine française. Notez toutefois qu'ici les prix sont aussi élevés que le restaurant lui-même.

Da Vinci
$$-$$$
1180 rue Bishop
☎874-2001
Le Da Vinci est un restaurant familial qui s'adresse à une clientèle huppée, y compris, soit dit en passant, quelques grands du hockey, présents et passés. Le menu italien classique ne prétend pas dévoiler de grandes découvertes, mais tous les plats sont préparés avec soin à partir d'ingrédients de toute première qualité. Quant à la carte des vins, elle se veut étendue, et vous y trouverez sûrement le cru tout indiqué pour accompagner votre repas. Un éclairage riche et feutré mettant en valeur des tables magnifiquement dressées confère aux lieux un air de raffinement on ne peut plus invitant.

L'Actuel
$$-$$$
1194 rue Peel
☎866-1537
L'Actuel, le plus belge des restaurants montréalais, ne dé-

semplit pas midi et soir. On y trouve deux salles, dont une grande assez bruyante et très animée où se pressent des garçons affables parmi les gens d'affaires. La cuisine propose évidemment des moules, mais aussi plusieurs autres spécialités.

Le Caveau
$$-$$$
2063 rue Victoria
☎844-1624
Le restaurant Le Caveau, qui semble caché derrière les gratte-ciel du centre-ville, a été aménagé dans une coquette maison blanche. On y élabore avec art des plats d'une cuisine française raffinée; on doit cependant déplorer un service distant et des desserts décevants.

Wienstein 'n' Gavino's Pasta Bar Factory Co.
$$-$$$
1434 rue Crescent
☎288-2231
Le Wienstein 'n' Gavino's Pasta Bar Factory Co. exhibe un beau décor aux murs de brique apparente, aux sols carrelés à la méditerranéenne et aux conduits de ventilation visibles au plafond, le tout dans un édifice flambant neuf que l'on perçoit volontiers comme s'il faisait partie du décor montréalais depuis nombre d'années déjà. Chaque table se voit garnie d'une miche de pain français tout frais qu'on peut tremper dans de l'huile d'olive et aromatiser d'ail grillé. Côté menu, les pizzas sont respectables, mais sans éclat ni grande distinction, tandis que les plats de pâtes

sont franchement délicieux, surtout ceux au gorgonzola et à l'aneth. Le vivaneau rouge en papillote ne donne pas non plus sa place.

Café Trattoria Ferreira
$$$
1446 rue Peel
☎848-0988
Voilà un sympathique et excellent restaurant du centre-ville, qui propose des spécialités portugaises apprêtées avec un raffinement qu'on ne trouve que rarement au Portugal même. Il faut souligner la qualité du *caldo verde*, cette soupe aux choux qui réchauffe le cœur et le corps, et le généreux riz aux fruits de mer. Montréalisés, nos amis lusitaniens perdent la froideur qui les caractérise, et c'est tant mieux. Les âmes esseulées peuvent manger au bar: on leur tiendra joyeuse compagnie.

Chez Chine
$$$
99 av. Viger O.
☎878-9888
L'hôtel **Holiday Inn Select** (voir p 274), qui s'élève aux limites du Chinatown, renferme un restaurant digne de ce quartier, Chez Chine, qui propose de délicieuses spécialités chinoises. La salle à manger, fort vaste, est aménagée à côté de la réception; aussi, afin d'enrayer l'atmosphère quelque peu impersonnelle qui pourrait émaner de cette pièce sans fenêtres, s'agrémente-t-elle d'une jolie décoration. Les tables sont réparties aux abords d'un grand bassin au centre

Restaurants

duquel a été érigée une pagode (où se trouve une grande table). Il est également possible de réserver de petits salons attenants, parfaits pour les réceptions privées.

 Julien
$$$
1191 rue Union
☎ *871-1581*
Un classique à Montréal, Julien est reconnu pour servir une des meilleures bavettes à l'échalote en ville. Mais on ne s'y rend pas uniquement pour savourer une bavette, car les plats y sont tous plus succulents les uns que les autres. D'ailleurs, ici tout est impeccable: le service, la décoration et même la carte des vins.

Katsura
$$$
2170 rue de la Montagne
☎ *849-1172*
Au cœur du centre-ville, le Katsura vous fait découvrir les délices d'une cuisine japonaise raffinée. La salle principale est meublée de longues tables, parfaites pour recevoir les groupes. On peut également opter pour les petites salles, plus intimes.

La Troïka
$$$
2171 rue Crescent
☎ *849-9333*
La Troïka est un restaurant russe dans la plus pure tradition. Dans un décor tout en tentures, en recoins et en souvenirs, un accordéoniste épanche sa nostalgie du pays.

Les repas sont excellents et authentiques.

Le Parchemin
$$$
1333 rue University
☎ *844-1619*
Occupant l'ancien presbytère de la Christ Church Cathedral, Le Parchemin se caractérise par un décor chic et une atmosphère feutrée. On y propose une cuisine française soigneusement apprêtée qui comblera le plus fin gourmet. La table d'hôte, quant à elle, avec ses quatre services et son vaste choix, est plus qu'honorable.

Maison George Stephen
$$$
1440 rue Drummond
☎ *849-7338*
Fondée en 1884, la **Maison George Stephen** (voir p 137) abrite un club privé, le Mount Stephen Club, qui ouvre ses portes au public uniquement le dimanche pour un brunch musical. Son décor semble s'être figé dans l'histoire, avec ses murs superbement lambrissés et ornés de vitraux datant du XIXe siècle. Vous aurez le privilège de vous délecter le palais tout en vous laissant bercer l'oreille par des airs de musique classique interprétés par des étudiants du Conservatoire.

Mr Ma
$$$
1 Place Ville-Marie
☎ *866-8000*
Dans deux salles, dont une laisse entrer agréablement la lumière du jour, Mr Ma pro-

pose une cuisine sichuanaise sans trop de fioriture mais d'un bon rapport qualité/prix, spécialement pour ce secteur du centre-ville. Les plats de fruits de mer constituent un choix judicieux.

Desjardins Sea Food
$$$-$$$$
1175 rue Mackay
☎866-9741
Desjardins Sea Food compte depuis longtemps parmi les meilleures tables de fruits de mer de Montréal. Tout y est frais, délicieux et d'une grande finesse, dans un décor feutré où la moquette, les nappes blanches, les fleurs et le cristal donnent le ton. Dans cette lumineuse oasis de paix entourée de larges baies vitrées en plein centre-ville, vous trônerez sur de confortables chaises à haut dossier et bien rembourrées devant des plats à faire rêver. Service professionnel, il va sans dire, et prix à la clé, mais non excessifs.

Zen
$$$-$$$$
1050 rue Sherbrooke O.
☎499-0801
Le décor du Zen est moderne et minimaliste à l'extrême. On pourrait presque dire qu'il suscite une expérience... zen. Les succulents mets chinois qu'on y propose sont merveilleusement bien présentés, et, si vous avez du mal à fixer votre choix, laissez-vous tenter par l'«Expérience Zen», soit une sélection illimitée de petites portions parmi les quelque 40 plats du menu.

Beaver Club
$$$$
Fairmont Le Reine-Élizabeth
900 boul. René-Lévesque O.
☎861-3511
De magnifiques boiseries confèrent une atmosphère raffinée au restaurant de renommée internationale qu'est le Beaver Club, un atout incomparable pour le grand hôtel montréalais où il s'est établi. Sa table d'hôte variable peut aussi bien comporter du homard frais que de fines coupes de bœuf ou de gibier. Tout y est préparé avec le plus grand soin, et une attention de tous les instants est portée aux moindres détails, présentation comprise. Il y a même un sommelier à demeure, et vous pourrez y danser le samedi soir.

Café de Paris
$$$$
1228 rue Sherbrooke O.
☎842-4212
Le Café de Paris est le restaurant réputé du magnifique hôtel **Ritz-Carlton** (voir p 279). Son riche décor, aux tons chauds de bleu et d'ocre, est d'une beauté distinguée. Le menu, composé avec soin, propose de délicieux plats.

La Queue de Cheval
$$$$
1221 boul. René-Lévesque O.
☎390-0090
Temple pour carnivores, La Queue de cheval impressionne par son décor opulent où se mêlent boiseries, murs lambrissés et chandeliers qui pendouillent des hauts plafonds voûtés. Il va sans dire, une atmosphère

Restaurants

«masculine» auréole les repas des businessmen et autres personnages influents. La carte comporte une belle sélection de steaks vieillis à point qui proviennent des meilleurs éleveurs du Midwest étasunien. En attendant sa table, on s'accoude au bar feutré, tout indiqué pour déguster un whisky en discutant sur la politique étrangère sous les airs d'une musique de circonstance. Poissons, fruits de mer et veau figurent également au menu. Bref, une adresse idéale pour les appétits costauds et les estomacs solides. Le personnel stylé et avenant fait preuve d'une grande courtoisie.

Le Jardin du Ritz
$$$$
1228 rue Sherbrooke O.
☎842-4212
Le Jardin du Ritz est l'endroit rêvé pour se soustraire aux chaleurs estivales ainsi qu'à l'activité grouillante du centre-ville. On y déguste les classiques de la cuisine française, et l'on prend le thé devant un étang entouré de fleurs et de verdure où s'ébattent des canards. Clientèle diversifiée. Ouvert seulement pendant la belle saison, Le Jardin est le prolongement de l'autre restaurant de l'hôtel, **Le Café de Paris** (voir p 305). Prendre un repas dans ce jardin vous assure d'un moment de pur bonheur.

Le Latini
$$$$
1130 rue Jeanne-Mance
☎861-3166
Le restaurant italien Le Latini s'impose par l'excellente qualité de sa cuisine délicieusement raffinée et par son service un tant soit peu snob. La carte des vins saura satisfaire les clients les plus exigeants.

Le Lutétia
$$$$
1430 rue de la Montagne
☎288-5656
Le chic décor victorien qu'arbore le restaurant de l'**Hôtel de la Montagne** (voir p 277), Le Lutétia, ne vous laissera sans doute pas indifférent, pas plus que son menu, qui comprend tous les classiques de la cuisine française: côtelette d'agneau, entrecôte, filet mignon.

Le Piment Rouge
$$$$
1170 rue Peel
☎866-7816
Certains disent que Le Piment Rouge apprête de délicieuces spécialités chinoises et sichuanaises, et offre un service efficace et sympathique, le tout dans un cadre agréable. Mais d'autres affirment que ce restaurant n'est pas à la hauteur, avec la fadeur de ses plats et l'ignorance même des serveurs quant au menu.

Les Caprices de Nicolas
$$$$
2072 rue Drummond
☎282-9790

Les Caprices de Nicolas s'inscrit au palmarès des meilleurs restaurants de Montréal. On y mange une cuisine très raffinée, française et innovatrice jusqu'au bout des doigts. Heureuse formule: pour le prix d'une bouteille de vin, on peut prendre différents vins au verre pour accompagner chacun des plats. Service irréprochable mais sans prétention et décor de jardin intérieur. Établissement non-fumeurs.

Toqué!
$$$$
Centre CDP Capital
900 place Jean-Paul Riopelle
(du côté ouest de la rue De Bleury, entre l'avenue Viger et la rue St-Antoine)
☎499-2084

Anciennement situé au 3842 de la rue Saint-Denis, où un bistro tenu par les mêmes propriétaires que le restaurant sera ouvert, le Toqué! a emménagé au début de l'année 2004 dans le nouveau **Centre CDP Capital** (voir p 114).

Si la gastronomie vous intéresse, le Toqué! est sans contredit l'adresse à retenir à Montréal. Le chef, Normand Laprise, insiste sur la fraîcheur des aliments et officie dans la cuisine, où les plats sont toujours préparés avec grand soin, puis admirablement bien présentés. Il faut voir les desserts, de véritables sculptures modernes. De plus, le service est

classique, la carte des vins est bonne, son nouveau décor est élégant, et les prix élevés n'intimident pas les convives. L'une des tables les plus originales de Montréal.

Le Village Shaughnessy

Voir le plan p 139.

Calories
$
4114 rue Ste-Catherine O.
☎933-8186

Calories reçoit une clientèle bruyante, surtout anglophone, jusque tard dans la nuit. Il propose de délicieux gâteaux, servis en copieuses portions.

Bar-B-Barn
$-$$
1201 rue Guy
☎931-3811

Au restaurant Bar-B-Barn, on peut déguster de délicieuses côtes levées sucrées et grillées à point. Ce plat n'a rien de très raffiné, d'autant moins qu'il faut le manger avec les doigts, mais il fait le plaisir de bon nombre de Montréalais gourmands. Les fins de semaine, il faut s'armer de patience car les files d'attente sont souvent longues.

Café Rococo
$$
1650 av. Lincoln
☎938-2121

Le Café Rococo est un charmant petit restaurant hongrois surtout fréquenté par... des Hongrois. La nourriture se veut

Restaurants

convenable et renferme une bonne dose de paprika. Ses tentures et nappes roses et écarlates confèrent aux lieux de doux airs d'Europe de l'Est que des chandelles sur chaque table rendraient encore plus romantiques. Excellent choix de gâteaux.

Le Pique-Assiette
$-$$
2201 rue Ste-Catherine O.
☎**932-7141**
Le Pique-Assiette présente un décor à l'indienne et offre une ambiance tranquille. Le menu propose d'excellents currys et spécialités de tandouri, dont s'accommodent malheureusement assez mal les estomacs délicats, car la cuisine est ici très épicée. Le buffet indien du midi vaut vraiment la peine. Amateur de pain *nan*, sachez qu'il est offert ici à volonté. Les bières anglaises accompagnent très bien ces mets.

Phayathai
$$
1235 rue Guy
☎**933-9949**
Petit restaurant thaïlandais, le Phayathai, aménagé avec goût et simplicité, prépare de bons plats aux parfums exotiques.

Le Bistro Gourmet
$$-$$$
2100 rue St-Mathieu
☎**846-1553**
Le Bistro Gourmet est un sympathique petit restaurant français où l'on peut savourer de délicieux plats agréablement préparés, toujours frais et servis avec attention.

Chez la Mère Michel
$$$-$$$$
1209 rue Guy
☎**934-0473**
Chez la Mère Michel, tenu par beaucoup pour un des meilleurs restaurants en ville, est l'incarnation même de la cuisine française par excellence. Installé dans une adorable vieille maison de la rue Guy, il renferme trois salles à manger intimes et décorées avec un goût exquis. À l'avant, banquettes et chaises garnies de riches tissus imprimés invitent les clients à prendre place autour de tables fort bien mises, tandis qu'à l'arrière un chaleureux foyer et une profusion de plantes campent le décor.

Le chef Micheline choisit des ingrédients venant tout droit du marché pour créer de délicieuses spécialités régionales françaises ainsi qu'une table d'hôte saisonnière à cinq services. Le personnel est par ailleurs cordial et attentif, et l'impressionnante cave de l'établissement recèle certaines des meilleures bouteilles que l'on puisse trouver à Montréal.

Le quartier de l'Hôtel-Dieu et le boulevard Saint-Laurent

Coco Rico
$
3907 boul. St-Laurent
☎849-5554
Coco Rico, ce spécialiste du poulet rôti, conviendra parfaitement aux voyageurs dont le budget est limité. Pour quelques dollars, on peut en effet s'offrir un quart de poulet accompagné d'une salade. Pour les pique-niques, on peut y commander un poulet rôti entier, à prix réduit les lundis et mardis.

Eggspectation
$
198 av. Laurier O.
☎278-6411
Voir description p 298.

Frite Alors
$
5235A av. du Parc
☎948-2219
Chez Frite Alors, on a voulu reconstituer ces friteries belges sans prétention où l'on s'arrête à toute heure du jour pour des frites et une saucisse. Le service est souvent lent, mais on y trouve les meilleures frites à Montréal!

Euro Deli
$
3619 boul. St-Laurent
☎843-7853
Euro Deli est le restaurant tout indiqué pour faire un repas rapide à base de pâtes ou de pizza, à presque toute heure de la journée ou de la soirée, en compagnie d'une clientèle bigarrée.

Kilo
$
5206 boul. St-Laurent
☎277-5039
Le Kilo est décoré tel qu'on imaginerait une maison de conte de fées, avec sa profusion de bonbons esthétiquement disposés, ses murs chamarrés de gris, son ameublement métallique et son haut plafond. Une clientèle jeune et dynamique s'y presse à toute heure pour dévorer un sandwich ou un morceau d'un de leurs réputés et gargantuesques gâteaux. On n'y va pas pour se reposer, mais pour voir du beau monde!

La Chilenita
$
4348 rue Clark
☎982-9212
Voir description p 322.

Schwartz's Montréal Hebrew Delicatessen
$
3895 boul. St-Laurent
☎842-4813
Montréal est reconnue pour son *smoked meat*, et de l'avis de plusieurs, on trouve au Schwartz's Montréal Hebrew Delicatessen le meilleur en ville. On y vient pour avaler rapide-

Restaurants

ment un sandwich et pour cô-
toyer une foule de connaisseurs
carnivores qui viennent parfois
de loin pour goûter à ce délice.
Le petit local n'est pas des plus
accueillants, mais l'authenticité
est garantie!

Thaï Express
$
3710 boul. St-Laurent
☎287-9957
Dans un décor simple qui
évoque puissamment
l'atmosphère thaïlandaise, faites
votre choix sur le menu qui
permet de nombreuses combinaisons. Allez-y en toute
confiance, car au Thaï Express
on prépare tous les plats à la
commande, à partir
d'ingrédients frais. D'ailleurs, la
cuisine est à aire ouverte, et
l'on peut voir les cuistots à
l'œuvre. Si vous n'avez pas
froid aux yeux, commandez vos
plats «piquants»: ils seront de
toute façon bien doux, compa-
rés à ce qu'on vous sert à Bangkok. Une bonne adresse pour
manger pas cher!

Toi Moi et Café
$
244 av. Laurier O.
☎279-9599
Toi Moi et Café est un charmant établissement aux couleurs chaudes où l'on peut
bavarder pendant des heures
en sirotant de l'excellent café
torréfié sur place. Le restaurant
est populaire pour ses brunchs
du dimanche, aussi est-il préférable d'arriver tôt afin de ne pas
attendre en file.

Champs
$-$$
3956 boul. St-Laurent
☎987-6444
Les amateurs d'événements
sportifs se retrouvent au
Champs afin de prendre un
repas simple et une bière froide
tout en visionnant sur écran
géant ou sur un des nombreux
écrans de télévision leur sport
favori selon les saisons: hockey,
baseball, football, etc.

Cucina dell'arte
$-$$
5134 boul. St-Laurent
☎495-1131
Le restaurant italien Cucina
dell'arte occupe un local qui
respire la sobriété et où l'on
peut déguster de délicieuses
pizzas aux saveurs locales ou
internationales, cuites dans un
four à bois. Une variété de
pâtes complète le menu.

La Cabane de Portugal
$-$$
3872 boul. St-Laurent
☎843-7283
Le bar-restaurant La Cabane de
Portugal est l'établissement tout
choisi pour déguster une savoureuse bière pression rousse de
microbrasserie ainsi que des
plats simples mais alléchants.

Laurier B.B.Q.
$-$$
381 av. Laurier O.
☎273-3671
La rôtisserie Laurier B.B.Q. fait
le bonheur des familles montréalaises depuis nombre
d'années. Le menu propose du
poulet grillé, tendre et doré à

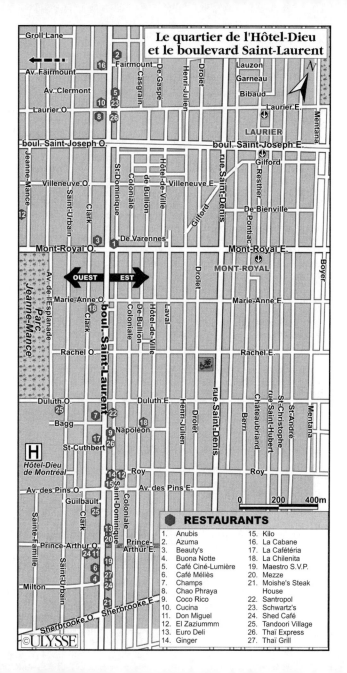

Le quartier de l'Hôtel-Dieu et le boulevard Saint-Laurent

RESTAURANTS

1. Anubis
2. Azuma
3. Beauty's
4. Buona Notte
5. Café Ciné-Lumière
6. Café Méliès
7. Champs
8. Chao Phraya
9. Coco Rico
10. Cucina
11. Don Miguel
12. El Zaziummm
13. Euro Deli
14. Ginger
15. Kilo
16. La Cabane
17. La Cafétéria
18. La Chilenita
19. Maestro S.V.P.
20. Mezze
21. Moishe's Steak House
22. Santropol
23. Schwartz's
24. Shed Café
25. Tandoori Village
26. Thaï Express
27. Thaï Grill

© ULYSSE

souhait. Les plats sont tout de même un peu chers.

Santropol
$-$$
3990 rue St-Urbain
☎*842-3110*
Le Santropol accueille des gens de tout âge friands d'énormes sandwichs, de quiches et de salades toujours servis avec force fruits et légumes. L'établissement est également réputé pour sa grande variété de tisanes et de cafés. Ambiance détendue et service agréable. On peut s'y procurer du café équitable.

Anubis
$$
35 av. du Mt-Royal E.
☎*843-3391*
Pour qui cherche un restaurant proposant un menu qui sort de l'ordinaire, Anubis est l'endroit tout indiqué. L'atmosphère y est chaleureuse, et, certains soirs, elle est doucement animée par la voix d'une chanteuse. Cuisine fusion asiatique-française-italienne.

Azuma
$$
5263 boul. St-Laurent
☎*271-5263*
Au charmant restaurant Azuma, on peut faire l'expérience de la cuisine japonaise et déguster d'excellents sushis ou sashimis. Le service est empressé et poli.

Beauty's
$$
93 av. du Mt-Royal O.
☎*849-8883*
Beauty's a acquis une bonne réputation grâce à ses brunchs copieux et savoureux, donc l'établissement est souvent envahi durant les matinées de fin de semaine. Ouvert seulement pour le petit déjeuner et le déjeuner, il sert une cuisine nord-américaine.

Café Ciné-Lumière
$$
5163 boul. St-Laurent
☎*495-1796*
Rejeton de l'exposition Cité-Ciné, le Café Ciné-Lumière en a récupéré le décor de vieux bistro parisien. On y présente des films anciens sur grand écran. L'atmosphère sympathique est branchée, mais pas trop! Des écouteurs sont fournis afin de suivre la bande sonore des films. Idéal pour prendre un repas en solitaire... La cuisine est toutefois de qualité inégale.

Chao Phraya
$$
50 av. Laurier O.
☎*272-5339*
Le Chao Phraya présente un décor moderne agrémenté de larges baies vitrées. On y sert de délicieux mets thaïlandais.

Cyclo
$$
5136 av. du Parc
☎*272-1477*
Cyclo est considéré par plusieurs comme un des meilleurs restaurants vietnamiens de sa

catégorie. L'établissement fait en effet le bonheur de sa clientèle qui s'y pointe pour se rassasier des délicieux classiques de la cuisine vietnamienne. La salle à manger présente un décor sobre et élégant où le blanc prédomine. Excellent rapport qualité/prix.

Don Miguel
$$
20 rue Prince-Arthur O.
☎845-7915
Dans un décor qui vous transporte rapidement dans quelque province reculée d'Espagne, Don Miguel lui-même vous sert une délicieuse cuisine de son pays natal, comme les irrésistibles *paellas*, servies en portions plus que généreuses! N'hésitez pas à y aller de vos «*por favor*», ici on vous offre l'immersion en prime.

El Zaziummm
$$
4581 av. du Parc
☎499-3675
Voir description p 325.

La Cafétéria
$$
3581 boul. St-Laurent
☎849-3855
Le restaurant La Cafétéria, pourvu de larges baies vitrées donnant sur le boulevard, attire une clientèle de jeunes professionnels appréciant ses hamburgers et le spectacle de la rue. Il faut essayer le hamburger végétarien, qui se distingue par la qualité de ses ingrédients et son bon goût. Le décor «années 1950» a été reconstitué dans une optique résolument kitsch.

Le Palais de l'Inde
$$
5125 boul. St-Laurent
☎270-7402
Le Palais de l'Inde est un autre de ces bons restaurants indiens qui se sont établis sur le boulevard Saint-Laurent près de l'avenue Laurier. Au menu, on retrouve une bonne sélection de plats préparés à partir d'ingrédients de qualité, mais qui manquent d'originalité. Le service, qui se fait essentiellement en anglais, est timide.

L'Escale à Saïgon
$$
107 av. Laurier O.
☎272-3456
Le restaurant vietnamien L'Escale à Saïgon présente un décor qui n'a rien du stéréotype associé au genre. Dépouillé et moderne, le bar est attrayant avec son éventail stylisé et ses plantes exotiques. L'ambiance est calme et feutrée. On y découvre une excellente cuisine tout en finesse.

Shed Café
$$
3515 boul. St-Laurent
☎842-0220
Au Shed Café, on propose un menu composé entre autres de salades, de hamburgers et de desserts, tous présentés de façon originale. Son intérieur, qui a certes contribué à séduire la clientèle venue pour voir et être vue, est farfelu et avant-gardiste. On doit cependant déplorer la musique trop forte, indigeste.

Restaurants

Tandoori Village
$$

27 rue Prince-Arthur O.

☎842-8044

Dans un décor on ne peut plus modeste, mais situé rue Prince-Arthur dans un quartier animé entre autres par les étudiants de l'université McGill, le Tandoori Village comble ses clients de plus en plus nombreux par sa délicieuse cuisine indienne proposée à prix abordable.

Mezze
$$-$$$

3449 boul. St-Laurent

☎281-0275

Dans ce secteur où la clientèle et les restaurants s'avèrent souvent plus prétentieux que nécessaires, le Mezze propose en toute simplicité une excellente cuisine grecque à une foule qui accourt ici pour bien manger plutôt que pour garer lentement sa voiture luxueuse. Tant mieux, et espérons que le Mezze fera des émules.

Buona Notte
$$$

3518 boul. St-Laurent

☎848-0644

Le Buona Notte rappelle les établissements de Soho. Impossible d'examiner ce resto de plus près sans succomber à la tentation d'y entrer. Le Buona Notte, c'est l'Italie retrouvée, c'est Little Italy qui rencontre Soho, c'est New York à Montréal. Les prix sont cependant élevés, et l'on se retrouve ici en compagnie de ceux pour qui cela n'a aucune espèce d'importance...

Café Méliès
$$$

3536 boul. St-Laurent

☎847-9218

Le Café Méliès a suivi le Cinéma Parallèle dans le bel et moderne édifice du complexe **Ex-Centris** (voir p 148). Situé sur deux étages, il a vue sur la rue grâce à de magnifiques fenêtres. Son décor cinématographique est surprenant (notez le majestueux escalier). Le Café Méliès est devenu l'une des bonnes tables innovatrices de Montréal.

Ginger
$$$

16 av. des Pins E.

☎844-2121

Sushis, rouleaux, *makis* et *sashimis*, sans oublier les salades, beignets et vermicelles, tout le raffinement de la cuisine panasiatique, notamment japonaise, se retrouve ici au Ginger, un peu à l'écart de la *Main*, là où elle se fait plus ethnique que guindée. Très beau décor qui évoque une Asie éternelle. Ginger propose aussi sa terrasse sur la rue des Pins, malheureusement trop bruyante et à la circulation trop rapide.

La Spaghettata
$$$

399 av. Laurier O.

☎273-9509

Grand restaurant au décor moderne mais classique, La Spaghettata dispose de tables réparties sur divers niveaux de façon à se trouver un petit coin intime n'importe où. Le menu propose plusieurs délicieux plats de pâtes et de veau.

Maestro S.V.P.
$$$
3615 boul. St-Laurent
☎842-6447
Maestro S.V.P. se distingue par la qualité de son comptoir à huîtres, de ses fruits de mer et de son personnel ultra-dynamique qui s'active au rythme d'une musique de jazz entraînante.

Souvenirs d'Indochine
$$$
243 av. du Mt-Royal O.
☎848-0336
Dans le décor tout en finesse, Monsieur Ha sert une cuisine qui ne l'est pas moins. Loin des clichés fadasses des mets vietnamiens parfois servis ailleurs, on goûte ici aux plus recherchés des plats de l'Indochine, dans lesquels on retrouve un soupçon d'influence française. Il ne faut pas manquer les entrées, entre autres le calmar frit et la soupe à la mousse de crabe. Côté assiettes, les crevettes au curry vert et le saumon raviront vos papilles. Jusqu'au riz qui surpasse ce que l'on connaît! Quant au service, inégal, il peut s'avérer froid ou distant.

Thaï Grill
$$$
5101 boul. St-Laurent
☎270-5566
Pas étonnant que le décor du Thaï Grill ait mérité un prix de design: malgré sa douceur, on ne se lasse pas de l'admirer. Des éléments thaïlandais traditionnels ont été habilement intégrés à un environnement moderne, et le tout crée une atmosphère feutrée malgré l'animation. Le service est sympathique et empressé. Quant aux plats, on doit souligner l'effort d'innovation sur la base des traditions thaïes, comme cette salade de papaye verte à laquelle on a ajouté de la lime ou ces nouilles de riz au poulet dont l'assaisonnement équilibré s'avère exquis.

Milos
$$$$
5357 av. du Parc
☎272-3522
Le Milos peut en remontrer aux innombrables brochetteries grecques ayant pignon sur rue à Montréal, car on élabore ici une authentique cuisine grecque. La réputation de cet établissement repose fermement sur la qualité de ses poissons et fruits de mer provenant de tous les coins du globe et d'une fraîcheur invariablement exceptionnelle. Le décor préserve le charme de la simple *psarotaverna* que ce restaurant était à ses débuts, tout en affichant une certaine élégance rustique à même de plaire à sa riche clientèle. Les portions se veulent généreuses, mais, s'il vous reste un peu de place pour le baklava traditionnel, vous ne serez pas déçu.

Moishe's Steak House
$$$-$$$$
3961 boul. St-Laurent
☎845-3509
Moishe's s'est installé dans un bâtiment à la devanture voyante et laide. Il ne faut cependant pas se fier aux apparences, car on y sert, sans conteste, les meilleurs

steaks en ville. Le secret de cette viande tendre à souhait résiderait dans la méthode de vieillissement. Une autre de ses spécialités est le foie aux oignons frits.

Anise
$$$$
104 av. Laurier O., angle rue St-Urbain
☎276-6999
Aux fourneaux de chez Anise, le chef Rasha Bassoul possède une étonnante maîtrise des cuissons et un grand sens de l'originalité. D'où une carte raffinée, parsemée de créations culinaires aux consonances méditerranéennes. Les clients se laisseront sans doute tenter par la pastilla d'agneau parfumée aux sept épices ou l'osso buco de cerf parfumé au carvi. Le décor épuré et contemporain, signé par le célèbre designer québécois Jean-Pierre Viau, se décline sur des tons orange et jaune. Bref, un incontournable pour tout bon gastronome qui se respecte.

La Chronique
$$$$
99 av. Laurier O., angle rue St-Urbain
☎271-3095
Les Montréalais dans le coup vous le diront à l'unisson: La Chronique brigue toujours sa place parmi les meilleurs restaurants de la ville en repoussant continuellement les normes de la gastronomie. Le réputé chef d'origine belge Marc De Canck favorise les produits québécois et propose une cuisine du marché en constance évolution qui gravite

toujours autour d'aliments d'une fraîcheur indéniable qui vous feront fondre de plaisir. Dans un décor sans artifice, agrémenté par les sempiternelles photos en noir et blanc, les convives peuvent déguster entre autres du flétan farci au foie gras ou un filet de veau de lait. La liste des vins fera le bonheur des amis de Bacchus. Le service est professionnel, prévenant et sans ostentation.

Le Quartier latin

Voir le plan p 153.

La Brioche Lyonnaise
$
1593 rue St-Denis
☎842-7017
La Brioche Lyonnaise est à la fois une pâtisserie et un café. Le choix de pâtisseries, de gâteaux et de friandises y est des plus variés. L'établissement est d'autant plus intéressant que tout y est délicieux à souhait.

La Brûlerie Saint-Denis
$
1587 rue St-Denis
☎286-9159
Voir description p 298.

La Paryse
$
302 rue Ontario E.
☎842-2040
Dans un décor rappelant les années 1950, le restaurant La Paryse se voit régulièrement envahi par une foule jeune et bigarrée. En jetant un coup d'œil sur le menu, on com-

prend pourquoi: ses délicieux hamburgers et frites maison sont servis en généreuses portions!

Le Commensal
$-$$
1720 rue St-Denis
☎*845-2627*
Le bien connu restaurant végétarien Le Commensal propose de bons petits plats santé vendus au poids. Les larges baies vitrées qui ornent la façade, pas plus que les murs de briques et les différents paliers, ne réussissent à rendre l'établissement chaleureux, mais on y mange bien, dans une atmosphère décontractée.

Le Pèlerin
$
Le Magellan
330 rue Ontario E.
☎*845-0909*
Situé près de la rue Saint-Denis, Le Pèlerin attire une clientèle hétéroclite qui aime discuter tout en grignotant, dans une atmosphère jeune et sympathique. Le mobilier de bois imitant l'acajou et les expositions d'œuvres d'art moderne parviennent à créer une ambiance amicale.

Les Gâteries
$
3443 rue St-Denis
☎*843-6235*
À un jet de pierre du square Saint-Louis, le petit café Les Gâteries sert une bonne cuisine légère (sandwichs, salades et autres) tout en proposant un bon menu du jour santé et savoureux. Son comptoir à

desserts déborde effectivement de délicieuses «gâteries». Ouvert depuis plusieurs années, l'établissement a des airs de café de quartier avec son ambiance intime et agréable, la lumière tamisée aidant. Terrasse pendant la belle saison.

Zyng
$-$$
1748 rue St-Denis
☎*284-2016*
Cette chaîne torontoise de sympathiques restos où l'on sert des nouilles et des *dim-sum* apporte un brin de fraîcheur et de design dans ce coin trop commercial de la rue Saint-Denis. Fraîcheur du décor, fraîcheur de l'amusant menu et fraîcheur des plats, où les légumes occupent une place de choix dans les «bols repas». Les saveurs de Chine, du Japon, de la Thaïlande, de la Corée et du Vietnam se donnent ici rendez-vous et se prêtent aux combinaisons les plus originales.

Mikado
$$
1731 rue St-Denis
☎*844-5705*
Le Quartier latin a mal vieilli mais le pire semble passé, et, avec ses théâtres, salles de concert et cinémas tout près, il renoue avec une clientèle montréalaise qui l'avait délaissé. Le Mikado est resté fidèle au poste et continue de servir la même excellente cuisine japonaise, sushis et sashimis en tête. Ici point d'effet de mode et c'est tant mieux; même les prix ne suivent pas la courbe stra-

tosphérique des autres restos japonais, certains ne surfant que sur la mode, on le sent bien! D'ailleurs les Asiatiques pure laine fréquentent en grand nombre le Mikado, signe infaillible de son authenticité.

Le Piémontais
$$$
1145A rue De Bullion
☎**861-8122**
Tous les vrais amateurs de cuisine italienne connaissent et vénèrent Le Piémontais. L'étroitesse des lieux et la proximité des tables les unes par rapport aux autres rendent l'établissement très bruyant, mais la douceur d'un décor où dominent le rose, la gentillesse, la bonne humeur et l'efficacité du personnel, ainsi que la poésie que l'on découvre dans son assiette, procurent une expérience inoubliable.

La Sila
$$$-$$$$
2040 rue St-Denis
☎**844-5083**
La Sila sert une cuisine italienne traditionnelle dans un cadre élégant, rehaussé d'un bar invitant et d'une terrasse extérieure où vous pourrez vous installer par les chaudes soirées d'été.

Le Plateau Mont-Royal

Aux Entretiens
$
1577 av. Laurier E.
☎**521-2934**
Une grande salle un peu nue, un plafond de tuiles gaufrées, quelques affiches et une atmosphère propice aux longs bavardages, voilà ce qu'on découvre Aux Entretiens, un café de quartier au menu affichant des salades et des sandwichs de toutes sortes.

Byblos
$
1499 av. Laurier E.
☎**523-9396**
Au petit restaurant Byblos, aux apparences très simples et aux murs ornés de pièces d'artisanat perse, vous jouirez d'une ambiance à la fois discrète et exotique. La cuisine, raffinée et légère, recèle de petites merveilles de l'Iran. Le service est attentionné, et le sourire règne en maître.

Café Rico
$
969 rue Rachel E.
☎**529-1321**
Le Café Rico est un petit torréfacteur qui se fait un devoir de n'utiliser que du café équitable certifié. Faites donc un saut dans ce sympathique café de la rue Rachel au décor nonchalant avec ses quelques tables, son hamac et ses plantes vertes, pour goûter et humer

leurs savoureux mélanges. Pour l'accompagner, vous devrez vous contenter d'un simple sandwich ou d'un biscuit, mais en revanche vous pourrez vous attarder des heures dans cette ambiance conviviale qui sert de lieu de rassemblement à plus d'un militant.

Chez Claudette
$
351 av. Laurier E.
☎*279-5173*
On se sent bien Chez Claudette, ce bistro familial au décor composé d'affiches aux murs, d'un long comptoir et d'une cuisine ouverte sur la salle à manger. On y prépare des plats d'une cuisine nord-américaine typique, et ce, 24 heures sur 24.

Frite Alors
$
1562 av. Laurier E.
☎*524-6336*
433 rue Rachel E.
☎*843-2490*
Voir description p 309.

Fruit Folie
$
3817 rue St-Denis
☎*840-9011*
On accourt au Fruit Folie pour ses petits déjeuners spectaculaires, délicieux et proposés à prix imbattables. Bien entendu la plupart des assiettes débordent de fruits, c'est la folie! Vous devrez probablement patienter si vous faites la grasse matinée le dimanche et arrivez après 11h, surtout si vous convoitez les tables de la terrasse. Fruit

Restaurants

● RESTAURANTS

1. Ambala	20. La Binerie	40. Le Piton
2. Au 917	Mont-Royal	de la Fournaise
3. Aux Entretiens	21. La Brûlerie	41. Le P'tit Plateau
4. Bières &	Saint-Denis	42. L'Express
Compagnie	22. L'Académie	43. L'Harmonie d'Asie
5. Byblos	23. L'Anecdote	44. Los Altos
6. Cactus	24. La Chilenita	45. Misto
7. Café Cherrier	25. La Colombe	46. Modigliani
8. Café El Dorado	26. La Gaudriole	47. Ouzeri
9. Café Rico	27. Laloux	48. Pistou
10. Casa Tapas	28. La Petite Marche	49. Pizzédélic
11. Chez Claudette	29. La Piazzetta	50. Restorante-
12. Chu Chai	30. La Prunelle	Trattoria
13. Côté Soleil	31. La Raclette	Carissima
14. Crêperie	32. La Selva	51. Souvenirs
Bretonne	33. L'Avenue	d'Afrique
Ty-Breiz	34. Le Continental	52. Tampopo
15. El Zaziummm	35. Le Flambard	53. Tay Do
16. Fondue	36. Le jardin	54. Un Monde Sauté
Mentale	de Panos	55. Vents du Sud
17. Frite Alors	37. Lélé da Cuca	56. Vintage Tapas
18. Fruit Folie	38. Le Margaux	et Porto
19. Khyber Pass	39. Le Nil Bleu	57. Zyng

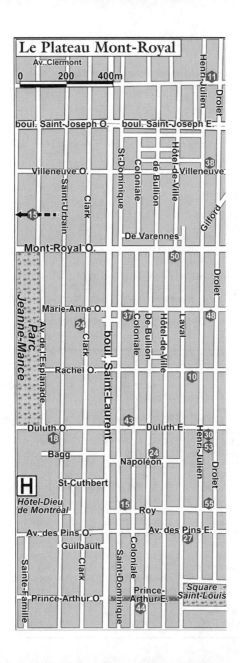

Le Plateau Mont-Royal

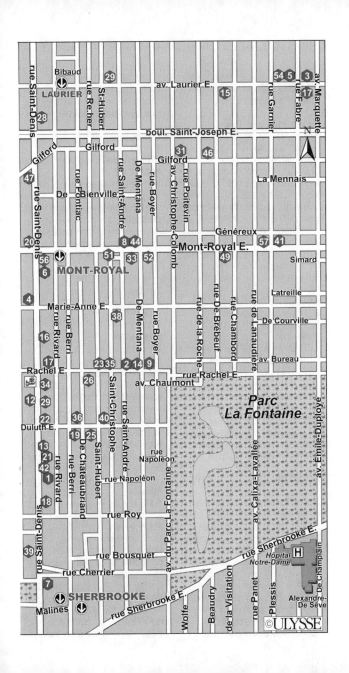

Folie sert aussi des repas simples, des pâtes et des salades pour le déjeuner et le dîner.

La Binerie Mont-Royal
$
367 av. du Mt-Royal E.
☎*285-9078*
Dans un décor formé de quatre tables et d'un comptoir, La Binerie Mont-Royal est un petit resto de quartier d'aspect modeste. Mais elle a bonne réputation grâce à sa spécialité, les fèves au lard (les «binnes»), et au roman d'Yves Beauchemin (*Le Matou*), auquel elle sert de toile de fond.

La Brûlerie Saint-Denis
$
3967 rue St-Denis
☎*286-9158*
La Brûlerie Saint-Denis importe son café des quatre coins du monde et propose un des plus grands choix de moutures à Montréal. Les grains sont torréfiés sur place, ce qui donne à l'établissement un arôme tout à fait particulier. Des repas légers et des desserts y sont également proposés.

La Chilenita
$
152 rue Napoléon
☎*286-6075*
La Chilenita est une petite boulangerie-resto qui prépare des *empanadas*. Une grande variété de ces petits pâtés fourrés avec différents ingrédients tels que bœuf, saucisse, tomate, aubergine, olives et fromage, y est apprêtée à toute heure du jour; ils sont donc servis chauds, accompagnés

d'une *salsa* maison. On y prépare aussi des sandwichs à la mode latino-américaine et quelques plats mexicains.

L'Anecdote
$
801 rue Rachel E.
☎*526-7967*
L'Anecdote prépare des hamburgers et des sandwichs étagés végétariens à base d'ingrédients de qualité. On y trouve un décor évoquant les années 1950: de vieilles pubs de Coke et des affiches de films ornent les murs.

Tay Do
$
apportez votre vin
300 av. Duluth E.
☎*281-6788*
Ce restaurant de l'avenue Duluth propose une cuisine vietnamienne correcte, servie en portions très généreuses et à tout petit prix. Les mardis et mercredis, le plat principal de votre invité est gratuit. Le service très sympathique et la musique d'ambiance exotique contribuent à agrémenter votre repas.

Ambala
$-$$
3887 rue St-Denis
☎*499-0446*
Voilà un restaurant indien typique de Montréal, avec ses propositions de menu abordables, sa cuisine indienne de qualité sans toutefois rien surpasser, ses bières anglaises, son vin de France qui ne se boit qu'à l'extérieur de l'Hexagone et son service dans un français

approximatif. On connaît tout cela, mais on y retourne pour le plaisir de goûter cette cuisine si exotique, ces currys et ces tandouris si parfumés.

La Piazzetta
$-$$
4097 rue St-Denis
☎*847-0184*
La Piazzetta sert de la pizza à croûte mince et croustillante, semblable à celle qu'on peut manger en Italie. À essayer aussi, la salade au *proscuitto* et au melon. Tout cela dans un beau décor branché!

La Selva
$-$$
apportez votre vin
862 rue Marie-Anne E.
☎*525-1798*
Restaurant d'apparence modeste, La Selva propose de bons mets péruviens pas chers. Dans ce petit établissement se presse une clientèle d'habitués, aussi est-il préférable de réserver.

Lélé da Cuca
$-$$
apportez votre vin
70 rue Marie-Anne E.
☎*849-6649*
Au restaurant Lélé da Cuca, on peut goûter de délicieux plats mexicains et brésiliens. Du local exigu, qui ne peut accueillir qu'une trentaine de personnes, se dégage une ambiance détendue et sans façon.

L'Harmonie d'Asie
$-$$
apportez votre vin
65 av. Duluth E.
☎*289-9972*
L'Harmonie d'Asie est un petit restaurant vietnamien au menu éprouvé et au personnel charmant. Bien que le service se révèle quelque peu lent, les plats ne sont pas nécessairement préparés sur demande. Sachez par ailleurs que les plats végétariens se composent de légumes croquants et cuits juste à point, et que les plats de viande et de poisson ne sont nullement graisseux. Enfin, les soupes sont particulièrement savoureuses.

Tampopo
$-$$
4449 Mentana
☎*526-0001*
La minuscule salle du Tampopo ne dérougit pas. Pratiquement à toute heure, on y trouve quantité de gens du Plateau et d'ailleurs venus se rassasier d'un bon plat de cuisine asiatique. Les copieuses soupes tonkinoises côtoient sur la carte une série de plats de nouilles. Derrière le comptoir, les cuistots s'affairent devant d'énormes woks dans lesquels ils font sauter légumes, viandes et fruits de mer pour les servir juste à point. Prenez place sur de petits tabourets devant ce comptoir ou par terre sur une natte à l'une des trois tables basses et ne manquez pas de savourer aussi le décor aux accents orientaux!

Restaurants

Zyng
$-$$
1371 av. du Mt-Royal E.
☎*523-8883*
Voir description p 317.

Au 917
$$
apportez votre vin
917 rue Rachel E.
☎*524-0094*
Pour une bonne cuisine française à prix abordable, pensez au restaurant Au 917. Les grands miroirs qui ornent ses murs, ses tables rapprochées ainsi que ses garçons en tablier lui confèrent une ambiance bistro qui sied tout aussi bien à sa cuisine. Les abats, rognons et ris de veau y sont particulièrement bien réussis. Des délices qui fondent dans la bouche!

Bières & Compagnie
$$
4350 rue St-Denis
☎*844-0394*
Laissez-vous tenter par un excellent repas: saucisses, grillades, moules, hamburgers à la viande d'autruche, de bison, ou de caribou. Avec une des 115 bières locales ou importées pour l'accompagner, vous aurez tout pour jouir de l'atmosphère musicale dans lequel baigne l'établissement.

Cactus
$$
4461 rue St-Denis
☎*849-0349*
Au Cactus, on propose des mets mexicains raffinés, mais servis en petites portions. Sa petite terrasse est très populaire pendant la belle saison.

Café El Dorado
$$
921 av. du Mt-Royal E.
☎*598-8282*
Dans un décor curviligne spectaculaire se presse la foule branchée du Plateau Mont-Royal pour prendre un café ou faire un petit repas rapide, mais toujours de qualité. Une mention spéciale doit être accordée au Café El Dorado pour ses excellents desserts.

Chu Chai
$$
4088 rue St-Denis
☎*843-4194*
Le Chu Chai ose innover, et il faut l'en féliciter. Tant de restaurants ressemblent à tous les autres! Ici, on a imaginé une cuisine thaïlandaise végétarienne qui donne dans le pastiche: crevettes végétariennes, poisson végétarien et même bœuf ou porc végétarien. L'imitation est extraordinaire, au point qu'on passe la soirée à se demander comment c'est possible. La chef peut vous expliquer qu'il s'agit vraiment de produits végétaux comme le seitan, le blé, etc. Le résultat est délicieux et ravit la clientèle diversifiée qui se presse dans sa salle modeste ou sur la terrasse. Le midi, le restaurant propose une table d'hôte économique. Notez aussi qu'il y a un comptoir de restauration rapide: **Chu Chai Express**, mais c'est la même nourriture de qualité qui y est servie!

Côté Soleil
$$
3979 rue St-Denis
☎*282-8037*
Ce restaurant propose chaque jour un menu différent qui ne déçoit jamais. Voilà de la bonne cuisine française, inventive à l'occasion, à petit prix, tellement qu'on n'hésitera pas à dire qu'il s'agit probablement du meilleur rapport qualité/prix du secteur. Le service empressé, toujours souriant, se fait dans un décor simple mais chaleureux. Pendant la belle saison s'y ajoutent deux terrasses... ensoleillées: l'une sur la rue animée et l'autre dans le joli jardin.

El Zaziummm
$$
1276 av. Laurier E.
☎*598-0344*
51 rue Roy E.
☎*844-0893*
El Zaziummm ne ressemble à aucun autre. Son décor, des plus hétéroclites, est par exemple composé d'une vieille baignoire vitrée utilisée comme table à travers laquelle on aperçoit des cartes postales et des billets d'avion à moitié enfouis dans le sable. De plus, les rouleaux de papier hygiénique qu'on utilise comme serviettes de table, ainsi que les innombrables petits bibelots, disposés ici et là de façon assez disparate, confèrent à ce restaurant un charme certain mais insolite. Le menu affiche une longue liste de plats typiquement mexicains, mais apprêtés de façon originale avec une nette influence californienne. Mais on

doit déplorer le service parfois lent.

Fondue mentale
$$
4325 rue St-Denis
☎*499-1446*
Le restaurant Fondue Mentale s'est installé dans une belle maison ancienne typique du Plateau Mont-Royal, rehaussée de superbes boiseries. Comme son nom l'indique, les fondues ici sont à l'honneur, des fondues toutes plus intéressantes les unes que les autres. Mentionnons particulièrement la fondue suisse au poivre rose.

Khyber Pass
$$
apportez votre vin
506 av. Duluth E.
☎*849-1775*
L'exotique et chaleureux restaurant Khyber Pass propose une cuisine traditionnelle afghane. Les entrées ouvrent la voie à un amalgame de saveurs étonnantes et recherchées. Les bouchées de citrouille nappées d'une sauce au yogourt, menthe et ail, ainsi que les raviolis bouillis, couverts d'une sauce aux tomates et aux lentilles, sont particulièrement réussis. L'agréable découverte se poursuit avec un choix de grillades d'agneau, de bœuf et de poulet, dont la marinade se marie parfaitement au parfum du riz qui les accompagne. Le service est attentionné, et, l'été, une terrasse est mise à la disposition des clients.

Restaurants

L'Académie
$$
apportez votre vin
4051 rue St-Denis
☎ *849-2249*

Si l'on peut déplorer un service prévu pour la masse, qui n'en reste pas moins efficace, on ne peut que souligner la qualité de la cuisine servie à L'Académie. Les plats italiens côtoient les français, avec quelques accents californiens ici et là. Les formules, du midi et du soir, s'avèrent avantageuses, sans oublier qu'on peut (on doit même!) apporter ici son vin. La salle tout en longueur du rez-de-chaussée, stratégiquement vitrée sur les rues Saint-Denis et Duluth, est notre préférée.

La Petite Marche
$$
5035 rue St-Denis
☎ *842-1994*

L'un des rares petits restaurants de style café de quartier sur l'artère de plus en plus commerciale qu'est la rue Saint-Denis, La Petite Marche est une bonne option pour ceux qui veulent s'offrir un bon repas dans une atmosphère détendue et à un prix raisonnable. La table d'hôte, variée et généreuse, propose des plats d'inspiration italienne et française. Le service est courtois et efficace. Petits déjeuners.

Le jardin de Panos
$$
apportez votre vin
521 av. Duluth E.
☎ *521-4206*

À la brochetterie grecque Le jardin de Panos, on sert une cuisine simple, préparée à partir d'ingrédients de qualité. Le restaurant s'est établi dans une maison disposant d'une vaste terrasse fort agréable en été.

Le Nil Bleu
$$
3706 rue St-Denis
☎ *285-4628*

La cuisine étonnamment délicieuse du restaurant éthiopien Le Nil Bleu vaut certainement le déplacement, ne serait-ce que pour manger de façon traditionnelle, de la main droite, un choix de viandes et de légumes enroulés dans une énorme crêpe, communément appelée *injera*. Le décor se révèle des plus chaleureux.

Los Altos
$$
124 rue Prince-Arthur E.
☎ *843-6066*

Los Altos est un des restaurants les plus intéressants de la rue piétonne Prince-Arthur, autrement peu réputée pour la qualité des cuisines. En été, des tables sont agréablement disposées à l'avant de l'établissement et agrémentées de chandelles. Les serveurs, mexicains pour la plupart, vont de l'une à l'autre avec des plats de bonne qualité et bien présentés. Le menu propose exclusivement des spécialités du pays de Moctezuma, y compris le poulet *mole poblano*, au cacao et aux épices, le tout à prix raisonnable.

Ouzeri
$$
4690 rue St-Denis
☎845-1336
L'Ouzeri s'est donné pour objectif d'offrir à sa clientèle une cuisine grecque recherchée: mission accomplie. La cuisine est excellente et recèle plusieurs surprises, comme la moussaka végétarienne et les pétoncles au fromage fondu. Avec son plafond très haut et ses longues fenêtres, ce restaurant constitue un établissement agréable où l'on risque de s'éterniser, surtout quand la musique nous plonge dans la rêverie.

Pizzédélic
$$
1250 av. du Mt-Royal E.
☎522-2286
Le restaurant Pizzédélic propose une pizza à croûte mince garnie d'ingrédients de qualité. Ses larges vitrines s'ouvrent pendant la belle saison pour laisser respirer sa clientèle nombreuse.

Vents du Sud
$$
apportez votre vin
323 rue Roy E.
☎281-9913
Ah! les vents du sud! Chauds, doux, porteurs de mille et une odeurs alléchantes... Au cœur de l'hiver, si vous ne venez pas à bout du froid et surtout si vous avez besoin d'un bon repas copieux, pensez à ce petit resto basque. La cuisine basque, où règnent la tomate, le poivron rouge et l'oignon, est consistante et savoureuse. Et, si

vous avez encore besoin de vous réchauffer à la fin du repas, le sympathique patron se fera un plaisir de vous expliquer les règles du jeu de pelote basque!

Café Cherrier
$$-$$$
3635 rue St-Denis
☎843-4308
Lieu de rencontre par excellence de tout un contingent de professionnels dans la cinquantaine, la terrasse et la salle du Café Cherrier ne désemplissent pas. L'atmosphère de brasserie française y est donc très animée avec beaucoup de va-et-vient, ce qui peut donner lieu à d'agréables rencontres. Le menu affiche des plats de bistro généralement savoureux, mais on doit parfois déplorer un service approximatif.

Crêperie Bretonne Ty-Breiz
$$-$$$
933 rue Rachel E.
☎521-1444
La Crêperie Bretonne Ty-Breiz sert de somptueuses crêpes assorties d'un large éventail de garnitures (pâte régulière ou de blé entier). Décor typique du nord-ouest de la France, quoiqu'on puisse très bien s'y croire en Autriche ou en Suisse. Bonne carte des vins et longue liste de desserts (encore des crêpes!). Table d'hôte midi et soir en semaine. Sans doute la meilleure et la mieux connue des crêperies montréalaises.

La Raclette
$$-$$$
apportez votre vin
1059 rue Gilford
☎ *524-8118*
Restaurant de quartier très prisé par les belles soirées d'été en raison de son attrayante terrasse, La Raclette plaît aussi pour son menu, où l'on retrouve des plats tels que la raclette (bien sûr), mais aussi l'émincé de porc zurichois ou le saumon à la moutarde de Meaux et le clafoutis aux cerises. Les personnes ayant un solide appétit peuvent opter pour le menu «dégustation», qui comprend l'entrée, la soupe, le plat principal, le dessert et le café.

L'Avenue
$$-$$$
922 av. du Mt-Royal E.
☎ *523-8780*
Le restaurant L'Avenue est devenu le refuge des BCBG qui s'y pressent afin de s'offrir de copieux plats. Arrivez tôt pour éviter d'attendre en file. Le service est courtois et attentionné.

Le Flambard
$$-$$$
apportez votre vin
851 rue Rachel E.
☎ *596-1280*
Sympathique bistro décoré de boiseries et de miroirs, Le Flambard excelle dans l'élaboration d'une cuisine française de qualité. L'établissement est fort charmant, mais l'étroitesse du local et la proximité des voisins laissent peu de place à l'intimité.

Misto
$$-$$$
929 av. du Mt-Royal E.
☎ *526-5043*
Le Misto est un restaurant italien couru par une clientèle branchée qui vient y manger une délicieuse cuisine italienne imaginative. Dans ce grand et chaleureux local paré de briques et décoré dans les tons de vert, l'atmosphère bruyante et les tables très rapprochées n'enlèvent rien au service attentionné et sympathique.

Pistou
$$-$$$
1453 av. du Mt-Royal E.
☎ *528-7242*
La grande salle à manger du Pistou, à plafond haut et à la décoration moderne, n'est pas ce qu'on pourrait qualifier de chaleureuse, d'autant moins qu'étant souvent bondée elle n'est pas de tout repos pour qui voudrait entreprendre une conversation à mi-voix. Cette animation a tout de même ses avantages, surtout pendant les soirées entre amis où le ton de la conversation monte parfois. Le menu propose des classiques comme la salade de chèvre chaud au miel, absolument délicieuse, et le tartare. Il est également possible d'opter pour la table d'hôte, qui varie chaque jour.

Restorante-Trattoria Carissima
$$-$$$
222 av. du Mt-Royal E.
☎ *844-7283*
Le Carissima est un bon restaurant italien qui a ouvert ses portes à l'automne 1998. Son

intérieur de bois foncé est
rehaussé d'un chaleureux foyer,
et sa salle à manger se pare de
grandes fenêtres coulissantes
s'ouvrant sur l'avenue du Mont-
Royal. Les prix s'avèrent raison-
nables, et l'on propose une
table d'hôte en semaine. Bon
choix de desserts. Des produits
italiens disposés sur des étagè-
res de bois foncé près de la
cuisine sont également en
vente.

Un Monde Sauté
$$-$$$
1481 av. Laurier E.
☎590-0897
Ce resto au concept original
n'en finit plus de faire jaser.
L'idée est pourtant simple: un
menu inspiré des cuisines du
monde (essentiellement des
sautés, d'où le nom), un décor
chaleureux tout en couleurs et
un service d'une gentillesse
irréprochable. Une touche
d'exotisme qui ensoleillera
même les plus froides journées
d'hiver.

Casa Tapas
$$$
266 rue Rachel E.
☎848-1063
À la Casa Tapas, on prépare
une cuisine espagnole tout à fait
traditionnelle et exquise. Les
tapas sont ces bouchées que les
Espagnols mangent surtout en
fin d'après-midi, au bar, et qui
finissent par faire leur repas.
C'est ce qu'on fait ici, un repas
de tapas, qui permet de goûter
à plusieurs spécialités de ce
pays gorgé de soleil.

La Gaudriole
$$$
825 av. Laurier E.
☎276-1580
Dans une salle quelque peu
exiguë où le confort peut laisser
à désirer, on sert une excellente cuisine dite «métissée»,
renouvelant une cuisine française qui avait depuis des siècles
puisé aux apports du monde
entier. Le menu se renouvelle
constamment, ce qui permet à
la fois de servir toujours frais et
de faire profiter les clients de la
créativité du chef Marc Vézina.

Laloux
$$$
250 av. des Pins E.
☎287-9127
Établi dans une superbe de-
meure, le Laloux est aménagé
comme un chic et élégant bis-
tro parisien. On peut y dégus-
ter une cuisine nouvelle qui ne
déçoit jamais, l'une des meilleu-
res à Montréal.

La Prunelle
$$$
apportez votre vin
327 av. Duluth E.
☎849-8403
Un des meilleurs restaurants du
quartier, dans un espace très
ouvert sur la rue, ce qui est
particulièrement agréable en
été. On sert ici une cuisine
française classique avec quelques accents d'innovation,
délicieuse et présentée de
manière agréable. Avantage
non négligeable en cette
contrée où le restaurateur paie
le vin plus cher que le consom-
mateur, on peut apporter son
vin ici. Réservez donc cette

bonne bouteille pour une belle soirée à La Prunelle.

🐟 Le Continental
$$$
4169 rue St-Denis
☎845-6842
Quelle subtile mise en scène que celle du Continental! L'établissement séduit carrément, certains soirs, avec son personnel attentif et courtois, sa clientèle branchée et son décor «années 1950» contemporéanisé. Le menu varié vous réserve toujours quelques agréables surprises. La cuisine peut être sublime, et les présentations s'avèrent toujours des plus soignées.

Le Margaux
$$$
371 rue Villeneuve E.
☎289-9921
Ce sympathique petit restaurant propose une excellente cuisine française innovatrice. Quelques accents du sud-ouest de l'Hexagone colorent les plats, sans toutefois leur donner la lourdeur qu'on associe parfois à la région. Service des plus sympathiques.

Le P'tit Plateau
$$$
apportez votre vin
330 rue Marie-Anne E.
☎282-6342
Mignon restaurant de quartier, Le P'tit Plateau offre une ambiance familiale et un service attentif. Cuisine simple et sans prétention.

Le Piton de la Fournaise
$$$
apportez votre vin
835 av. Duluth E.
☎526-3936
Le charmant et tout petit restaurant Le Piton de la Fournaise pétille de vie et éveille les sens. On y apprête avec ingéniosité une cuisine réunionnaise qui n'en finit pas de surprendre par ses parfums, ses épices et ses textures. Afin que l'expérience du Piton de la Fournaise soit un succès, il est suggéré d'avoir tout son temps devant soi.

🐟 L'Express
$$$
3927 rue St-Denis
☎845-5333
Lieu de rencontre par excellence des yuppies vers 1985, L'Express demeure très apprécié pour son décor de wagon-restaurant, son atmosphère de bistro parisien animé, que peu ont su reproduire, et son menu toujours invitant. Il a su acquérir ses lettres de noblesse au fil des années.

Modigliani
$$$
1251 rue Gilford
☎522-0422
Hors des sentiers battus, le restaurant italien Modigliani offre une ambiance et un décor chaleureux, agrémenté d'une profusion de plantes. On y prépare une cuisine originale, toujours excellente.

Souvenirs d'Afrique
$$$
844 av. du Mt-Royal E.
☎598-8181

Des tajines marocains aux grillades camerounaises, en passant par les ragoûts zimbabwéens, Souvenirs d'Afrique réussit à merveille son tour culinaire du continent africain, berceau de l'humanité. L'ambiance joyeuse émanant du décor, de la musique et du service des plus sympathiques, confère à cet établissement un charme indéniable. Souvenirs d'Afrique est l'endroit de prédilection pour s'initier à cette cuisine savoureuse et réconfortante.

Vintage Tapas et Porto
$$$
4475 rue St-Denis
☎849-4264

Derrière une façade discrète se cache un restaurant très apprécié par la clientèle montréalaise. Le Vintage propose une cuisine portugaise classique. On y sert des grillades de veau, bœuf, poisson et fruits de mer, ainsi que des tapas, de petites entrées savoureuses à découvrir. Comme il se doit, le restaurant affiche une bonne carte de vins et de portos.

La Colombe
$$$$
apportez votre vin
554 av. Duluth E.
☎849-8844

Une adresse qui persiste et signe. Depuis plusieurs années, La Colombe reçoit ses clients dans un espace exigu pour leur servir une cuisine française de qualité, une cuisine du marché

d'influences maghrébines. Comme chez ses voisins de la même rue, on peut y apporter son vin. Établissement non-fumeurs.

Westmount, Notre-Dame-de-Grâce et Côte-des-Neiges

Chez Better
$
5400 ch. de la Côte-des-Neiges
☎344-3971
Voir description p 294.

Pizzafiore
$
3518 rue Lacombe
☎735-1555

En entrant à la Pizzafiore, on aperçoit le cuisinier à côté du four à bois où sont cuites les pizzas. Il en prépare pour tous les goûts et à toutes les sauces, garnies des ingrédients les plus variés. L'établissement est plaisant, aussi est-il souvent envahi par les gens du quartier et les universitaires.

Al Dente Trattoria
$$
apportez votre vin
5768 av. Monkland
☎486-4343

Établi sur l'avenue Monkland depuis déjà nombre d'années, Al Dente est un petit restaurant italien chaleureux et fort accueillant. Son menu révèle un bon choix de pizzas, de soupes et de salades fraîches, mais aussi un assortiment complet de pâtes et de sauces que vous

Restaurants

pouvez marier à votre guise.
Quant au décor, il est simple, et
l'atmosphère invite à la détente.
On y vient aussi bien pour la
nourriture que pour le service
sans façon.

Aux Deux Gauloises
$$
5195 ch. de la Côte-des-Neiges
☎737-5755
La cuisine du restaurant français
Aux Deux Gauloises élabore
une variété de crêpes, toutes
plus savoureuses les unes que
les autres. Ambiance agréable
et service sympathique.

La Pasta Casareccia
$$
5849 rue Sherbrooke O.
☎483-1588
Le décor fou de rouge et de
jaune de La Pasta Casareccia
attire une clientèle de tout âge.
Les pâtes fraîches sont la spécialité de la maison. Le service
familial est courtois et attentionné. On est ici au cœur du quartier anglophone de Notre-
Dame-de-Grâce.

La Transition
$$
4785 rue Sherbrooke O.
☎933-1000
Le bistro italien La Transition
fait le bonheur d'une clientèle
locale depuis longtemps.
L'éclairage agréable et le son du
jazz s'allient pour créer une
atmosphère de détente. Menu
italien classique rehaussé de
quelques innovations.

Le Claremont
$$
5032 rue Sherbrooke O.
☎483-1557
Le Claremont est un restaurant
pour le moins animé. Son menu recherché propose une
vaste sélection de plats ainsi
qu'un des meilleurs et des plus
frais pistous qui soient et un
délicieux potage *mulligatawny*,
à moins que vous ne préfériez,
comme beaucoup, vous con-
tenter d'une boisson et d'un
plat de *nachos* rehaussé d'une
salsa maison. La musique forte
que diffusent les haut-parleurs
ne fait pas de cet établissement
le lieu rêvé pour un dîner en
tête-à-tête, mais, si vous cherchez à mettre un peu de pi-
quant dans votre journée, vous
ne serez pas déçu. Le décor est
par ailleurs rehaussé d'expositions temporaires présentant
des œuvres d'artistes et de
photographes locaux.

Mess Hall
$$
4858 rue Sherbrooke O.
☎482-2167
Le Mess Hall, tenu par les pro-
priétaires de **La Cafétéria** (voir
p 313), ce restaurant branché
du boulevard Saint-Laurent,
présente un décor tout aussi
frappant dont la pièce de résis-
tance est un somptueux lustre
central. Menu à la fois original
et conventionnel affichant des
salades, des hamburgers et des
pâtes, tous excellents, sans
oublier quelques plats plus
raffinés. Les jeunes profession-
nels de Westmount s'y rendent
volontiers pour se faire voir et
prendre le pouls du quartier.

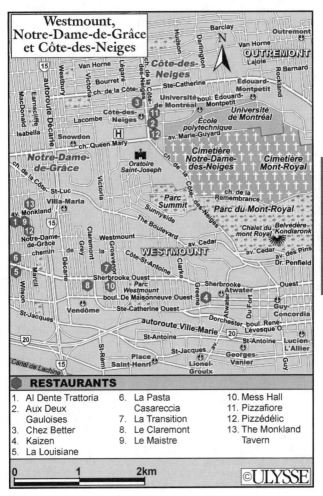

Westmount, Notre-Dame-de-Grâce et Côte-des-Neiges

Restaurants

RESTAURANTS

1. Al Dente Trattoria
2. Aux Deux Gauloises
3. Chez Better
4. Kaizen
5. La Louisiane
6. La Pasta Casareccia
7. La Transition
8. Le Claremont
9. Le Maistre
10. Mess Hall
11. Pizzafiore
12. Pizzédélic
13. The Monkland Tavern

0   1   2km

©ULYSSE

Pizzédélic
$$
5556 av. Monkland
☎487-3103
5153 ch. de la Côte-des-Neiges (voir description p 327)
☎739-2446
À preuve que l'avenue Monkland gagne en popularité, on y trouve désormais une succursale de la pizzeria branchée Pizzédélic. Son décor original et sa succulente pizza à croûte mince, assortie d'un choix éclectique de garnitures, ont vite rendu cette succursale, l'une des plus grandes de la chaîne, aussi prisée que les autres.

La Louisiane
$$-$$$
5850 rue Sherbrooke O.
☎369-3073
Manger à La Louisiane, c'est en quelque sorte s'évader dans les bayous. Vous pouvez commencer par d'authentiques beignets cajuns, enchaîner avec un plat épicé (étouffée d'écrevisses ou crevettes «magnolia») et terminer par une portion de célestes bananes Foster. D'immenses tableaux illustrant des scènes de rue de La Nouvelle-Orléans ornent les murs, tandis que des airs de jazz flottent dans l'air. Malgré tout, la cuisine de ce restaurant n'est pas toujours à la hauteur de nos attentes.

Le Maistre
$$-$$$
5700 av. Monkland
☎481-2109
Le Maistre s'est établi sur l'avenue Monkland depuis belle lurette et propose toujours une cuisine française d'une qualité sans reproche. Pour accompagner le repas, la sélection de vins est toujours bonne et à prix abordable. Pendant la belle saison, il bénéficie en outre d'une très agréable terrasse donnant sur la rue avec son animation. Établissement non-fumeurs.

The Monkland Tavern
$$$
5555 av. Monkland
☎486-5768
The Monkland Tavern s'est installé dans une authentique taverne de quartier. Une clientèle de jeunes professionnels fréquente également cet établissement, attirée entre autres par la terrasse donnant sur la nouvelle artère à la mode de l'ouest de la ville, l'avenue Monkland. Le menu est sans doute restreint, mais divers plats du jour l'agrémentent régulièrement de nouveautés. Parmi les assiettes incontournables, mentionnons sans hésiter les *crostini*, ces petites tranches de pain français garnies de tapenade, de tomates séchées et de *bocconcini*: un pur délice!

Kaizen
$$$$
4120 rue Ste-Catherine O.
☎932-5654
Le meilleur restaurant japonais de Westmount, où l'on peut déguster les classiques du pays du soleil levant. On peut déplorer un service un peu gauche dans la langue de Molière et des prix très élevés... mais les portions s'avèrent gargantuesques! Alors il vaut la peine de

partager un plat, ce qui ne froissera pas le personnel.

Outremont

Voir le plan p 177.

Café Romolo
$
272 av. Bernard O.
☎272-5035
On se rend au Café Romolo pour bavarder de tout et de rien tout en dégustant de délicieux cafés au lait, servis dans de grands verres comme au Portugal ou en Espagne.

Café Souvenir
$
1261 av. Bernard O.
☎948-5259
Des plans de quelques grandes villes européennes, notamment Paris, ornent les murs du Café Souvenir. D'ailleurs, une ambiance de café français se dégage de ce petit resto sympa, ouvert 24 heures par jour la fin de semaine. Les dimanches pluvieux, les Outremontais y viennent nombreux, juste le temps d'une petite causerie. Le menu n'a rien d'extravagant, mais les plats sont bons.

La Croissanterie
$
5200 rue Hutchison
☎278-6567
Charmant café, La Croissanterie est un de ces trésors de quartier qu'on découvre avec ravissement. De petites tables en marbre, des lustres vieillots et des boiseries composent un décor propice aux petits déjeuners qui se prolongent et aux tête-à-tête où l'on voudrait que le temps s'arrête. De grandes fenêtres s'ouvrent sur l'extérieur et permettent au soleil matinal d'entrer. Ce café semble appartenir à une époque révolue! Quartier oblige, la clientèle se compose d'artistes rêveurs et de professeurs distraits.

Le Bilboquet
$
1311 av. Bernard O.
☎276-0414
Des gens de tout âge viennent au Bilboquet pour se délecter de mille et une savoureuses glaces. Ce petit café sympathique, installé au cœur d'Outremont, dispose d'une mignonne terrasse et attire une foule nombreuse les soirs d'été.

Le Paltoquet
$
1464 av. Van Horne
☎271-4229
Le Paltoquet est à la fois une pâtisserie et un café. Tenu par un couple de Français, il propose de délicieuses «gâteries» sucrées, dignes des plus grands pâtissiers.

Lester's
$
1057 av. Bernard O.
☎276-6095
Chez Lester's, on sert de bons sandwichs à la viande fumée (*smoked meat*). L'établissement est dépouillé de toute décoration, ce qui crée une atmosphère froide et sans charme. De toute façon, on n'y vient

Restaurants

jamais longtemps, juste le temps d'un sandwich.

La Piazzetta
$-$$
1105 av. Bernard O.
☎*278-6465*
Voir description p 323.

La Pizzaïolle
$-$$
5100 rue Hutchison
☎*274-9349*
La Pizzaïolle fut l'un des premiers restaurants montréalais à servir de la pizza cuite dans un four à bois. Cet établissement est aussi celui qui la réussit le mieux. Les tables sont trop rapprochées les unes des autres, mais l'endroit est agréable.

La Moulerie
$$
1249 av. Bernard O.
☎*273-8132*
La Moulerie fait partie des institutions outremontaises en raison de son menu, où figurent en bonne place (on s'en serait douté) les moules, toujours apprêtées d'excellente façon (marinières, au roquefort ou Madagascar). Il faut cependant savoir que ces délicieux mollusques ne justifient pas à eux seuls la popularité du restaurant, car l'aménagement des lieux y est aussi pour quelque chose. Le resto possède en effet une élégante salle à manger, pourvue de larges baies vitrées qui donnent sur l'avenue Bernard, et surtout une magnifique terrasse, très courue pendant la belle saison. Les personnes n'aimant pas les moules ne seront pas en reste, car un menu est prévu à leur intention (steak tartare, fruits de mer).

Le Bistingo
$$
1199 av. Van Horne
☎*270-6162*
D'aucuns affirment que l'avenue Van Horne compte parmi les moins jolies rues d'Outremont. Il n'empêche que s'y succèdent plusieurs bistros des plus charmants, dont Le Bistingo. Ses quelques tables, ses larges baies vitrées, son service attentionné et son menu toujours alléchant, qui varie au gré des arrivages, ont sans doute contribué à sa réussite; les gens y reviennent. Cuisine française.

Paris-Beurre
$$
1226 av. Van Horne
☎*271-7502*
Certains se plaignent que la carte du Paris-Beurre ne change guère, mais les habitués y reviennent justement pour déguster des plats classiques qui ont acquis leurs lettres de noblesse, comme la côte de bœuf sauce moutarde, le saumon à l'oseille et la délectable crème brûlée à la vanille, qui ne déçoivent jamais. Ils profitent en outre d'une salle à manger ayant bien du cachet, bien qu'elle soit dotée de larges baies vitrées s'ouvrant sur la tristounette avenue Van Horne.

Chez Lévesque
$$-$$$
1030 av. Laurier O.
☎279-7355
L'avenue Laurier Ouest compte quelques bons restaurants établis depuis longtemps qui ont su conserver leur réputation au fil des ans. Le restaurant Chez Lévesque fait partie de ces tables qui ont toujours maintenu la qualité de leur cuisine. Sa carte affiche des mets d'une cuisine française traditionnelle, sans réelle surprise mais toujours savoureuse.

Les Chèvres
$$$$
1201 av. Van Horne
☎270-1119
On entre aux Chèvres en admirant l'armoire qui sert de garde-robe et qu'on croirait revêtue de galuchat. Illusion! Puis le maître d'hôtel qu'on croirait sorti d'un château de Moulinsart outremontais nous assigne une table dans l'une des deux salles. Confortablement installé à bonne distance des autres convives, l'espace ne manquant pas ici, on s'étonne du décor, à la fois raffiné et moderne mais avec quelque chose d'incomplet, pas terminé. On reçoit la grande carte, à l'échelle des tables et du resto et, on le verra plus tard, des couverts. Là se poursuit l'étonnement. La description des plats ne manque pas de susciter des interrogations, et, sans son dictionnaire des légumes et des champignons, le dîneur peine à se représenter le contenu de son assiette de prédilection. Mais rassurez-vous, si les prix pratiqués classent Les Chèvres dans la classe des restaurants les plus chers, la cuisine ne déçoit pas, et tous ces légumes vont s'orchestrer habilement sous la baguette du chef, pour vous faire découvrir des saveurs sublimes. La présentation très soignée surprend et charme, le service s'avère efficace et sympathique, même si l'on se sent parfois au milieu d'une expérience d'art gastronomique contemporain.

La Petite Italie

Voir le plan p 185.

Café Italia
$
6840 boul. St-Laurent
☎495-0059
On ne va pas au Café Italia pour sa décoration, les chaises dépareillées et le téléviseur occupant l'essentiel de l'espace, mais pour son atmosphère sympathique, ses excellents sandwichs et surtout son cappuccino, considéré par certains comme le meilleur en ville.

Aux Derniers Humains
$-$$
6956 rue St-Denis
☎272-8521
Niché dans l'**ancien cinéma Château** (voir p 186) à l'architecture Art déco, le décor des Derniers Humains présente une touche d'originalité qui sied bien à l'établissement: plafond évoquant la Voie lactée, vitraux, plafonniers à la belle forme allongée, toiles de différents

Restaurants

artistes changeant semaine après semaine. Nommé d'après un disque de Richard Desjardins, ce petit café de quartier offre une atmosphère amicale. On y mange une cuisine inspirée elle aussi par la créativité.

Le Petit Alep
$-$$
191 rue Jean-Talon E.
☎270-9361

Mouhamara, taboulé, *houm-mous*, feuilles de vigne, *shish kebab*, *shish taouk*, l'eau vous vient à la bouche? Sachez que tous ces mets du Proche-Orient et de l'Afrique du Nord sont servis au Petit Alep. Baptisé «Petit» en raison de son grand frère attenant, ce café-bistro sert une cuisine principalement syrienne, aux goûts savoureux. Laissez vos papilles s'imprégner tour à tour de miel, d'huile ou de poivre de cayenne. Le décor rappelle un loft avec sa grande porte de garage donnant sur la rue Jean-Talon. Les murs se parent d'expositions temporaires, souvent intéressantes. Des revues et journaux sont disponibles pour inciter à la flânerie. Brunch les fins de semaine.

La Tarantella
$$
184 rue Jean-Talon E.
☎278-3067

Ce qui distingue La Tarantella, un bon restaurant italien comme tant d'autres, est son emplacement. Rien de plus agréable que de déguster un copieux petit déjeuner ou un savoureux dîner, ou encore de siroter un café au lait sur la terrasse fleurie donnant sur l'animation effervescente du marché Jean-Talon!

L'Auberge du Dragon Rouge
$$
8874 rue Lajeunesse
☎858-5711

Située près du métro Crémazie, en plein milieu d'un quartier résidentiel, l'Auberge du Dragon Rouge accueille une clientèle hétéroclite en quête de plats typiquement médiévaux et de troubadours qui leur joueront quelques petits airs d'époque. À ne pas manquer, les petites «pétaques» (pommes de terre tranchées et revenues dans l'huile, puis saupoudrées de cannelle), tout simplement délicieuses. On retrouve aussi, à l'étage, une boutique d'artisanat médiéval.

Pizzeria Napoletana
$$
apportez votre vin
189 rue Dante
☎276-8226

La Pizzeria Napoletana s'est installée dans un petit local au décor tout à fait quelconque et est généralement envahie par une foule animée. Cette fréquentation assidue de certains inconditionnels tient surtout au fait qu'on y sert de bons plats de pâtes et de pizzas, sans compter qu'on peut apporter son vin et ainsi s'en tirer à bon compte.

Le Petit Gavroche
$$-$$$
2098 rue Jean-Talon E.
☎ **725-9077**
Le Petit Gavroche, un restaurant français intime et chaleureux, est fréquenté par une clientèle d'habitués qui apprécient tout particulièrement ses plats raffinés et présentés avec art. Le service personnalisé, sous l'œil attentif et souriant du propriétaire, vous assure d'une soirée fort agréable.

Casa Cacciatore
$$$
170 rue Jean-Talon E.
☎ **274-1240**
La Casa Cacciatore perpétue la tradition culinaire italienne à Montréal depuis nombre d'années, et ce, à deux pas du marché Jean-Talon. Décor chaleureux et intime, nappes en tissu, bougies sur les tables et service professionnel. Pâtes et viandes de qualité, apprêtées avec soin par le chef, composent un menu alléchant et varié.

Il Mulino
$$$
236 rue St-Zotique E.
☎ **273-5776**
De nombreux Italiens se rendent chez Il Mulino afin de savourer une cuisine typique.

Primo e Secundo
$$$$
7023 rue St-Dominique
☎ **908-0838**
Les aficionados de la cuisine gastronomique italienne se donnent rendez-vous au Primo e Secundo. Situé à un jet de pierre du marché Jean-Talon,

ce joyeux restaurant italien loge dans une maison restaurée. Le menu est inscrit sur les murs et change en fonction des arrivages, mais la carte propose toujours des plats de poisson, de crustacés, de veau et de pâtes voluptueuses. La carte des vins, quant à elle, offre un vaste choix de grands crus.

Le Sault-au-Récollet

Voir le plan p 189.

La Fonderie
$
10145 rue Lajeunesse
☎ **382-8234**
La Fonderie bénéficie d'une bonne réputation grâce à la qualité de ses nombreuses fondues.

Le Wok de Szechuan
$
1950 rue Fleury E.
☎ **382-2060**
Vous l'aurez sûrement deviné: Le Wok de Szechuan est un restaurant chinois qui propose à une clientèle d'Asiatiques et de gens du quartier une bonne cuisine sichuanaise.

Pasta Express
$
1501 rue Fleury E.
☎ **384-3174**
Le petit restaurant Pasta Express est fréquenté par les gens du quartier. On y déguste une cuisine italienne sans prétention, et les plats de pâtes

Restaurants

s'avèrent toujours délicieux et peu chers.

Il Cicerone
$$
679 boul. Henri-Bourassa E.
☎*388-3161*
Il Cicerone attire une clientèle composée de gens d'affaires et de résidants souhaitant savourer une très bonne cuisine italienne.

Le Kerkennah
$$
1021 rue Fleury E.
☎*387-1089*
Petit restaurant de quartier, Le Kerkennah sert de copieux plats tunisiens. Couscous, poissons et crevettes figurent au menu.

L'Estaminet
$$
1340 rue Fleury E.
☎*389-0596*
L'Estaminet est un sympathique petit café où l'on peut manger des salades, des soupes et des desserts. Établissement non-fumeurs.

Molisana
$$
1014 rue Fleury E.
☎*382-7100*
Du restaurant italien Molisana se dégage une atmosphère tranquille. Le menu n'a rien de très original; les pâtes et la pizza cuite au four à bois en sont les principales composantes. Cependant, les plats sont bons et copieux. La fin de semaine, des musiciens sont sur place et agrémentent votre soirée de quelques chansons.

Il Mondo
$$-$$$
10724 av. Millen
☎*389-8446*
Le restaurant Il Mondo, établi dans un local ordinaire, n'a l'air de rien de l'extérieur, mais il ne faut pas se fier à cette première impression, car son menu révèle des plats toujours savoureux. On dit d'ailleurs qu'il se prépare ici les meilleures sauces à Montréal, et il suffit d'essayer quelques plats pour s'en convaincre. Le service est attentionné.

Les îles Sainte-Hélène et Notre-Dame

Voir le plan p 193.

Hélène de Champlain
$$$
☎*395-2424*
À l'île Sainte-Hélène, le restaurant Hélène de Champlain bénéficie d'un site enchanteur, sans doute un des plus beaux à Montréal. La grande salle, pourvue d'un foyer et offrant une vue sur la ville et le fleuve, s'avère des plus agréables. Chaque coin de la salle à manger possède un charme bien à lui, et l'on peut y profiter des paysages qui varient au gré des saisons. La cuisine n'y est pas gastronomique, mais on mange bien. Le service est empressé et courtois.

Le Festin des Gouverneurs
$$$$
Fort de l'île Ste-Hélène
☎879-1141
Au Festin des Gouverneurs, on
recrée un festin tel qu'on en
organisait en Nouvelle-France
au début de la colonisation.
Des personnages en costumes
d'époque et des plats de la
cuisine québécoise traditionnelle font revivre aux convives
ces soirées de fête. Seuls les
groupes sont reçus, aussi les
réservations sont-elles nécessaires.

Nuances
$$$$
Casino de Montréal, île Notre-Dame
☎392-2708
Juché au cinquième étage du
Casino de Montréal, le Nuances compte parmi les meilleures tables de la ville, voire du
Canada. Dans un riche décor
où se côtoient acajou, laiton,
cuir et vue sur les lumières de
la ville, cet établissement de
prestige propose une cuisine
raffinée et imaginative. Ainsi, on
notera sur le menu la brandade
crémeuse de homard en mille-
feuille et la brochette de caille
grillée, comme entrée, ainsi
que le magret de canard rôti, la
longe d'agneau du Québec ou
la polenta rayée entourée d'une
grillade mi-cuite de thon, pour
la suite. Les desserts, savoureux, sont quant à eux présentés de façon spectaculaire. Le
cadre feutré et classique de ce
restaurant ayant remporté
plusieurs honneurs prestigieux
depuis son ouverture convient

bien aux dîners d'affaires, mais
aussi aux occasions spéciales et
aux grandes demandes... Il est à
noter que le Casino possède
également quatre autres restaurants à formules plus économi-
ques: le **Via Fortuna** *($$)*, un
restaurant italien, **L'Impair** *($)*,
avec buffet, **La Bonne Carte**
($$), avec buffet et menu à la
carte, et le casse-croûte
L'Entre-Mise *($)*.

Le Village

Voir le plan p 201.

Bangkok
$
1201 boul. De Maisonneuve E.
☎527-9777
Les Siamois sont rares à Montréal, et pourtant ils officient aux
cuisines du Bangkok, ce petit
restaurant sans prétention qui
sert des mets qui transportent
les dîneurs au bord du Chao
Phraya. Avec le Thai Express du
boulevard Saint-Laurent, on
trouve ici probablement le
meilleur rapport qualité/prix en
matière de cuisine thaïe à
Montréal. Dans un décor
simple mais agréable, on bénéficie d'un service sympathique
et sans prétention.

Kilo
$
1495 rue Ste-Catherine E.
☎596-3933
Voir description p 309.

Restaurants

Le Saloon
$
1333 rue Ste-Catherine E.
☎ *522-1333*
Le Saloon propose des hamburgers, des plats mexicains et des salades sophistiquées dans un décor de «saloon», au cœur du Village gay.

La Piazzetta
$-$$
1101 rue Ste-Catherine E.
☎ *526-2244*
Voir description p 323.

Zyng
$-$$
1254 rue Ste-Catherine E.
☎ *522-9964*
Voir description p 317.

Bato Thaï
$$
1310 rue Ste-Catherine E.
☎ *524-6705*
Le Bato Thaï bénéficie d'un décor au design de l'heure et les chaudes couleurs de ses murs et plafonds en attirent plus d'un. La cuisine, quant à elle, ne déçoit jamais, même si l'on se prend à regretter que le menu soit si facile à décoder: il décline le poulet, le poisson, les crevettes et les légumes de façon particulièrement répétitive, soit au lait de coco, aux arachides ou au cari. À moins d'y aller chaque semaine, cette absence de variété ne devrait toutefois pas vous contrarier. Surtout que le charme et la gentillesse des garçons qui officient dans ce temple de la cuisine thaïlandaise auront tôt fait de vous envoûter.

Bazou
$$
apportez votre vin
1310 boul. De Maisonneuve E.
☎ *526-4940*
Un peu en retrait du Village gay, le Bazou propose une oasis de beauté et de délice. Un décor confortable nous détend dès l'entrée, et une grande et agréable terrasse permet de profiter de l'été. Le personnel explique patiemment le menu qui intrigue avec sa thématique automobile et ses combinaisons inusitées. Fusion asiatique et européenne ou latino-américaine, ici on ose, et ça marche... ou plutôt ça roule! Au Bazou, vous redécouvrirez viandes et poissons sous un nouveau jour.

Chez la mère Berteau
$$
apportez votre vin
1237 rue De Champlain
☎ *524-9344*
Installé dans une maison modeste à l'atmosphère «vieille Europe», le restaurant Chez la mère Berteau est tenu par le propriétaire, qui assure le service, et son épouse, qui prépare les délicieux plats. Les spécialités de gibier sont à l'honneur ici, au gré des saisons.

La Strega du Village
$$
1477 rue Ste-Catherine E.
☎ *523-6000*
Toujours bondée grâce à ses formules «repas complets à petit prix», La Strega bourdonne d'activité, ce qui peut affecter le service à certains

moments, bien qu'il soit toujours exécuté avec le sourire. La cuisine oscille entre l'ordinaire et le bien, mais, pour le prix, on ne pourra se plaindre.

⚓ Le Petit Extra
$$
1690 rue Ontario E.
☎527-5552
Grand bistro aux allures européennes, Le Petit Extra demeure un lieu privilégié pour prendre un bon repas dans une ambiance animée. Chaque jour, il propose une table d'hôte différente, jamais décevante. Une clientèle d'habitués s'y presse, et il faut souligner la gentillesse du service, des plus sympathiques.

Piccolo Diavolo
$$
1336 rue Ste-Catherine E.
☎526-1336
Le restaurant italien Piccolo Diavolo offre un chaleureux décor qui procure l'intimité nécessaire pour un agréable dîner en tête-à-tête. Le service s'avère efficace et discret. Les plats proposés témoignent de la créativité du chef et ravissent les papilles.

Planète
$$
1451 rue Ste-Catherine E.
☎528-6953
Au Planète, on prépare une cuisine hybride et sans frontières. En effet, le menu propose un choix de plus de 30 plats provenant des cinq continents. Service lent et cuisine inégale.

Amalfitana
$$-$$$
1381 boul. René-Lévesque E.
☎523-2483
Avec son local un peu trop petit pour le nombre de tables, sa décoration surchargée et son service chaleureux et amical, l'Amalfitana conserve un charme suranné qui n'a rien de déplaisant. Ici, on s'efforce surtout de servir une cuisine italienne irréprochable où chaque plat est un véritable petit festin pour le palais, qu'il s'agisse des *antipasti*, du *picata al limone*, des langoustines ou du *tiramisu*, le tout à prix raisonnable.

L'Entre-Miche
$$-$$$
2275 rue Ste-Catherine E.
☎521-0816
Un beau décor moderne et un plafond très haut confèrent un certain chic à L'Entre-Miche, un restaurant français de quartier. Le service est prévenant, amical et professionnel. Établissement non-fumeurs.

Le Grain de Sel
$$$
2375 rue Ste-Catherine E.
☎522-5105
Le Grain de Sel est un petit bistro français qui propose une table d'hôte sans prétention. On y déguste de délicieux plats, toujours frais et bien préparés.

Maisonneuve

Voir le plan p 207.

La Piazzetta
$-$$
6770 rue Sherbrooke E.
☎*254-2535*
Voir description p 323.

Moe's Deli & Bar
$$
3950 rue Sherbrooke E.
☎*253-6637*
Le Moe's Deli & Bar est particulièrement couru pour son «5 à 7», pendant lequel on s'accoude sur le bar, mais sa salle à manger reste très souvent bondée. Son menu est extrêmement varié, ce qui n'est pas toujours synonyme de qualité, mais ici les plats, salades, grillades et sandwichs sont généralement bons. Pour les estomacs courageux, on propose une série de desserts assez audacieux. La musique forte et le décor de pub anglais contribuent à créer une atmosphère animée. Situé à deux pas du Stade olympique.

La Petite-Bourgogne et Saint-Henri

Voir le plan p 215.

Café América
$
20 rue des Seigneurs
☎*937-9983*
Ce café dispose d'une grande terrasse donnant sur la piste cyclable du canal Lachine; il constitue une halte très agréable pour les cyclistes et tous ceux qui veulent profiter un peu de ce grand parc linéaire. Petite restauration de qualité avec un penchant pour la saine alimentation dans un beau décor d'ancienne usine recyclée et de vieux meubles.

Le Sans Menu
$-$$
3714 rue Notre-Dame O.
☎*933-4782*
Le Sans Menu est un minuscule bistro dont le nom dit tout. Les plats proposés changent quotidiennement et peuvent aussi bien comprendre du lapin et de l'agneau que des steaks juteux et des pâtes arrosées d'une variété de sauces originales et inventives. Quant au décor, il s'apparente à celui d'un vieux restaurant chinois ennuyeux, mais sachez que la nourriture et le service n'ont vraiment rien de terne.

L'Ambiance
$$
1874 rue Notre-Dame O.
☎*939-2609*

L'Ambiance a la particularité d'être à la fois un bistro et un antiquaire. On s'y retrouve donc attablé parmi les antiquités dans une vaste salle au charme suranné.

les steaks, servis en portions de 6 oz à 22 oz (170 g à 625 g)..., de quoi absorber sa ration annuelle de bœuf d'un seul coup. Les viandes, ainsi que les festivals du homard et de la crevette, font courir les foules. Il faut arriver à 11h30 pour être sûr de se trouver une table le midi, car il est souvent complet.

Pointe-Saint-Charles et Verdun

Voir le plan p 221.

Villa Wellington
$
4701 rue Wellington
☎*768-0102*

Un petit restaurant péruvien à Verdun? La Villa Wellington vous propose une cuisine traditionnelle du Pérou, savoureuse à souhait et composée principalement de poissons et fruits de mer. Les portions sont généreuses et les prix très raisonnables.

Magnan
$$-$$$
2602 rue St-Patrick
☎*935-9647*

En plein cœur du quartier ouvrier de Pointe-Saint-Charles se trouve Magnan, l'une des tavernes les plus connues à Montréal. La spécialité de la maison:

L'ouest de l'île

Voir le plan p 227.

Lachine

Voir le plan p 229.

Il Fornetto
$$
1900 boul. St-Joseph
☎*637-5253*

Situé aux abords du port de plaisance de Lachine, Il Fornetto est idéal pour ceux qui aiment se promener sur le bord du lac Saint-Louis après un copieux repas. Il rappelle les trattorias avec son ambiance bruyante et son service sympathique. Les pizzas cuites au four à bois sont à essayer.

La Fontanina
$$
3194 boul. St-Joseph
☎*637-2475*

Si vous désirez savourer de bons mets italiens, optez pour le restaurant La Fontanina, installé dans une ancienne mai-

Restaurants

son rénovée tout à fait charmante.

Pointe-Claire

Piazza Romana
$$
339 Lakeshore Rd.
☎697-3593
Le Piazza Romana compte parmi les restaurants italiens chéris de Pointe-Claire. À l'intérieur, le décor se veut pittoresque et moderne, tandis qu'à l'extérieur une terrasse accueille les passants par les chaudes soirées d'été. Menu fiable de plats conventionnels.

Restorante Mirra
$$
252 Lakeshore Rd.
☎695-6222
Niché dans une vieille maison aux nombreux recoins sur le bord de l'eau, le Restorante Mirra a acquis une solide réputation et une clientèle fidèle. Sa cuisine italienne classique épouse les dernières saveurs et les nouvelles tendances de manière à composer un menu alléchant.

The Marlowe
$$
981 boul. St-Jean
☎426-8713
The Marlowe est sans doute un des bars-restaurants les plus courus du *West Island*. Son menu propose un vaste choix de plats plus intéressants les uns que les autres. Commencez, par exemple, par des *dum-plings* arrosés d'une sauce aux arachides, et enchaînez avec un sandwich au saumon fumé ou avec une salade aux épinards. Quant aux desserts, ils sont tout aussi irrésistibles. Comme chez ses cousins plus à l'est, le niveau sonore peut parfois s'avérer assez élevé; soyez donc prêt à une soirée plutôt bruyante.

Le Gourmand
$$$-$$$$
42 rue Ste-Anne
☎695-9077
Établi dans une vieille maison en pierre tout à fait ravissante, Le Gourmand est le restaurant tout indiqué pour savourer une soupe chaude par un frais midi d'automne, ou encore une salade fraîche et un thé glacé par un torride après-midi d'été. Le menu du soir affiche des mets français, cajuns et californiens. Son comptoir de charcuterie fine vous permettra en outre de faire des provisions en vue d'un pique-nique sur le bord du lac Saint-Louis.

Dollard-des-Ormeaux

La Perle Szechuan
$-$$
4230 boul. St-Jean N.
☎624-6010
La Perle Szechuan est sans conteste le plus invitant des innombrables restaurants sichuanais qui ont ouvert leurs portes dans le *West Island*. Son menu comporte par ailleurs des plats inusités.

Sorties

M ontréal a depuis
longtemps la réputation d'être un fascinant
lieu de divertissement unique en Amérique du
Nord.

Q ue ce soit en termes
d'activités culturelles, de
grands festivals ou, simplement,
de bars et de discothèques,
Montréal a suffisamment à offrir
pour combler les attentes de
chacun. Les amateurs de sport
seront également ravis, car, en
plus des matchs d'équipes
professionnelles (hockey, baseball, football, soccer), il se déroule à Montréal plusieurs
événements sportifs d'envergure internationale.

Bars et
discothèques

Du coucher du soleil jusque
tard dans la nuit, Montréal vit
aux rythmes parfois endiablés,
parfois plus romantiques de ses
bars. Envahis par des individus
de tout âge, ces bars ont été
conçus pour répondre aux
goûts les plus variés. Des bars-
terrasses de la rue Saint-Denis
aux établissements under-

ground du boulevard Saint-
Laurent, en passant par les bars
plus chics de la rue Crescent,
sans oublier les bars gays du
Village, il en existe de toutes
sortes: à vous de les découvrir!

Dans certains cas, un droit
d'entrée ainsi que des frais pour
le vestiaire sont exigés. Bien
que la vie nocturne soit très
active à Montréal, la vente
d'alcool cesse au plus tard à 3h

du matin. Certains bars peuvent rester ouverts, mais il faudra, à ce moment, vous contenter de petites limonades! De plus, les établissements n'ayant qu'un permis de taverne et brasserie doivent fermer à minuit.

«5 à 7» et «deux pour un»

Les bars proposent durant les «5 à 7» (en général de 17h à 19h) ce que l'on appelle le «deux pour un» ou des consommations offertes à «prix réduit». C'est-à-dire qu'entre ces heures on peut se procurer deux bières pour le prix d'une ou, selon le cas, une boisson à prix réduit. Renseignez-vous sur place auprès de la personne qui assure le service.

Le Vieux-Montréal

L'Air du Temps Jazz
191 rue St-Paul O.
☎842-2003
L'Air du Temps fait partie des plus célèbres bars de jazz à Montréal. Au cœur du Vieux-Montréal, il offre un fantastique décor ancien orné d'une profusion de pièces antiques. L'établissement étant souvent bondé, il faut arriver tôt pour bénéficier d'un bon siège. Les droits d'entrée varient selon les spectacles.

Les Deux Pierrots
104 rue St-Paul E.
☎861-1270
Véritable institution montréalaise, Les Deux Pierrots a

toujours su répondre aux exigences de ses clients en matière de divertissement. Si votre idéal de soirée consiste à vous mettre debout sur votre chaise et à danser sur des airs populaires chantés par un chansonnier tout en buvant de la bière, alors c'est l'endroit rêvé pour vous. Si, par contre, ce n'est pas votre tasse de thé, nous vous suggérons quand même d'aller y faire un tour. Rires et plaisir garantis. Mieux vaut toutefois y aller en groupe même si la convivialité est au rendez-vous dans cette «boîte à chansons» en plein cœur du Vieux-Montréal. En été, ce bar dispose d'une agréable terrasse.

Le centre-ville et le Mille carré doré

Altitude 737
1 Place Ville-Marie
☎397-0737
Si vous êtes de ces gens qui aiment atteindre les sommets, il faut grimper aux étages supérieurs de la Place Ville-Marie, où l'Altitude 737 est pris d'assaut les soirs de semaine, particulièrement les jeudis et vendredis, alors qu'une clientèle de jeunes professionnels dans la trentaine s'y rend pour prendre un verre avant d'aller dîner. Une salle confortable et surtout deux magnifiques terrasses offrant une vue imprenable sur Montréal et sur le fleuve justifient sans nul doute cet engouement. Pour sortir plus tard en soirée, et danser tout votre soûl, il faut plutôt aller à la

discothèque branchée. On y trouve aussi le **Restaurant Club Lounge 737** (voir p 302).

Brutopia
1219 rue Crescent
☎393-9277
Entre la rue Sainte-Catherine et le boulevard René-Lévesque se trouve un chouette petit pub irlandais qui tranche avec l'ambiance flafla et chichi qui caractérise la rue Crescent. Cet établissement sans prétention brasse sa propre bière (aucune bouteille de bière décapsulée n'y est vendue) et constitue l'endroit idéal pour commencer la soirée avant de poursuivre la fête ailleurs. Les fins de semaine, des musiciens viennent égayer les soirées en jouant des airs traditionnels irlandais. La cuisine prépare des pâtes maison, si jamais vous avez une fringale.

Carlos & Pepes
1420 rue Peel
☎288-3090
Le Carlos & Pepes, fréquenté par une foule dans la vingtaine du milieu anglophone, s'étend sur deux étages, le premier étant un restaurant mexicano-californien. Le deuxième étage satisfera le sportif en vous: quelques télés présentent des matchs de baseball, de hockey, etc. Sa piste de danse est toutefois assez étroite.

Le Dôme
32 rue Ste-Catherine O.
☎875-5757
Cette discothèque au décor futuriste est à l'image de sa clientèle qui se veut assez

jeune. Les gens y sont beaux, et la musique est un amalgame de *dance* et de techno commercial branché.

Les Foufounes Électriques
87 rue Ste-Catherine E.
☎844-5539
Autrefois haut lieu de la marginalité de Montréal, Les Foufounes Électriques ne sont plus ce qu'elles étaient. Le décor composé de graffitis et de sculptures étranges est toujours le même, mais le bar a vu sa clientèle changer et sa musique devenir un peu plus commerciale. Si l'ensemble s'est transformé et que sa faune inusitée a quitté ce lieu de rencontre, l'établissement est toujours bondé et sa musique jamais reposante.

Funkytown
1454A rue Peel
☎282-8387
Au centre-ville, une clientèle dans la vingtaine, quelque peu nostalgique de la musique des années 1980, fréquente le Funkytown. Boule en miroir à effet stroboscopique au plafond, plancher lumineux, de la musique tantôt disco, tantôt rock (aussi quelques chansons du palmarès actuel) parviennent à créer un lieu plaisant pour danser et faire parfois de belles rencontres.

Hard Rock Cafe
1458 rue Crescent
☎987-1420
Le célèbre Hard Rock Cafe est décoré de plusieurs objets ayant appartenu à des musiciens plus louangés les uns que les autres. Ce bar offre une

Sorties

Le trad à Montréal

Au confluent de traditions musicales celtiques, la musique traditionnelle québécoise se distingue par ses rythmes endiablés et l'originalité de ses mélodies. À Montréal, elle cohabite avec la fière musique traditionnelle irlandaise. Plusieurs pubs et cafés de Montréal permettent aux violoneux, accordéonistes, flûtistes et guitaristes de taper du pied ensemble chaque semaine, et ce, pour le grand plaisir de leur clientèle d'habitués. Les jam sessions (ou bœufs) de musique traditionnelle donnent l'occasion d'entendre les nouveaux porteurs de tradition dans la chaleureuse ambiance des pubs et des cafés. Voici trois adresses reconnues:

Le Verre bouteille
2112 Av. du Mont-Royal Est
☎*521-9409*
Musique québécoise
Vendredi soir

McKibbin's Irish Pub
1426 rue Bishop
☎*288-1580*
Musique irlandaise
Dimanche, lundi et samedi soirs

Hurley's
1225 rue Crescent
☎*861-4111*
Musique irlandaise
Tous les soirs

piste de danse relativement petite. La fin de semaine, arrivez tôt, sinon vous aurez la mauvaise surprise d'avoir à faire la queue pour y entrer.

**Hurley's Irish Pub /
Hurley's Medieval**
1225 rue Crescent
☎*861-4111*
Discrètement cachés au sud de la rue Sainte-Catherine parmi l'innombrable quantité de restaurants et de bars de la rue Crescent, le Hurley's Irish Pub et le Hurley's Medieval réussissent à recréer une atmosphère digne des traditionnels pubs irlandais, grâce notamment à d'excellents musiciens amateurs de folklore irlandais (The Paddingtons, Jim et Gary) et à la qualité exceptionnelle d'une célèbre bière noire.

Loft
1405 boul. St-Laurent
☎ 281-8058

Très grande discothèque au sombre décor «techno» rehaussé de mauve et où seule la musique alternative a sa place, le Loft attire une clientèle dont l'âge varie entre 18 et 30 ans. On peut y voir des expositions temporaires parfois intéressantes. Certains amateurs y viennent pour les tables de billard. La terrasse sur le toit est fort agréable.

Luba Lounge
2109 rue De Bleury
☎ 288-5822

Pour une soirée relax tout en étant confortablement assis devant un porto, essayez le Luba Lounge, où est en vedette soit un disque-jockey, soit un groupe deux fois par semaine. Les 20-30 ans s'y agglutinent les vendredis, entre autres parce qu'aucun droit d'entrée n'y est demandé.

McKibbin's Irish Pub
1426 rue Bishop
☎ 288-1580

Le McKibbin's Irish Pub est décoré dans la plus pure tradition irlandaise. Ses tabourets et banquettes de bois, ses murs de briques ainsi que ses nombreux bibelots, trophées et photos d'époque lui confèrent un aspect vieillot, non dénué de charme. On y boit de célèbres bières irlandaises, alors que des mélodies dublinoises résonnent à nos oreilles. Certains soirs, des groupes de musique traditionnelle irlandaise s'y produisent. Et les amateurs de fléchettes seront comblés, une petite aire de jeu étant mise à la disposition de la clientèle à l'arrière de l'établissement. La terrasse extérieure est, quant à elle, parfaite pour les discussions privées.

Newtown
1476 rue Crescent
☎ 284-6555

Le coureur automobile préféré des Québécois, Jacques Villeneuve, a ouvert au centre-ville le Newtown, un établissement qui attire beaucoup de monde. On peut y manger au beau restaurant, y danser à la disco ou y prendre un verre dans l'ambiance feutrée du *lounge*. On se presse aux portes de cet énorme complexe au splendide design intérieur, pour voir et être vus.

Peel Pub
1107 Ste-Catherine O.
☎ 844-6769

Le Peel Pub est l'établissement le plus fréquenté par les amateurs de sport et de bière en fût. Si vous avez une victoire à célébrer, une défaite à pleurer, ou tout simplement le goût de vous laisser aller, le Peel Pub vous attend.

Pub Le Vieux-Dublin
1219A rue University
☎ 861-4448

Le Pub Le Vieux-Dublin est une boîte irlandaise où vous pourrez profiter d'un impressionnant choix de bières pression que vous dégusterez au son de la musique celtique. Un chansonnier anime ces soirées on ne peut plus arrosées.

Sorties

Pub Sir Winston Churchill
1459 rue Crescent
☎*288-3814*
Au Pub Sir Winston Churchill, un bistro de style anglais, se presse une clientèle qui vient draguer. Le Pub dispose de pistes de danse et de tables de billard.

Le Sphinx
1428 rue Stanley
☎*843-5775*
Si vous vous sentez animé d'un désir de vous vêtir de noir et de vous trémousser sur une piste de danse bondée de gens qui, comme vous, sont sombrement vêtus, alors le Sphinx vous ouvre ses ailes. Chaînes, grillages, métal et velours rouge décorent ce bar plutôt grand. Musique techno-industrielle, alternative et «gothique». On peut y faire une partie de billard, mais la table est rarement libre, occupée sans doute par quelque Lestat ou Marilyn Manson... Un incontournable du genre à Montréal.

Thursday's
1449 rue Crescent
☎*288-5656*
Le Thursday's est un bar très populaire, particulièrement auprès de la population anglophone de Montréal. Il s'agit d'un bar de rencontre très prisé des gens d'affaires et des professionnels.

Upstairs Jazz Club
1254 rue MacKay
☎*931-6808*
Situé en plein centre-ville, l'Upstairs présente des spectacles de blues et de jazz tous les jours de la semaine. En été, une terrasse murée, à l'arrière du bar, fait le bonheur des amateurs de couchers de soleil.

Vocalz Karaoke
1421 rue Crescent
☎*288-9119*
Au cœur de la rue Crescent, le Vocalz Karaoke est l'endroit tout indiqué pour ceux qui souhaitent avoir du plaisir en vainquant leurs inhibitions. Les clients peuvent choisir parmi le vaste répertoire contenant de plus de 3 000 chansons, avant de s'époumoner dans le micro. Des écrans géants diffusent les images des «stars d'un soir».

Woody's Pub
1234 rue Bishop
☎*954-0771*
Réparti sur trois étages, le Woody's Pub saura charmer les 22-26 ans. Sa clientèle anglophone s'y attroupe pour parler, prendre un verre, ou se laisser aller sur la petite piste de danse. Les airs à la mode, tout comme les classiques disco, envahissent ce petit établissement où la drague, quoique subtile, est toujours à l'honneur.

Le quartier de l'Hôtel-Dieu et le boulevard Saint-Laurent

Bacci
3553 boul. St-Laurent
☎287-9331
Le Bacci propose une trentaine de tables de billard ainsi qu'un menu varié mais quelconque. Mais là n'est pas l'intérêt: une foule avide de plaisir s'y précipite pour discuter, draguer, tomber en amour et boire quelques bières.

Balattou
4372 boul. St-Laurent
☎845-5447
Le Balattou est sans doute la boîte africaine la plus populaire de Montréal. Elle est sombre, enfumée, bondée, chaude, trépidante et bruyante. Des spectacles sont présentés en semaine, pour lesquels le droit d'entrée varie.

Belmont sur le Boulevard
4483 boul. St-Laurent
☎845-8443
Au Belmont sur le Boulevard s'entasse une clientèle composée de jeunes cadres. La fin de semaine, l'établissement est littéralement envahi.

Les Bobards
4328 boul. St-Laurent
☎987-1174
Dans ce bar de quartier sans artifice, de grandes fenêtres permettent de regarder le va-et-vient du boulevard Saint-Laurent, tandis qu'on y déguste l'une des nombreuses variétés

de bières en fût. On y offre des arachides à volonté. Les innombrables écales qui recouvrent le sol confèrent à la soirée un caractère empreint de pittoresque et de simplicité.

Café Sarajevo
2080 rue Clark
☎284-5629
Le Café Sarajevo présente des formations gitanes les jeudi, vendredi et samedi, et des musiciens de jazz les autres soirs de la semaine. Clientèle mixte d'étudiants bohèmes et, il va sans dire, de Yougoslaves, dans un décor typique de bar champêtre. Tout en sirotant une bière ou un rouge hongrois, pourquoi ne pas essayer quelques spécialités des Balkans, comme le *bourek* (viande roulée dans une pâte *filo*), le *pleckavica* (hamburger) et les *cevapcici* (boulettes de viande), servis avec de l'*ajvar* (tartinade au piment rouge). Une agréable terrasse, aménagée à l'arrière, vous accueille en outre durant la belle saison. Quant au charismatique propriétaire des lieux, Osman, il ressemble à s'y méprendre à Sean Connery! Droit d'entrée en fin de soirée pour les spectacles.

Casa del Popolo
4873 boul. St-Laurent
☎284-3804
Située un tant soit peu hors des sentiers battus, la Casa del Popolo est à la fois un restaurant végétarien, un café et une salle de concerts. On y présente des concerts aux consonances éclectiques: pop, rock, folk, jazz, blues, etc. L'établisse-

Sorties

ment est populaire auprès d'une clientèle baba cool.

Dieu du Ciel
29 av. Laurier O.
☎490-9555

Bien qu'un peu excentrée, le Dieu du Ciel est une micro-brasserie conviviale qui mérite résolument le déplacement. L'établissement propose une excellente sélection de bières maison. On y voit souvent des bacheliers idéalistes qui sentent le besoin d'ergoter entre deux pintes de rousse au chanvre. En cas de petite faim, on peut commander les sempiternels *nachos* gratinés.

Laïka
4040 boul. St-Laurent
☎842-8088

Nommé d'après le premier chien russe à avoir été projeté dans l'espace, le Laïka est un café-resto *in* durant le jour qui se transforme en *lounge* cool et branché le soir venu. Dans un décor épuré, un DJ aux platines ouvre des sessions de *drum & bass, house, funk* ou *electronica* plutôt pointues. L'établissement est aussi très populaire pour ses copieux brunchs du dimanche.

Saphir
3699 boul. St-Laurent
☎284-5093

Le Saphir mérite certainement la palme de la boîte montréa-

Les comptoirs à café

Ces dernières années, on a vu se développer aux États-Unis et au Canada une mode de «cafés *fast-food*». Ces établissements, qui n'ont pas grand-chose à voir avec les cafés de quartier, prolifèrent à une vitesse incroyable et Montréal en est très bien pourvu. Il s'agit d'un entre-deux entre le comptoir de restauration rapide pour emporter et le resto branché. On y sert des cafés pour tous les goûts, des jus, des thés glacés, etc. Il est aussi possible d'y grignoter un muffin ou d'y dévorer un dessert souvent des plus gargentuesques! Leur clientèle est jeune et s'anime dans un décor moderne. Vous en croiserez plusieurs sur votre passage, quelques-uns étant ouverts 24 heures par jour. Prenez note que certains d'entre eux sont non-fumeurs.

laise la plus difficile à décrire. La programmation musicale alterne entre le *punk*, l'*industrial*, le *glam*, le *hip-hop*, le *new wave* et le *dark wave*. Bref, une adresse pour les *clubbers* en peu en marge.

Le Sergent Recruteur
4650 boul. St-Laurent
☎ *287-1412*
La microbrasserie du Sergent Recruteur vaut le détour, ne serait-ce que pour déguster une excellente bière maison tout en assistant à une séance des *Dimanches du Conte* (tous les dimanches à 19h30). On y présente parfois des concerts de jazz.

Le Swimming
3643 boul. St-Laurent
☎ *282-7665*
En entrant au Swimming, le passage obligé dans le vestibule vétuste d'un immeuble du début du XXᵉ siècle rend encore plus saisissante la vue, à l'étage, de cette immense salle de billard. De chaque côté du grand bar rectangulaire, se côtoient tables et joueurs à perte de vue dans un environnement de colonnes de béton verni surmontées d'étranges polyèdres et délibérément mises en évidence. Le plafond en tôle gaufrée rappelle le Montréal industriel du début du XXᵉ siècle et la vocation originelle du bâtiment.

L'Upper Club
3519 boul. St-Laurent
☎ *285-4464*
L'Upper Club accueille une clientèle composée de femmes

sublimes et de jeunes premiers qui parlent fort dans leur cellulaire. Le service est assuré par des serveuses girondes à la propension à attirer l'attention. La programmation musicale irréprochable incite les fêtards à se défouler sur la piste de danse. Habillez-vous en conséquence.

Le Quartier latin

Aria
1280 rue St-Denis
☎ *987-6712*
Situé dans l'ancien cinéma Berri, l'Aria est l'*afterhour* de prédilection des *clubbers* qui refusent de rentrer à la maison après 3h. Les oiseaux de nuit peuvent se trémousser sur trois étages qui vibrent aux tendances musicales les plus chaudes du moment. Une pièce est consacrée au férus de techno survitaminée, alors qu'une deuxième vibre aux rythmes hip-hop. Un *must* de la scène montréalaise pour tout *clubber* qui se respecte.

Baloo's
403 rue Ontario E.
☎ *843-5469*
Au carrefour des rues Ontario et Saint-Denis, vous trouverez le Baloo's, un lieu de beuverie très agréable, au personnel fort sympathique et fréquenté par les 18-30 ans. La spécialité de l'établissement? Ses bas prix sur la bière et les *shooters*: le barman ne manquera certainement pas de vous en informer. Vos oreilles entendront du rock

Sorties

(francophone comme anglophone), de l'alternatif et du rhythm-and-blues. Du jeudi au samedi, un deuxième bar et une piste de danse sont ouverts pour les fêtards. On y présente des concerts rock les jeudis et samedis, et l'établissement dispose d'une table de billard, d'un jeu de soccer sur table (*babyfoot*) et de quelques téléviseurs qui diffusent soit des événements sportifs, soit la célèbre bande dessinée américaine *The Simpsons*.

Café Chaos
2031 rue St-Denis
☎*844-1301*
Le bar coopératif du Café Chaos attire une foule étudiante dense, jeune et énergique, qui jase de musique et de la vie en général. On y vient pour écouter tous les styles de musique inimaginables: garage, rock'n'roll, surf, alternatif, techno-industriel, etc. Des musiciens locaux y présentent leurs nouvelles créations, et les spectacles débutent vers 21h. Des groupes comme Caféine et WD-40 y ont fait leurs débuts et sont des habitués du «Chaos».

Le Cheval Blanc
809 rue Ontario E.
☎*522-0211*
Le Cheval Blanc est une vieille taverne montréalaise qui semble ne pas avoir été rénovée depuis les années 1940, ce qui lui confère tout un cachet! Différentes bières sont brassées sur place et alternent avec les saisons.

Jello Bar
151 rue Ontario E.
☎*285-2621*
Le Jello Bar est installé dans un local garni d'un curieux mélange de meubles et de bibelots rescapés des années 1960 et 1970, où l'on propose 32 choix différents de cocktails de martini à être bus tranquillement sur fond de musique blues ou jazz. De plus, d'excellents spectacles musicaux s'y tiennent régulièrement.

L'amère à boire
2049 rue St-Denis
☎*282-7448*
Installée entre les rues Ontario et Sherbrooke, L'amère à boire est une petite mais sympathique brasserie artisanale qui fabrique une dizaine de lagers et des ales. L'établissement est flanqué d'une petite terrasse arrière pour ceux qui souhaitent se soustraire de l'animation grouillante de la rue Saint-Denis. Avis aux intéressés, on y sert aussi de la crème brûlée au stout et du fromage à la bière.

Les 3 Brasseurs
1660 rue St-Denis
☎*845-1660*
À un jet de pierre du Théâtre Saint-Denis, Les 3 Brasseurs est une franchise de l'Hexagone qui se taille une place enviable parmi les microbrasseries montréalaises. Tant sa déco rustique que son service de bon aloi fidélisent une clientèle d'étudiants et de jeunes cadres qui viennent étancher leur soif. De plus, sa cuisine prépare de délicieuses spécialités alsaciennes, telles les *flams* (tartes flam-

bées et garnies de morceaux de poulet, de lardons ou de légumes). Durant l'été, ses deux terrasses (l'une sur le toit et l'autre au niveau de la rue) sont des points de chute idéaux pour siroter une bière fraîche en regardant le flux et le reflux de la foule.

L'Île Noire Pub
342 rue Ontario E.
☎982-0866
L'Île Noire Pub est un très beau bar dans le plus pur style écossais. Les bois précieux dont on a usé abondamment confèrent à l'établissement un charme feutré et une ambiance raffinée. Le personnel, très professionnel, vous conseillera dans le choix de scotchs, dont la liste est impressionnante. Aussi, on y propose un bon choix de bières en fût importées. Les prix sont y malheureusement élevés.

L'Ours qui fume
2019 rue St-Denis
☎845-6998
Oyez! Oyez! Les amateurs de poésie et de chansons québécoises se réunissent à L'Ours qui fume. Des écrivains et des musiciens d'ici se retrouvent, à l'impromptu, pour discuter, parfois bruyamment, de leurs plus récentes découvertes artistiques ou pour relaxer. Décoré de photos des artistes mêmes, ce petit établissement fort sympathique, où, à l'occasion, des concerts sont présentés, est à découvrir.

Le Magellan
330 rue Ontario E.
☎845-0909
Situé juste à côté de L'Île Noire Pub, Le Magellan est un petit bar chaleureux invitant au voyage. Boiseries, rideaux aux accents africains, hublots, vieux atlas et récits de voyage à consulter rangés dans une bibliothèque avec globe terrestre et objets hétéroclites, le tout sur un fond de musique du monde, jazz, ou selon l'humeur des artistes qui y sont quelquefois invités. On peut y manger (*Le Pèlerin; $*); le sandwich au brie qu'on y sert est excellent. Quant à l'alcool, troquez l'habituelle bière pour un café «*arhum*atisé» ou l'un des savoureux cocktails maison aux noms aussi évocateurs que Le Planteur ou le Marie-Galante. Une seule ombre à ce tableau charmant: peu de tables et d'espace pour un établissement plein à craquer les samedis et dimanches. Assez calme en semaine, donc idéal pour les tête-à-tête.

Le Medley
1170 rue St-Denis
☎842-6557 (bar)
☎842-7469 (info-spectacles)
De grands noms de la musique se produisent au club Le Medley. En effet, les musiciens Bob Walsh, Jimmy James et autres bluesmen notables font frémir une foule nombreuse et en délire; des groupes américains comme Marilyn Manson et les icônes d'un passé pas trop lointain comme Chuck Berry et James Brown y interprètent de nouveau leurs classiques. Ré-

parti sur deux étages, Le Medley offre de bonnes places, tant assises que debout, et la bière, évidemment, y coule à flots.

Le P'tit bar
3451 rue St-Denis
☎281-9124
Tout juste en face du square Saint-Louis, le P'tit bar est le lieu parfait pour parler littérature, philosophie, photographie, etc. L'ancien rendez-vous du regretté Gérald Godin, célèbre poète québécois, satisfera les amateurs de chansons françaises. Des expositions de photos composent le sobre décor de l'établissement, et l'on peut y entendre des chansonniers québécois ou d'expression française.

Quartier Latin Pub
318 rue Ontario E.
☎845-3301
L'Île Noire Pub et Le Magellan feraient-ils ombrage à leur voisin, le Quartier Latin Pub? Peut-être pas puisque celui-ci a, à maintes reprises, été choisi comme lieu de tournage de nombreuses séries télévisées québécoises. C'est peut-être son décor savamment étudié, un peu froid, qui lui fait honneur. C'est peut-être aussi sa clientèle, aussi étudiée que son décor: jeune trentaine BCBG, presque aussi réelle que dans une publicité de bière. Terrasse en saison.

Le Saint-Élisabeth
1412 rue Ste-Élisabeth
☎286-4302
Il est dommage que ce joli pub soit aussi bien caché. Lorsqu'on y entre, on se retrouve presque en Irlande. Le décor est chaleureux. Le rez-de-chaussée ressemble à un vrai salon avec ses sofas et ses petites tables basses; une grande fenêtre ronde donne sur une sympathique terrasse intime et les multiples tables, chaises et tabourets de bois gravitent autour d'un petit bar. Le deuxième étage est principalement parsemé de tables et de chaises, et l'on y trouve un autre bar. Inutile de préciser que l'établissement est souvent bondé les soirs de fin de semaine par une faune estudiantine sortie tout droit de l'université et du cégep d'à côté. Sans oublier, en été, l'une des plus chouettes terrasses du Quartier latin.

Le Saint-Sulpice
1680 rue St-Denis
☎844-9458
Aménagé dans une vieille maison dont il occupe les trois étages, le Saint-Sulpice est décoré avec goût. Il dispose de terrasses à l'arrière et à l'avant, parfaites pour profiter des soirées d'été.

Yer' Mad!
901 boul. De Maisonneuve E.
☎522-9392
Situé dans un sous-sol, le Yer Mad! vous plongera au cœur de l'Irlande. Musique folklorique, peintures de gnomes et de lutins sur les murs. On va au Yer Mad! pour son ambiance décontractée mais surtout pour sa grande sélection de bières et de cidres savoureux.

Le Plateau Mont-Royal

Bacci
4205 rue St-Denis
☎*844-3929*
Voir description p 353.

Bily Kun
354 av. du Mt-Royal E.
☎*845-5392*
Le Bily Kun, second bar de la microbrasserie du Cheval Blanc, propose un vaste choix de bières, notamment la marque maison, d'excellente qualité et à bon prix. Avec un décor original orné de cous d'autruches empaillés, l'atmosphère est sympathique et surtout branchée!

Le Boudoir
850 av. du Mt-Royal E.
☎*526-2819*
Plusieurs seront captivés par la chaleur qui se dégage du Boudoir. Une grande sélection de bières de microbrasseries est disponible, et les amateurs de scotchs, quant à eux, s'y retrouvent les lundis et mardis pour les prix réduits (de 20h à 3h). Une table de billard ainsi qu'un jeu de soccer sur table (*baby-foot*) sont mis à la disposition des clients.

Le Café Campus
57 rue Prince-Arthur E.
☎*844-1010*
Surtout fréquenté par une clientèle estudiantine, Le Café Campus est installé dans un grand local de la rue Prince-Arthur et est réparti sur trois étages. On n'y vient pas pour le décor, des plus quelconques, mais bien pour danser jusqu'aux petites heures de la nuit. Le premier étage propose une table de billard qui voit passer plusieurs joueurs. Le Petit Café Campus, la salle de spectacles de l'établissement, présente, quant à lui, de bons concerts de rock et de blues. Plusieurs talents locaux s'y produisent, et quelques événements cégépiens s'y tiennent année après année. Chacune des soirées est dictée par une teneur musicale particulière: 100% francophone, alternatif des années 1980, rock contemporain, etc.

Le Central Ganesh
4479 rue St-Denis
☎*845-9010*
Ancien bar de jazz sans prétention, Le Central Ganesh constitue un autre lieu de rencontre pour les étudiants, car les boissons alcoolisées y sont peu chères et l'entrée est libre. Au rez-de-chaussée se trouve le **Quai des Brumes** (☎*499-0467*), qui se révèle plus tranquille et offre un décor chaleureux.

Le Diable vert
4557 rue St-Denis
☎*849-5888*
Le Diable vert est l'endroit par excellence pour se laisser aller sur une vaste piste de danse. Très populaire auprès des étudiants, il n'est pas rare qu'on doive y faire la queue. Prévoyez 2$ pour l'entrée (vestiaire inclus) les mercredis et jeudis soirs et 3$ les vendredis et samedis soirs.

Sorties

Le Dogue
4177 rue St-Denis
☎*845-8717*

Le Dogue est l'endroit rêvé pour danser, danser et danser. Sa musique assouvit une clientèle très jeune, enthousiaste et avide de bière peu coûteuse. Ses deux tables de billard, toutefois encombrantes, divertissent quelques adeptes invétérés. Dans ce bar littéralement bondé sept jours sur sept, il est fortement recommandé d'arriver tôt.

El Zaz Bar
4297 rue St-Denis
☎*288-9798*

El Zaz Bar est tenu par la même bande que les restaurants Zaziumm. Sa petite piste de danse, où l'on peut danser sur à peu près tous les styles de musique, de la chanson française au disco en passant par la *salsa* et le *techno*, est très courue. Son décor inusité est composé de multiples objets hétéroclites. Le service est loin d'être la qualité première de l'établissement, mais, si vous aimez être un peu dépaysé, vous serez servi!

L'escogriffe
4467A rue St-Denis
☎*842-7244*

Situé non loin de la station de métro Mont-Royal, L'escogriffe est le bon vieux bar de quartier où les habitués viennent trinquer après une journée de travail. L'ambiance est parfois lustrée d'un solo d'harmonica ou bien animée par des musiciens qui distillent des airs de jazz ou de blues.

Le Passeport
4156 rue St-Denis
☎*842-6063*

Le Passeport dispose d'une salle intime très obscure. Sa clientèle, dans la vingtaine, y vient pour se trémousser sur des airs des années 1980 et 1990, ou tout simplement pour prendre une bière entre amis. Cet établissement sans prétention est bondé durant les fins de semaine, surtout en été.

Sofa
451 rue Rachel E.
☎*285-1011*

C'est dans une ambiance *lounge* que le Sofa invite une foule de 20-35 ans à se délecter devant un porto ou un scotch. Comme son nom l'indique, l'établissement est parsemé de divans moelleux et confortables où il fait bon trinquer en compagnie d'amis et de nouvelles connaissances. Une petite scène offre la possibilité à des groupes locaux de montrer leur savoir-faire en nous transportant dans l'univers vibrant du jazz, du soul ou du R&B.

Taverne Inspecteur Épingle
4051 rue St-Hubert
☎*598-7764*

Voilà un autre bon établissement pour écouter du blues en buvant une grosse bière. La Taverne Inspecteur Épingle, rendue célèbre par la présence, maintenant occasionnelle, du controversé chanteur québécois Plume Latraverse, présente de bons concerts d'artistes locaux.

Le Verre Bouteille
2112 av. du Mt-Royal E.
☎521-9409
Ouvert depuis 1942, Le Verre Bouteille est l'un des derniers bastions de musique québécoise sur le Plateau. Les fins de semaine, des chansonniers prennent les planches pour divertir le public. Ambiance relâchée et service de bon aloi.

Zinc Café Bar Montréal
1148 av. du Mt-Royal E.
☎523-5432
Cherchez-vous un bon établissement où discuter de tout et de rien en buvant un «picon bière»? Le Zinc Café Bar Montréal sert une variété de boissons hors du commun, et cela, dans un chaleureux local.

Westmount, Notre-Dame-de-Grâce et Côte-des-Neiges

Crocodile
5414 rue Gatineau
☎733-2125
Au Crocodile se presse une clientèle de jeunes cadres qui viennent danser sur des airs de musique pop, prendre un verre et draguer. En début de soirée, le restaurant propose un menu classique sans grande surprise. Mais on y vient surtout pour jouer au billard à l'étage, alors que quatre tables sont mises à la disposition de la clientèle.

La Grande Gueule
5615A ch. de la Côte-des-Neiges
☎733-3512
Située tout près de l'Université de Montréal, la Grande Gueule propose un menu léger, de la bière en fût peu coûteuse et quatre tables de billard. De plus, plusieurs jeux de société sont disponibles sur place. Les lundis et mardis, le billard est gratuit à l'achat d'une consommation.

La Maisonnée
5385 rue Gatineau
☎733-0412
La Maisonnée se remplit d'étudiants de l'Université de Montréal qui, dès leur cours terminés, s'y amassent afin de discuter autour d'un pichet de bière. On y sert frites et pizzas pour accompagner le tout. Téléviseurs présentant les matchs favoris des sportifs.

Typhoon Lounge
5752 av. Monkland
☎482-4448
Sur des divans moelleux, venez siroter une bière au Typhoon Lounge, qui présente des *jam sessions* le lundi soir. Le son *lounge* envahit l'établissement les mardis et samedis, alors que les mercredis sont réservés aux consonances des années 1970 et 1980; les jeudis, on y entend du *reggae* ou du *ska*, tandis que la musique du monde y résonne les samedis soir.

Sorties

Outremont

Fûtenbulle
273 av. Bernard O.
☎276-0473
Le Fûtenbulle est un grand bar
«tout public» où l'on peut
s'offrir ce qui constitue probablement la plus grande sélection
de bières à Montréal. On peut
aussi manger de petites choses
simples.

Le Set
5301 boul. St-Laurent
☎270-9311
Petit bar intime, fort bien décoré de plusieurs éléments anciens, le Set est idéal pour
converser dans une ambiance
plaisante, car la musique, toujours agréable, ne s'impose pas.
Il est très couru pendant la fin
de semaine.

Whisky Café
5800 boul. St-Laurent /
3 rue Bernard O.
☎278-2646
On a tellement soigné la décoration du Whisky Café que
même les toilettes sont devenues une attraction touristique.
Les tons chauds utilisés dans un
contexte moderne, les grandes
colonnes recouvertes de boiseries, les chaises style «années
1950», tout cela contribue à
une sensation de confort et de
classe. La clientèle de 20 à
35 ans, aisée et bien élevée,
coule une jeunesse dorée.

Rosemont

Chez Roger
2300 rue Beaubien E.
☎723-5939
Détrompez-vous, car derrière
ce nom assez débonnaire se
trouve l'un des «bars-lounge»
les plus branchés de Montréal.
Situé près du Cinéma Beaubien, Chez Roger est une
ancienne taverne de quartier
qui attire son lot de personnalités pétillantes et des gens à la
mode qui aiment discuter sur
les aléas de la vie en se rinçant
la glotte. L'établissement se
trouve hors des sentiers battus,
mais cela n'empêche pas les
habitués d'y retourner.

Le Village

Jet Club
1003 rue Ste-Catherine E.
☎842-club
Le Jet Club est l'une des adresses les plus branchées du *night-
life* montréalais. Sa gigantesque
piste de danse est prise d'assaut
par les *clubbers* hystériques qui
viennent danser aux rythmes
endiablés du R&B et du hip-hop
en passant par la *house music*.
S'y trouve aussi un VIP Lounge
où les *beautiful people* pavanent
ce qu'ils ont de mieux à offrir
en riant à gorges déployées
avant de se glisser des confi-
dences révélatrices à l'oreille.
L'entrée est un peu ardue: le
code vestimentaire est en effet
appliqué à la lettre.

Bars et discothèques gays

Le Cabaret à Mado
1115 rue Ste-Catherine E.
☎525-7566
Fréquenté par une clientèle mixte et enjouée, le Cabaret à Mado présente, entre autres, des spectacles de travestis. Amusement garanti avec le célèbre personnage de Mado!

Gotham Bar
1641 rue Amherst
☎526-1270
Voilà un bar calme et sympathique dont on souhaiterait qu'il en existe plus dans le Village gay. La musique d'ambiance inspire les discussions, et l'accueil rend tout le monde bien à l'aise. Le mobilier moderne et confortable incite à y passer un peu plus de temps que prévu, pour siroter cocktail maison ou bières en fût.

Pub Magnolia
1329 rue Ste-Catherine E.
☎526-6011
Lounge branché dédié aux femmes, le Magnola présente régulièrement des spectacles de qualité. Une piste de danse s'anime au fur et à mesure que la soirée avance.

Stéréo Club
856-858 rue Ste-Catherine E.
☎286-0300
Les jeunes gays qui vont dormir très tard ne ratent pas une nuit de fin de semaine au Stéréo, un *after hours* qui s'anime dès 2h, réputé pour la qualité de son

équipement sonore... tympans sensibles attention! La clientèle se veut branchée et fort jeune!

Sky Pub et Sky Club
1474 rue Ste-Catherine E.
☎529-6969
Bar gay très fréquenté de Montréal, le Sky Pub bénéficie d'un décor design qui manque toutefois d'unité. On peut déplorer sa musique trop forte et souvent banale. En été, son immense et superbe terrasse sur le toit permet d'observer le va-et-vient de la rue Sainte-Catherine; en toute saison, quand la soirée avance, on peut toujours opter pour le Sky, à l'étage, où se déhanche une clientèle plus jeune. Sur deux niveaux s'étend l'une des plus grandes boîtes gays de Montréal, le Sky Club, avec ses pistes de danse qui permettent d'offrir une variété de styles musicaux. Bien entendu, le pari de maintenir l'atmosphère dans une telle immensité n'est pas toujours tenu, mais, en général, la clientèle, plutôt jeune, s'amuse bien ici. En été, terrasse sur le toit. Un seul reproche: le droit d'entrée élevé qui varie de manière imprévisible.

La Track
1574 rue Ste-Catherine E.
☎521-1419
Discothèque gay animée, La Track accueille des hommes de tout âge.

Sorties

Unity
1171 rue Ste-Catherine E.
☎523-4429
Grande discothèque gay fréquentée par un public jeune, surtout masculin. L'architecture de l'Unity est des plus intéressantes avec ses différents niveaux et sa mezzanine d'où l'on peut observer la piste de danse et les envoûtants jeux de lumière. En plus de la piste principale, on trouve deux autres pistes de danse, dont le Bamboo, où la musique tend à être plus calme, et l'autre, consacrée aux plus récentes tendances. En été, il ne faut pas manquer de se rendre à sa belle terrasse sur le toit.

Divertissements

Le **Laser Quest** (*7,50$; fermé lun, sauf pour les groupes; 1226 rue Ste-Catherine O.*, ☎393-3000) plaira aux enfants et aux adolescents qui rêvent de jouer à des jeux interactifs de science-fiction. Dans un labyrinthe aménagé sur trois étages, deux équipes se livrent une bataille à l'aide de fusils à jet lumineux. Ce paradis de l'interactif accueille jusqu'à 32 personnes à la fois et propose 40 jeux différents.

Chaque année, le **Labyrinthe du Hangar 16** (*11$; Vieux-Port*, ☎499-0099) est remodelé pour que ses usagers vivent une nouvelle aventure thématique, alors qu'on modifie son parcours et ses indices périodiquement. Les explorateurs en herbe y trouveront plein d'obstacles, de pièges et de zones de jeu.

Le **TAZ Roulodôme & Skate Park** (*7-12; 1310 rue des Carrières*, ☎284-0051), un centre intérieur aménagé pour les amateurs de patin à roues alignées et de planche à roulettes, offre également des cours pour non-initiés, de la location d'équipement ainsi que des activités pour groupes et pour fêtes d'enfants.

Le **Centre de divertissement Forum Pepsi** (*2313 rue Ste-Catherine O.*, ☎933-6786) s'est installé dans l'ancien Forum du Canadien de Montréal. Au nombre des activités que vous trouverez dans ce centre de loisirs interactifs figurent le jeu de quilles «high-tech», l'escalade murale et l'exploration de plus de 200 jeux interactifs et simulateurs de sport. Vous pourrez aussi assister à un spectacle multimédia commémorant les meilleurs moments de l'histoire du Forum ou encore visiter la galerie de vitrines thématiques et la promenade des célébrités qui rend hommage aux étoiles du hockey et du spectacle. En outre, le Centre présente des films récents dans 22 salles de cinéma, et il compte quelques restaurants et terrasses servant des mets internationaux.

La Ronde est un parc d'attractions où plusieurs manèges divertiront les plus jeunes comme les plus vieux (voir p 196).

Avec ses 2 700 machines à sous et sa centaine de tables de jeu (blackjack, roulette, baccara, poker, etc.), le **Casino de Montréal** *(entrée libre; tlj 9h à 5h;* ☎*392-2746)* constitue à n'en point douter un élément important de la vie nocturne montréalaise. Il figure maintenant sur la liste des 10 plus importants casinos du monde en termes d'équipements de jeu. Le **Cabaret du Casino**, pour sa part, présente divers spectacles de variétés hauts en couleur.

Activités culturelles

La vie culturelle est intense à Montréal. Tout au long de l'année, des expositions et des spectacles sont organisés afin de permettre aux Montréalais de découvrir diverses facettes de la culture. C'est ainsi que des spectacles et des films de tous les pays, des expositions d'artistes de toutes tendances, ainsi que des festivals pour tous les âges et tous les goûts, y sont présentés. Les hebdomadaires culturels *Voir, Ici, Mirror* et *Hour*, distribués gratuitement, donnent un aperçu des principaux événements qui se tiennent à Montréal.

Théâtres et salles de spectacle

Les droits d'entrée aux spectacles varient grandement d'une salle à l'autre. La plupart des salles offrent cependant des tarifs spéciaux pour les étudiants.

L'Agora de la danse
840 rue Cherrier
☎**525-1500**

Le Cabaret Music-Hall
2111 boul. St-Laurent
☎**845-2014**

Le Cabaret du Plateau
4530 av. Papineau
☎**522-3030**

Centaur Theatre
453 rue St-François-Xavier
☎**288-3161**

Le Gesù - Centre de créativité
1200 rue De Bleury
☎**861-4036**

Monument-National
1182 boul. St-Laurent
☎**871-2224**

Place des Arts
260 boul. De Maisonneuve O.
☎**842-2112**
Elle dispose de cinq salles: la Salle Wilfrid-Pelletier, le Théâtre Maisonneuve, le Théâtre Jean-Duceppe, le Studio-théâtre et la Cinquième salle. L'Orchestre symphonique de Montréal *(*☎*842-9951),,* l'Opéra de Montréal *(*☎*985-2258),* la Compagnie Jean-

Sorties

Duceppe (☎842-8194), les Grands Ballets canadiens (☎849-0269) ainsi que le Festival international de jazz de Montréal y donnent leurs représentations.

Spectrum
318 rue Ste-Catherine O.
☎*861-5851*
Les spectacles (payants) débutent généralement vers 21h.

Théâtre Corona
2490 Notre-Dame O.
☎*931-2088*

Théâtre d'Aujourd'hui
3900 rue St-Denis
☎*282-3900*

Théâtre Denise-Pelletier
4353 rue Ste-Catherine E.
☎*253-8974*

Théâtre des Deux Mondes
7285 rue Chabot
☎*593-4417*

Théâtre Espace GO
4890 boul. St-Laurent
☎*845-4890*

Théâtre Espace Libre
1945 rue Fullum
☎*521-4191*

Théâtre La Chapelle
3700 rue St-Dominique
☎*843-7738*

Théâtre La Licorne
4559 rue Papineau
☎*523-2246*

Théâtre du Nouveau Monde
84 rue Ste-Catherine O.
☎*866-8668*

Théâtre Olympia
1004 rue Ste-Catherine E.
☎*286-7884*

Théâtre Outremont
1248 av. Bernard O.
☎*495-9944*

Théâtre Prospero
1371 rue Ontario E.
☎*526-6582*

Théâtre de Quat'Sous
100 rue des Pins E.
☎*845-7277*

Théâtre du Rideau Vert
4664 rue St-Denis
☎*844-1793*

Théâtre Saint-Denis
1594 rue St-Denis
☎*849-4211*

Théâtre de Verdure
parc La Fontaine
☎*872-2644*
Aménagé au cœur du parc La Fontaine, le Théâtre de Verdure propose tout au long de l'été des spectacles en plein air.

Saidye Bronfman Centre
5170 ch. de la Côte-Sainte-Catherine
☎*739-7944*

Usine C
1345 rue Lalonde
☎*521-4493*

Billetteries

Deux principaux réseaux de
billetterie distribuent les billets
de spectacles, de concerts et
d'événements sportifs. Ils offrent un service de vente par
téléphone et par Internet. Il faut
alors payer au moyen de sa
carte de crédit. Des guichets où
l'on peut payer en espèces sont
également répartis un peu
partout à travers la ville. Des
frais de service, variant d'un
spectacle à l'autre, sont ajoutés
au prix des billets.

Admission
☎*790-1245 ou*
800-361-4595
www.admission.com

Ticketpro
☎*908-9090 ou*
866-908-9090
www.ticketpro.ca

Cinémas

Montréal compte plusieurs
salles de cinéma. Des rabais
sont souvent offerts pour les
représentations en matinée
ainsi que le mardi et le mercredi.

Quelques salles où l'on
présente des films
en français

Cinéma Beaubien
2396 rue Beaubien E., Rosemont
☎*721-6060*

Le Parisien
480 rue Ste-Catherine O.
☎*866-0111*

Quartier Latin
350 rue Émery
☎*849-4422*

Quelques salles où l'on
présente des films en anglais

Centre Eaton
705 rue Ste-Catherine O.
☎*866-0111*

Paramount
977 rue Ste-Catherine O.
☎*842-5828*

Quelques salles de cinéma
de répertoire

Cinémathèque québécoise
335 boul. De Maisonneuve E.
☎*842-9763*
(voir p 156)

Ex-Centris
3536 boul. St-Laurent
☎*847-9272*
(voir p 148)

Impérial
1430 rue De Bleury
☎*848-0300*
C'est le plus ancien cinéma de
Montréal.

Sorties

Une salle où l'on projette des films hors de l'ordinaire

Cinéma Imax
Vieux-Port de Montréal, sur la rue de la Commune, à l'angle du boulevard St-Laurent
☎496-4629
On y présente des films sur écran géant (voir p 89).

Complexe consacré au cinéma québécois et canadien

ONF Montréal
1564 rue St-Denis
☎496-6895
(voir p 156)

Maisons de la culture

Les maisons de la culture ont été mises sur pied dans le but de faire connaître les talents de jeunes artistes, dits profession-nels, œuvrant dans tous les champs disciplinaires reliés à la culture. Afin de rendre leurs spectacles et expositions acces-sibles à tous, l'entrée est libre la plupart du temps, quoiqu'il faille se procurer les billets d'avance. L'horaire des événements présentés dans les maisons de la culture est publié dans les hebdomadaires culturels distri-bués gratuitement, à savoir *Ici*, *Voir*, *Mirror* et *Hour*, et ce, tous les jeudis.

Ahuntsic–Cartierville
10300 rue Lajeunesse
☎872-8749

Côte-des-Neiges
5290 ch. de la Côte-des-Neiges
☎872-6889

Maisonneuve
Château Dufresne
2929 av. Jeanne-D'Arc
2e étage
☎872-2200

Mercier
8105 rue Hochelaga
☎872-8755

Notre-Dame-de-Grâce
3755 rue Botrel
☎872-2157

Plateau Mont-Royal
Mont-Royal
465 av. du Mt-Royal E.
☎872-2266

Pointe-aux-Trembles
14001 rue Notre-Dame E.
☎872-2240

Rivière-des-Prairies
9140 boul. Perras
☎872-9814

Rosemont–La Petite Patrie
6707 av. De Lorimier
☎872-1730

Sud-Ouest
Marie-Uguay
6052 boul. Monk
☎872-2044

Ville-Marie
Frontenac
2550 rue Ontario E.
☎872-7882

Villeray–Saint-Michel–Parc-Extension
911 rue Jean-Talon E.
☎872-6131

Festivals et événements culturels

En été, la fièvre des festivals emporte les Montréalais et les visiteurs. Du mois de mai au mois de septembre se succèdent une foule de festivals, chacun comportant un thème différent. Une chose est certaine: il y en a pour tous les goûts. Le reste de l'année, les grands événements se font moins fréquents, mais demeurent tout aussi intéressants.

Janvier

Montréal organise une fête pour célébrer les plaisirs et les activités de la blanche saison. La **fête des Neiges** (☎872-6120, *www.fetedesneiges.com*) a lieu au parc Jean-Drapeau, de la fin janvier au début février. Des toboggans géants et des patinoires sont installés pour le plus grand plaisir des familles montréalaises. Le concours de sculptures sur neige attire

également bon nombre de curieux.

Février

Le **Festival Montréal en lumière** (☎288-9955, *www.montrealenlumiere. com*) apporte un brin de magie à l'hiver québécois. Ainsi, à la mi-février, des jeux de lumière soulignent l'architecture de la ville, et des spectacles pyrotechniques sont présentés en plein air. Dans le volet «art de la table» du festival, des chefs chevronnés, venus de partout dans le monde, proposent dégustations, repas et ateliers. Le festival présente aussi des concerts, de la danse et du théâtre.

Avril

À la mi-avril, le festival **Vues d'Afrique** (☎284-3322, *www. vuesdafrique.org*) fait la promotion du cinéma africain et créole. Les films sont présentés à la fin d'avril dans les salles de cinéma montréalaises, entre autres à l'ONF Montréal. En été, à la brunante, Vues d'Afrique offre quelques spectacles suivis de séances de cinéma en plein air, au Théâtre de Verdure du parc La Fontaine.

Mai

Habituellement présenté de la fin mai au début juin durant les années impaires, le **Festival de**

Sorties

théâtre des Amériques (☎842-0704, *www.fta.qc.ca*) met en vedette de nombreuses troupes de théâtre venues de l'étranger pour monter leurs pièces devant le public montréalais. À l'affiche, on retrouve des spectacles novateurs, non-conformistes et créatifs. Les représentations se font dans plusieurs théâtres et autres salles de spectacle.

Juin

Début juin, le plus important festival du genre en Amérique du Nord, le **Mondial de la bière** (☎722-9640, *www.festival-mondialbiere.qc.ca*) propose la dégustation de plus de 250 marques de bières provenant des cinq continents. Favorisant une consommation responsable, il a lieu dans la salle des pas perdus de l'ancienne gare Windsor.

Installé chaque année à la place Émilie-Gamelin, **Présence Autochtone** (☎278-4040, *www.nativelynx.qc.ca*), organisé par l'organisme «Terres en vues», est un festival où l'on présente de nombreux films autochtones, projetés entre autres à l'ONF Montréal et à la Cinémathèque québécoise (certains en première mondiale), où il est possible de rencontrer et de discuter avec les cinéastes. Sur la place même, où s'élève une scène et où s'établit un village d'artisans et d'artistes autochtones, on propose des pièces de théâtre, des concerts, des

danses, ainsi que des expositions et des démonstrations du savoir-faire amérindien et inuit. Le festival se termine par la célébration du Jour national des Autochtones, le 21 juin.

L'événement **Nuit blanche sur tableau noir** (☎522-3797, *www.tableaunoir.com*) se déroule en plein cœur du Plateau Mont-Royal à la mi-juin. Sous les yeux des passants, artistes peintres et musiciens sont invités à s'approprier la rue et à transformer le paysage urbain en une œuvre collective colorée. Des activités sont proposées tout au long de la journée, et, le soir venu, on assiste à la création en direct d'une fresque à même le revêtement de la rue.

Chaque année, en juin, le **Festival St-Ambroise Fringe de Montréal** (☎849-3378, *www.montrealfringe.ca*) présente un nombre impressionnant de spectacles et de pièces de théâtre avant-gardistes. On joue souvent à l'intérieur de locaux exigus et les billets, peu onéreux, permettent à tous de profiter de cet élan de créativité.

Au parc des Écluses du Vieux-Port, on présente depuis quelques années les **Mosaïcultures Internationales Montréal** (☎868-2003, *www.mosaiculture.ca*), habituellement de la mi-juin au début du mois d'octobre, sur un thème qui varie à chaque édition. Ces sculptures florales géantes et colorées, pour ne pas dire hautes en couleur, sont très populaires auprès du public.

Juillet

Concours international d'art pyrotechnique, le **Mondial SAQ: les feux d'artifice de Montréal** (☎397-2000, *www.montreal-feux.com*) s'amorce à la mi-juin et se poursuit jusqu'à la fin juillet. Les meilleurs artificiers du monde présentent à La Ronde (île Sainte-Hélène) des spectacles pyromusicaux d'une grande qualité. Les représentations ont lieu à 22h les samedis de juin et les mercredis et samedis de juillet. Une foule de Montréalais se pressent alors à la Ronde (droit d'entrée), ainsi que sur le pont Jacques-Cartier et sur le bord du fleuve (c'est alors gratuit) afin d'apprécier les innombrables fleurs de feux qui colorent pendant une demi-heure le ciel de leur ville.

Pendant les journées du **Festival international de jazz de Montréal** (☎871-1881, *www.montrealjazzfest.com*), sur le quadrilatère entourant la Place des Arts, se dressent les scènes où sont présentés de multiples spectacles rythmés sur des airs de jazz. De la fin juin à la mi-

juillet, cette partie de la ville et bon nombre de salles de spectacle seront prises d'une activité trépidante. Ces journées sont l'occasion de descendre dans les rues pour se laisser emporter par l'atmosphère joyeuse émanant de ces excellents spectacles en plein air présentés gratuitement, auxquels les Montréalais participent en grand nombre. Le reste de l'année, le FIJM, qui en est à sa 25e édition en 2004, présente des spectacles de jazz hors festival.

L'humour et la fantaisie seront à l'honneur durant le **Festival Juste pour rire** (☎845-3155, *www.hahaha.com*), à la mi-juillet. Des salles de spectacle accueillent alors des humoristes venant de divers pays. Ainsi, la portion de la rue Saint-Denis située dans le Quartier latin est fermée à la circulation, des spectacles ayant lieu dans la rue ainsi qu'au Théâtre Saint-Denis. Vous verrez alors plusieurs artistes s'y produire.

Montréal prend un air de fête tout au long du **Festival international Nuits d'Afrique** (☎499-9239, *www.festnuitafric. com*), qui se déroule à la mi-juillet. Plusieurs concerts et activités en plein air sont offerts. Les grands noms de la musique africaine, antillaise et caribéenne proposent également des prestations en salles.

Les **FrancoFolies de Montréal** (☎ *523-3378, www.francofolies. com*) sont organisées dans le but de promouvoir la chanson francophone. Durant les journées de ce festival, à la fin de juillet, des artistes provenant d'Europe, des Antilles françaises, du Québec, du Canada français et d'Afrique présentent des spectacles où l'on découvre les talents et les spécialités de chacun. Tous les amateurs «francofous» se regroupent alors entre le complexe Desjardins et la Place des Arts, rue Sainte-Catherine, où se produisent plusieurs artistes aux divers accents francophones. De plus, d'autres spectacles sont proposés en salles. Une belle occasion de lâcher son fou et de s'approprier un bout de la Sainte-Cath!

Août

Débutant au cours de la dernière semaine du mois d'août et s'étendant jusqu'à la fête du Travail (début septembre), le **Festival international des films du monde de Montréal** (☎ *848-3883, www. ffm-montreal.org*) se tient dans diverses salles de cinéma de la ville. Pendant ces jours de compétition cinématographique, des films provenant de différents pays sont présen-

tés au public montréalais. À l'issue de la compétition, bon nombre de prix sont décernés aux films les plus méritoires; mentionnons la catégorie la plus prestigieuse: le Grand Prix des Amériques. Durant ces journées, des films sont présentés de 9h à minuit, pour le plus grand plaisir des cinéphiles. Des spectacles en plein air sont également présentés à la Place des Arts.

Octobre

Présenté au complexe Ex-Centris à la mi-octobre, le **Festival international du nouveau cinéma et des médias de Montréal** (☎ *847-1242, www. fcmm.com*) a pour vocation la diffusion et le développement du cinéma d'auteur et de la création numérique.

Décembre

Tous les ans, au mois de décembre, se tient, à la Place Bonaventure (*901 rue De La Gauchetière Ouest*), le **Salon des métiers d'art du Québec**. Cette exposition, qui dure une dizaine de jours, est l'occasion pour les artisans québécois d'exposer et de vendre les fruits de leur travail.

Événements sportifs

Hockey

Centre Bell
1260 rue De La Gauchetière O.
Billetterie: ☎ *790-1245 ou 800-361-4595*
www.canadiens.com
Les parties de hockey de la célèbre équipe du **Canadien de Montréal** (de la Ligue nationale de hockey) sont présentées au Centre Bell. On y joue 42 matchs durant la saison régulière. Puis débutent les séries éliminatoires, aux termes desquelles l'équipe gagnante remporte la légendaire coupe Stanley.

Baseball

Stade olympique
4141 av. Pierre-De Courbertin
Billetterie: ☎ *790-1245 ou 800-361-4595*
www.exposdemontreal.com
Dès le printemps, les **Expos de Montréal** (de la Ligue nationale de baseball) reçoivent au Stade olympique les diverses équipes de la Ligue nationale de base-ball.

Course automobile

Circuit Gilles-Villeneuve
Billetterie: ☎ *350-0000*
www.grandprix.ca
Le mois de juin est marqué par un événement d'envergure internationale qui captive une foule nombreuse d'amateurs de formules 1 venus de tous les coins du monde: le **Grand Prix du Canada**, qui a lieu à la mi-juin sur le circuit Gilles-Villeneuve du parc Jean-Drapeau, sur l'île Notre-Dame. Il s'agit sans conteste de l'un des événements les plus courus de l'été. Durant ces trois journées, on peut assister à diverses courses automobiles, notamment la vrombissante et spectaculaire course des voitures de formule 1.

Sorties

Tennis

Centre de tennis du parc Jarry
285 rue Faillon O.
Billetterie: ☎*790-1245 ou*
800-361-4595
www.tenniscanada.com
Au parc Jarry, situé à l'angle du boulevard Saint-Laurent et de la rue Jarry, les meilleurs joueurs ou joueuses de tennis du circuit mondial participent, chaque année au début du mois d'août, à la **Coupe Rogers At&T** (tennis féminin) ou aux **Masters de tennis du Canada** (tennis masculin). Les années paires, il s'agit d'une compétition de tennis féminin.

Cyclisme

Féria du vélo de Montréal
Billetterie: ☎*521-tour ou*
800-567-8356
www.velo.qc.ca/tour
La Féria du vélo de Montréal se tient à la fin mai et au début de juin, et se termine par le **Tour de l'Île**, qui a lieu le premier dimanche du mois de juin et qui attire quelque 30 000 cyclistes sur un parcours d'environ 50 km. Pendant la Féria, trois autres événement sont organisés: le Défi métropolitain, le Tour de l'Île des Enfants et Un Tour La Nuit.

Football

Stade Percival-Molson
475 av. des Pins O.
Billetterie: ☎*871-2255*
www.montrealalouettes.com
Les **Alouettes de Montréal** de la Ligue canadienne de football (LCF) jouent leurs matchs au stade Percival-Molson depuis 1998. La saison régulière débute à la fin du mois de mai, pour se terminer à la fin du mois d'octobre. Il faut assister, ne serait-ce qu'une seule fois, à une partie des Alouettes, pour profiter de la vue imprenable sur le centre-ville et, bien sûr, pour encourager l'équipe montréalaise, comme le feront les 20 000 spectateurs.

Soccer

Complexe sportif Claude-Robillard
1000 rue Émile-Journault
Billetterie: ☎*328-3668 ou*
790-1245
www.impactmontreal.com
L'**Impact de Montréal**, l'équipe de soccer de la métropole québécoise, présente, chaque année, ses matchs à domicile au complexe sportif Claude-Robillard, à compter de la mi-mai jusqu'à la fin août. Équipe professionnelle de la A-League internationale, l'Impact vous promet du vrai football européen comme il s'en joue sur le Vieux-Continent.

Qu'il s'agisse de créations québécoises ou d'articles d'importation, les boutiques montréalaises vendent une foule de marchandises toutes plus intéressantes les unes que les autres.

Pour vous aider dans votre magasinage, nous avons dressé une liste de boutiques qui se démarquent par la qualité, l'originalité ou les bas prix de leurs produits.

Ville souterraine

La construction de la Place Ville-Marie, en 1962, avec sa galerie marchande au sous-sol, marque le point de départ de ce que l'on appelle la «ville souterraine». Le développement de cette «cité sous la cité» est accéléré par la construction du métro, qui débute en 1966. Rapidement, la plupart des commerces, des édifices de bureaux et quelques hôtels du centre-ville sont stratégiquement reliés au réseau piétonnier souterrain et, par extension, au métro.

Aujourd'hui, on dénombre cinq zones importantes formant cette ville souterraine, devenue entre-temps la plus grande du

monde. La première est située en plein cœur du réseau du métro, autour de la station Berri-UQAM. S'y trouvent les accès aux bâtiments de l'Université du Québec à Montréal (UQAM) ainsi que ceux menant à la Place Dupuis et à la gare d'autocars (Station Centrale).

La seconde, entre les stations Place-des-Arts et Place-d'Armes, formée de la Place des Arts, du Musée d'art contemporain, des complexes Desjardins et Guy-Favreau ainsi que du Palais des congrès, constitue un ensemble culturel exceptionnel. La troisième dessert, à la station Square-Victoria, le centre des affaires.

La quatrième, qui est aussi la plus fréquentée et la plus importante, peut être identifiée aux stations McGill, Peel et Bonaventure. Elle englobe les centres commerciaux La Baie, le Centre Eaton, Les Ailes de la Mode, les Promenades de la Cathédrale, la Place Montréal Trust et les Cours Mont-Royal, ainsi que la Place Bonaventure, le 1000 De La Gauchetière, la Gare centrale et la Place Ville-Marie.

Finalement, on peut noter une cinquième zone, dans le secteur commercial entourant la station Atwater, qui avoisine le Westmount Square et la Place Alexis-Nihon.

Vêtements

L'industrie de la mode est florissante à Montréal. La ville est un carrefour multiethnique où quantité de couturiers québécois, canadiens, américains, italiens, français et autres présentent leurs dernières créations. Certaines artères, comme la rue Saint-Denis, l'avenue Laurier, le boulevard Saint-Laurent et la rue Sherbrooke, se distinguent par le nombre de boutiques de mode qui les bordent. Un petit tour dans ces boutiques vous permettra sans doute de découvrir quelques trésors à votre taille.

Centres commerciaux et grands magasins

Au centre-ville, plusieurs centres commerciaux disposent d'une bonne sélection de créations de couturiers. Des vêtements signés Jean-Claude Chacok, Cacharel, Guy Laroche, Lily Simon, Adrienne Vittadini, Mondi, Ralph Lauren et bien d'autres y sont présentés.

Les Ailes de la Mode
677 rue Ste-Catherine O.
☎ 282-4537

Les Cours Mont-Royal
1455 rue Peel
☎ 842-7777

Holt Renfrew
1300 rue Sherbrooke O.
☎ 842-5111

Ogilvy
1307 rue Ste-Catherine O.
☎ 842-7711

Place Montréal Trust
1500 av. McGill College
☎ 843-8000

Place Ville-Marie
1 Place Ville-Marie
☎ 861-9393

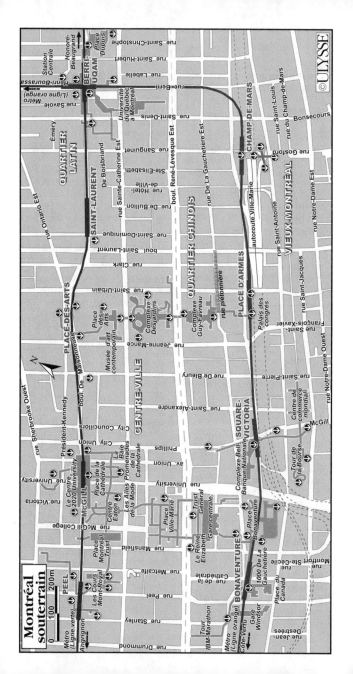

Montréal souterrain

0 100 200m

© ULYSSE

Métro (Ligne verte)

Métro (Ligne orange)

PEEL

Les Cours Mont-Royal

rue Peel

rue Stanley

rue Drummond

rue Metcalfe

rue Mansfield

rue University

av. Union

City Councillors

rue De Bleury

McGILL

Le Centre 2020 University

Place Montréal Trust

Place de la Cathédrale

La Baie

Les Ailes de la Mode

Centre Eaton

Place McGill College

rue University

PLACE-DES-ARTS

Place des Arts

Musée d'art contemporain

Complexe Desjardins

Complexe Guy-Favreau

rue Jeanne-Mance

rue Saint-Urbain

rue Clark

boul. Saint-Laurent

rue Saint-Dominique

rue De Bullion

QUARTIER CHINOIS

rue piétonnière

SAINT-LAURENT

QUARTIER LATIN

De Boisbriand

Émery

rue Ontario Est

Université du Québec à Montréal

rue Saint-Denis

rue Sainte-Catherine Est

Ste-Elisabeth

Hôtel-de-Ville

boul. René-Lévesque Est

rue Sanguinet

rue De La Gauchetière Est

BERRI-UQAM

Station Centrale

Honoré-Beaugrand

Métro (Ligne orange)

Henri-Bourassa

rue Savoie

Place Dupuis

rue Labelle

rue Saint-Hubert

rue Saint-Christophe

CENTRE-VILLE

boul. De Maisonneuve

rue Sherbrooke Ouest

Président-Kennedy

rue University

rue Victoria

rue McGill College

McGill College

Phillips

rue Sainte-Catherine

rue Saint-Alexandre

N

rue De La Gauchetière

rue de la Cathédrale

BONAVENTURE

1000 De La Gauchetière

Place du Canada

Place Bonaventure

Le Reine-Elizabeth

Gare centrale

Place Ville-Marie

Trust Général

rue Mansfield

rue Metcalfe

rue de la Cathédrale

Gare Windsor

Tour IBM-Marathon

Côte-Vertu

rue Jean-d'Estrées

Montfort Ste-Cécile

SQUARE-VICTORIA

Complexe Bell - Banque Nationale

Centre de commerce mondial

Tour de la Bourse

Palais des congrès

PLACE D'ARMES

rue Saint-Antoine

autoroute Ville-Marie

rue Saint-Pierre

rue Saint-François-Xavier

rue Saint-Jacques

rue Notre-Dame Ouest

VIEUX-MONTRÉAL

CHAMP-DE-MARS

rue Gosford

rue du Champ-de-Mars

rue Saint-Louis

Bonsecours

rue Notre-Dame Est

rue du Champ-de-Mars

Les Promenades de la Cathédrale
625 rue Ste-Catherine O.
☎*849-9925*

À Québec depuis 1840, les magasins **Simons** *(977 rue Ste-Catherine O.,* ☎*282-1840)* font partie des habitudes de magasinage de plusieurs Québécois. En 1999, Simons a finalement ouvert une succursale à Montréal, geste attendu depuis plusieurs années par certains! Dans ce grand magasin à rayons au décor design et agréable, vous trouverez de quoi habiller hommes, femmes et enfants des pieds à la tête, et ce, dans plusieurs styles différents. On y vend aussi des accessoires de mode et de la literie.

Certains grands magasins présentent des créations de couturiers dans un large éventail de prix. On y retrouve également des créations de couturiers canadiens, entre autres Simon Chang, Jean-Claude Poitras et Alfred Sung, et de couturiers étrangers, comme Mondi, Liz Claiborne, Jones New York et Adrienne Vittadini. Ces magasins ont également en montre de beaux vêtements de cuir à bon prix.

La Baie
585 rue Ste-Catherine O.
☎*281-4422*
Les jeunes et les moins jeunes trouveront de quoi se vêtir, sans payer trop, chez Gap, Jacob, Bedo, America, Tristan et Iseut, qui proposent des vêtements sport, des chandails de laine, des jeans et des chemisiers confortables.

Le Centre Eaton
705 rue Ste-Catherine O.
☎*288-3759*
Plus grand centre commercial urbain de Montréal, le Centre Eaton regroupe 175 boutiques, entreprises de services et restaurants, six salles de cinéma, un bureau de change ainsi qu'un stationnement intérieur.

Vêtements de femme

La Cache *(3941 rue St-Denis,* ☎*842-7693; 1353 av. Green,* ☎*935-4361)* est une chaîne canadienne de vêtements de qualité confectionnés dans de beaux tissus aux teintes riches et aux motifs originaux, inspirés de la nature et de la culture de l'Inde, où ils sont fabriqués à la main.
Une adresse à connaître à Outremont, pour les femmes qui sont prêtes à toutes les folies pour être habillées comme personne: **Henriette L.** *(1031 av. Laurier O.,* ☎*277-3426).*

La boutique des **Mains folles** *(4427 rue St-Denis,* ☎*284-6854)* affiche, rue Saint-Denis, sa belle façade ornée de bas-reliefs accrocheurs. On y trouve des robes, des jupes et des chemises fabriquées avec de beaux tissus colorés importés directement de Bali. Quelques beaux bijoux se marient bien à ces vêtements.

Parce que nul n'est besoin de parcourir les rues de Paris pour découvrir de grandes créations, **Revenge** *(3852 rue St-Denis,* ☎*843-4379)* propose aux deux sexes vêtements et accessoires amoureusement créés par des designers québécois pleins de talents.

Aime Com Moi
156 av. du Mt-Royal E.
☎*982-0088*
Prêt-à-porter pour femmes.

Boutique Nadya Toto
2057 rue de la Montagne
☎*350-9090*
Prêt-à-porter pour femmes. Expositions d'œuvres d'artistes.

Lyla Collection
400 av. Laurier O., local 200
☎*271-0763*
Pour femmes: lingerie, maillots et autres vêtements d'appoint. Expositions d'œuvres d'artistes.

Muse
4467 rue St-Denis
☎*848-9493*
Prêt-à-porter pour femmes libres et romantiques.

Musky Design
3917-B rue St-Denis
Prêt-à-porter pour femmes.

Vêtements d'homme

Le centre-ville de Montréal compte de fort belles boutiques pour qui veut bien s'habiller, notamment **Eccetera... & Co** *(2021 rue Peel,* ☎*845-9181),* **Uomo** *(1452 rue Peel,* ☎*844-*

1008), **Il n'y a que deux** *(1405 rue Crescent,* ☎*843-5665).* Pour des vêtements plus sport, optez plutôt pour **Old River** *(1115 rue Ste-Catherine O.,* ☎*843-7828).*

La boutique de vêtements d'homme **Pierre, Jean, Jacques** *(50 av. Laurier O.,* ☎*270-8392)* s'est installée sur la très sélecte avenue Laurier où la proprié-taire conseille, avec profession-nalisme, la gente masculine de tout âge. Alors, si vous n'avez plus rien à vous mettre sur le dos, n'hésitez à faire appel à ses services.

Dubuc Mode de Vie
4451 rue St-Denis
☎*282-1424*
Prêt-à-porter pour hommes et femmes. Accessoires.

Magique Society
4435 rue St-Denis
☎*844-9702*
Vêtements urbains décontrac-tés pour hommes et femmes.

Rudsak
1400 rue Ste-Catherine O.
☎*399-9925*
Prêt-à-porter pour hommes et femmes. Accessoires, vête-ments de cuir et d'autres tissus.

Chapeaux

Chapeau melon, de fourrure ou ornée de ruban, casquette de laine ou béret, petit ou grand, noir, beige ou blanc... voici deux bonnes adresses où aller fouiner à Montréal:

Achats

Chapofolie
3944 rue St-Denis
☎*982-0036*

Henri Henri
189 rue Ste-Catherine E.
☎*288-0109*

Lingerie

Envie d'une folie en dentelle?
Les boutiques **Deuxième Peau**
(4457 rue St-Denis, ☎*842-0811)*,
Lyla Collection *(400 av. Laurier
O.,* ☎*271-0763)* et **Madame
Courval** *(4861 rue Sherbrooke
O.,* ☎*484-5656)* présentent une
très belle sélection de dessous
féminins. Outre ces vêtements
de première nécessité, des
maillots de bain y sont également vendus.

Fourrure

Montréal est réputée comme
centre de la fourrure depuis
nombre d'années. Des designers y créent toujours des
vêtements de style à partir des
plus belles peaux.

Desjardins Fourrure
325 boul. René-Lévesque E.
☎*288-4151*

Fourrure Oslo
2863A boul. Rosemont
☎*721-1271*

Harricana Atelier-Boutique
10 rue Ontario O., local 202b
☎*287-6517*
Fourrures recyclées: vêtements
et accessoires.

McComber
402 boul. De Maisonneuve O.
☎*845-1167*

Jeans

Le jean se vend sous toutes ses
formes à Montréal, et souvent à
bien meilleur prix qu'en Europe.

Les inconditionnels de la
marque de jeans **Levi's** *(705
rue Ste-Catherine O., Centre
Eaton,* ☎*286-1574; 1241 rue Ste-
Catherine O.,* ☎*288-8199)*
seront comblés à ces deux
boutiques où l'on ne vend que
des vêtements portant cette
signature.

Enfants

Les parents qui sont prêts à
mettre le prix pour que leurs
enfants soient habillés comme
des princes et princesses seront
séduits par la boutique **Enfants
Deslongchamps** *(1007 av.
Laurier O.,* ☎*274-2442)*. Petits
budgets, s'abstenir!

Chez **Fiou** *(3922 rue St-Denis,*
☎*844-0444)*, on habille les
bébés et les enfants de huit ans
et moins. De beaux vêtements
de qualité de marques connues
sont proposés par un patron
qui a du métier.

Peek a Boo *(807 rue Rachel E.,*
☎*890-1222)* est une sympathique boutique de vêtements
et accessoires de seconde
main. Du pyjama au porte-

bébé, vous y trouverez toutes sortes d'articles propres et abordables pour chouchouter bébé.

Boutique La Petite Ferme du Mouton Noir *(1298 rue Beaubien E., ☎271-9760)*. Basée sur son expérience de mère de deux chérubins, la jeune créatrice de la ligne de vêtements Le Mouton Noir a su développer une collection qui marie parfaitement esthétique, confort et fonctionnalité. Son secret: des coupes qui favorisent le mouvement et des tissus faciles d'entretien que les enfants aiment porter, mais, surtout, la conception (on essaie de penser autant à la mère active qu'à l'enfant).

Pom'Canelle *(4860 rue Sherbrooke O., ☎483-1787)* est une autre adresse à connaître pour habiller les tout-petits.

Articles de plein air

Altitude *(4140 rue St-Denis, ☎847-1515)* est une petite boutique de plein air du Plateau Mont-Royal. Petite mais bien remplie de tentes, sacs à dos, bottes de marche, vêtements, etc. L'accueil y est amical et les conseils judicieux.

Intégrée dans la rutilante bâtisse du cinéma Quartier latin, la boutique **Atmosphere** *(1610 rue St-Denis, ☎844-2228)* propose, sur une grande surface aérée, tous les types d'articles de plein air. On y trouve entres autres l'excellente marque québécoise de vêtements et accessoires Chlorophylle. Atmosphere se spécialise dans les sports nautiques et vend les canots et kayaks qui ornent la boutique, et qui donnent envie de pagayer!

La boutique **Azimut** *(1781 rue St-Denis, ☎844-1717)* vend, entre autres choses, les articles et vêtements de plein air Kanuk, fabriqués au Québec depuis une vingtaine d'années. On y trouve aussi plusieurs autres vêtements de qualité et toutes sortes d'équipement: tentes, sacs de couchage, imperméables, etc.

La Cordée *(2159 rue Ste-Catherine E., ☎524-1106)* a ouvert ses portes en 1953 pour fournir de l'équipement aux scouts et guides de la région. Depuis, elle dessert une vaste clientèle d'amateurs et de professionnels qui recherchent de l'équipement de plein air de qualité. Agrandie et rénovée en 1997, La Cordée présente sans doute la plus grande surface de plein air à Montréal, et ses locaux, au design attrayant, permettent de magasiner dans un environnement agréable.

L'entreprise **Kanuk** *(485 rue Rachel E., ☎527-4494)* fabrique des sacs à dos, des sac de couchage et des vêtements de plein air. Aménagé près d'une de leurs manufactures, leur vaste entrepôt de la rue Rachel vous permet d'y acheter leurs produits. Parmi ceux-ci, retenez les manteaux d'hiver en plusieurs modèles différents. Ils sont très populaires auprès des Québécois, car ils protègent bien du froid.

La Maison des cyclistes *(1251 rue Rachel E., ☎521-8356),* comme son nom l'indique, propose différents services aux amateurs de cyclotourisme. On y trouve, entre autres, un café et une boutique qui vend des guides, des cartes et de petits accessoires qui peuvent être utiles à ceux qui désirent explorer Montréal et le Québec en vélo.

Mountain Equipment Co-op *(Marché Central, 8989 boul. de l'Acadie, angle rue Legendre, ☎788-5878),* une chaîne canadienne spécialisée dans l'équipement de plein air, a ouvert une succursale à Montréal il y a quelques mois. L'entreprise est notamment réputée pour ses vêtements de grande qualité. Tout le monde est invité à se joindre à la coopérative (5$ pour devenir membre à vie), comme l'ont

déjà fait quelque 127 000 Québécois.

Le Yéti *(5190 boul. St-Laurent, ☎271-0773)* est une belle grande boutique où l'on trouve des vélos ainsi que des articles et vêtements de plein air.

Librairies

Il existe à Montréal des librairies aussi bien francophones qu'anglophones. Les livres québécois, canadiens et américains s'y vendent à bon prix. Pour ceux qui s'intéressent à la littérature québécoise, les librairies disposent d'une large sélection. En raison du transport, les livres importés d'Europe se vendent un peu plus cher.

Librairies généralistes

Archambault
500 rue Ste-Catherine E.
☎**849-6201**
Place des Arts
175 rue Ste-Catherine O.
☎**281-0367**

Chapter's
(francophone et anglophone)
1171 rue Ste-Catherine O.
☎**849-8825**

Coles
(francophone et anglophone)
1 Place Ville-Marie
☎**861-1736**
Promenades de la Cathédrale
625 rue Ste-Catherine
☎**289-8737**

Librairie Gallimard
3700 boul. St-Laurent
☎*499-2012*

Paragraphe
(anglophone)
2220 McGill College
☎*845-5811*

Le Parchemin
505 rue Ste-Catherine E.
☎*845-5243*

Renaud-Bray
5252 ch. de la Côte-des-Neiges
☎*342-1515*
3660 rue St-Denis
☎*288-0952*
4380 rue St-Denis
☎*844-2587*
4301 rue St-Denis
☎*499-3656*
Complexe Desjardins
☎*288-4844*
5117 av. du Parc
☎*276-7651*
1432 rue Ste-Catherine O.
☎*876-9119*
1155 Ste-Catherine O.
☎*876-9119*
1155 rue Ste-Catherine E.
☎*527-4477*
1691 rue Fleury E.
☎*384-9920*

Librairies spécialisées

Double Hook
(Canada anglais)
1235A av. Greene
☎*932-5093*

Éditions Paulines
(religion)
4362 rue St-Denis
☎*849-3585*

Librairie ABYA-YALA
*(livres sur les Amériques en
français, anglais, espagnol et
portugais)*
4555 boul. St-Laurent
☎*849-4908*

Librairie Allemande
(livres en allemand)
3488 ch. de la Côte-des-Neiges
☎*933-1919*

Librairie Boule de Neige
(ésotérisme et Nouvel Âge)
4433 rue St-Denis
☎*849-0959*

Librairie C.E.C. Michel Fortin
(éducation, langues)
3714 rue St-Denis
☎*849-5719*

**Librairie du Centre Canadien
d'Architecture**
(architecture)
1920 rue Baile
☎*939-7028*

Librairie Italiana
(livres en italien)
6792 boul. St-Laurent
☎*277-2955*

Librairie Las Américas
*(livres en espagnol, principale-
ment d'auteurs latino-améri-
cains)*
10 rue St-Norbert
☎*844-5994*

Librairie Nouvel Âge
(ésotérisme et Nouvel Âge)
1707 rue St-Denis
☎*844-1719*

Achats

Librairie-bistrot Olivieri
(littérature étrangère, sciences humaines)
5219 ch. de la Côte-des-Neiges
☎ *739-3639*

Librairie Olivieri
(arts)
Musée d'art contemporain
de Montréal
185 rue Ste-Catherine O.
☎ *847-6903*

Librairie Ulysse
(voyage)
4176 rue St-Denis
☎ *843-9447*
560 av. du Président-Kennedy
☎ *843-7222*

Maison de la Bible
Promenades de la Cathédrale
625 rue Ste-Catherine O.
☎ *848-9777*

Magazines et revues

**La Maison de la Presse
internationale**
550 rue Ste-Catherine E.
☎ *842-3857*
4261 rue St-Denis
☎ *289-9323*

Cartes routières

La **Librairie Ulysse** *(4176 rue St-Denis, ☎843-9447; 560 av. du Président-Kennedy, ☎843-7222)* dispose d'une belle sélection de cartes routières et de plans de villes.

Pour des cartes topographiques du Québec, il faut faire un saut

aux **Quatre points cardinaux** *(551 rue Ontario E., ☎843-8116)*.

Papeteries

L'art de la fabrication du papier existe. Si vous en doutez, rendez-vous **Aux papiers japonais** *(21 rue Fairmount O., ☎276-6863)*, où l'on vend des papiers d'une texture à nulle autre pareille, parfaits pour l'origami ou les occasions spéciales. Il est possible de se familiariser avec la technique de fabrication, des cours y étant parfois offerts.

Si vous cherchez un petit cadeau original douillettement entouré dans un soyeux papier pelure, le tout présenté dans un élégant papier d'emballage, vous le trouverez à l'agréable boutique **Carton** *(4068 rue St-Denis, ☎844-9663)*, où les idées ne manquent pas. Ah oui! n'oubliez pas la carte de vœux!

Papier pelure, papier chiffon, papier cristal, papier à lettres ou tout simplement papier d'emballage, vous en trouverez pour tous les goûts à **L'Essence du papier** *(4160 rue St-Denis, ☎288-9691; aussi chez Ogilvy, 1307 rue Ste-Catherine O., ☎842-7711)*. Cartes postales, rubans, stylos de grandes marques et même encriers et plumes vous y sont également présentés.

Si vous n'avez pas trouvé ce qu'il vous faut, rendez-vous

chez **Farfelu** *(843 av. du Mt-Royal E.,* ☎*528-6251),* qui regorge de rubans colorés et de papiers d'emballage, de quoi faire les plus beaux paquets-cadeaux.

Westmount et Outremont comptent également deux fort belles papeteries fines, soit respectivement **Origami Plus** *(1369 av. Greene,* ☎*938-4688)* et **Papillote** *(1126 av. Bernard O.,* ☎*271-6356).*

Disques et cassettes

Certains grands magasins se font un point d'honneur de proposer la plus grande sélection de disques compacts dans une grande sélection de style musicaux et au meilleur prix. Parmi ceux-ci, mentionnons:

Archambault
500 rue Ste-Catherine E.
☎*849-6201*
Place des Arts
175 rue Ste-Catherine O.
☎*281-0367*

HMV
1020 rue Ste-Catherine O.
☎*875-0765*

Music World
Complexe Desjardins
150 rue Ste-Catherine O.
☎*845-7796*

D'autres magasins se spécialisent plutôt dans les disques d'occasion et dans certains styles musicaux bien particu-liers. Ainsi, **Cheap Thrills** *(2044 rue Metcalfe,* ☎*844-8988)* présente une grande sélection de disques de jazz, tant neufs qu'usagés.

Rayon laser *(3656 boul. St-Laurent,* ☎*848-6300)* se distingue, quant à lui, pour ses disques neufs et usagés de musique alternative.

Instruments de musique

Un incontournable à Montréal en matière d'instruments de musique et d'accessoires: **Steve's Music Store** *(51 rue St-Antoine O.,* ☎*878-2216),* qui a pignon sur rue depuis de nombreuses années. Attention toutefois, malgré sa popularité et ses produits de belle qualité, il n'accepte toujours pas les cartes de crédit.

Appareils électroniques

En ce qui a trait aux téléviseurs couleur, ordinateurs et autres produits électroniques, un établissement se targue d'offrir les meilleurs prix: **Future Shop** *(470 rue Ste-Catherine O.,* ☎*393-2600).* Il est fréquent que les prix soient bons, mais, avant d'acheter, comparez.

Pour tout ce qui concerne le téléphone, il vaut toujours mieux préférer les spécialistes: **Espace Bell** *(705 rue Ste-Cathe-*

Achats

rine O., ☎288-8436; *Place Du-puis, 1475 rue St-Hubert*, ☎844-1313).

Sur le boulevard Saint-Laurent entre la rue Ontario et la rue Sherbrooke, plusieurs boutiques vendent des appareils électroniques en tout genre. Le marchandage y est de mise; comptez payer de 10% à 20% de moins que le prix affiché.

Boutiques d'informatique

Logiciels dernier cri et leurs manuels, ordinateurs, imprimantes et autres produits informatiques:

Camelot Info
1191 rue du Square-Phillips
☎*861-5019*

CD-ROM Dépôt
7275 rue Sherbrooke E., bureau 155
☎*353-1015*

Dumoulin Informatique
8390 rue St-Hubert
☎*388-4777*
2050 boul. St-Laurent
☎*288-7755*

Micro Boutique
6615 av. du Parc
☎*270-4477*

Softmagic Computer Software
9760 boul. Henri-Bourassa O.
☎*335-0195*

Art et artisanat

Artisanat d'ici

Parmi les pièces d'artisanat d'ici, il faut inclure tant les créations québécoises que canadiennes, amérindiennes et inuites. Tous les ans, quelques jours avant Noël, se tient, à la Place Bonaventure *(901 rue De La Gauchetière O.)*, le **Salon des métiers d'art du Québec**. Une belle foire, qui est l'occasion pour les artisans québécois d'exposer et de vendre les fruits de leur travail. Sinon, si vous voulez vous procurer des pièces d'artisanat québécois, allez fouiner au **Rouet** *(1500 av. McGill College*, ☎843-5235*)*. Plusieurs artisans (émailleurs, sculpteurs, potiers, etc.) y vendent leur production toute l'année.

La **Guilde canadienne des métiers d'arts** *(1460 rue Sherbrooke O.,* ☎849-6091*)* dispose d'une boutique où sont présentées des pièces d'artisanat québécois et canadien. En outre, deux petites galeries ont en montre des pièces d'art inuites et amérindiennes.

Le Chariot *(448 place Jacques-Cartier,* ☎875-6134*)* mérite bien une visite, ne serait-ce que pour contempler les belles pièces d'art amérindiennes et inuites qui y sont vendues.

Le **marché Bonsecours** *(390 rue St-Paul E.,* ☎878-2787*)* est l'endroit où aller magasiner si vous êtes friand d'artisanat, si vous aimez les produits des métiers d'art ou si vous préférez les objets très design. Parmi les boutiques-galeries où l'on se doit de faire un saut, mentionnons la Galerie des métiers d'art et la Galerie de l'Institut de Design Montréal.

Artisanat d'ailleurs

Afrique, berceau de l'humanité, avec ses masques inquiétants, ses tissus enivrants et son artisanat fascinant: venez la découvrir à la boutique **Giraffe** (*3997 rue St-Denis*, ☎*499-8436*). Difficile d'y résister!

L'artisan iranien cisèle, décore ou tisse avec la plus grande minutie, créant de petits trésors géométriques de bronze ou de soie, de bois et de nacre. Quelques beaux objets faits par des artisans de cette lointaine contrée sont vendus à La **Galerie Ima** (*3839A rue St-Denis*, ☎*499-2904*).

Galeries d'art

Les galeries d'art à Montréal sont légion. Difficile de les décrire, car elles se transforment au gré des expositions; il faut donc s'y rendre et se laisser inspirer...

Galerie Clarence Gagnon
301 rue St-Paul E.
☎*875-2787*

Galerie Claude Lafitte
1270 rue Sherbrooke O.
☎*842-1270*

Galerie Dominion
1438 rue Sherbrooke O.
☎*845-7471*

Galerie Jean-Pierre Valentin
1490 rue Sherbrooke O.
☎*939-0500*

Waddington & Gore
1550 av. du Docteur-Penfield
☎*847-1112*

Verre d'art

Elena Lee
1428 rue Sherbrooke O.
☎*844-6009*

Œuvres contemporaines et avant-gardistes

Centre d'art et de diffusion Clark
The Fashion Plaza
5455 av. de Gaspé, local 114
☎*288-4972*

Galerie Michel-Ange
430 rue Bonsecours
☎*875-8281*

Galerie Oboro
4001 rue Berri
☎*844-3250*

Galerie Samuel Lallouz
4295 boul. St-Laurent
☎*849-5844*

Galerie Simon Blais
4521 rue Clark, local 100
☎*849-1165*

Achats

Galerie Skol
460 rue Ste-Catherine O.,
local 511
☎*398-9322*

Galerie Trois Points
372 rue Ste-Catherine O., local 520
☎*866-8008*

Les maisons de la culture et l'Université du Québec à Montréal (UQAM) présentent également de belles expositions d'œuvres d'artistes d'ici.

Matériel artistique

Fusains, pastels, gouache, cahiers à dessin, encre de Chine, trépieds et autres produits nécessaires à la réalisation de tout chef-d'œuvre:

Omer DeSerres
334 rue Ste-Catherine E.
☎*842-6637*
2134 Ste-Catherine O.
☎*938-4777*

Antiquaires et brocanteurs

À Montréal, des antiquaires et des brocanteurs proposent une foule de marchandises hétéroclites qui sauront plaire aux goûts de chacun. Les personnes désirant acheter de belles antiquités, sans se soucier du prix, pourront aller se balader sur la section de la rue Sherbrooke qui traverse Westmount où bon nombre d'antiquaires ont pignon sur rue. Si vous préférez chercher des trésors de toutes

catégories de prix, allez plutôt chez les brocanteurs installés sur la rue Notre-Dame, près de la rue Guy. Voici quelques adresses où l'on peut acheter de beaux meubles:

David S. Brown
2125 rue de la Montagne
☎*844-9866*

Henrietta Anthony
4192 rue Ste-Catherine O.
☎*935-9116*

Le Petit Musée
1494 rue Sherbrooke O.
☎*937-6161*

Proulx et Symnet
2695 rue Notre-Dame O.
☎*939-2146*

Pour la maison

Pour recevoir «comme du monde», **Arthur Quentin** *(3960 rue St-Denis,* ☎*843-7513)* vous propose un joli choix de vaisselles, de nappes et d'ustensiles, depuis l'écraseur de gousses d'ail jusqu'à la pince à sucre pour éviter de se sucrer les doigts!

Ouvert seulement du jeudi au samedi, le petit **Atelier** *(jeu-ven 10h à 18h, sam 10h à 17h; 4247 rue St-André,* ☎*843-7513)* de la rue Saint-André sert de solderie aux boutiques Arthur Quentin (voir ci-dessus) et Bleu Nuit (voir plus bas) de la rue Saint-Denis. Allez y faire un tour afin de dénicher des petites choses pour rehausser votre décor à bas prix.

Aux **Artisans du Meuble Québécois** (*88 rue St-Paul E.*, ☎*866-1836*), on s'inspire des lignes des meubles québécois d'antan pour fabriquer des meubles neufs, de quoi redonner une âme aux demeures modernes.

Il n'y a pas que les grands qui méritent les plus jolis meubles: les tout-petits ont également leur mot à dire! **Jeunes d'ici Meubles** (*134 av. Laurier O.*, ☎*270-5512*) a tout prévu pour répondre aux besoins (et aux envies) des enfants.

À **La Cache** (*3941 rue St-Denis*, ☎*842-7693; 1353 av. Green*, ☎*935-4361*), on trouve aussi de jolis objets pour la maison ainsi que de la literie.

Caplan Duval 2000 (*5800 boul. Cavendish*, ☎*483-4040*) est idéal pour qui veut faire son trousseau sans se ruiner, car l'établissement regorge de vaisselles de porcelaine, de vases et verres en cristal, vendus à bas prix.

Un goût de baroque? Une envie de classique? Un besoin d'exotique? Vous trouverez de quoi satisfaire vos envies de décoration à la boutique **Côté Sud** (*4338 rue St-Denis*, ☎*289-9443*). Mobiliers, miroirs, tentures ou boutons de porte stylisés, mais aussi tapis de bain, vaisselles et bougeoirs: tout y est!

Interversion (*4273 boul. St-Laurent*, ☎*284-2103*) vend des meubles et des objets de créateurs québécois. Ses trois étages recèlent de très belles choses vendues à des prix très abordables. La sélection proposée, bien que contemporaine, se veut en général sans âge et fait le plus souvent appel au bois comme matériau. Une façon de meubler son intérieur d'une manière originale et de s'entourer d'une bonne dose de créativité.

Difficile d'entrer à la **Maison d'Émilie** (*1073 av. Laurier O.*, ☎*277-5151*) et de ressortir les mains vides, tant les articles de cuisine, les nappes, les verres, la porcelaine et les mille autres choses pour décorer la table y sont beaux (mais parfois chers).

Nordsouth Inc. (*50 rue St-Paul O.*, ☎*288-1292*) propose, dans un espace exigu, du mobilier et des objets contemporains créés par des designers québécois. Le style rencontré ici se veut en général résolument moderne.

Vous avez un cadeau à offrir mais vous manquez d'idées? Courez vite chez **Zone** (*4246 rue St-Denis*, ☎*845-3530; 5014 rue Sherbrooke O.*, ☎*489-8901*), où, avec leurs porte-clés style kitsch, leurs bougeoirs stylisés, leurs porte-savons déco ou leurs luminaires d'ambiance, vous ferez sûrement des heureux!

Achats

Literie

Que la nuit est douce quand on est enveloppé dans de beaux draps de coton! Chez **Bleu Nuit** *(3913 rue St-Denis,* ☎*843-5702),* on conseille tous ceux qui ont les «bleus» la nuit, à condition d'y mettre un certain prix!

Parce que le blanc reflète la totalité des couleurs, **Carré Blanc** *(3999 rue St-Denis,* ☎*847-0729)* propose un grand choix de draps et des taies de toutes couleurs à des prix abordables, pour une nuit sans moutons.

Pour des housses de douillettes et des draps aux coloris chauds et raffinés: **Décor Marie Paule** *(1090 av. Laurier O.,* ☎*273-8889).*

Linen Chest *(Promenades de la Cathédrale, 625 rue Ste-Catherine O.,* ☎*282-9525).* Le «supermarché» de la literie, pour ceux qui aiment avant tout avoir le choix.

Affiches

Pour orner vos murs avec les affiches des films qui vous ont fait vibrer, choisissez-en parmi celles de la boutique **À L'Affiche** *(4415 rue St-Denis,* ☎*845-5723).*

Pour s'offrir les reproductions de Renoir, Van Gogh, Fortin ou Borduas, il faut plutôt essayer du côté de l'**Atelier 68** *(5170 boul. St-Laurent,* ☎*276-2872)* ou de la **Galerie Montréal Images** *(3854 rue St-Denis,* ☎*284-0192; 3620 boul. St-Laurent,* ☎*842-0160).*

Fleurs

Dites-le avec des fleurs!

La Boutique du Fleuriste
1011 av. Bernard O.
☎**276-3058**

Fauchois Fleurs
3933A rue St-Denis
☎**844-4417**

Fleuriste Pourquoi pas
3629 boul. St-Laurent
☎**844-3233**

Madame Lespérance
1135A av. Laurier O.
☎**277-2173**

Marcel Proulx
3835 rue St-Denis
☎**849-1344**

Marie Vermette
801 av. Laurier E.
☎**272-2225**

Westmount Florist
360 av. Victoria
☎**488-9121**

On vend aussi de fort beaux vases en terre cuite importés du Mexique, de Thaïlande ou d'Indonésie dans les boutiques suivantes:

Alpha
230 rue Peel
☎**935-1812**

Caméléon Vert
1300 rue St-Antoine O.
☎*937-2481*

Alimentation

Épiceries fines

À **L'Aromate** *(1106 av. du Mt-Royal E.,* ☎*521-6333)*, on trouve de tout pour assaisonner ses plats préférés. Des épices, des herbes, des confitures, des ketchups, en plus de quelques objets pour enjoliver sa cuisine.

Une épicerie allemande au cas où vous auriez une envie subite de choucroute et de saucisses: **Atlantic Meat & Delicatessen** *(5060 ch. de la Côte-des-Neiges,* ☎*731-4764)*.

L'épicerie Gourmet Laurier *(1042 av. Laurier O.,* ☎*274-5601)* propose une sélection bien spéciale de fromages.

La **Maison des Pâtes Fraîches** *(865 rue Rachel E.,* ☎*527-5487)* est une délicieuse épicerie fine aux odeurs d'Italie. Des fromages, des olives et des câpres, des viandes froides, des biscuits et des *gelati*, et bien sûr, de délicieuses pâtes et leurs sauces onctueuses: vous y trouverez de tout pour vous concocter un bon petit repas. De plus, on y prépare sur place des plats chauds, savoureux et abordables qui font le bonheur des travailleurs du quartier!

Empanadas, salsa, tortillas, etc.: le **Supermarché Andes Gloria** *(4387 boul. St-Laurent,* ☎*848-1078)* propose des produits et des mets venus des quatre coins de l'Amérique latine.

Au cœur de la Petite Italie, **Milano** *(6862 boul. St-Laurent,* ☎*273-8558)* est une belle grande épicerie débordante de produits fins venus d'Europe: pâtes fraîches, chocolat, *proscuitto, provolone,* etc.

Salami, lard fumé, *chorizos,* saucisses aux légumes, foie gras, olives... L'Europe vous manque? Rendez-vous à **La Vieille Europe** *(3855 boul. St-Laurent,* ☎*842-5773)*, où, en prime, vous attend une gigantesque sélection de fromages à des prix défiant toute concurrence. Aussi, on y offre un excellent choix de cafés.

Dans le Quartier chinois, il est possible de se procurer les ingrédients qui entrent dans la composition des principaux plats de la cuisine chinoise.

Boulangeries

Boulangerie Monsieur Pinchot *(4354 rue De Brébeuf,* ☎*522-7192)*. Si vous souhaitez faire un petit pique-nique le long de la piste cyclable, pénétrez dans cette boulangerie artisanale, mignonne comme tout, qui propose de délicieux produits de qualité.

Comment parler des boulangeries de Montréal sans parler des *bagels* ?... Ces petits pains, qui font partie à l'origine de l'alimentation casher, font la réputation de Montréal à travers le monde. Il semblerait en effet qu'ils soient meilleurs ici qu'ailleurs. Peu importe, car ils sont souvent délicieux et toujours appréciés. Diverses boulangeries, surtout dans Outremont et le Mile-End, en préparent plusieurs variétés dans leur four à bois. Mentionnons entre autres la **Fairmount Bagel Bakery** *(74 Fairmount O., ☎272-0667)*, ouverte 24 heures sur 24, et le **Bagel Shop** *(158 St-Viateur O., ☎270-2972)*.

Le **Faubourg Sainte-Catherine** *(1616 rue Ste-Catherine O., ☎939-3663)* offre un excellent choix de produits frais dans un décor moderne et élégant.

Le **Fromentier** *(1375 av. Laurier E., ☎527-3327)* est une boulangerie artisanale qui offre une large gamme de pains tous plus délicieux les uns que les autres. Il est encore possible d'y voir les boulangers s'affairer aux fourneaux.

Première Moisson n'est pas ce que l'on pourrait appeler une boulangerie artisanale puisqu'il s'agit d'une chaîne de plusieurs boutiques. Cependant, c'est dans chacune d'elles que l'on prépare la délicieuse fournée du jour. On y vend aussi des charcuteries, des gâteaux, du chocolat et des plats préparés. En plus d'avoir une succursale dans chacun des trois marchés

publics de la ville, Première Moisson possède des boulangeries entre autres à la Gare centrale, au 1271 de l'avenue Bernard Ouest et au 860 de l'avenue du Mont-Royal Est.

Quant à elle, la **Boulangerie Au Pain Doré** *(3075 rue de Rouen, ☎528-8877)* fournit baguettes et délices de blé ainsi que pâtisseries et gâteaux à plusieurs bons restaurants de Montréal qui ne jurent plus que par elle. Le nombre de ses points de vente atteste le succès de l'entreprise. Voici quelques adresses de ces magasins au détail: 556 de la rue Sainte-Catherine Est, 3611 du boulevard Saint-Laurent, 6840 de la rue Marquette, 1415 de la rue Peel, 1145 de l'avenue Laurier Ouest, 3895 de la rue Saint-Denis, 1357 de l'avenue du Mont-Royal Est.

Fromageries

À **La Foumagerie** *(4906 rue Sherbrooke O., ☎482-4100)*, ce sont des bries, des chèvres, des bleus, des fromages au lait cru et bien d'autres encore que l'on retrouve.

Fromagerie Hamel *(220 rue Jean-Talon E., ☎272-1161)*. On trouve une panoplie de petits commerces dignes de mention autour du marché Jean-Talon, mais la Fromagerie Hamel, un des plus grands spécialistes en ville, se démarque par la qualité et le vaste choix de ses produits fins ainsi que par l'excellence de son service.

À la moindre hésitation, vous serez invité à goûter les produits. Bref, malgré le très grand achalandage, on s'y sent toujours traité aux petits oignons.

Une excellente fromagerie de quartier porte un nom original: **Maître Affineur Maître Corbeau** *(1375 av. Laurier E.,* ☎*528-3293).*

Charcuterie

La Queue de Cochon *(1375 av. Laurier E.,* ☎*527-2525; 6400 rue St-Hubert,* ☎*527-2252).* Les fins gourmets apprécieront sans contredit les excellents produits de la petite charcuterie artisanale La Queue de Cochon. On y retrouve, entre autres, plusieurs variétés de terrines, du boudin blanc ou noir, une gamme de saucissons et saucisses, ainsi que quelques plats préparés. Il va sans dire que les produits dérivés du cochon sont à l'honneur ici et que le propriétaire (un Vendéen), aidé de sa famille, saura vous les faire découvrir, de sorte que vous ne pourrez plus vous en passer.

Aliments naturels

Première épicerie de la chaîne Rachelle-Béry à avoir ouvert ses portes, à l'angle des rues Rachel et Berri, **Rachelle-Béry** *(505 rue Rachel E.,* ☎*524-0725)* compte aujourd'hui quelques consœurs, notamment au 4660 du boulevard Saint-Laurent,

☎849-4118; au 2510 de la rue Beaubien Est, ☎727-2327; au 1332 de la rue Fleury Est, ☎388-5793; au 2005 de la rue Sainte-Catherine Est, ☎525-2215. Il s'agit de grands magasins d'aliments et produits naturels.

Tau *(4238 rue St-Denis,* ☎*843-4420)* propose une vaste gamme de produits naturels. Savons, produits médicinaux, aliments en vrac, fruits et légumes biologiques, petits plats préparés: tout pour prendre soin de sa santé!

Marchés publics

On trouve encore à Montréal des marchés publics où les producteurs québécois viennent vendre en été les produits de leur récolte. Dans certains d'entre eux, on peut également se procurer des marchandises importées.

Marché Atwater
138 av. Atwater
☎*937-7754*

Marché de Maisonneuve
4445 rue Ontario E.
☎*937-7754*

Marché Jean-Talon
7075 rue Casgrain
☎*277-1588*

Durant la belle saison, il y a aussi des petits marchés extérieurs comme celui qui se trouve à la sortie de la station de métro Mont-Royal, appelé le **Kiosque Mont-Royal** *(mai à fin oct)*, qui vend entre autres choses fruits, légumes et plantes.

Pâtisseries

À **La Brioche Lyonnaise** *(1593 rue St-Denis, ☎842-7017)*, on peut déguster sur place de délicieuses pâtisseries accompagnées d'un café. On peut aussi faire ample provision de ces petits délices.

Bien qu'elle n'ait de belge que le nom, la **Pâtisserie Belge** *(3487 av. du Parc, ☎845-1245; 1075 A av. Laurier O., ☎279-5274)* offre une vaste sélection de petits chefs-d'œuvre à base de chocolat, de crème et de mousse, et bien d'autres péchés mignons encore. Incontournable pour finir un repas entre amis en beauté, ou même seul!

La **Pâtisserie de Nancy** *(5655 av. Monkland, ☎482-3030)* est prisé des amateurs de bons croissants au beurre tout chauds les samedis et dimanches matin, et propose d'autres gâteries fines et sucrées.

Parmi les autres classiques montréalais en termes de pâtisserie, le **Duc de Lorraine** *(5002 ch. de la Côte-des-Neiges, ☎731-4128)* a conquis les papilles de plusieurs gourmands grâce notamment aux délices glacés au Grand Marnier et aux croissants à la pâte d'amandes.

Depuis des années, la **Pâtisserie de Gascogne** *(6095 boul. Gouin O., ☎331-0550; 4825 rue Sherbrooke O., ☎932-3511; 237 av. Laurier O., ☎490-0235)* fait l'unanimité des connaisseurs qui la placent au premier rang à Montréal. Dorénavant, elle est plus facilement accessible grâce à son superbe local de l'avenue Laurier, où il est aussi possible de s'attabler pour un café et une petite croûte. Miroir Cassis et Indulgent sont désormais des desserts incontournables de la nouvelle cuisine française que la Pâtisserie de Gascogne réussit à merveille.

Chocolateries

Au Festin de Babette *(4085 rue St-Denis, ☎849-0214)*. En été, une sympathique terrasse où l'on peut siroter un *espresso* comme à Paris ou déguster à son aise l'un de leurs délicieux sorbets ou crèmes glacées; en hiver, une petite caverne d'Alibaba de produits fins qui regorge de merveilleuses bouteilles d'huile d'olive fine, de pots de confitures exotiques, de condiments savoureux et bien d'autres péchés mignons encore. Mais, surtout, n'oublions pas l'essentiel: leurs succulentes, provocantes et enivrantes pralines belges qui fondent dans la bouche comme si elles y étaient nées. Une merveille! Le tout servi avec le sourire des sympathiques patrons.

Les amateurs de pralines belges pourront également se lécher les babines après une visite chez **Daskalidès** *(377 av. Laurier O.,* ☎*272-3447)* ou chez **Léonidas** *(605 boul. De Maisonneuve O.,* ☎*849-2620).*

Pour quelques dollars de plus, les inconditionnels de pralines belges peuvent aussi se laisser tenter par les produits de **Neuhaus** *(1442 rue Sherbrooke O.,* ☎*849-7609),* dont les bouchées chocolatées sont joliment présentées.

Une autre belle boutique pour du chocolat fin: **Godiva** *(Ogilvy, 1307 rue Ste-Catherine O.,* ☎*849-4789).*

Les enfants de tout âge ne pourront résister devant l'étalage de bonbons colorés, de caramels mous, de sucre d'orge et d'autres petits délices sucrés, à la boutique **Confiserie Louise Décarie** *(4424 rue St-Denis,* ☎*499-3445).*

Pour des bonbons de qualité vendus au poids: **Pâtisserie Chez Gaumont** *(3725 rue Wellington, Verdun,* ☎*768-2564).*

Occasions spéciales

Idées cadeaux

Les **Économusées** (voir ce mot dans l'index à la fin du livre pour trouver leurs coordonnées) se doublent de jolies boutiques offrant des œuvres affriolantes qui font de beaux cadeaux à offrir ou à s'offrir.

De même, les boutiques des musées montréalais sont véritablement une continuité des institutions qu'elles côtoient. Les objets d'art, reproduits en série, sont tout de même dignes des plus beaux salons. Deux bonnes adresses à retenir:

Boutique du Musée d'art contemporain
185 rue Ste-Catherine O.
☎*847-6226*

Boutique du Musée des beaux-arts de Montréal
1390 rue Sherbrooke O.
☎*285-1600*

Si vous cherchez une idée originale de cadeau, la boutique-resto **Céramique** *(4201B rue St-Denis,* ☎*848-1119; 95 rue de la Commune E.,* ☎*868-1611)* vous offre la possibilité de peindre vous-même une pièce de céramique ou de verre tout en étant confortablement installé devant un léger repas ou une boisson. Le personnel expérimenté est là pour vous conseiller.

Les amateurs de bons vins se doivent d'aller faire un tour **Aux plaisirs de Bacchus** *(1225 av. Bernard O.,* ☎*273-3104),* qui propose un bel éventail d'accessoires pour garnir sa cave à vins. Verres pour les dégustations également en vente.

Minuscule boutique le jour, **Kamikaze** *(4156 rue St-Denis,* ☎*848-0728)* se transforme, le soir venu, en un bar animé (Le

Passeport). On y propose pas moins de chouettes objets (boucles d'oreilles, colliers et autres bijoux de fantaisie) et des vêtements sympa (foulards, chaussettes et chapeaux).

Qui dit Provence dit **Senteurs de Provence** *(4077 rue St-Denis, ☎845-6867)*: savons, huiles parfumées, pots-pourris, parfums, tissus provençaux et bien d'autres choses encore dans cette charmante boutique qui vous fera voyager à travers cette contrée de la Méditerranée.

Vie intime

Condoms bleus, verts, jaunes, fluo, à la saveur de fraise ou en forme d'arbouse: toutes les fantaisies sont permises à la **Capoterie** *(2061 rue St-Denis, ☎845-0027)*, la seule boutique spécialisée en préservatifs à Montréal. Si vous êtes du genre «créatif», ne manquez pas de visiter cet établissement.

Quand l'amour est gay et que l'on aime l'amour gai, on se rend chez **Priape** *(1311 rue Ste-Catherine E., ☎521-8451)* afin d'y trouver articles et littératures érotiques. Bonne sélection de vêtements aguichants pour une soirée de drague réussie.

Bijouteries

Véritable institution à Montréal, **Birks** *(1240 rue du Square-Phillips, ☎397-2511)* a tout pour combler l'amant romantique en quête d'un diamant, pour fêter les noces d'or, pour offrir un anneau de mariage ou pour célébrer les événements qui méritent d'être soulignés par un beau bijou.

Pour des bijoux de fantaisie, en argent ou en pâte de verre, mais très jolis, il faut aller chez **Agatha** *(1054 av. Laurier O., ☎272-9313)*.

Si vous préférez des bijoux plus design, il faut plutôt opter pour **Kyose** *(Centre mondial du commerce, 393 rue St-Jacques, ☎847-7572)* ou **Oz Bijoux** *(3915 rue St-Denis, ☎845-9568)*.

Jeux et jouets

Pour se procurer un cerf-volant, pourquoi ne pas s'adresser directement aux experts? Les artisans de l'atelier **La Cerf-Volanterie** *(2019 rue Moreau, local 302, ☎845-7613)* en confectionnent de toutes les grandeurs et de toutes les couleurs pour petits et grands. Les fins de semaine d'été, vous pouvez même tester votre dextérité à leurs côtés au Vieux-Port.

Pour qui collectionne les trains miniatures, le **Coin du Cheminot** *(5354 rue Bélanger E., ☎728-8443)* est LA boutique à connaître.

Pinocchio et Capucine, accompagnés de Babar et de Milou, attendent les enfants chez **Franc Jeu** *(4152 rue St-Denis, ☎849-9253)* afin de leur montrer leur vaste sélection de jouets pour les 7 à 77 ans.

La boutique de l'**UNICEF** *(4474 rue St-Denis, ☎288-1305)*, tenue par des bénévoles et dont les profits vont directement à cet organisme des Nations Unies, propose des cartes de vœux, des idées cadeaux et une foule de jouets pour enfants. Si vous avez un cadeau à faire à un enfant, pourquoi ne pas en profiter pour faire un ou même plusieurs heureux de plus en encourageant l'UNICEF?

Jouer n'est plus le monopole des tout-petits grâce au **Valet d'cœur** *(4408 rue St-Denis, ☎499-9970)*, qui recèle mille et un jeux pour les enfants de tout âge. Vastes choix de casse-têtes en trois dimensions, jeux de dames ou d'échecs, jeux de société, etc.

Articles de voyage

Pour une fin de semaine à Québec, 15 jours en République dominicaine ou un congé sabbatique dans de lointains paradis, n'oubliez pas de passer chez **Jet-Setter** *(66 av. Laurier O., ☎271-5058)*, où valises, mallettes et sacs à dos vous attendent avant le départ.

Produits pour animaux

Si vous êtes de ceux qui aiment prendre soin de leur compa-

gnon à quatre pattes en leur procurant de la nourriture en vrac, des manteaux et des bottes d'hiver ou des paniers douillets, voici quelques-unes des belles boutiques de Montréal:

J.E. Mondou
4310 rue de la Roche
☎*521-9491*

Little Bear
4205 rue Ste-Catherine O.
☎*935-3425*

Pattes à Poil
4810 rue St-Denis
☎*282-9886*

Boutiques médiévales

Excalibor *(122 rue St-Paul E., ☎393-7260; 4400 rue St-Denis, ☎843-9993)* possède un nombre impressionnant d'armures, d'épées, de chapeaux, de costumes et de livres, ainsi qu'une foule d'autres bibelots ou articles inspirés de l'époque allant du Moyen Âge jusqu'à la Renaissance.

L'Échoppe du Dragon Rouge *(8874 rue Lajeunesse, ☎858-5711; 3806A rue St-Denis, ☎840-9030)* dispose de répliques d'objets et de vêtements du Moyen Âge.

Index

Index

Index

Marché Maisonneuve
(Maisonneuve) **211**
Marchés publics **393**
Masters de tennis
du Canada **374**
Mesures **72**
Météo **73**
Métro **53, 107**
Mille carré doré **126**
   bars et discothèques . . 348
   hébergement 271
   restaurants 298
Miroir aux alouettes
(Maison de l'OACI) **79**
Monastère des pères du
Très-Saint-Sacrement
(Plateau) **159**
Mondial de la bière **370**
Mondial SAQ: les feux
d'artifice de Montréal . . **371**
Monnaie **64**
Mont Royal **164**
Mont-Saint-Louis
(Quartier latin) **154**
Montcalm (Outremont) . . . **181**
Montréal et son histoire **14**
   années de transition
     (1763-1850) 21
   de 1960 à nos jours . . . 29
   de la Première à la Seconde
     Guerre mondiale . . . 25
   industrialisation et puissance
     économique
     (1850-1914) 22
   origines 15
   retour à la croissance
     (1945-1960) 26
   traite des fourrures
     (1665-1760) 18
   Ville-Marie (1642-1665) 16
Monument à Maisonneuve
(Vieux-Montréal) **81**
Monument aux Patriotes
(Le Village) **205**
Monument-National
(centre-ville) **113**
Morrice Hall
(Mille carré doré) **131**

Mosaïcultures Internationales
Montréal **370**
Moulin Fleming (Lachine) . **228**
Musée de la basilique
(Vieux-Montréal) **84**
Musée de Lachine
(Lachine) **229**
Musée de numismatique
(Vieux-Montréal) **82**
Musée des arts décoratifs
de Montréal
(centre-ville) **100**
Musée des beaux-arts de
Montréal **115**
   Art canadien 122
   Art contemporain 122
   Art européen des XIXe
     et XXe siècles 122
   Art inuit 125
   Art précolombien 125
   Arts décoratifs européens 121
   Cabinet des dessins
     et estampes 125
   Galeries des cultures
     anciennes 122
   Maîtres anciens 120
   Musée des arts décoratifs
     de Montréal 120
Musée des Hospitalières
(quartier de l'Hôtel-Dieu)**147**
Musée des maîtres et artisans
du Québec
(Saint-Laurent) **242**
Musée des ondes Émile
Berliner (Petite Bourgogne
et Saint-Henri) **217**
Musée du Château Ramezay
(Vieux-Montréal) **93**
Musée d'art contemporain
(centre-ville) **111**
Musée Juste pour rire
(quartier de l'Hôtel-Dieu)**149**
Musée Marc-Aurèle-Fortin
(Vieux-Montréal) **87**
Musée Marguerite-Bourgeoys
(Vieux-Montréal) **96**
Musée Marguerite-d'Youville
(Village Shaughnessy) . . **142**

Index